ACCESO GRATIS *a la Lectura en la Nube*

Para visualizar el libro electrónico en la nube de lectura envíe junto a su nombre y apellidos una fotografía del código de barras situado en la contraportada del libro y otra del ticket de compra a la dirección:

ebooktirant@tirant.com

En un máximo de 72 horas laborales le enviaremos el código de acceso con sus instrucciones.

COVID-19 Y DERECHO PÚBLICO

(durante el estado de alarma y más allá)

COVID-19 Y DERECHO PÚBLICO
(durante el estado de alarma y más allá)

DAVID BLANQUER

Coordinador

CÉSAR CIERCO   JOSÉ LUIS PIÑAR

TOMÁS RAMÓN FERNÁNDEZ   ANA I. SANTAMARÍA

JUAN RAMÓN FERNÁNDEZ   JUAN ALFONSO SANTAMARÍA

JULIO V. GONZÁLEZ   JOAN MANUEL TRAYTER

FRANCISCO VELASCO

tirant lo blanch

Valencia, 2020

Copyright ® 2020

En caso de erratas y actualizaciones, la Editorial Tirant lo Blanch publicará la pertinente corrección en la página web www.tirant.com.

© David Blanquer (coord.)

© TIRANT LO BLANCH
EDITA: TIRANT LO BLANCH
C/ Artes Gráficas, 14 - 46010 - Valencia
Telfs.: 96/361 00 48 - 50
Fax: 96/369 41 51
Email:tlb@tirant.com
www.tirant.com
Librería virtual: www.tirant.es
DEPÓSITO LEGAL: V-1385-2020
ISBN: 978-84-1355-557-7
MAQUETA: Tink Factoría de Color

Si tiene alguna queja o sugerencia, envíenos un mail a: *atencioncliente@tirant.com*. En caso de no ser atendida su sugerencia, por favor, lea en *www.tirant.net/index.php/empresa/politicas-de-empresa* nuestro procedimiento de quejas.

Responsabilidad Social Corporativa: http://www.tirant.net/Docs/RSCTirant.pdf

Contenido

TRANSPARENCIA Y PROTECCIÓN DE DATOS EN EL ESTADO DE ALARMA Y EN LA SOCIEDAD DIGITAL POST COVID-19........ 135
José Luis Piñar Mañas

Presentación

El severo confinamiento domiciliario y demás medidas procesales y administrativas coactivamente impuestas por el Real Decreto 463/2020 (por el que se declara el estado de alarma para la gestión de la situación de crisis sanitaria ocasionada por la COVID-19), dejó a los juristas fuera de la primera línea de actividad que les exige el Estado de Derecho. Ahora que ya se avanza con paso firme en la desescalada y nos aproximamos paulatinamente a la normalidad, conviene recuperar el pulso y ponerse al lado del personal sanitario, los farmacéuticos, los transportistas y responsables de la logística, o junto a los empleados de los establecimientos de alimentación, que de manera ejemplar se han mantenido en todo momento en la primera línea de la lucha contra la pandemia y sus devastadores efectos.

Una manera de ser solidarios con quienes han sufrido (y seguirán sufriendo) las terribles consecuencias sanitarias, sociales y económicas de la pandemia, es compartir con ellos y sus abogados las valoraciones jurídicas y las reflexiones críticas sobre la gestión gubernamental y administrativa de la crisis. Tanto desde una perspectiva pragmática como académica, es muy conveniente y oportuno el análisis del mayor o menor respeto durante el estado de alarma y más allá, de las garantías que brinda nuestro Estado constitucional de Derecho.

Para ello hemos formado un equipo de juristas con distintas tendencias ideológicas y sensibilidades políticas. Esa intencionada búsqueda del pluralismo también se ha perseguido eligiendo profesores de universidades ubicadas en varias Comunidades Autónomas (Cataluña, Madrid, Comunidad Valenciana). No hemos buscado la paridad, pero sí que hemos incorporado a una valiosa jurista que trabaja en el Consejo de Estado. Esa apertura a la diversidad también aconseja hacer algún análisis de Derecho comparado, para exponer las experiencias jurídicas provocadas por la emergencia de la COVID-19 en algún ordenamiento de nuestro entorno geográfico y cultural; por razones fronterizas y por la comunidad de figuras y conceptos en el mundo del Derecho público, hemos elegido incluir un estudio sobre Francia.

Se ha optado por un término intermedio en la gestión del calendario: el aplazamiento o retraso de la aparición de este libro hubiera permitido estudios más completos y profundos, pero ese período de maduración académica hubiera demorado en exceso la pública difusión del análisis jurídico sobre cuestiones de máxima importancia para los intereses generales o colectivos.

En nombre de la Editorial Tirant lo Blanch y en el mío propio, quiero agradecer vivamente el esfuerzo de los compañeros y amigos que generosamente aceptaron la invitación a participar en este volumen, pues el contexto en el que se ha forjado el libro no es el más propicio: mucha demanda universitaria y poca oferta académica. Además de tener apenas un mes para redactar su colaboración, lo han tenido que hacer en fechas con mucha carga de trabajo docente (enseñanza *"online"*, exámenes en remoto, corrección de trabajos y casos prácticos, tutorización de TFG, máster, TFM ...). Por otro lado, quiero destacar otro factor que dificultaba la ejecución del encargo: la escasez de materiales bibliográficos disponibles en casa y durante el confinamiento, pues las bibliotecas universitarias estaban todas cerradas a cal y canto.

En este volumen se reflexiona sobre el régimen jurídico de las medidas impuestas para preservar la salud pública, se estudia la regulación y garantía de los derechos y libertades constitucionales en situaciones de emergencia (tanto en España como en Francia); también se analiza la privacidad de la ciudadanía y la mayor o menor transparencia informativa de las autoridades competentes. En un libro de Derecho público no puede faltar algún estudio sobre las potestades exorbitantes de la Administración; aquí se presta atención al ejercicio de la potestad reglamentaria y la potestad sancionadora durante el estado de alarma. Además se examina la intensa actividad contractual de los sujetos del sector público para obtener el suministro de material sanitario (u otras prestaciones necesarias durante la pandemia), las cuestiones procesales que suscita el control judicial de la actuación gubernamental y administrativa, o la respuesta de nuestro ordenamiento a los múltiples e importantes daños sufridos por las personas físicas y jurídicas con ocasión de la crisis sanitaria, o con motivo de las medidas gubernamentales impuestas durante el estado de alarma. Hay algunas materias que, por causas ajenas a nuestra voluntad y debido a la premura de tiempo para ir a la imprenta, en el penúltimo momento han quedado finalmente en el tintero; por ejemplo y entre otras cuestiones de gran interés, el estudio de las competencias y funciones de la Unión Europea en materia de salud pública.

Con nuestro trabajo jurídico sólo pretendemos ser de alguna utilidad a la sociedad a la que pertenecemos, con una modesta aportación que sirva para situar en el marco constitucional del Estado de Derecho, la gestión de la crisis sanitaria motivada por la COVID-19 (y sus eventuales mutaciones o rebrotes futuros). Ha llegado el momento de que los juristas nos unamos a los sanitarios en la primera línea de la lucha; ahora no se trata del combate contra la enfermedad COVID-19, sino de la lucha por el Derecho. Como expuso con vibrante lucidez Rudolph VON IHERING, en esa otra contienda todos debemos asumir (con tanta solidaridad como responsabilidad) nuestra función colectiva o institucional: *"No, no basta para que el derecho y la justicia florezcan en un país, que el juez esté dispuesto siempre a ceñir la toga, y que la policía esté dispuesta a desplegar sus agentes; es preciso aún que cada uno contribuya por su parte a esta grande obra, porque todo hombre tiene el deber de pisotear, cuando llega la ocasión, la cabeza de esa víbora que se llama la arbitrariedad y la ilegalidad"*[1].

David Blanquer Criado
En Valencia, a 7 de junio de 2020
(Festividad de San Roberto)

---

[1]   Rudolph VON IHERING, *La lucha por el derecho*, Prólogo de Leopoldo Alas «Clarín», Editorial Civitas, Madrid 1985, página 101. Un poco más adelante (página 117) añade lo siguiente: *"Determinando de una manera clara y precisa el derecho positivo; descartando de todas las esferas del derecho, no solamente del civil, sino también de las leyes de policía y de la legislación administrativa y financiera, todo lo que puede chocar con el sentimiento del derecho sano y digno del hombre; proclamando la independencia de los tribunales y reformando el procedimiento, se llegará a acrecentar la fuerza del Estado, mucho mejor que votando el más alto presupuesto militar"*.

El estado de derecho, a prueba

TOMÁS RAMÓN FERNÁNDEZ
Catedrático de Derecho Administrativo
Abogado

1. Los españoles de hoy hemos sido, hasta ahora, extraordinariamente afortunados porque, a diferencia de nuestros padres y abuelos, que sufrieron los horrores de una guerra, cuando no de dos, y la tragedia de una pandemia, la de la mal llamada "gripe española", que segó la vida de más de cincuenta millones de personas en todo el mundo, no habíamos padecido nunca nada semejante. Muy al contrario, a lo largo de nuestras vidas hemos ido comprobando que todo, absolutamente todo, mejoraba día a día, que nuestra renta *per capita* y nuestro nivel de vida no hacían sino crecer año tras año y que cada vez era más extenso y más intenso también lo que ha dado en llamarse el Estado del bienestar, que parecía no tener fin y que admitía sin demasiada resistencia la reivindicación de nuevos derechos a nuevas y mayores prestaciones, que, una vez alcanzadas, no podían ser disminuidas sin caer en el anatema de los "recortes" y en la calificación de "fachas" a los gobernantes que, en determinadas circunstancias excepcionales, se veían obligados a decretar alguno (con la excepción del Presidente RODRÍGUEZ ZAPATERO a quien nadie le reprochó el primero y más importante de esos "recortes": la reducción de un 5% del sueldo de los funcionarios y la supresión de las pagas extraordinarias). ¡Teníamos condiciones para sentirnos felices, pero no nos dábamos cuenta!

De ahí la conmoción que hemos sufrido cuando un micro organismo patógeno desconocido, el nuevo coronavirus SARS-COV-2, hizo irrupción en la escena y todo empezó a tambalearse de la forma más inesperada. Así hemos vivido, aturdidos y amedrentados, durante los dos meses largos de confinamiento que el Gobierno, cuyas Ministras celebraron alegremente el 8 de Marzo de 2020 el Día de la Mujer encabezando una manifestación tan multitudinaria como insensata, se vió obligado a decretar sólo seis días después (Real Decreto 463/2020, de 14 de Marzo), única forma, al parecer, de hacer frente a la expansión descontrolada del virus, que, ante la ausencia absoluta de las más elementales medidas profilácticas, amenazó con colapsar el sistema sanitario, que sólo pudo mantenerse en pié gracias al esfuerzo impagable del personal sanitario que, a cuerpo limpio literalmente, siguió en la brecha sin desmayo.

Ahora que, poco a poco, el miedo inicial al contagio va pasando a medida que descienden el número de afectados y el de fallecidos, viene a ocupar su lugar otro miedo no menos intenso, el de una sociedad que se siente cautiva, no sin razón, como ha explicado muy bien mi compañera y amiga Consuelo MADRIGAL en las páginas de *El Mundo* (edición del 4 de Mayo de 2020) porque ve como sus libertades han ido menguando y sospecha con fundamento que la mengua ha sido desproporcionada por excesiva y que ha ido en beneficio del Gobierno, como con la mayor buena fe vino a reconocer en la pantalla de TVE un general de la Guardia Civil, que, como miembro de tan prestigioso instituto, dio fé de que ni está acostumbrado, ni sabe mentir.

2. La reflexión profunda que todos estamos obligados a hacer en cuanto recuperemos la libertad y el ánimo, tiene que empezar por inventariar los daños producidos por la pandemia y por su poco afortunado tratamiento gubernativo. Y no me refiero solamente a los daños económicos, que han sido ya cifrados provisionalmente en términos estremecedores, que costará no menos de cinco años "normalizar".

Con ser esto grave, lo es más todavía el "descubrimiento" de la extraordinaria fragilidad de esa aparatosa e imponente estructura que teníamos por omnipotente, el Estado, que se ha venido abajo literalmente en sólo dos meses ante el embate de ese enemigo invisible que ha venido de China y cuyo origen real desconocemos todavía.

Teníamos razones para haberlo aprendido porque ya en la crisis del euro, hace sólo diez años, pudimos comprobar que sin el poderoso respaldo del Banco Central Europeo se hubieran ido a pique no sólo los Estados que fueron "rescatados" pura y simplemente, sino también el nuestro, que lo fue en parte y, muy probablemente todos los demás de la zona euro, si la propia divisa hubiera claudicado.

No aprendimos, sin embargo, la lección y me temo que tampoco vayamos a aprenderla ahora cuando leo en la prensa (*El Mundo*, 7 de Abril) las declaraciones de un político serio, de extensa experiencia, José BORRELL, que sigue hablando del Estado como prestamista de última instancia, empleador de última instancia, propietario y asegurador de última instancia, etc, etc, en la línea de la más estricta ortodoxia socialdemócrata, discurso que, sin duda, suena bien, pero que ya sólo tiene sentido cuando se cuenta con una instancia protectora supranacional, que, ésa sí, es la última instancia. El Estado, un Estado sólo, no es nada. Su capacidad de resistencia en una crisis como ésta es realmente mínima. No da ni para mascarillas, como hemos podido comprobar.

El segundo grave "descubrimiento", aunque el fenómeno también lo teníamos a la vista desde hace mucho tiempo, se ha producido al reparar por fin en que ese complejo artefacto está dirigido, es decir, gobernado por personas a las que con muy pocas excepciones nadie en su sano juicio encargaría la gestión de una pequeña empresa, dada su radical ignorancia de lo que hay que saber para sacar adelante cualquier empresa.

Hablo en general porque en el Estado de partidos, éstos, los partidos políticos, que tenían que ser y que de algún modo han sido en el pasado organizaciones capaces de seleccionar y formar a los futuros gobernantes, han dimitido total y absolutamente de esa función esencial y se han quedado en simples bandas cuyo único objetivo es conquistar a cualquier precio el poder para repartírselo entre ellos una vez conquistado.

La pérdida de calidad de la clase política española ha sido colosal y esa pérdida, que es general, afecta de modo muy especial a la izquierda. Basta comparar uno a uno los miembros del primer gobierno de Felipe GONZÁLEZ con los miembros y "miembras" de los Gobiernos de José Luis RODRÍGUEZ ZAPATERO y Pedro SÁNCHEZ.

Cuando todo va bien esa falta de calidad personal y de competencia profesional no se nota demasiado. Cualquiera vale en esas circunstancias para ocupar un puesto en el Gobierno. Basta un poco de desparpajo, repetir a todas horas venga o no a cuento los tópicos al uso, y, por supuesto, echar la culpa al adversario para salir adelante, ya que todo lo demás lo ponen los medios de comunicación afines.

El problema surge cuando la palabrería habitual no sirve porque hay cosas que hacer, cuando no valen las palabras porque hay que trabajar y para eso hay que haber trabajado alguna vez, hay que saber algo, hay que tener alguna experiencia. Ese ha sido nuestro drama esta vez: una reacción tardía y una gestión torpe que han obligado a adoptar la más drástica de las medidas posibles, el arresto domiciliario de toda la población sin más excepción que las personas implicadas en los servicios esenciales, esto es, la pérdida absoluta de la primera de las libertades, la de ir y venir. Volverá a ocurrir, si no se pone remedio a las causas reales del desastre. La COVID-19 no tiene toda la culpa.

3. A esa reflexión de fondo hay que unir un análisis serio de los instrumentos de los que disponemos, de las herramientas jurídicas que tenemos a nuestro alcance. A ese tema concreto se refieren los estudios que este volumen reúne en los que se analizan por vez primera las normas aplicables y la aplicación que se ha hecho de las mismas.

Como simple introductor que soy, ni puedo, ni debo duplicar ese análisis. Sí quiero subrayar que la Ley Orgánica 4/1981, de 1 de Junio, sobre los estados de alarma, excepción y sitio, no ha superado la prueba de la realidad. Sobre el papel parecía una Ley impecable en la línea de la más estricta ortodoxia democrática, como puso de manifiesto la brillante tesis doctoral de CRUZ VILLALÓN. Fue aplicada una sola vez con motivo de la huelga de controladores aéreos de 2010 y sirvió ciertamente para resolver el problema, pero se trataba de un conflicto de orden público, que es para lo que la Ley estaba pensada, no de una crisis sanitaria como la que venimos sufriendo, para la que carece de respuestas apropiadas.

La Ley regula, en efecto, los estados de alarma, excepción y sitio por orden de menor a mayor gravedad y ordena también las respuestas de la misma forma, asignando al primero de dichos estados las más suaves, esto es, las que simplemente limitan los derechos sin llegar a suspender éstos (artículo 4), reservando la suspensión para el estado de excepción, tal y como establece el artículo 55 de la Constitución, y dejando todo en manos de la autoridad militar en el estado de sitio, cuya declaración se refiere a los casos en que "se produzca o amenace producirse una insurrección o acto de fuerza contra la soberanía o independencia de España, su integridad territorial o el ordenamiento constitucional" (artículo 32).

¿Cuál es el fallo? Pues, precisamente, este orden, que parece suponer que las "catástrofes, calamidades o desgracias públicas, tales como terremotos, inundaciones, incendios urbanos y forestales o accidentes de gran magnitud", las "*crisis sanitarias, tales como epidemias* y situaciones de contaminación graves", la "paralización de servicios públicos esenciales para la comunidad" y las "situaciones de desabastecimiento de productos de primera necesidad", que son los supuestos que permiten declarar el estado de alarma según el artículo 4 de la Ley, son menos importantes y exigen respuestas menos contundentes que los conflictos de orden público, únicos a los que se refiere el estado de excepción que es el que legitima la suspensión de los derechos a la libertad y seguridad (artículo 17 de la Constitución), la inviolabilidad de domicilio y el secreto de las comunicaciones (artículo 18, apartado 2 y 3), la libre circulación y residencia (artículo 19), la libertad de expresión y el derecho a la información (artículo 20, apartado a y d), el derecho de reunión (artículo 21), el derecho de huelga (artículo 28.2) y el derecho a adoptar medidas de conflicto colectivo (artículo 37.2).

Porque a eso exclusivamente, a las alteraciones del orden público, se refiere el estado de excepción, según el artículo 13.1 de la Ley 4/1981 ("cuando el libre ejercicio de los derechos y libertades de los ciudadanos, el normal funcionamiento de las instituciones democráticas o los servicios públicos esenciales para la comunidad *o cualquier otro aspecto del orden público* resulten tan gravemente alterados…"). Reprimir las alteraciones del orden público justifica para el legislador un sacrificio de los derechos y de las libertades mayor que el tratamiento de una crisis sanitaria, como la que estamos viviendo, error que la realidad se ha encargado de poner de manifiesto.

De ahí el equívoco, el interesado equívoco del que se ha aprovechado el Gobierno, que se ha limitado a declarar el estado de alarma, porque es el que la Ley prevé para las crisis sanitarias provocadas por las epidemias, pero ha suspendido también el derecho a la libre circulación de los ciudadanos (artículo 19 de la Constitución), suspensión que probablemente era necesaria pero que no cabe decretar sin solicitar previamente del Congreso de los Diputados autorización para declarar el estado de excepción. Mi amigo y compañero Manuel ARAGÓN denunció tempranamente el exceso con su habitual mesura en las páginas del *El País* de 10 de Abril de 2020 ("*Hay que tomarse la Constitución en serio*"), por lo que no es preciso insistir en ello.

Habrá también que corregir estos fallos para que no vuelvan a repetirse estos excesos.

Dejo ya la palabra a mis compañeros que ilustrarán al lector sobre los múltiples problemas que el COVID-19 ha planteado al Derecho Administrativo que todos nosotros profesamos.

Derecho de la Salud Pública y COVID-19

CÉSAR CIERCO SEIRA
Universidad de Lleida

I. INTRODUCCIÓN. DEBERES PENDIENTES Y NUEVAS LECCIONES PARA EL DERECHO DE LA SALUD PÚBLICA[1-2]

Arrancaré con una brevísima presentación del Derecho de la Salud Pública. Se trata de una de las dos grandes ramas en que se divide hoy el Derecho Sanitario y tiene en el enfoque colectivo su *principium divisionis*. A la salud pública le preocupa, claro es, la salud, solo que, en lugar de concentrar el interés en la vertiente

---

[1]   Las abreviaturas utilizadas en este trabajo son las siguientes: CE: Constitución Española; LBRL: Ley 7/1985, de 2 de abril, Reguladora de las Bases del Régimen Local; LGS: Ley 14/1986, de 25 de abril, General de Sanidad; LGSP: Ley 33/2011, de 5 de octubre, General de Salud Pública; LJCA: Ley 29/1998, de 13 de julio, reguladora de la Jurisdicción Contencioso-administrativa; LOAES: Ley Orgánica 4/1981, de 1 de junio, de los estados de alarma, excepción y sitio; LOMESP: Ley Orgánica 3/1986, de 14 de abril, de Medidas Especiales en Materia de Salud Pública; RDEA: Real Decreto 463/2020, de 14 de marzo, por el que se declara el estado de alarma para la gestión de la situación de crisis sanitaria ocasionada por el COVID-19.

[2]   He optado en este trabajo por utilizar preferentemente el término *epidemia* como protagonista. En rigor, entiendo que sería más correcto utilizar un sintagma del estilo de "amenaza de salud pública" o, también, "crisis o emergencia de salud pública", siguiendo la estela que marca hoy el Reglamento Sanitario Internacional, donde se usa como aglutinador la noción de emergencias de salud pública de importancia internacional (*Public Health Emergency of International Concern*). Ello es así porque las enfermedades contagiosas no agotan todas las causas en grado de provocar una grave crisis de salud pública —pensemos, por ejemplo, en el bioterrorismo—. Esto supuesto, la única razón por la que me he decantado esta vez por la palabra epidemia es porque, a diferencia de las referidas construcciones, conserva una fuerza semántica que conviene a la idea-fuerza de insistir en la conveniencia de la regulación más profusa de esta materia.

asistencial, la que pone su primer foco en la curación de la enfermedad, se propone ampliar, por así decir, las miras para fijarse, en clave colectiva, en todos aquellos factores que están en grado de influir en la salud de la población —los llamados determinantes de la salud— y ello con el propósito último de alcanzar y mantener, en versión comunitaria y presupuesto de la individual, «el mayor nivel posible de salud». Así luce expresado el fin último de la salud pública en el art. 1 de la Ley General de Salud Pública, que, no en vano, es su ley de cabecera.

En efecto, la Ley General de Salud Pública es a la salud pública lo mismo que la Ley General de Sanidad a la salud asistencial. Ello no quiere decir, por supuesto, que sean dos ramas solo unidas en el origen por el tronco común que representa el art. 43 de la CE[3]. Antes al contrario, las vertientes, ya individual que colectiva, asistencial y preventiva, a menudo emergen en la realidad así de entrelazadas que cuesta, de hecho, ensayar una adscripción temática si no es con salvedades. Sea como fuere, representan enfoques, maneras de contemplar el hecho de la salud con una sustantividad propia, que dan lugar a desarrollos, principios y técnicas con savia particular. De ahí que la LGSP tenga también a su alrededor un conjunto muy nutrido de normas, incluyendo una rica legislación de cuño autonómico que es reflejo de la distribución competencial que abren los arts. 148.1.21ª y 149.1.16ª de la CE y, desde otro flanco, una igualmente sustanciosa regulación europea e internacional que son señal, por lo demás, de cómo lo nacional y lo transnacional acaban por converger tarde o temprano cuando hablamos de preservar la salud ante retos colectivos. Muchas normas, ciertamente, están llamada a orbitar en torno a la LGSP. Sin embargo, su liderazgo, su condición de ley general que se sitúa a la cabeza del grupo, lo vertebra y le aporta las señas de identidad propias de un sistema, se ve lastrado por no pocas rémoras.

---

[3]   Una excelente exposición panorámica en Juan PEMÁN GAVÍN, «El derecho constitucional a la protección de la salud. Una aproximación de conjunto a la vista de la experiencia de tres décadas de vigencia de la Constitución», *Revista Aragonesa de Administración Pública*, 34, 2009, 11-49.

Al cabo, el Derecho de la Salud Pública, lejos de presentársenos como un bloque lucido de normas compacto, ordenado, dibuja más bien un cuadro abigarrado y algo deslavazado, donde no resulta fácil moverse y a menudo se echan en falta guías y enlaces.

***

Si pudiésemos viajar a la entraña misma de la salud pública es seguro que en ella habríamos de encontrar la preocupación por las enfermedades de carácter transmisible, señaladamente de aquéllas capaces de causar estragos en la población. Tal vez no con el protagonismo de los tiempos pasados, pero, sin duda, manteniendo una plaza destacada entre las inquietudes que desvelan a los que profesan la salud pública. Inquietudes que, no obstante, no han tenido, a mi modo de ver, un reflejo consecuente en la codificación del Derecho de la Salud Pública acometida en las últimas décadas.

Si echamos la vista atrás en el tiempo y pensamos en la salud pública de épocas pretéritas advertiremos al poco la profunda y formidable transformación en un periplo que ha llevado a desplazar finalmente su centro de gravedad. Producto de los avances y grandes logros de la Medicina y de la Ciencia en general, la salud pública ha dejado de concentrar los más de sus esfuerzos en combatir caramente a una temible nómina de enfermedades contagiosas. La peste, el cólera o la fiebre amarilla han dejado de ser una amenaza incontenible en los países occidentales. La salud, por su parte, hace tiempo que ya no se explica en negativo, vinculada únicamente a la ausencia de la enfermedad; ha mudado para abrazar una formulación en positivo: «La salud —según reza la célebre definición consignada en la Constitución de la Organización Mundial de la Salud— es un estado de completo bienestar físico, mental y social y no solamente la ausencia de afecciones o enfermedades». Traducido esto al campo de la salud pública resulta que su clave de bóveda aparece hoy custodiada por los determinantes de la salud; es en ellos en los que trabaja la salud pública moderna, tratando de descifrar los numerosos factores que influyen en la salud de la población, incluyendo los que tienden a preterirse en los análisis estrictamente clínicos como son las condiciones de índole ambiental, cultural y/o social. Con semejante horizonte, cuya vastedad no se adivina, la salud pública de nuestros días se caracteriza por su vocación transversal, cristalizada en el principio de salud en todas las políticas, así como por el fuerte peso específico de su orientación social, que se reconduce al principio de equidad.

No obstante esta honda redefinición contemporánea de los problemas de salud pública, las enfermedades transmisibles siguen ocupando, ni qué decir tiene, un lugar importante en la agenda. Por más que se hayan dado pasos de gigante en la contención e incluso erradicación de viejas enfermedades devastadoras —el hito más sonado es el de la viruela—, la sombra de su amenaza nunca ha dejado de estar allí y, por momentos, se diría que hasta se alarga, producto, entre otras razones, de una transmisibilidad que, a lomos de la globalización, puede multiplicar exponencialmente el desafío.

***

El Derecho de la Salud Pública ha llegado a la cita sin haber hecho los deberes. A la cita, sí, porque la pandemia del covid-19 constituía una eventualidad probable; no, por supuesto, en lo que atañe a la específica tipología y caracteres del virus que nos azota; ni tampoco, claro está, al tiempo de irrupción; pero sí como categoría de amenaza de salud pública con muchos números de concretarse. Aunque no se conocía el rostro exacto, se sabía que tendríamos que enfrentarnos en algún momento a una amenaza de esta índole, a un virus causante de una enfermedad contagiosa grave que recorrería sin remisión el planeta.

Y a ello llevaba, entre otras cosas, la propia experiencia reciente. Bastaba echar un vistazo a la cadena de las grandes crisis sanitarias globales de las últimas décadas: SARS (2003-2005); Gripe aviar (2003-2006); Gripe A (2008-2009); Ébola (2013-2014); Zika (2015-2016). Emergencias muy distintas entre sí, por supuesto, tanto en lo que se refiere a su caracterización científica, a su impacto en las distintas latitudes o al daño causado en términos de víctimas y, a la postre, diferentes en cuanto a la percepción del riesgo que representaban en la sociedad. Así y todo, todas ellas portaban consigo la misma *moraleja*: conviene prepararse para estar en mejor disposición de hacer frente a los nuevos episodios que aguardan.

Por eso, si hay una palabra recurrente en el estudio de estas crisis, al margen de la disciplina que sea, no es otra que *lecciones*. Porque eso es lo que toca: en lugar de la resignación ante lo inevitable, poner el acento en las enseñanzas que cabe extraer de cada uno de estos sobresaltos. Cada crisis deja a su paso claves para mejorar nuestra capacidad de comprensión y adaptación, advirtiéndonos asimismo de la necesidad de permanecer siempre en tensión y de aprovechar los períodos de calma para revisar y mejorar los mecanismos de prevención y defensa. Aprender de la experiencia para no volver a cometer los mismos errores no sólo responde al sentido común de las cosas sino que, especialmente en el campo de la salud pública, representa un imperativo natural.

Lecciones en todos los órdenes. También para el Derecho. Porque el Derecho ha de ocuparse, como fenómeno que al cabo atañe a la vida en sociedad, de las epidemias. Cometido que, por otra parte, no le resulta en modo alguno extraño. No en vano, hasta no hace tanto, esa era la auténtica nuez del Derecho Sanitario. Las tornas se volvieron, como es sabido, durante la segunda mitad del siglo XX y, poco a poco, ese interés fue desvaneciéndose hasta quedar aparcado, casi como un apéndice menudo, no sólo dentro del Derecho Sanitario general, sino también del propio Derecho de la Salud Pública en particular. Basta leer las exposiciones de motivos de las distintas leyes modernas de salud pública, ya estatal que autonómicas, para darse cuenta de que son otros los ejes del discurso renovador —y reivindicativo— de este sector.

El caso es que la regulación de las epidemias en nuestro país lleva mucho tiempo instalado en una precariedad manifiesta. Y es que son muy numerosos los apartados que requieren de una profunda labor de sistematización, desarrollo y actualización. Algo que venía siendo significado por la doctrina científica y que las urgencias y dificultades a la hora de articular, en el plano jurídico, un plan de acción compacto contra las recientes crisis referidas no habían hecho más que corroborar.

Que el régimen jurídico de las epidemias necesitaba, en definitiva, una puesta a punto era cosa difícilmente rebatible. La doctrina científica, como acabo de señalar, lo había discurrido y documentado en numerosas ocasiones[4].

En compendio, cabe reconocer en la literatura jurídica que se ha ocupado de la regulación de las epidemias y, singularmente, de

---

[4]   Tengo por libro de cabecera en esta materia el de Edorta COBREROS MENDAZONA: *Los tratamientos sanitarios obligatorios y el derecho a la salud: estudio sistemático de los ordenamientos italiano y español*, Instituto Vasco de Administración Pública, Oñati, 1988. Publicado al poco de la entrada en vigor de la LOMESP, descubre ya las claves fundamentales de su inteligencia y las limitaciones que aquejaba en su factura y que siguen estando ahí. Con posterioridad, otros autores han profundizado y ensanchado esta línea de investigación. Destacables son, entre otros, los estudios de Federico DE MONTALVO JÄÄSKELÄINEN: «La salud pública como límite constitucional de los derechos», *Tratado de Derecho Sanitario*, v. 2, Aranzadi, Cizur Menor, 2013, 1009-1039; «El paradigma de la autonomía en salud pública ¿una contradicción o un fracaso anticipado?: el caso concreto de la política de vacunación», *Derecho y Salud*, 24, 2014, 27-40; «El marco legal de la salud pública», *La gestión orientada hacia la calidad y seguridad de los pacientes*, Fundación MAPFRE, Madrid, 2017, 139-155; y «Medidas para la promoción de la salud pública desde una perspectiva jurídica: información, incentivos y prohibiciones», *Cambio climático y salud: adaptación a las olas de calor*, Aranzadi, Cizur Menor, 2018, 37-84. También de Laura SALAMERO TEIXIDÓ: «Derechos individuales frente a salud pública en la protección ante enfermedades contagiosas: propuestas de mejora del marco regulatorio vigente», *Informe SESPAS 2016, Gaceta Sanitaria*, 30, 2016, 69-73; y «La salud pública como límite a los derechos y libertades individuales en situaciones de riesgo y emergencia», *El Derecho ante la salud pública. Dimensión interna, europea e internacional*, Aranzadi, Cizur Menor, 2018, 141-172. Por mi parte, me he ocupado del particular en «Epidemias y Derecho Administrativo. Las posibles respuestas de la Administración en situaciones de grave riesgo sanitario para la población», *Derecho y Salud*, 2, 2005, 211-256; *Administración pública y salud colectiva: el marco jurídico de la protección frente a las epidemias y otros riesgos sanitarios*, Comares, Granada, 2006; y «La necesaria actualización de la legislación española en materia de salud pública», *Derecho y Salud*, 17, 2009, 23-45.

la Ley Orgánica de Medidas Especiales en Salud Pública, que puede considerarse su punta de lanza —en cuanto alberga las habilitaciones más incisivas—, los siguientes déficits y puntos débiles:

a. La deficiente técnica normativa. Es sin duda un lugar común cargar contra la técnica normativa empleada. Se trata de un ámbito regulado con muy poca intensidad y, en consecuencia, plagado de lagunas y remisiones, algunas, por cierto, implícitas. No es que no convenga una capacidad particularmente amplia de maniobra habida cuenta de la naturaleza cambiante y sorpresiva de este tipo de amenazas. La discrecionalidad es aquí necesaria, desde luego, para preservar la respuesta flexible. Ahora bien, esto sentado, no hace falta explicar que la flexibilidad no está reñida con el ideal de completitud de las normas jurídicas ni con el deber consecuente del legislador de tratar de incorporar la mayor densidad regulatoria posible al poder conferido a la Administración. Luego ha de aspirarse, aunque se trate de epidemias, a crear normas lo más completas posibles, en el sentido de acabadas y perfectas, en grado de reducir los márgenes de la discrecionalidad y encauzar su ejercicio.

b. La falta de vertebración. El hecho de las epidemias, como materia en sí, no aparece regulado de una forma vertebrada, es decir, estructurado a partir de un régimen ordenado de preceptos. Es necesario componerlo con trozos de aquí y de allí. En esto, ni siquiera la tardía aprobación de la Ley General de Salud Pública, en 2011, nacida con el designio de capitanear el reverdecimiento de la salud pública y provista en cuanto tal de carácter general y galones básicos, enmendó esta situación, aportando esa consistencia y estructura normativas que se echan de menos en lo que toca a la preparación y respuesta ante crisis y emergencias de salud pública.

c. Se ha hecho hincapié asimismo en que la regulación de las epidemias aqueja una *falta de desarrollo* de un número significativo de temas específicos. Digamos que el conjunto normativo se antoja efectivo para el choque, para responder, si se quiere, a las primeras de cambio, pero se descubre inconsistente y sin apenas recorrido a poco que sea necesario implementar una estrategia generalizada o duradera en el tiempo.

d. Capítulo aparte, aunque igual de importante, es la *desconexión* flagrante con la *salud pública internacional.* Así, desconocemos qué lugar ocupan exactamente en el cuadro general las emergencias de salud pública de importancia internacional (*Public Health Emergency of International Concern*), que son la piedra angular del Reglamento Sanitario Internacional (*International Health Regulations*). Ni rastro, en suma, de la globalización y, por consiguiente, del acervo que se está consolidando en el mundo en torno a la articulación de respuestas legales ante las epidemias. Lo cual, a su vez, está conectado con la falta de interés por el estudio comparado de las leyes de emergencia sanitaria que se están aprobando en otros países, máxime teniendo en cuenta que fuera de nuestras fronteras es perceptible una potente corriente que, producto precisamente de las lecciones de las crisis referidas y de otros temores como el bioterrorismo, ha llevado en los últimos años a algunos países a la renovación a fondo de los marcos reguladores de las enfermedades contagiosas.

e. Y dejo para el final el *balance* con los *derechos humanos* y la ausencia de una preocupación tangible por contrapesar adecuadamente la contundencia arrolladora de la salud pública. Probablemente, el agujero más inquietante de todos y sobre el que luego volveré. Un agujero que se viene colmando por la propiedad regeneradora ínsita en el sistema de derechos humanos pero que, a estas alturas, no debería saldarse, *lege data*, a cuenta de unos pocos apoyos indirectos como el que ofrece el art. 8.6.2 de la LJCA.

Súmense todos estos puntos y se comprenderá que no estamos ante quejas por la poquedad normativa o reivindicaciones colaterales y sí, por el contrario, ante una crítica de calado que habría de haber inquietado al legislador vigilante. Crítica que conducía a la conveniencia de articular un cuerpo legislativo profundo, vertebrado y moderno: una *ley de emergencias de salud pública*[5]. Sea como fuere, esta crítica no llegó a calar. De hecho, dejando ahora a un lado la modificación puntual de su art. 4, en plena crisis del coronavirus —que es una modificación importante pero no central en su arquitectura—[6], resulta revelador el dato de que la LOMESP no solo no ha sido objeto de reforma en treinta y cuatro años, sino que tampoco se ha visto reforzada y complementada en su cometido desde fuera significativamente. Y eso que en 2011 se aprobó la Ley General de Salud Pública, que era el lugar propicio para sentar las bases de la lucha contra las epidemias y para plantear, por extensión, la *novella* de marras. A diferencia de otras vertientes, donde el paso por las sucesivas amenazas de salud colectiva sí llevó a una revisión de las lagunas y faltas destapadas en las capacidades de lucha epidémica extrema, en el orden jurídico no llegó a producirse una reacción similar. No resulta fácil descifrar el porqué, aunque tengo para mí que en esa "confianza" en el marco normativo existente y en esa "despreocupación" por su revisión pesó la seguridad que, como cláusula final de salvaguarda, transmitía la LOMESP. La

---

5   A esa conclusión me referí al término de mi trabajo «Emergencias de salud pública y medicamentos», *Revista Española de Derecho Administrativo*, 184, 2017, 192:
     «Es necesario, en conclusión, que el legislador español interiorice la importancia de dar cuerpo a una ley de emergencias de salud pública; una ley de nuevo cuño capaz de abordar con la profundidad que requiere una temática así de compleja y de captar con toda su riqueza la inteligencia moderna que las emergencias de salud pública adquieren en el plano internacional».

6   En el art. 4 de la LOMESP estaba consignada una habilitación a la Administración Sanitaria del Estado para acordar un suministro centralizado o fijar condiciones particulares para su prescripción cuando un medicamento o producto sanitario se viese afectado por excepcionales dificultades de abastecimiento a fin de garantizar su mejor distribución. El problema de este enunciado radicaba en que solo hacía alusión a los medicamentos y productos sanitarios, siendo que la lucha contra el covid-19 reveló que se precisaba igualmente de otros productos y bienes escasos. De ahí que haya ampliado su radio con la adición del sintagma «o cualquier producto necesario para la protección de la salud» (en virtud del art. 4 del Real Decreto-ley 6/2020, de 10 de marzo).

generosidad de sus habilitaciones, de alguna manera, hacía que pasasen más inadvertidas sus carencias.

Después de la crisis de la Gripe A, tanto la Organización Mundial de la Salud como la Unión Europea auspiciaron la confección de planes a nivel nacional para establecer una estrategia, basada en aproximaciones comunes, con la que prepararse y responder mejor en el futuro a una pandemia de similares características. En respuesta a esta iniciativa, España elaboró un *Plan Nacional de Preparación y Respuesta ante una Pandemia de Gripe* (2005)[7], al que acompañaban hasta un total de trece anexos, de temática diversa, y entre ellos uno titulado «Base Legal para la Puesta en Marcha de las Medidas Especiales en Materia de Salud Pública en el Contexto de la Gripe con Potencial Pandémico»[8]. Cuando se lee este anexo no puede por menos que chocar que no se haga en él ninguna referencia a las limitaciones y hándicaps de la LOMESP, asumiéndose su solvencia sin más indagaciones. De esta guisa, la base legal se da por suficiente y el análisis solo se detiene en las cuestiones de orden puramente operativo, básicamente en cómo pedir, llegado el caso, la autorización judicial del art. 8.6 de la LJCA.

✳✳✳

La crisis del covid-19 ha servido para evidenciar nuevamente, aunque de forma mucho más cruenta y radical, esa precariedad a la que acabo de hacer referencia.

No hace falta decir que no se está ante una prueba más. La del covid-19 es una crisis que no es parangonable a las anteriores en razón, sobre todo, de su dimensión. A esta escala, con semejante impacto, el grupo normativo liderado por la LOMESP no se había probado. Nos quedaríamos cortos, por tanto, si presentásemos al coronavirus como una suerte de "prueba de estrés" de la LOMESP. Va mucho más allá. En cualquier caso, su paso resulta igualmente gráfico y nos revela, por de pronto, dos valiosas enseñanzas a retener para el futuro:

Primera: Las carencias que conocíamos en nuestra regulación de las epidemias pueden agravarse ante situaciones de este tenor.

---

[7] Este Plan puede consultarse en *https://www.mscbs.gob.es/ciudadanos/enfLesiones/enfTransmisibles/pandemia/home.htm.*

[8] Es el anexo XI, accesible en la misma página *web* recién apuntada.

Segunda: El salto al marco normativo del estado de alarma no hace desaparecer la necesidad de contar con la legislación ordinaria en materia de epidemias.

II. LA MANIFESTACIÓN DE CARENCIAS MUY RELEVANTES QUE SE HAN AGUDIZADO. EN PARTICULAR, LAS MEDIDAS ABLATORIAS PERSONALES

Por concentrar la esencia de la respuesta de choque a las epidemias, la LOMESP constituye la norma del conjunto regulador de las epidemias más afectada visiblemente. Me ha parecido en este sentido el mejor espejo donde ver reflejadas esas carencias a las que acaba de hacerse mención. Más concretamente, situados en este contexto, pondré la lupa sobre las *medidas personales ablatorias* —siguiendo la catalogación que en su día propuse— toda vez que es éste un apartado de la respuesta donde las limitaciones y las dificultades que arrastra la normativa no pueden ser suplidas acudiendo sin más a otros marcos normativos afines como es el caso de la seguridad de los consumidores o de la protección civil. La fricción frontal y directa con el sistema de derechos fundamentales precisa aquí ineludiblemente de una reserva de ley orgánica.

Muchas medidas de salud pública, señaladamente las que se proyectan sobre productos, animales o actividades —incluso las personales no ablatorias—, pueden ampararse, sin estridencias ni forzamientos interpretativos, en habilitaciones normativas que hallamos en otros sectores del ordenamiento jurídico. Hace al caso significar que la protección de la salud constituye un fin general de recorrido horizontal —no otra es la inspiración del principio de salud en todas las políticas— de manera que aflora con naturalidad como *ratio legis* en la regulación de muchos ámbitos de la realidad. A ello hay que sumar el estrecho parentesco de la salud con la seguridad, que viene de muy lejos, producto de su matriz común de orden público. Todas estas conexiones han salido a relucir, a poco que se analice, en la gestión de la crisis del coronavirus. Es más, se ha hecho visible, cómo algunos de esos marcos afines, precisamente por ser marcos mejor estructurados y más desarrollados y aplicados, resultaban, siquiera sea inicialmente, más atractivos a la hora de buscar acomodo. Lo ocurrido a propósito del encauzamiento de la respuesta punitiva tiene, a mi modo de ver, algo de esto.

El que sigue, por tanto, no pretende ser un repaso exhaustivo y solo más bien una muestra que estimo particularmente representativa de los problemas pendientes. Recalaré a tal efecto en tres puntos a modo de testigos:

A. La imprecisión en la razón de atribución de la potestad para activar este tipo de medidas y en la modulación de la competencia correspondiente según la capacitación técnica o científica de la Administración u órgano intervinientes.

B. La falta de desarrollo de medidas esenciales, aun señeras, para hacer frente a epidemias y que pueden comprometer derechos fundamentales: aislamiento, cuarentena, seguimiento de contactos...

C. Las dudas en cuanto al alcance y significación de la garantía judicial que se contempla en el art. 8.6.2 de la LJCA cuando ha de proyectarse sobre medidas que no tienen un destinatario individualizado inmediato.

A) *Las autoridades sanitarias competentes para adoptar medidas ablatorias sobre las personas por razones de salud pública*

En la definición de una potestad administrativa, no hace falta decir que uno de los elementos capitales viene dado por la determinación de la Administración que va a quedar apoderada para su ejercicio.

Pues bien, en el caso de las medidas ablatorias personales, esa determinación no viene resuelta con la claridad esperable desde el momento en que se monta sobre la base de una remisión muy abierta. Dice así el art. 1 de la LOMESP:

> «Al objeto de proteger la salud pública y prevenir su pérdida o deterioro, *las autoridades sanitarias de las distintas Administraciones Públicas* podrán, dentro del ámbito de sus competencias, adoptar las medidas previstas en la presente Ley cuando así lo exijan razones sanitarias de urgencia o necesidad».

Los poderes de respuesta ante la emergencia sanitaria se confieren, por tanto, a un sujeto plural que no viene concretado luego en el articulado. De esta suerte, queda en el aire a qué *Administraciones Públicas* se está refiriendo —lo cual, con las lentes de un administrativa puestas, no es precisamente un asunto menor vista la "constelación" de entes públicos de nuestra era y la diversidad cosida a los procesos de descentralización territorial y funcional—; y, dentro de éstas, identificar los órganos que tienen atribuida la condición de *autoridad sanitaria*. La cuestión se torna si cabe más trascedente si se cae en la cuenta, no solo de la intensidad de las potestades que allí se recogen, sino aun del hecho de que éstas se atribuyen en bloque, es decir, sin ningún tipo de precisión o discriminación en razón del contenido o tipología de las medidas.

Hay, como señalaba, una remisión implícita que exige acudir en busca de una respuesta a la normativa del ramo, que no puede ser otra que la sanitaria. Lógicamente, en un primer momento, las miradas debían volverse a la LGS, que, después de todo, era el cuerpo normativo "matriz" de la LOMESP. Y en ella encontramos, efectivamente, referencias a las autoridades sanitarias en numerosos preceptos, si bien en ningún pasaje se despeja la incógnita. Bien apurada la cosa, esa laguna de la LGS resulta hoy hasta cierto punto excusable. Tal vez no en 1986, cuando no había otro marco de referencia, pero sí desde el momento en que comienza la andadura de las leyes específicas de salud pública, primero las autonómicas y ya en 2011, la Ley general —y básica, no hay que olvidarlo— de salud pública.

Convengamos así en que el marco normativo propicio para determinar cuáles son *las autoridades sanitarias de las distintas Administraciones Públicas* es el que conforman el conjunto de la LGSP (i) y las leyes autonómicas del ramo (ii).

i. La LGSP aborda en su art. 52 la *Autoridad Sanitaria estatal*, precisando a este respecto las personas a las que se atribuye la condición de autoridad sanitaria en el seno de la Administración General del Estado, a saber, el titular del Ministerio de Sanidad y, en el marco de sus respectivas funciones dentro de dicho ministerio, los titulares de los órganos superiores y directivos con responsabilidades en salud pública con rango igual o superior al de Director General.

ii. El resto de autoridades sanitarias lo encontramos en la legislación autonómica en salud pública. De hecho, cuando entró en escena la LGSP, lo cierto es que muchas Comunidades Autónomas habían aprobado ya leyes específicas de salud pública en las que se abordaba el asunto de la determinación de la autoridad sanitaria. Me serviré a efectos ilustrativos de la Ley de Salud Pública de Cataluña de 2009 —texto que cabe situar en la franja de leyes autonómicas de salud pública de segunda generación—. Su art. 5, bajo el rótulo de *Autoridad sanitaria,* señala lo siguiente en su apartado primero:

«A los efectos de la presente ley, tienen la condición de autoridad sanitaria, en el marco de sus respectivas funciones, los siguientes órganos:

a) El consejero o consejera del departamento competente en materia de salud.

b) La persona titular de la secretaría sectorial.

c) El director o directora de la Agencia de Salud Pública de Cataluña.

d) El presidente o presidenta de la Agencia de Salud Pública y Medio Ambiente de Barcelona.

e) El gerente o la gerente de la Agencia de Salud Pública y Medio Ambiente de Barcelona.

f) El consejero o consejera competente en materia de salud del Consejo General de Arán.

g) Los presidentes de los consejos comarcales.

h) Los alcaldes.

i) Cualquier otro órgano administrativo en que se hayan desconcentrado o delegado las funciones de los órganos a que se refiere el presente apartado»[9].

---

[9] Así reza el art. 5.1 (*Autoridad sanitaria*) de la Ley 18/2009, de 22 de octubre, de salud pública. Sobre este particular llama justamente la atención el legislador en el preámbulo señalando que «cabe destacar que la presente ley significa un avance importante en la definición del concepto de autoridad sanitaria y de los criterios de intervención administrativa. Así pues, la presente ley aborda el concepto de autoridad sanitaria para la protección de la población de los riesgos relacionados con los problemas de salud que la afectan colectivamente, y la distingue de la autoridad sobre el sistema de salud. Las áreas de expresión más importantes de la autoridad sanitaria se refieren a las autorizaciones sanitarias, las medidas cautelares y los expedientes sancionadores».

Bien se ve que la concepción de autoridad sanitaria que se acoge es amplia en el sentido de que no se circunscribe a la Administración autonómica, sino que se extiende también al Consejo General de Arán, así como a las Administraciones comarcales y Ayuntamientos. Además, se hace extensiva a Administraciones de corte institucional —Agencia de Salud Pública de Cataluña y Agencia de Salud Pública y Medio Ambiente de Barcelona—, haciendo visible que estamos en un ámbito donde caben igualmente operaciones de descentralización funcional. Se mantiene, por otra parte, la atribución en bloque de la capacidad para adoptar medidas sanitarias en términos de la LOMESP. Así, los arts. 55 y 63 *ibidem*, al desgranar el contenido de la intervención protectora de la Administración, van a poner al alcance de las autoridades sanitarias una amplísima habilitación, incluyendo la eventual activación de medidas personales ablatorias.

¿Es éste el modelo de todas las leyes de salud pública autonómicas? Se diría que no exactamente. De hecho, en una primera aproximación ya se hace perceptible que el criterio acerca de la noción de autoridad sanitaria varía de forma significativa en cuanto a su extensión, que no es igual de amplia en todas las Comunidades Autónomas, lo cual, *a fortiori*, abre más o menos las puertas de la LOMESP en lo que se refiere al número y tipología de Administraciones en grado de recurrir a ella.

La pluralidad y diversidad en este punto se presta a numerosas reflexiones. Esto sentado, interesa en este momento parar mientes en una idea que considero relevante a los efectos de señalar que el diseño subjetivo del poder de respuesta ante las epidemias necesita, a mi modo de ver, una revisión en lo que hace a su precisión y a la razón de su distribución en el sentido de que ese poder de respuesta bien podría modularse a la hora de asignar competencias para facultades y medidas concretas atendiendo a un criterio de capacitación científica de la autoridad sanitaria. Para tratar de explicarlo mejor, utilizaré la figura del Alcalde.

Ley en mano, resulta que hay Comunidades Autónomas donde se considera a los Alcaldes, *expressis verbis*, autoridad sanitaria. Ésta parece ser la tendencia mayoritaria —es la que siguen, además de Cataluña, Andalucía[10], Canarias[11], Castilla y León[12], Comunidad Valenciana[13], Extremadura[14], Galicia[15], Islas Baleares[16], Navarra[17], y La Rioja[18]—. En otras Comunidades Autónomas, en cambio, no hallamos en su legislación sanitaria una atribución expresa semejante.

¿Se trata de un lapsus o es una postura deliberada? No parece que haya detrás de este silencio un discurso explicativo de por qué los Alcaldes deberían quedar al margen de la condición de autoridad sanitaria y menos aún de una manera así de radical. Con todo, hermenéuticamente, no podemos llamarnos a andana y considerarlo su descuido cualquiera. Por mor del principio de legalidad y del dogma de la vinculación positiva, hay que estar a la regla interpretativa *inclussio unius exclussio alterius*.

Se dirá en réplica que el mundo local, fuera de la legislación de salud pública, cuenta con una singular previsión que, *a priori*, podría servir para integrar esa laguna. Me refiero a la facultad del Alcalde para «adoptar personalmente, y bajo su responsabilidad, en caso de catástrofe o de infortunios públicos o grave riesgo de los mismos, las medidas necesarias y adecuadas dando cuenta inmediata al Pleno»[19]. Estamos ante una *rara avis*, cuya singulari-

---

[10] Véase el art. 77.1 de la Ley 16/2011, de 23 de diciembre, de Salud Pública de Andalucía.

[11] Véase el art. 28.1 de la Ley 11/1994, de 26 de julio, de Ordenación Sanitaria de Canarias.

[12] Véase el art. 41.1 de la Ley 10/2010, de 27 de septiembre, de salud pública y seguridad alimentaria de Castilla y León.

[13] Véase el art. 81.1 de la Ley 10/2014, de 29 de diciembre, de Salud de la Comunitat Valenciana.

[14] Véase el art. 3 de la Ley 7/2011, de 23 de marzo, de salud pública de Extremadura.

[15] Véase el art. 33.1 de la Ley 8/2008, de 10 de julio, de salud de Galicia.

[16] Véase el art. 42.1 de la Ley 16/2010, de 28 de diciembre, de salud pública de las Illes Balears.

[17] Véase el art. 2.2 de la Ley Foral 10/1990, de 23 de noviembre, de Salud.

[18] Véase el art. 68 Ley 2/2002, de 17 de abril, de Salud.

[19] *Ex* arts. 21.1.*m* (para los municipios de régimen común) y 124.4.*h* (para los municipios de gran población, en términos parecidos) de la LBRL. En la

dad ha llamado siempre la atención. No es éste el lugar idóneo para adentrarse en busca de las raíces de este apoderamiento ni tampoco para discurrir acerca de la importancia del rol que históricamente ha jugado el poder local en la lucha contra las pestes y epidemias[20]. La pregunta ahora es más directa: ¿convierte esta facultad a los Alcaldes en autoridades sanitarias a los efectos de invocar los poderes previstos en la LOMESP en toda su extensión?

No se me escapa que militan importantes argumentos a favor de una respuesta positiva. Está, para comenzar, ese poso histórico que sigue ahí y que ha reverdecido en estos momentos. Los Ayuntamientos, en efecto, no han dudado en dar un paso al frente y en adoptar medidas para combatir el coronavirus. Medidas que conforman un catálogo muy amplio desde todos los ángulos imaginables. No estoy en condiciones de ensayar un catálogo hoy por hoy pero es evidente que hay un "instinto de protección" frente a la calamidad sanitaria en el mundo local que surge de inmediato y que recuerda cómo de profunda es la cicatriz que ha dejado la Historia de las epidemias en nuestros pueblos y ciudades. Añada-

---

misma línea, las leyes especiales de los municipios de Madrid, Barcelona y Zaragoza (art. 14.3.*f* de la Ley 22/2006, de 4 de julio, de capitalidad y de régimen especial de Madrid; art. 13.1.*l* de la Ley del Parlamento de Cataluña 22/1998, de 30 de diciembre, de la Carta municipal de Barcelona; y art. 12.1.*h* de la Ley de las Cortes de Aragón 10/2017, de 30 de noviembre, de régimen especial del municipio de Zaragoza como capital de Aragón). Se conoce, así pues, que estamos ante una atribución del Alcalde muy interiorizada en el régimen local.

20 No me resisto a recuperar una cita como simple apunte que hace al caso «[…] Cuando una provincia ó un pueblo se teme que sean invadidos por una epidemia, deben las Autoridades preventivamente poner en observancia las instrucciones que tiene dadas el Gobierno para prevenir el desarrollo de una enfermedad epidémica ó contagiosa; y para que la acción tutelar de la administración pueda ser más extensa y eficaz nombrar comisiones de salubridad que, en unión con las Juntas y Comisiones municipales de Sanidad y Beneficencia, adopten las medidas que la gravedad del caso exija» (Fermín ABELLA, *Manual del Secretario de Ayuntamiento ó Tratado teórico-práctico de Administración municipal*, El Consultor de los Ayuntamientos, Madrid, 1886, quinta edición, 483).

se a ello la proximidad y, en consecuencia, el mejor conocimiento del medio, factores muy relevantes en la primera línea de combate epidémico.

Con todo, el salto desde la LBRL a la LOMESP con base en el trampolín del bando de necesidad me parece demasiado arriesgado. La responsabilidad para intervenir ante el trance excepcional en interés de los vecinos no equivale, en mi opinión, a estar habilitado *tout court* para hacer uso de los poderes exorbitantes de la LOMESP.

No pretendo sugerir, por supuesto, que el bando de necesidad queda desactivado ante una epidemia —que no deja de ser una necesidad extraordinaria, se mire como se mire—; ni tampoco que el concurso de los Ayuntamientos y entes locales en general sea prescindible al plantar cara a este tipo de amenazas. Esto último es algo que la Historia y la realidad que nos envuelve desmiente con estrépito a la luz de tantos desvelos y buenas iniciativas de cuño local que expresan una incumbencia incontestable. Claro que han de tener un papel señalado, pues, como por otra parte exige el art. 25.2.*j* de la LBRL al consignar la reserva de un reconocimiento competencial municipal en orden a la «protección de la salubridad pública». Ahora bien, esto supuesto, en la definición de ese papel creo que es fundamental ponderar en la balanza el pro y el contra, pasándolo luego por el tamiz de la heterogeneidad local. El pro tiene que ver con las ventajas que ofrece la *proximidad* y el conocimiento del medio de cara a la rapidez y efectividad de las medidas de respuesta. El contra —y de ahí que descarte el mando de la respuesta local como posición de principio— tiene que ver con la *cientificidad*. Y es que las epidemias de hoy son, no hay que olvidarlo, enemigos complejos que requieren de un abordaje basado en la evidencia científica. El covid-19 es, sin ir más lejos, un virus cuyo comportamiento aún se está descifrando en muchos laboratorios y centros de investigación. Esa cientificidad que informa a la salud pública moderna y que es santo y seña de la disciplina no está, por lo común, al alcance de los municipios, de modo que la respuesta que estén en grado de articular no puede consistir en una estrategia paralela o enfilar una senda distinta a la trazada por las autoridades sanitarias que sí tienen a su disposición el asesoramiento científico apropiado. Entenderlo de otro modo equivaldría a dar por buena la adaptación de medidas al margen de la evidencia científica, basadas en la interpretación del sentido común de cada cual —y de ahí a la veleidad o al empleo arbitrario de la potestad puede haber solo un paso—[21].

Bien tamizados, todo apunta a una solución matizada que no pasa por entender que los Alcaldes han de ser autoridades sanitarias *in totum*, sino que es conveniente y hacedero precisar su concurso en la lucha epidémica. El reto, pues, es diseñar y acertar un apoderamiento en clave local que trascienda el poder de choque que le corresponde como autoridad inmediata a los hechos. La medida de la competencia posterior, o sea, la definición cuidadosa de las concretas facultades de actuación, es lo que está por hacer. En otras palabras, sentarse para definir si los Alcaldes han de ser autoridades sanitarias ante riesgos ya conocidos o para cierto tipo de medidas y si, en el contexto de amenazas nuevas, han de seguir investidos con una tal condición a fin de servir de puente entre las estrategias diseñadas en los niveles de gobierno estatal o autonómico y su puesta en práctica[22].

---

[21] Actuar sobre la base del mejor conocimiento científico disponible constituye un pilar central en la inteligencia de la salud pública moderna, lo cual conecta con la importancia de que las Administraciones con las principales responsabilidades en esta materia cuenten con un soporte organizativo robusto en grado de aportar ese asesoramiento cualificado indispensable.

[22] Incluso en el marco del estado de alarma se ha podido ver reflejada esta imprecisión del papel local a la que me refiero en el texto. No son pocos los Ayuntamientos que han establecido restricciones adicionales a las recogidas en el RDEA. Por lo general, en relación con la libertad de circulación, limitando, por citar algunos casos, los horarios para salir a comprar al supermercado, restringiendo el radio de las zonas de paseo de las mascotas, exigiendo la probanza de un gasto mínimo o, en fin, obligando a los forasteros a someterse a una cuarentena domiciliaria específica. Adviértase que no se trata de facilitar la cumplida realización del confinamiento decretado por el RDEA en sus propios términos, en esa línea directa de continuación característica de la ejecución, sino de ir más allá, endureciendo la injerencia en las libertades individuales, así sea con el propósito último y loable de frenar la

El ejemplo de los Alcaldes es, en fin, expresivo de que una cuestión tan nuclear como la definición de las autoridades sanitarias legitimadas para movilizar unos poderes así de incisivos presenta claroscuros que convendría despejar sin falta.

B) *La falta de desarrollo normativo de medidas esenciales en la lucha contra las epidemias*

Otra de las carencias graves de nuestra legislación sanitaria de epidemias nace de la despreocupación por vertebrar, ordenar y desarrollar las medidas de respuesta que la LOMESP simplemente se limita a enunciar y que lo hace, sobre ello, sin ningún ánimo exhaustivo: «medidas de reconocimiento, tratamiento, hospitalización o control» (art. 2); «medidas oportunas para el control de los enfermos, de las personas que estén o hayan estado en contacto con los mismos y del medio ambiente inmediato, así como las que se consideren necesarias en caso de riesgo de carácter transmisible» (art. 3).

Está pendiente, pues, desde hace más de treinta años, la tarea de precisar y dar contenido acabado a este catálogo de medidas apenas esbozado. Y es éste un vacío muy difícil de colmar. De una parte, la legislación ordinaria de salud pública, tanto la LGSP como las distintas leyes autonómicas, no se han asomado a este

_____

propagación de la enfermedad. De resultas de esta situación, tenemos constancia por la prensa de que a través de las Subdelegaciones del Gobierno se ha requerido a numerosos Ayuntamientos para que modificasen este tipo de bandos con restricciones a la movilidad por considerar que se extralimitaban competencialmente, planteando, si acaso, una reformulación de los mismos a la manera de recomendaciones y no de órdenes intimatorias. En la misma línea se ha pronunciado el Defensor del Pueblo, recomendando a la Administración General del Estado «instar a las entidades locales a eliminar cualquier tipo de bando o comunicado en el se recojan mayores restricciones a las ya contempladas en el Real Decreto 463/2020, en aras a garantizar la igualdad de trato a la ciudadanía en todo el territorial nacional» (Recomendación de 8 de abril de 2020, en relación con la queja núm. 200005831).

espacio, mostrando una prudencia, a mi modo de ver, excesiva, por el rango orgánico de la LOMESP, sin contar con la posibilidad de desarrollar cuestiones que no afectan *in via recta* a los derechos fundamentales. De otra, el remedio habitual que se aplica en relación con otras medidas menos incisivas, que, aun proyectándose sobre las personas, no comprometen libertades básicas, consistente en echar mano de marcos reguladores afines, no sirve en este caso porque en ninguno de ellos se ha profundizado en temas como el control de las personas enfermas y sus contactos; temas que, al fin y al cabo, son genuinamente sanitarios.

Acaso se piense que conviene en este punto la indeterminación de la LOMESP. Que es mejor que la Administración disfrute de esta suerte de licencia para componer caso por caso la fórmula idónea con la que plantar cara a la contingencia que toque; que la versatilidad es aquí fundamental en aras de que la Administración pueda ajustarse y dar una respuesta efectiva. Sin embargo, dicho planteamiento, que en lo esencial tengo por válido, acusa una simplificación extrema de las cosas. Y es que la versatilidad no ha de pasar forzosamente por la improvisación, pensando que la espontaneidad mejorará, sí o sí, la respuesta. No siempre será así. Pero es que, además, sin merma de la libertad de modelación que es preciso conceder, lo cierto es que la confección y el desarrollo de un catálogo de medidas, jurídicamente ordenadas, es algo plausible y asequible.

Basta levantar la vista y salir de nuestras fronteras para comprobar que algunos países se han dotado en los últimos años de regulaciones contra las epidemias con un grado de detalle considerable —suele citarse en esta crisis, como referente a tener en cuenta, a la República de Corea—. Por supuesto, conviene ser muy cautos en la comparación y en la extrapolación de soluciones, pero, en todo caso, sea más o menos provechoso en cuanto al hallazgo de respuestas asimilables, el ejercicio permite reafirmarse en la idea de que la regulación de las epidemias no está reñida intrínsecamente con el afán de completitud normativa[23].

23 De gran interés las primeras reflexiones al respecto de Susana DE LA SIERRA, «Lectura de urgencia de las reacciones frente al COVID-19 desde una óptica jurídica internacional y comparada», *El Cronista del Estado Social y Democrático de Derecho*, 86-87, 2020, 32-41.

Por de pronto, una simple ojeada a la historia de las epidemias es suficiente para caer en la cuenta de que hay ciertas medidas que, en lo fundamental, abstrayéndonos de la interpretación histórica, siguen formando parte de la estrategia, comenzando por la cuarentena y siguiendo por las distintas variables del aislamiento. Y de ahí que si acudimos a los anales del Derecho de la salud pública de nuestro país comprobaremos que ese tipo de medidas fueron objeto de regulación[24].

Añadamos que, sin necesidad de remontarnos tan lejos, las crisis epidémicas de las últimas décadas han obligado a ensayar medidas —o, al menos, a preverlas ante los peores escenarios— que acaso nos parecieron entonces insólitas y aun irreales, pero que hoy, por desgracia, se han revelado instrumentos tangibles para hacer frente al covid-19. Qué decir si no del aislamiento domiciliario, las prestaciones personales obligatorias a profesionales o la imposición de cuarentenas, pruebas o tratamientos, por poner solo algunos ejemplos empleados y/o previstos con ocasión de las crisis de la Gripe A o del Ébola en nuestro propio país.

Toda esta experiencia, la más remota y la más próxima, aportaba pautas a partir de las cuales era dado trabajar en la confección de un catálogo. Movidos no, insisto, por un afán codificador de postín y tampoco por la aspiración de predecir todo el elenco de posibilidades —el *numerus clausus* estaría fuera de orden—, pero sí impulsados por el ánimo de ordenar cabalmente las cosas que ya se conocen y facilitar de este modo su aplicación en el futuro, contando, por lo demás, con la importancia de insuflar una cierta precisión por mor de la seguridad jurídica —valor siempre presente, que tiene, además, en el entorno de la emergencia sanitaria externalidades muy positivas por sus vínculos con la transparencia y la confianza del público—.

---

[24] Sirva, por ejemplo, la lectura del precedente más inmediato que tenemos: el *Reglamento para la lucha contra las enfermedades infecciosas* (1945). Hay en él un capítulo dedicado al aislamiento (arts. 13 a 17), donde se tratan, aparte de las cuestiones competenciales, temas como el lugar donde podrá practicarse o la obligación de los Ayuntamientos de disponer locales de aislamiento para poder cubrir la ausencia de un Hospital.

Daré, en este sentido, cuatro razones que juzgo bien relevantes para justificar la procedencia de estatuir un catálogo de medidas ablatorias personales en episodios epidémicos.

A. En primer lugar, importa advertir que respecto de algunas de estas medidas carecemos de un *contenido institucional básico o de referencia* con el que acometer su aplicación y solucionar los problemas planteados en su puesta en práctica. Y, si no, ¿qué es, a la luz de nuestro Derecho positivo, la cuarentena? ¿Y el aislamiento? ¿Responden estos términos a sendos conceptos jurídicos? Y, si es así, ¿dónde se recogen y describen sus rasgos definitorios?

Si acudimos, por ejemplo, a la salud pública como disciplina de estudio comprobaremos enseguida que hay una diferencia clara y establecida entre la cuarenta y el aislamiento. La cuarentena es medida de contención y control que se aplica a personas sanas durante el período de incubación de la enfermedad contagiosa a la que estuvieron expuestas. El aislamiento, en cambio, se aplica a las personas que están enfermas. Pasado por el tamiz jurídico, es de ver que esta distinción exigiría afinar por separado el alcance e intensidad de una eventual restricción de derechos. Sea como fuere, cuesta entender que todo este bagaje conceptual, asentado como está científicamente, no haya sido acogido aún por el legislador con la precisión oportuna. Bueno sería aprovechar todo este saber acumulado que nos brinda la Medicina Preventiva, la Epidemiología y la Salud Pública a la hora de acometer esa vertebración pendiente de las medidas ablatorias personales —y, de paso, otros temas epidémicos—.

B. En segundo lugar, la piedra de toque que permite calibrar el valor preciso de la legislación en este punto nos la da el dogma de la calidad de la ley en la salvaguarda de los derechos humanos. La previsión de medidas ablatorias personales obliga, se mire como se mire, a pulir la fricción inevitable con el sistema de derechos fundamentales. Y la empresa, hay que reconocerlo antes de emprender el viaje, es mayúscula. No vale con afirmar que la lucha contras las epidemias legitima la restricción de libertades como si se tratase de un axioma evidente, extraído del viejo y trillado aforismo *salus populi suprema lex esto*[25]. Y es que la epidemia, como razón legítima

---

25   Intento significar, en definitiva, que corremos el riesgo de claudicar ante la idea de gravedad que se asocia a la epidemia naturalmente, pensando que

para restringir libertades individuales, aqueja la complejidad y evanescencia de su matriz, que no es otra que la salud pública.

Prima facie, la epidemia se antoja una causa legítima por la propia jerarquía del bien jurídico comprometido. La salud pública,
que nos concierne a todos, es, sin duda, expresión de uno de los
intereses comunitarios por antonomasia y se sitúa en la cúspide
de la escala de valores de nuestras sociedades. De ahí que, al intervenir para protegerla en caso de amenaza, el ordenamiento no
vacile en apoderar sin falta a la Administración con las potestades
más incisivas que se conocen, incluyendo la de constreñir, así sea
de forma temporal, derechos fundamentales. Acostumbra a ser
esta *potencia* el rasgo que más nos impresiona de la epidemia a
su paso por los derechos fundamentales. Y acaso llevados por su
fulgor, tendemos a dar por sentado que todo el camino es llano y
que los obstáculos sistémicos se pliegan con facilidad a su virtud
cuando no es exactamente así.

La potencia es, ni que decir tiene, una peculiaridad de la epidemia en tanto que cláusula de restricción. Precisaría, además,
que no solo en vertical, es decir, en cuanto al grado de sacrificio
que puede llegar a imponer, sino también en horizontal, en el
sentido de que ninguna libertad parece escapar a su influjo[26].

---

el Derecho poco puede decir en este tipo de situaciones. La máxima de CI-
CERÓN a la que tantas veces se apela, *salus populi suprema lex esto*, sirve para
significar que hay en la salud pública un título en grado de justificar la activación de poderes exorbitantes, pero no encierra una respuesta válida si por
tal hay que entender que ante la amenaza a la salud pública no hay ley que
valga. Ni ese fue su sentido último primigenio —pues se refiere a la *salus populi* a modo de bien de la comunidad, que ha de ser, según el célebre autor,
el norte de todo buen gobernante (*De Legibus*, Libro III): «sea su ley suprema
la salvación del pueblo», según la traducción de Carmen Teresa PABÓN DE
ACUÑA, *Las Leyes*, Gredos, Madrid, 2009, 119— ni literalmente tendría cabida en un modelo constitucional avanzado. Por supuesto que debe haber ley
en las amenazas de salud pública. Véase sobre el particular Ángel SÁNCHEZ
DE LA TORRE, «El objeto de la legalidad en la expresión *salus populi suprema
lex esto*», *Cuadernos de Filología Clásica. Estudios Latinos*, 12, 1997, 39-78.

26   Quedará para el futuro esta dolorosa revelación del COVID-19. Solíamos
     asociar la restricción por causa epidémica a unos derechos fundamentales

Sin embargo, conviene, a mi modo de ver, ampliar las miras y reparar en otros rasgos definitorios mucho menos llamativos, pero igualmente presentes y en grado, además, de complicar el análisis:

i. *In primis*, el de la *imprecisión* del punto de partida: la amenaza, riesgo grave, emergencia, crisis o epidemia como presupuesto habilitante. *¿En qué punto un fenómeno de esta naturaleza alcanza el nivel de intensidad o gravedad necesarios para doblegar legítimamente el libre ejercicio de derechos fundamentales?* Lanzo la pregunta para poner en cuestión una vez más ese ambiente de preconcepciones que envuelve esta materia. Por ejemplo: la epidemia, se dirá, es, por definición, una cosa grave; *grosso modo*, una enfermedad grave que se expande. Mucho me temo, sin embargo, que esta concepción no pasaría el rasero epidemiológico. Y ello porque ese componente capital que en Derecho necesitamos para hacer el balance, a saber: la gravedad, puede tener muchas caras cuando hablamos de una enfermedad contagiosa. Fijémonos en la covid-19. ¿Qué la convierte en grave? ¿Es su virulencia, su contagiosidad, su impacto sobre la sanidad asistencial…? Deviene fundamental, en definitiva, caracterizar mucho mejor la causa epidémica[27].

---

muy concretos —integridad física, intimidad y libertad deambulatoria, básicamente—. La crisis actual, entre otras muchas cosas, ha puesto de manifiesto que la afectación, directa e indirectamente, puede comprometer y aun poner en jaque otros muchos derechos.

[27] No se trata de hacer una lista, a la manera de las viejas «enfermedades cuarentenables» que recogía el antiguo Reglamento Sanitario Internacional, porque quedaría desfasada rápidamente. No en vano, ésta es una de las razones por las que se reformuló completamente el objeto del referido Reglamento Sanitario Internacional. Tampoco tiene mucho recorrido la adjetivación que me temo que acabaría rondando una y otra vez el término grave. Lo que sí es conveniente es incorporar los *parámetros* con los que graduar la amenaza y el *procedimiento* a seguir (consultas, informes, motivación…) a los efectos de poner en marcha las distintas potestades administrativas. Todo esto conecta con la idea, antes expuesta, acerca de la necesidad de mejorar

ii. Viene luego la eventual *generalidad*, que es un componente de lo más incómodo de cara a proyectar los parámetros de nuestro sistema de derechos humanos, singularmente los estándares del principio de proporcionalidad. Cuando las restricciones por la epidemia afectan a un cuerpo o conjunto social todo el ejercicio de modulación aplicado en otras ocasiones, donde eran unos pocos los afectados o se trataba incluso de un *vulnus* individual, se desenvuelve, por la propia fuerza incontenible de la realidad, toscamente. Y si, encima, la generalización deviene en una condición esencial, crucial para el éxito de la estrategia de respuesta, la singularización de las medidas, esto es, su ajuste circunstanciado, se resiente aún más. De ahí que una regulación previa pueda contribuir a facilitar una modulación *intermedia* que, de otra forma, fiada nada más que al ojo del momento, seguramente va a ser menos precisa[28].

iii. No podemos olvidar tampoco la propensión a la *anticipación*. La lucha contra las epidemias está informada profundamente por los principios de prevención y precaución, de manera que estamos ante una cláusula que se presta a ser invocada con voluntad previsora. Significa ello, pues, que la Administración puede injerir en la libertad de las per-

---

[28] la manera de definir el presupuesto habilitante de los poderes contemplados en la LOMESP y, en general, en la legislación de salud pública. Una constante en la controversia generada por las medidas de control epidémico aplicadas para hacer frente al covid-19 tiene que ver con su planitud. Pues bien, lo que planteo en el texto es que, sin aspirar a una perfecta individualización, sí parece posible, cuando menos, definir de antemano en la legislación sobre epidemias posibles vías intermedias de modulación atendiendo a criterios médicos, geográficos o de otro tipo. Este ejercicio de modulación intermedia acaso permitiría, por lo demás, introducir correcciones vinculadas a la *vulnerabilidad* —que, a su vez, conecta con el principio de *equidad*, santo y seña, dicho sea de paso, de la acción en salud pública *ex* art. 3.a de la LGSP—, que es otro de los "ángulos muertos" que se viene achacando. Sobre el particular, véase Miguel Ángel PRESNO LINERA, «Estado de alarma por coronavirus y protección jurídica de los grupos vulnerables», *El Cronista del Estado Social y Democrático de Derecho*, 86-87, 2020, 54-65.

sonas con base en una *sospecha* o incluso por formar parte del círculo de *contactos*. Siendo esto así, teniendo como han de tener tanto peso específico los principios de prevención y de precaución, va de suyo la importancia de establecer condicionantes que favorezcan la adopción de medidas *proporcionales* y, en la misma línea, *adaptativas*, es decir, sujetas a la necesidad constante de revisión a la luz de los avances en el conocimiento científico sobre la epidemia.

iv. Y por si todo lo anterior no fuese suficiente, hay que contar, en fin, con la *urgencia*. No será raro que se imponga una reacción instantánea y que, en consecuencia, las medidas ablatorias se hagan efectivas por pura coacción directa, saltando el esquema típico de cumplimiento voluntario seguido de apercibimiento e incluso obligando a postergar garantías tan señeras como la audiencia previa del afectado[29].

C. Está, en íntima conexión con lo anterior, la vertiente *instrumental* o *logística* que rodea a estas medidas. Sabemos que no estamos ante medidas que sean fáciles de aplicar sobre el terreno. Por estar en juego libertades individuales del máximo rango, todos y cada uno de los complementos circunstanciales, sin excepción —lugar, tiempo, modo, medio, causa, finalidad…—, pasan a cobrar una relevancia redoblada y es por ello que conviene tanto una buena reglamentación instrumental.

Ilustraré esto con un complemento circunstancial particularmente gráfico: el *lugar*. ¿Importa el lugar donde ha de desarrollarse un aislamiento? La pregunta es retórica. Claro que importa. Y mucho. Podríamos pensar que, tratándose de algo médico, ese lugar no puede ser más que un *hospital*. Las anteriores crisis permitieron precisar ya la eventual necesidad de requisitos particulares que no todos los hospitales reúnen comúnmente. Sin embargo, la crisis del coronavirus ha mostrado cómo en situaciones de emergencia sanitaria puede tener que llegar a recurrirse incluso a establecimientos no hospitalarios[30].

---

29 Para profundizar en la teoría de la necesidad en Derecho Administrativo, es obra de referencia el libro de Vicente ÁLVAREZ GARCÍA, *El concepto de necesidad en Derecho Público*, Civitas, Madrid, 1996.

30 Con arreglo a lo previsto en la Orden SND/232/2020, de 15 de marzo, por la que se adoptan medidas en materia de recursos humanos y medios para la

D. Y, finalmente, no podemos pasar por alto la profunda dimensión ética. Es ésta una faceta que ya asomó discretamente en anteriores crisis, cuando se vislumbraba un hipotético horizonte de escasez de recursos esenciales y aun de eventual triaje bajo condiciones extremas. Huelga explicar que el Derecho no está en grado de despejar todos los dilemas morales que puede traer consigo la lucha contra una epidemia pero sí puede, como mínimo, concretar algunas variables de la ecuación, estableciendo, por ejemplo, qué factores se estiman jurídicamente legítimos a la hora de priorizar el acceso a un recurso escaso en un contexto epidémico o, en la misma línea, qué condiciones han de darse para administrar un medicamento experimental[31].

En las filas de los trabajadores sanitarios han pesado como una losa los dilemas que se plantean a propósito del COVID-19 respecto de la asignación de los equipos de respiración asistida. Se han elaborado protocolos, guías y documentos similares con el objetivo de ayudar en la dura toma de decisiones y se ha generado alrededor una viva y agria polémica a cuenta del peso concedido a ciertos criterios, señaladamente la edad[32]. Tanto que el Ministerio de Sanidad se ha visto en la necesidad de terciar, evacuando al efecto un *Informe sobre los*

---

gestión de la situación de crisis sanitaria ocasionada por el COVID-19, «Las autoridades sanitarias competentes de la comunidad autónoma podrán habilitar espacios para uso sanitario en locales públicos o privados que reúnan las condiciones necesarias para prestar atención sanitaria, ya sea en régimen de consulta o de hospitalización» (art. 9).

[31] A propósito de la crisis del Ébola y el uso de fármacos en fase experimental tuve ocasión de reflexionar en «Emergencias de salud pública y medicamentos», *Revista Española de Derecho Administrativo*, 184, 2017, 148-192.

[32] Es grande el caudal generado, con muy meritorias aportaciones teniendo en cuenta, además, la gravedad del tema y las urgencias del momento. Destacaré, no obstante, el *Informe del Comité de Bioética de España sobre los aspectos bioéticos de la priorización de recursos sanitarios en el contexto de la crisis del coronavirus* (*http://assets.comitedebioetica.es/files/documentacion/Informe%20CBE-%20Priorizacion%20de%20recursos%20sanitarios-coronavirus%20CBE.pdf*), que, a su vez, toma en consideración un valioso precedente fraguado en el seno de la Organización Mundial de la Salud a cuenta de las crisis del Ébola y del Zika: *Guidance for Managing Ethical Issues in Infectious Disease Outbreaks* (*https://apps.who.int/iris/bitstream/handle/10665/250580/9789241549837-eng.pdf?sequence=1&isAllowed=y*).

aspectos éticos en situaciones de pandemia[33]. Este informe no contiene, como tampoco otros semejantes, soluciones concretas y concluyentes a cada una de las encrucijadas, pues difícilmente puede haberlas allí donde la valoración *ad personam* resulta necesaria e insoslayable por mor de la dignidad humana. En cualquier caso, a los efectos de nuestro estudio, sí se colige claramente de su lectura y de otros del género cómo de oportuno e útil resultaría que desde el Derecho se definiesen mejor los límites y el sentido de los parámetros en los que alojamos los valores éticos esenciales consensuados de nuestra sociedad.

***

Me he referido de manera particular a la cuarentena y al aislamiento en tanto que medidas de contención y control de enfermos y contactos que convendría regular de una forma más intensa y ordenada en el marco de un catálogo estructurado. No son, claro es, las únicas medidas ablatorias personales. Si he hecho mención específica a estos dos instrumentos se debe, sobre todo, a su visibilidad en estos momentos. Pero conste que en la lista del *debe* hay otras muchas medidas pendientes de revisión con vistas a una conveniente remodelación normativa.

Sin ir más lejos, se vislumbra en el horizonte cercano la vacunación como una de las mejores alternativas para ganar la batalla contra el covid-19. Deberíamos, por eso mismo, preguntarnos sin falta hasta qué punto nuestra legislación sanitaria incorpora las respuestas precisas a los numerosos interrogantes que ya salen al paso, comenzando por el aseguramiento del abastecimiento y, en su caso, el racionamiento o la priorización en el acceso según grupos de riesgo, hasta llegar a la eventual obligatoriedad, pasando por otros aspectos bien relevantes como la financiación o el régimen de compensación por daños. ¿Contamos, en definitiva, con una base normativa sólida capaz de cimentar una estrategia de vacunación masiva en un contexto extraordinario?

De igual forma, resulta evidente que, después del coronavirus, la construcción de ese catálogo exigirá tomar en considera-

---

[33]   Accesible en *https://www.mscbs.gob.es/profesionales/saludPublica/ccayes/alertasActual/nCov-China/documentos/AspectosEticos_en_situaciones_de_pandemia.pdf.*

ción otras medidas de vanguardia que han salido a la palestra, brindando nuevas opciones de cara a la vigilancia y control de la epidemia que pueden, sin embargo, friccionar con derechos fundamentales como la protección de los datos personales y la intimidad. No es que sea ésta una fricción desconocida para la salud pública —es de recordar que con ocasión de los registros y ficheros relacionados con enfermedades como el VIH se plantearon profundos debates en este orden[34]—, pero sí que la irrupción de las tecnologías de la información hace que convenga remozar y actualizar algunas de las conclusiones alcanzadas, proyectándolas sobre este nuevo entorno de "redes y pantallas" de la era en que vivimos.

***

El interés del jurista en el examen de las medidas personales en la lucha contra las epidemias se suele residenciar, diría que por inercia, en las que presentan un carácter vinculante, a la manera de deberes y órdenes intimatorios. Ello no obstante, aunque aquí esté el meollo en términos de conflicto jurídico, hay que tener presente que bien puede ocurrir que haya medidas personales que, lejos de la imposición, reclamen del particular una adhesión voluntaria, su colaboración, en suma. Entraríamos así en los dominios de la *recomendación en salud pública*.

No son dominios particularmente transitados en clave jurídica. Vale decir que no se detecta por parte del legislador —ni tampoco de la jurisprudencia o la doctrina— una preocupación por articular este mecanismo. Y eso que estamos ante una pieza esencial —y no exagero— de la salud pública y, por extensión, de la prevención y respuesta ante las epidemias. Esencial por muchas razones:

---

[34] Contamos con excelentes aportaciones en relación con la vinculación entre la vigilancia epidemiológica y la protección de datos de carácter personal. Entre ellas, una reciente a cargo de Juan Luis BELTRÁN AGUIRRE, «Tratamiento de datos personales de salud: incidencia del Reglamento general de protección de datos», *Salud electrónica. Perspectiva y realidad*, Tirant lo Blanch, Valencia, 2017.

de entrada, por toda la significación que el principio participativo adquiere en el mundo sanitario; pero, además, porque la vastedad de la misión que implica la protección de la salud pública tal cual hoy la entendemos hace que su realización dependa en gran parte de la participación activa y, si se quiere, aun de la complicidad de los ciudadanos. No es solo la legitimación que aporta ese valor añadido participativo a la actuación administrativa, se trata de una condición capital en orden a su *eficacia*. Difícilmente será eficaz la acción de la Administración cuando en la consecución de la meta hace falta el compromiso sistemático de la población —caso de la vacunación y la inmunidad de grupo, paradigmáticamente— o allí donde el control del seguimiento de la medida acordada resulta inabarcable para la Administración —qué decir si no de la higiene de manos—. Justamente por este *quid proprium*, más que de participación, parece oportuno hablar de corresponsabilidad; corresponsabilidad que se erigiría, en fin, en uno de los grandes principios informadores de la salud pública de hoy[35].

Se sigue de este recio postulado, entre otras derivaciones, que la Administración puede vehicular sus medidas de respuesta de salud pública mediante dos grandes vías.

De una parte, puede acudir, como ya hemos visto, al terreno de los deberes y de las órdenes que, de este modo, no solo se justificarían en la jerarquía de la salud pública, sino, también, en ser expresión de esa corresponsabilidad. No en vano, a ello apunta el propio art. 43.2 de la CE, significando que, aunque la protección de la salud pública es responsabilidad que recae primeramente en los poderes públicos, todos cargamos con el deber de contribuir a ello: «Compete a los poderes públicos organizar y tutelar la salud pública a través de medidas preventivas y de las prestaciones y servicios necesarios. La ley establecerá los derechos y deberes de todos al respecto». No hace falta decir que la vía de la obligatoriedad, con sus distintas expresiones, cuenta a su favor con la fuerza

---

[35] Una exposición más completa de esta idea en *Administración pública y salud colectiva*, cit., 75-87.

de la intimación. Ahora bien, no me resisto a llamar la atención de que esa ventaja reviste algunas limitaciones que agradecerían igualmente una puesta a punto. Repárese, si no, en las debilidades del aseguramiento de su cumplimiento: ora en lo que hace al régimen de ejecución forzosa en este entorno[36], ora en lo que toca al régimen de infracciones y sanciones específico de la legislación de salud pública[37].

---

[36] Sería de esperar que la legislación de salud pública hubiese estatuido algún tipo de medida de ejecución forzosa especialmente adaptada. Por ejemplo, parece propicia a este sector la multa coercitiva, visto que muchas veces la medida implicará, como es el caso de la cuarentena o el aislamiento, la realización de conductas personalísimas. LGSP no prevé la multa coercitiva. Tampoco la legislación autonómica lo hace mayoritariamente. La excepción viene dada por la Ley de salud pública de Castilla y León, que sí recoge una habilitación específica para imponer multas coercitivas sucesivas dentro de la horquilla comprendida entre los 500 y los 6.000 euros.

[37] Como ya he explicado en otro lugar — en el marco de una crítica más general por la falta de interés en el despliegue de esta ley: «El letargo de la Ley General de Salud Pública», *Retos del derecho a la salud y de la salud pública en el siglo XXI*, Aranzadi, Cizur Menor, 2020—, la LGSP incorpora un régimen sancionador que no dudaría en calificar de "plano" en el sentido de que no se interesa en captar la singularidad del entorno y de matizar convenientemente el tratamiento de las infracciones y sanciones del ramo. En su lugar, más bien parece un ejercicio de "corta y pega", cogiendo un modelo estándar de régimen sancionador al que simplemente se han añadido un puñado de retoques particulares. Desde luego, deja mucho que desear por su excesivo esquematismo y no es en absoluto expresivo de ese máximo esfuerzo posible que, en el ideal y por mor de la seguridad jurídica, exigimos al legislador en la tipificación de infracciones y sanciones. Habla por sí sola su infracción "estrella": «La realización de conductas u omisiones que puedan producir un riesgo o un daño para la salud de la población». A la vista está que, virtualmente, engloba cualquier comportamiento contrario a la salud pública. Acusa vaguedad e imprecisión. Aunque me pregunto si en estos momentos cabría hacer de la necesidad virtud en el sentido de que, si bien no proporciona el mejor amarre para encarar el castigo en escenarios de salud pública difusos —porque no esté delimitado el daño o el riesgo a la comunidad o sea difícil individualizarlo hasta reconducirlo a una conducta en los términos que exige un acto punitivo—, en entornos en los que la presencia del riesgo colectivo es inconcuso —difícil imaginar un ejemplo más claro que el que vivimos—, quizás pudiera llegar a ser un

De otra parte, cabe optar por la vía de la recomendación. Sorprende que, a pesar de esta importancia estratégica, la huella de la recomendación en salud pública sea poco reconocible en la legislación del ramo. Se recoge, ciertamente, el *deber de colaboración* en la LGSP: «Los ciudadanos facilitarán el desarrollo de las actuaciones de salud pública y se abstendrán de realizar conductas que dificulten, impidan o falseen su ejecución»[38]. Ahora bien, fuera de

---

utilísimo "multiusos". Por otra parte, es de significar, asimismo, que se trata de un régimen sancionador muy poco engrasado —al menos, a juzgar por la ausencia de impronta judicial rastreable, lo cual explica que se detecte una cierta propensión a arrimarse a marcos sancionadores afines, que le resultan más familiares a la Administración.

[38] *Ex* art. 8 de la LGSP. Para profundizar, acúdase a Javier GARCÍA AMEZ, «Derechos y deberes en el campo de la Salud Pública», *Derecho y Salud como Realidades Interactivas*, Aranzadi, Cizur Menor, 2015, 385-394.
Por cierto que en el tránsito a la "nueva normalidad" vemos muy destacado el principio de corresponsabilidad de los ciudadanos en la tutela de la salud pública. De hecho, tengo para mí que se ha dado una vuelta de tuerca relevante al estatuir un *deber de cautela y protección*. Según prevé el art. 4 del Real Decreto-ley 21/2020, de 9 de junio, de medidas urgentes de prevención, contención y coordinación para hacer frente a la crisis sanitaria ocasionada por el COVID-19:
«Todos los ciudadanos deberán adoptar las medidas necesarias para evitar la generación de riesgos de propagación de la enfermedad COVID-19, así como la propia exposición a dichos riesgos, con arreglo a lo que se establece en este real decreto-ley. Dicho deber de cautela y protección será igualmente exigible a los titulares de cualquier actividad regulada en este real decreto-ley».
Hay un salto de intensidad, de mayor compromiso, como es fácil apreciar en una primera glosa, respecto del deber de colaboración de la LGSP. Se exige ahora no solo facilitar y no entorpecer la acción en salud pública, sino ser cauto y protegerse a uno mismo y a los demás del riesgo de contagio.
Ni el deber de colaboración ni el recién alumbrado deber de cautela y protección son, en rigor, novedades. Introducen postulados que podrían ya extraerse sin dificultad del art. 43.2 de la CE e incluso, yendo más lejos, del principio jurídico universal *alterum non laedere*. Sin embargo, ello tampoco quiere decir que la concretización de estos deberes sea superflua. Tiene de positivo que contribuye a visibilizar, a recordar, ese sustrato de fondo y, en este sentido, brinda amarres más reconocibles y directos. Amarres que a su vez pueden allanar otras vías de actuación como, por poner un claro

este frontispicio, no hay un desarrollo sustantivo que cristalice en figuras concretas y eso puede observarse, señaladamente, a propósito de la recomendación. Esta especie de limbo, bajo mi punto de vista, puede suponer al cabo un flaco favor para su desarrollo armónico. No se me oculta que, envuelta por ese aire de evanescencia, la recomendación en salud pública puede venir de molde allí donde la Administración se enfrenta a escenarios donde su respuesta viene lastrada por variables como la incertidumbre o la magnitud. Esto supuesto, conviene que esa evanescencia no torne en fútil o superfluo al mensaje o consejo. Y no sólo de cara al ciudadano. Corre el mismo riesgo la propia Administración si acaba viendo en la recomendación una suerte de mecanismo *light* con el que eludir responsabilidades. De ahí que una regulación de este mecanismo, aun de mínimos, acotando quién, cuándo y cómo puede llevar a cabo recomendaciones en salud pública aca-

---

ejemplo, el establecimiento de deberes más específicos —uso de mascarillas, declaraciones responsables…—. De igual forma, sirve a los efectos de "reavivar" a las diferentes instituciones generales capaces de absorber conductas que sean contrarias al *alterum non laedere*.

Esto sentado, conviene reparar igualmente en las posibles disfunciones que puede traer consigo el principio de corresponsabilidad de los ciudadanos en la tutela de la salud pública allí donde no se ajuste adecuadamente. Me limitaré a apuntar los dos riesgos que estimo más relevantes. El primero atañe al poder público y a su responsabilidad para con la protección de la salud pública. Importa interiorizar que el hecho de incrementar el compromiso exigido al ciudadano no puede suponer en modo alguno rebajar como acto reflejo la implicación de aquel al frente de la política de salud pública. El segundo riesgo tiene que ver con la propia pertinencia y alcance del concurso o encargo exigido al ciudadano, que ha de ser, aparte de eficaz en orden a la cuestión que toque, razonable —proyéctese esta idea, por ejemplo, sobre el uso del deber de declaración responsable: no es lo mismo exigir al ciudadano que asuma la exigencia de declarar bajo su responsabilidad y por su cuenta que está libre de una enfermedad que pedirle que haga constar la ausencia de una sintomatología que para él resulte sencilla de chequear—. El poder público, pues, debe cuidar de que aquello que exige al ciudadano sea realizable por éste, lo cual conecta a su vez con otros valores de la salud pública como es el caso de la equidad.

so podría aportar ese plus de rigor capaz de frenar el peligro de desvirtuación al que aludo.

Ambas vías, esquemáticamente expuestas, admiten luego, claro es, un sinfín de registros y modalidades. Es más, se advierte que algunos ramales cobran cada vez más sustantividad propia. Así ocurre con la *condición* y con el *estímulo*. Fijar condiciones a la hora de acceder a ciertas actividades puede ser una manera efectiva de conseguir que el ciudadano participe de la estrategia de salud pública diseñada. Y otro tanto sucede si se acude a los estímulos —o fomento—, que, a su vez, pueden ser muy diversos. Sea como fuere, cumple a los efectos de este estudio significar la importancia de que la respuesta a las amenazas epidémicas cuente con un fondo instrumental rico en variantes y con el mejor afinamiento jurídico posible.

C) Las dudas en cuanto a la virtualidad y alcance de la garantía judicial prevista en el art. 8.6.2 de la LJCA

Estoy seguro de que, páginas atrás, cuando reflexionaba acerca de la necesidad de estatuir un catálogo de medidas de respuesta frente a las epidemias, el lector pensó que omitía la referencia al aspecto más relevante de todos: las garantías. Porque muchas de estas medidas van a colisionar frontalmente con libertades individuales, exigiendo un recorte o sacrificio de las mismas que, en buenos principios, ha de estar rodeado de los oportunas contrapesos.

Una de esas garantías tiene que ver con la intervención *judicial*. La laguna a este respecto era tan palmaria en la LOMESP —donde no se hace siquiera mención a ello— que hubo que colmarla mediante un apéndice que hoy encontramos en el art. 8.6.2 de la LJCA. Se dice allí, textualmente, que:

> «[...] corresponderá a los Juzgados de lo Contencioso-administrativo la autorización o ratificación judicial de las medidas que las autoridades sanitarias consideren urgentes y necesarias para la salud pública e impliquen privación o restricción de la libertad o de otro derecho fundamental».

La previsión ha sido glosada con detalle por la doctrina científica[39]. Conocemos de esta suerte cuáles son sus principales puntos débiles, que no son pocos, tanto en lo que hace a la definición del supuesto de hecho, como en lo que atañe a su operatividad, huérfana de una tramitación *ex professo*. Pues bien, la crisis del covid-19 no ha hecho sino evidenciar todavía más todas y cada una de esas debilidades.

De hecho, tengo para mí que ha puesto contra las cuerdas su virtualidad dando pie a posiciones antagónicas entre los Juzgados de lo Contencioso-Administrativo y de Instrucción —y es de ver también si entre los Tribunales Superiores de Justicia— acerca de su ámbito de cobertura[40]. En efecto, la evanescencia que envuelve a esta autorización ha hecho dudar de si procede recabar la autorización y ratificación judicial a propósito de medidas que tienen alcance *general* e *indeterminado*, es decir, que no se proyectan específicamente sobre un destinatario individualizado —que era su escenario habitual—. Tomemos por caso una Orden autonómica conteniendo medidas de cuarentena y, en su caso, aislamiento en todos los centros de la tercera edad de la Comunidad. El tema no es aquí si tales medidas implican privación o restricción de la libertad o si han sido adoptadas por las autoridades sanitarias en un contexto de ur-

---

[39] Principalmente, por Laura SALAMERO TEIXIDÓ, «La función no revisora de la jurisdicción contencioso-administrativa», *Estudio de la Ley de la Jurisdicción Contencioso-Administrativa*, Tirant Lo Blanch, Valencia, 2014, 203-277.

[40] Aunque trato de ofrecer una exposición panorámica en el texto, es de rigor y prudencia puntualizar que, habida cuenta del poco tiempo transcurrido y de las limitaciones de estos meses, es más que probable que vayan surgiendo nuevos pronunciamientos judiciales que, hoy por hoy, no consten en las bases de datos al uso. Lo cual me sirve, por otra parte, para agradecer las distintas iniciativas, algunas individuales, otras colectivas, tendentes a ofrecer al estudioso y al público una recopilación de distintos materiales jurídicos. En este mismo orden, me ha resultado de gran ayuda la página del Consejo General del Poder Judicial: http://www.poderjudicial.es/cgpj/es/Servicios/Informacion-COVID-19/Informacion-General.

gencia y necesidad que es igualmente notorio. Tampoco si están orientadas a la protección de la salud pública. Lo cierto es que, literalidad en mano, una Orden así puede subsumirse en el supuesto de hecho que recoge el art. 8.6.2 de la LJCA. Ahora bien, se antoja que, de fondo, algo chirría: ¿fue esta autorización judicial ideada para efectuar un control de esta índole? He aquí el nudo gordiano que el coronavirus ha planteado abruptamente y que ha motivado una disparidad de criterios en los órganos judiciales que hasta ahora se han pronunciado al respecto.

a. Sin individualización de los destinatarios no procede librar autorización. Este es el criterio que han defendido, por ejemplo, los Juzgados de lo Contencioso-Administrativo núm. 1 de Zaragoza[41] y de Instrucción núm. 5 de Valladolid[42]. En esta línea, también, aunque con una tesis ecléctica, el Juzgado de lo Contencioso-Administrativo núm. 1 de Santa Cruz de Tenerife[43].

b. Aunque no haya esa individualización, la ratificación judicial es procedente a partir, básicamente, de un examen abstracto de la proporción de las medidas que se contengan en estas órdenes generales. Postura mantenida, por ejemplo, por los Juzgados de lo Contencioso-Administrativo núm. 4

---

[41]   Auto del Juzgado de lo Contencioso-Administrativo núm. 1 de Zaragoza núm. 13/2020, de 16 de marzo.

[42]   Auto del Juzgado de Instrucción núm. 5 de Valladolid de 22 de marzo de 2020, confirmado en apelación por el Auto del Tribunal Superior de Justicia de Castilla y León, Sala de lo Contencioso-Administrativo, núm. 354/2020, de 25 de marzo.

[43]   Auto del Juzgado de lo Contencioso-Administrativo núm. 1 de Santa Cruz de Tenerife núm. 84/2020, de 2 de marzo de 2020. La posición que se adopta en esta resolución es ecléctica en el sentido de que, si bien se ratifica la Orden de la Consejera de Sanidad, «se limita subjetivamente, respecto de aquellas personas que, estando incluidas en los Anexos I y III, manifiesten explícitamente o por hechos concluyentes su oposición a la observancia o cumplimiento de las medidas ordenadas por la Autoridad y personal sanitarios».

de Barcelona[44], núm. 1 de Santander[45], núm. 2 de Pamplona[46], núm. 3 de Valladolid[47], y núm. 3 de Vitoria[48].

Por mi parte, me suenan más convincentes los argumentos de la primera de las posiciones. Se diría que la garantía del art. 8.6.2 de la LJCA se compadece con escenarios en los que hay el suficiente grado de concreción como para que la autorización sirva al propósito de encauzar la puesta en práctica de la medida, verificando su procedencia e imponiendo los condicionantes circunstanciales necesarios. Difícilmente puede llevarse a cabo esa misión, cosida a una realidad localizada, si el marco que se plantea es general y más propio de una norma, siquiera sea coyuntural o de necesidad[49]. En cierta forma, al llevar órdenes como la señalada ante el Juzgado de lo Contencioso-Administrativo para su autorización se

---

[44] Auto del Juzgado de lo Contencioso-Administrativo núm. 4 de Barcelona núm. 70/2020, de 13 de marzo. Afectaba esta ratificación judicial a la Resolución INT/718/2020, de 12 de marzo, de los Departamentos de Interior y de Salud de la Generalitat, por la cual se acordaba restringir la salida de personas de los municipios de Igualada, Vilanova del Camí, Santa Margarida de Montbuí y Ódena. La ratificación se limitó temporalmente a un período de 14 días naturales, sin perjuicio de sucesivas prórrogas.

[45] Auto del Juzgado de lo Contencioso-Administrativo núm. 1 de Santander núm. 36/2020, de 16 de marzo.

[46] Auto del Juzgado de lo Contencioso-Administrativo núm. 2 de Pamplona núm. 22/2020, de 16 de marzo.

[47] Auto del Juzgado de lo Contencioso-Administrativo núm. 3 de Valladolid núm. 26/2020, de 13 de marzo.

[48] Auto del Juzgado de lo Contencioso-Administrativo núm. 3 de Vitoria-Gasteiz núm. 46/2020, de 17 de marzo.

[49] En el Auto del Juzgado de lo Contencioso-Administrativo núm. 1 de Zaragoza núm. 13/2020, citado más arriba, se razonaba en estos términos: «El precepto legal mencionado, como no puede ser de otra manera, se pronuncia en términos generales. Ahora bien, para que se produzca y se dé lugar a una situación que, se reitera, «encaje» en el mismo, y por tanto exija una autorización o ratificación judicial, es necesario que lo que se prevé legalmente —genéricamente—, y lo que, en función de dicha previsión, se acuerda por la Administración —también genéricamente— con forma y vocación normativa; y por tanto, de obligado cumplimiento para terceros, adquiera un mayor grado de concreción, de forma que pueda detectarse que en la actuación administrativa cuya ratificación se pretende, existe una

coloca al Juez en la tesitura de tener que realizar una suerte de control apresurado de su legalidad material —cosa que encajaría mejor dentro de los márgenes de un proceso ordinario— o, visto desde otro ángulo, de dar una especie de aprobación o *plácet* abstracto y preventivo —que, como tal, puede tener incluso un cierto aire de prevención de las autoridades sanitarias frente a eventuales responsabilidades futuras—.

En la referencia a las *medidas* de la autoridad sanitaria estaría ínsito, por así decir, un mínimo nivel de concreción en su destinatario capaz de permitir conservar el efecto útil de la garantía a que sirve. La intervención judicial del art.8.6.2 de la LJCA no puede transmutarse en un control abstracto de medidas generales como si se tratase de una validación judicial de una estrategia o plan epidémicos. En este sentido, las pautas interpretativas propuestas por SALAMERO TEIXIDÓ me parecen acertadas[50]. Partiendo de la dificultad que ha supuesto para los jueces hacer frente en condiciones así de extremas a la aplicación de un mecanismo poco elaborado en términos normativos y jurisprudenciales, la autora pone el acento en la sustancia de esta autorización, así como en su comunión con el resto de autorizaciones judiciales —con las que está ligada por la propia sistemática—. De esta suerte, concluye que el art. 8.6.2 debe aplicarse en el contexto de la *ejecución con*

---

afectación inmediata, directa y oportunamente concretada, sobre bienes jurídicos específicos».

Rematando así su argumentación:

«En definitiva, para esta Juzgadora no resulta necesaria una ratificación global de un instrumento normativo de la Administración, dictado dentro de sus legítimas potestades y dirigido a la adopción de medidas preventivas adicionales de salud pública en la Comunidad Autónoma de Aragón, por la situación y evolución del COVID-19, todo ello sin perjuicio de que, en la ejecución de la misma, puedan darse situaciones que, de conformidad con lo hasta aquí expuesto y de conformidad con lo que establece el artículo 8.6 apartado 2 de la LJCA, deban ser amparadas judicialmente».

[50] Véase Laura SALAMERO TEIXIDÓ, «Algunas reflexiones sobre la autorización o ratificación judicial de medidas sanitarias al hilo de la aprobación de actos plúrimos para hacer frente a la Covid-19», *Diario La Ley*, 9632, 14 de mayo de 2020, 1-10.

oposición cierta o previsible a las medidas sanitarias y no, en cambio, en el estadio previo de su regulación o disposición general. Es, pues, esa ejecución la que nos daría el nivel o grado de concreción necesarios a los efectos de que el órgano judicial esté en disposición de velar por la efectiva ponderación de bienes y el establecimiento de condiciones *ad hoc* para la debida guarda de los derechos fundamentales de la persona afectada.

III. EL SALTO A LA LEY ORGÁNICA REGULADORA DEL ESTADO DE ALARMA Y EL PAPEL COMPLEMENTARIO DE LA LEGISLACIÓN DE SALUD PÚBLICA

Los estudios y análisis en torno a la regulación de las amenazas sanitarias y de las epidemias solían detenerse a las puertas del estado de alarma, limitándose a señalar que esas puertas podían franquearse y que había un estadio más con un amarre franco al que aferrarse en última instancia. Se citaba así el art. 4.*b* de la LOAES y se ponía de manifiesto que entre las alteraciones graves de la normalidad en grado de justificar la declaración del estado de alarma se encontraban expresamente mencionadas las «crisis sanitarias, tales como epidemias [...]». Sin embargo, no se profundizaba en el examen de lo que aguardaba en ese estadio superior que se antojaba demasiado remoto. He ahí una segunda enseñanza clara a retener: cabe que esa situación extrema advenga como, de hecho, ha ocurrido.

Me parece difícilmente discutible que la crisis del covid-19 constituye una crisis sanitaria en grado de justificar la invocación del referido art. 4.*b*. Por su naturaleza, pues se trata de una epidemia, que es uno de los ejemplos específicamente mencionados por el legislador, pero, sobre todo, claro está, por su magnitud, más contando con las cifras de infectados y fallecidos que hoy conocemos. Significa lo anterior que, en adelante, el estudio de la regulación de las epidemias debe contar con la eventualidad cierta de que la gravedad de la situación traigo consigo la necesidad de dar un nuevo salto al marco del estado de alarma. De donde la conveniencia, una vez más, de incorporar elementos que ayuden a calibrar esa gravedad ante la eventualidad de episodios de esta naturaleza que puedan no resultar tan evidentes en su catalogación.

Esta constatación tiene, como es fácil imaginar, un buen número de derivadas. Va a ser fundamental el análisis que se haga acerca de la importancia de lo que está en grado de aportar el estado de alarma en términos de estrategia en la batalla epidémica, principiando por las medidas enunciadas en el art. 11 de la LOAES. De igual forma, va a ser necesario estudiar con profundidad la articulación del estado de alarma y cómo ha de enhebrarse en los momentos iniciales y finales de la lucha contra la crisis sanitaria. Y aún más: hará falta igualmente caer en la cuenta de que el estado de alarma no viene a anular el concurso de la legislación ordinaria en materia de epidemias, sino que, antes al contrario, requiere de su papel complementario. Quiere ello decir que hay una relación de *complementariedad* a la que importa mucho que se preste atención en el estudio de esta materia en lo sucesivo a fin de que la imbricación se ajuste no solo por fuera, sino también por dentro.

Esa complementariedad tiene como base normativa lo previsto en el art. 12.1 de la LOAES. Se dice allí que «En los supuestos previstos en los apartados a) y b) del artículo cuarto, la Autoridad competente podrá adoptar por sí, según los casos, además de las medidas previstas en los artículos anteriores, *las establecidas en las normas para la lucha contra las enfermedades infecciosas,* la protección del medio ambiente, en materia de aguas y sobre incendios forestales». Luego es llano que, lejos de desactivar u orillar la legislación epidémica, el estado de alarma cuenta con ella y confía en que va a poder seguir recurriendo a ella en busca de medidas específicas adicionales. Se sabe, en definitiva, de la especificidad en la respuesta que puede requerir la epidemia y, por eso mismo, de tener a la mano todas las opciones[51].

---

[51] Por los términos empleados (normas para la lucha contra las enfermedades infecciosas), se diría que el legislador estaba pensando en el *Reglamento para la lucha contra las enfermedades infecciosas* (1945).

Este planteamiento de complementariedad se ha visto confirmado en la crisis del covid-19. Destacaré, en particular, tres muestras que considero bien expresivas de ello.

A. La primera viene dada por la ratificación de todas las medidas previamente adoptadas por las autoridades autonómicas y locales con ocasión del coronavirus, lo cual incluye a las amparadas en la legislación de salud pública; medidas que se declaran vigentes en tanto, eso sí, resulten compatibles con las establecidas en el RDEA[52]. Con ello se traslada una cierta idea de continuidad y engarzamiento.

B. Resulta asimismo relevadora de la profunda imbricación entre los dos planos, la invocación que se ha venido haciendo de la legislación sanitaria ordinaria por parte del Ministro de Sanidad a los efectos de fundamentar algunas Órdenes que introducían medidas sanitarias personales de contenido ablatorio y que constituían, por lo demás, piezas muy relevantes. En concreto, son de destacar la Orden relativa a las residencias de personas mayores y centros sociosanitarios (i), así como la Orden sobre cuarentena de las personas procedentes de otros países (ii). En ambos casos, los preámbulos hacen mención específica a la LOMESP como uno de los soportes normativos legitimadores[53].

    i. La Orden SND/265/2020, de 19 de marzo, introduce medidas de *aislamiento* en las residencias de mayores y otros centros sociosanitarios que pueden ser de carácter individual o,

---

[52] Con arreglo a la disposición final primera (*Ratificación de las medidas adoptadas por las autoridades competentes de las Administraciones Públicas*) del RDEA.

[53] Se trae a colación igualmente a la LOMESP como sostén normativo en la Orden SND/275/2020, de 23 de marzo, por la que se establecen medidas complementarias de carácter organizativo, así como de suministro de información en el ámbito de los centros de servicios sociales de carácter residencial en relación con la gestión de la crisis sanitaria ocasionada por el COVID-19; y en la Orden SND/297/2020, de 27 de marzo, por la que se encomienda a la Secretaría de Estado de Digitalización e Inteligencia Artificial, del Ministerio de Asuntos Económicos y Transformación Digital, el desarrollo de diversas actuaciones para la gestión de la crisis sanitaria ocasionada por el COVID-19.

en su defecto, por cohortes siempre que se trate de casos análogos[54]. Se trata de un régimen de aislamiento que no solo se proyecta sobre los residentes contagiados —con diagnóstico covid-19 confirmado—, sino que se extiende también a aquellos con infección respiratoria aguda leve —casos probables—, así como a los residentes sin síntomas pero que hayan mantenido un contacto estrecho con un caso confirmado o posible[55]. Por otra parte, se fija asimismo el deber general de realizar la prueba diagnóstica de confirmación a los casos que presenten síntomas de infección respiratoria aguda bien que con la condición de que haya disponibilidad[56].

ii. La Orden SND/403/2020, de 11 mayo, establece el deber de las personas procedentes del extranjero de respetar a su llegada a España una *cuarentena* de catorce días[57]. Dicha cuarentena tendrá lugar en el domicilio o alojamiento y solo permitirá el desplazamiento para ciertas actividades y, en todo caso, siempre con mascarilla. De igual forma, se habilita a las autoridades sanitarias para contactar con estas personas en cuarentena a fin de realización su seguimiento[58].

Teniendo esto presente, encontramos en la conexión entre el estado de alarma y las epidemias una razón añadida que milita a favor de la necesidad de preocuparse por la mejora de la legislación ordinaria en la materia. Porque, llegado el momento de

---

[54] Orden SND/265/2020, de 19 de marzo, de adopción de medidas relativas a las residencias de personas mayores y centros sociosanitarios, ante la situación de crisis sanitaria ocasionada por el COVID-19.

[55] *Ex* apartado segundo (*Medidas relativas a la ubicación y aislamiento de pacientes COVID-19 en las residencias de mayores y otros centros sociosanitarios*).

[56] *Ex* aparatado quinto (*Medidas de coordinación para el diagnóstico, seguimiento y derivación COVID-19 en residencias de mayores y otros centros sociosanitarios y el Sistema Nacional de Salud*).

[57] Orden SND/403/2020, de 11 mayo, sobre las condiciones de cuarentena a las que deben someterse las personas procedentes de otros países a su llegada a España, durante la situación de crisis sanitaria ocasionada por el COVID-19. Véase, en concreto, el art. 2 (*Período de cuarentena*).

[58] *Ex* art. 2.4.

tener que acudir a ese estadio superior, las limitaciones y flaquezas de aquella van igualmente a dejarse notar y pueden hacer, en consecuencia, que se resienta la respuesta. Son, pues, en cierta medida, vasos comunicantes.

C. Finalmente, vale la pena reparar en la operatividad de la autorización o ratificación previstas en la Ley de la Jurisdicción Contencioso-Administrativa. Y es que la aprobación del RDEA no ha supuesto la desactivación de la garantía judicial contenida en el art. 8.6.2 de la LJCA, cuya raigambre, no hay que olvidarlo, conecta con la propia CE. En este sentido, la disposición final primera del RDEA, luego de ratificar las disposiciones y medidas adoptadas por las autoridades autonómicas y locales a fin de hacer frente al coronavirus, se cuida de precisar que «La ratificación contemplada en esta disposición se entiende *sin perjuicio de* la ratificación judicial prevista en el artículo 8.6.2.º de la Ley 29/1998, de 13 de julio»[59]. Al mismo tiempo, se excluye de la suspensión e interrupción de plazos procesales la tramitación de tales autorizaciones o ratificaciones judiciales[60].

Esto sentado, ocurre, una vez más, que las flaquezas de la legislación ordinaria en torno a las epidemias reaparecen aquí a consecuencia de la complementariedad. Y es por ello que durante el estado de alarma era dado preguntarse si procedía recabar de los

---

[59]   Proyectada hacia delante, esta previsión resulta clara en su comprensión. No lo es tanto, sin embargo, cuando se proyecta hacia atrás, que parece, por otra parte, su sentido primigenio. Y es que, como ya se ha indicado, en la etapa previa a la aprobación del RDEA, las distintas Comunidades Autónomas adoptaron medidas sanitarias de orden general, lo que motivó dudas y discrepancias en cuanto a la necesidad o no de autorización o ratificación judiciales en aplicación de lo previsto en el art. 8.6.2 de la LJCA. Siendo este el panorama, es claro que una tal previsión dejaba la controversia *in albis*. Y prueba de ello es la lectura, por ejemplo, del Auto del Juzgado de lo Contencioso-Administrativo núm. 3 de Vitoria-Gasteiz núm. 46/2020, de 17 de marzo, en el que se solicitaba por parte del Gobierno vasco la ratificación de la Orden respectiva de medidas de salud pública frente al coronavirus aprobada *antes* del RDEA. A fin de brindar una respuesta coherente, este Juzgado consideró que la autorización exigía efectuar un test adicional de compatibilidad entre las medidas autonómicas y las contenidas en el RDEA.

[60]   *Ex* apartado 3.*a* de la disposición adicional segunda del RDEA.

órganos judiciales la autorización y/o ratificación respecto de las medidas *generales* de salud pública que con posterioridad al RDEA se iban adoptando —y que ya conocemos: cuarenta y aislamiento en centros asistenciales...— y que suponían una privación o restricción de la libertad u otros derechos fundamentales. Cuestión que, no vano, había originado con carácter previo al estado de alarma diferentes interpretaciones por parte de los Juzgados intervinientes.

Pues bien, parece ir ganando terreno en la Administración la postura o el criterio proclive a considerar que el art. 8.6.2 de la LJCA tiene su marco natural de operatividad, no ya en el estadio de la regulación o disposición de medidas generales, sino allí donde la autoridad sanitaria precisa de la adopción de medidas concretas para cuya ejecución se hace imprescindible un auxilio judicial en garantía de los derechos. De esta suerte, el control jurisdiccional de las Órdenes del Ministro de Sanidad conteniendo medidas de carácter ablatorio sobre las libertades personales ha sido reconducido al correspondiente recurso contencioso-administrativo plenario[61]. Así encauzadas las medidas generales, la autorización o ratificación judiciales ha quedado reservada a aquellos casos en los que la autoridad sanitaria competente se ha visto en la necesidad puntual ya sea de adoptar medidas más gravosas a las generales (i), ya de tener

---

[61] Lo cual no quiere decir, por cierto, que no convenga también algún ajuste. Es de significar que este tipo de medidas, justamente por las urgencias en su gestación, suelen surgir con las garantías procedimentales previas debilitadas. Es por esta razón —y también, claro está, por su contenido— que importa tanto que el control judicial posterior se muestre plenamente en forma y efectivo. Y, en este sentido, de adoptarse este planteamiento, quizás no estaría de más introducir algunas precisiones particulares respecto del régimen procesal común. Sea como fuere, importa, insisto en este punto, que el camino a la revisión judicial esté expedito. Por cierto que la lectura de los pies de recurso de las referidas órdenes deja entrever que hay todavía cabos por atar. Así, mientras que la Orden 265/2020 remite a la Audiencia Nacional *ex* art. 11 de la LJCA, las Órdenes 297/2020 y 403/2020 señalan al Tribunal Supremo *ex* art. 12 *ibidem*. Resuena acaso el debate acerca del ejercicio de competencias propias o delegadas (véase el Auto del Tribunal Supremo de 20 de mayo de 2020, recurso 9/2020).

que vencer la resistencia del particular que se negaba a cumplir voluntariamente con la ordenación general dispuesta (ii).

i. Medidas puntuales agravadas por las circunstancias específicas del caso como, por ejemplo, el aislamiento domiciliario *absoluto*, es decir, aquel que descarta incluso las actividades de salida autorizadas en el RDEA[62].

ii. O bien supuestos en los que surge la negativa por parte del particular a acatar medidas generales como la realización de una prueba de detección a un residente en un centro de mayores[63]; el traslado a un centro socio-sanitario donde pueda garantizarse su aislamiento[64] o la hospitalización de una persona contagiada que solicitaba el alta voluntaria[65].

La lectura de estos autos permite, por lo demás, corroborar la importancia de ese tamiz judicial no solo en cuanto al control capital de proporcionalidad, sino también en lo que toca a las

---

[62] Así ocurría en los Autos del Juzgado de lo Contencioso-Administrativo núm. 1 de Santander de 31 de marzo de 2020 (núms. 37 y 38), que autorizaron el aislamiento domiciliario absoluto de sendas personas contagiadas; las cuales, dado que presentaban síntomas leves, no precisaban hospitalización. Un supuesto similar, también relativo a un aislamiento domiciliario agravado, puede verse en el Auto del Juzgado de lo Contencioso-Administrativo núm. 3 de Vitoria-Gasteiz de 20 de marzo de 2020 (núm. 47).

[63] Que es lo que se despachaba en el Auto del Juzgado de lo Contencioso-Administrativo núm. 5 de las Palmas de Gran Canaria de 29 de abril de 2020 (núm. 55).

[64] Se trataba de un caso en que el enfermo se resistía a acatar las pautas de aislamiento en un pabellón:
«Así pues, del análisis de la solicitud y documentos resulta que en el presente caso ha quedado acreditado que D. Isaac, acogido en el Centro Pabellón las Palmeras de Badajoz, no respeta, de forma continua, su aislamiento, provocando conflictos con sus compañeros y arrancándose la bolsa de colostomía varias veces al día, manchando sus ropas y sus dependencias, resultando prácticamente imposible mantener la situación de confinamiento para prevenir el contagio por coronavirus» (Auto del Juzgado de Instrucción núm. 3 de Badajoz de 30 de marzo de 2020, recurso 64/2020)

[65] Véanse el Auto del Juzgado de Primera Instancia e Instrucción núm. 1 de Palencia de 31 de marzo de 2020 (recurso 1/2020); y el Auto del Juzgado de Instrucción núm. 9 de Murcia de 25 de marzo de 2020 (recurso 736/2020).

circunstancias de la puesta en práctica, expresivas, por lo demás, de la vocación *in concreto* de este singular registro de guarda de los derechos fundamentales. Imponer a la autoridad sanitaria que garantice la debida cobertura de las necesidades básicas de la persona aislada con carácter absoluto en su domicilio —en prevención de que su situación personal y familiar fuese precaria— y el control periódico de su salud no deviene, como es fácil comprender, una condición menor[66].

IV. FINAL: LA IMPORTANCIA DE UNA REGULACIÓN LO MÁS ESTRUCTURADA Y COMPLETA POSIBLE DE LAS CRISIS O EMERGENCIAS DE SALUD PÚBLICA

¡Sólo nos acordamos de Santa Bárbara cuando truena! Este refrán retrata, a mi modo de ver, la intrahistoria de los últimos años a propósito de la juridificación de las epidemias y la razón de muchos recelos. Solo que esta vez no está siendo una tormenta cualquiera. Resulta difícil imaginar, por eso mismo, que la clara necesidad de revisar *in funditus* el estado de nuestra legislación sobre la materia pueda diluirse fácilmente una vez retornemos a una relativa normalidad.

> Por su magnitud y circunstancias, la tragedia va a quedar grabada en la memoria colectiva de toda esta generación, pero es que, además, no podemos descartar que traiga consigo una alteración estructural de nuestra normalidad, al menos, a corto o medio plazo, en el sentido de condicionar el desarrollo de algunas actividades cotidianas que hasta hora ejercíamos sin cortapisas de índole sanitaria. El uso de la mascarilla no puede ser en este sentido más gráfico y elocuente.

Al legislador le espera, en este sentido, una tarea laboriosa y exigente. Sabemos que no se trata simplemente de unos cuantos parches o de una puesta a punto rutinaria. La precariedad que

---

[66] Tengo en mente el Auto del Juzgado de lo Contencioso-Administrativo núm. 3 de Vitoria-Gasteiz de 20 de marzo de 2020 (núm. 47).

acusa nuestra legislación en este orden es profunda y requiere tocar muchos temas, centrales e instrumentales, y desarrollarlos —algunos virtualmente desde cero, vale decir, normativamente hablando—. Pero no es solo eso. A lo que figuraba como pendiente de hacer se añade hoy lo que el coronavirus ha traído nuevo. Y es que, aparte de intensificar algunas luces de alarma que ya estaban encendidas, han aparecido otras nuevas. Cuestiones importantes que se suman a la vieja lista como la tocante a la vigilancia epidemiológica y el empleo de nuevas y diversas tecnologías.

> No todo son inconvenientes, de todos modos. En el lado positivo, es de poner en valor el torrente de comentarios y trabajos que en el orden jurídico se han venido produciendo a cuenta del covid-19 y que van a permitir, a mi parecer, un salto cualitativo formidable en aras del desarrollo del Derecho de la Salud Pública. Se ha conformado, así pues, un rico bagaje doctrinal del que cabe extraer muchas reflexiones y enseñanzas[67].

***

Sin cambiar de tercio, pensando, pues, en esa dura labor que tiene por delante el legislador, no puedo dejar de significar un doble orden de reflexiones que estimo igual de o aun más relevantes que las acotaciones sobre el modelo y la mejora en la respuesta por parte de la Administración al fenómeno de la epidemia.

A. De una parte, aunque se haya aquí puesto el acento en la especificidad de la respuesta en el entendido de que importa parar mientes en las herramientas y técnicas particulares de la lucha epidémica para trabajar sobre ellas en clave normativa, creo que ello va a servir de poco si no viene acompañado de una coetánea mejora de las distintas estructuras generales de respuesta administrativa. Por mucho que afinemos el marco de

---

[67] Algunas de las aportaciones se han apoyado en la inmediatez del *blog*. Destacable, entro otros, la serie de trabajos *Coronavirus y Derecho* de Vicente ÁLVAREZ GARCÍA, Flor ARIAS APARICIO; y Enrique HERNÁNDEZ-DÍEZ: en www.forocsyj.com.

las cuarentenas, aislamientos y de todo lo que aquí se ha venido hablando, es indudable que, llegada la hora de la verdad, esa capacidad de respuesta depende tanto o más de la fortaleza de los marcos generales de la Administración: del ágil funcionamiento de los sistemas de coordinación y colaboración interadministrativas; del grado de implementación de la Administración electrónica o, por poner otro ejemplo de la operatividad de la contratación pública. Si la reformulación de la legislación en materia de epidemias se desentiende de todo este elenco de respaldos generales puede provocar un espejismo: el de pensar que basta con una regulación moderna y flamante, sin contar que va a encallar en su aplicación en ausencia de los apoyos generales referidos.

> Es un lugar común en la reflexión significar que la crisis del coronavirus ha puesto a prueba a todo el Derecho Administrativo —y a todo el Derecho, si se quiere—. Importa, desde esta perspectiva, que la legislación específica sobre epidemias esté flanqueada por un Derecho Administrativo general capaz de desenvolverse ante la *emergencia*. En cada uno de los grandes pilares de la organización y acción de la Administración deberíamos hacernos, pues, la pregunta de si tenemos bien trabadas las capacidades para reaccionar allí donde se produzca una emergencia del grado que estamos sufriendo.

B. De otra parte, a pesar del énfasis en la capacidad de respuesta, que siempre es más atractiva al foco jurídico, no podemos olvidar que es preferible atajar la amenaza a base de anticipación y que, en consecuencia, interesa que en la legislación se reserve la plaza central a la capacidad de *preparación*. El problema está, según lo veo yo, en que esa capacidad de preparación depende, no únicamente, pero sí de manera significativa, de un entramado organizativo en consonancia. Y es éste un paso de madurez que costará dar o, al menos, que encontrará inconvenientes, por lo económico, claro está, pero creo que también por la débil influencia del mundo profesional de la salud pública, que, en la cotidianeidad, suele tornarse poco visible. El letargo que padece la realización y puesta en marcha de la estructura organizativa diseñada por el LGSP como signo de la nueva gobernanza de la salud pública no parece, en este sentido, un buen augurio. Ni el

Consejo Asesor de Salud Pública ni el *Centro Estatal de Salud Pública* son aún una realidad[68].

✳✳✳

¿Habría mejorado el panorama si hubiésemos contado con una regulación más acorde? En mi opinión, hacer cávalas al respecto sirve más bien de poco realmente y se me antoja complicado liberarse de ese sesgo retrospectivo que inmediatamente se cuela en el análisis cuando miramos hacia atrás en la línea del tiempo. Prefiero, por mi parte, pues, concentrarme en el futuro, proyectando hacia delante esa misma pregunta: ¿puede mejorarse la capacidad de hacer frente a las epidemias mediante una regulación de este hecho más moderna y acabada?

Quiero pensar que sí. Al fin y al cabo, es propósito que todos hemos sentido de una manera especialmente intensa estos días: el de servicio e utilidad.

Comprendo que la regulación de un asunto tan excepcional no puede afrontarse con el ánimo codificador que puede estar presente en otro tipo de proyectos normativos. Me hago cargo asimismo de que las amenazas de salud pública juegan siempre con algo de ventaja en cuanto a su irrupción sorpresiva. De manera que el diseño de la respuesta ha de conceder un margen de apreciación necesariamente amplio. Estamos, claro está, en terreno abonado para los conceptos jurídicos indeterminados y los poderes de orden discrecional, por más que, como se ha venido insistiendo, no se trata, en lo esencial, de un escenario de vacío de poder, sino de imprecisión generalizada. Pero, contando con todo ello, creo que es un postulado defendible o que, al menos, vale la pena explorar el de que una buena regulación de las amenazas de salud pública puede redundar en un empoderamiento de las autoridades sani-

---

[68] El primero se concibe a la manera de órgano de colaboración interadministrativa y, a la vez, de participación social (art. 45 de la LGSP). El segundo, de perfil técnico, busca erigirse en el referente científico en la materia y en el claro proveedor de asesoramiento cualificado a las instancias de gobierno a fin de permitir una toma de decisiones cabal (art. 47 ibídem).

tarias. Acaso se considere que esta defensa del papel del Derecho desbarra en un mundo donde han de primar otros saberes. Que lo importante es la gestión de facto, los medios reales con los que se cuenta, el oficio, la pericia e implicación de los responsables de turno junto con otro tipo de propiedades y virtudes que conforman la capacidad de respuesta. Se me dirá que la fuerza de lo fáctico cuando se planta cara a una amenaza grave a la salud de una población no admite parangón. No pretendo, empero, hacer cuestión de todo lo anterior y menos aún dar cuerpo a un banal alegato del quehacer jurídico. Si vengo insistiendo una y otra vez en la importancia de la norma y de su calidad en el contexto de la salud pública es con la convicción de que el Derecho puede contribuir a mejorar la capacidad de preparación y respuesta ante ese desafío mayúsculo que representan las epidemias.

V. BIBLIOGRAFÍA

ABELLA, Fermín (1886): *Manual del Secretario de Ayuntamiento ó Tratado teórico-práctico de Administración municipal*, El Consultor de los Ayuntamientos, Madrid, quinta edición.

ÁLVAREZ GARCÍA, Vicente J. (1996): *El concepto de necesidad en Derecho Público*, Civitas, Madrid.

ÁLVAREZ GARCÍA, Vicente (2020): «El coronavirus (COVID-19): respuestas jurídicas frente a una situación de emergencia sanitaria», *El Cronista del Estado Social y Democrático de Derecho*, 86-87, 6-21.

ÁLVAREZ GARCÍA, Vicente; ARIAS APARICIO, Flor; y HERNÁNDEZ-DÍEZ Enrique (2020): *Coronavirus y Derecho*, serie de trabajos accesibles en www.forocsyj.com.

BELTRÁN AGUIRRE, Juan Luis (2017): «Tratamiento de datos personales de salud: incidencia del Reglamento general de protección de datos», *Salud electrónica. Perspectiva y realidad*, Tirant lo Blanch, Valencia.

BLANC ALTEMIR, Antonio; y CIERCO SEIRA, César (coords.) (2018): *El Derecho ante la salud pública: dimensión interna, europea e internacional*, Aranzadi, Cizur Menor.

COBREROS MENDAZONA, Edorta (1988): *Los tratamientos sanitarios obligatorios y el derecho a la salud: estudio sistemático de los ordenamientos italiano y español*, Instituto Vasco de Administración Pública, Oñati.

COBREROS MENDAZONA, Edorta (1988): «Notas acerca de los requisitos jurídicos de un eventual tratamiento sanitario obligatorio (a propósito de los enfermos del sida)», *Revista Española de Derecho Administrativo*, 57, 59-72.

CIERCO SEIRA, César (2005): «Epidemias y Derecho Administrativo. Las posibles respuestas de la Administración en situaciones de grave riesgo sanitario para la población», *Derecho y Salud*, 2, 211-256.

CIERCO SEIRA, César (2006): *Administración pública y salud colectiva: el marco jurídico de la protección frente a las epidemias y otros riesgos sanitarios*, Comares, Granada.

CIERCO SEIRA, César (2009): «La necesaria actualización de la legislación española en materia de salud pública», *Derecho y Salud*, 17, 23-45.

CIERCO SEIRA, César (2017): «Emergencias de salud pública y medicamentos», *Revista Española de Derecho Administrativo*, 184, 148-192.

CIERCO SEIRA, César (2020): «El letargo de la Ley General de Salud Pública», *Retos del derecho a la salud y de la salud pública en el siglo XXI*, Aranzadi, Cizur Menor.

COTINO HUESO, Lorenzo (2020): «Confinamientos, libertad de circulación y personal, prohibición de reuniones y actividades y otras restricciones de derechos por la pandemia del Coronavirus», *Diario La Ley*, 9608, 6 de abril.

DE LA SIERRA, Susana (2020): «Lectura de urgencia de las reacciones frente al COVID-19 desde una óptica jurídica internacional y comparada», *El Cronista del Estado Social y Democrático de Derecho*, 86-87, 32-41.

SÁNCHEZ DE LA TORRE, Ángel (1997): «El objeto de la legalidad en la expresión *salus populi suprema lex esto*», *Cuadernos de Filología Clásica. Estudios Latinos*, 12, 39-78.

DE MONTALVO JÄÄSKELÄINEN, Federico (2013): «La salud pública como límite constitucional de los derechos», *Tratado de Derecho Sanitario*, v. 2, Aranzadi, Cizur Menor,1009-1039.

DE MONTALVO JÄÄSKELÄINEN, Federico (2014): «El paradigma de la autonomía en salud pública ¿una contradicción o un fracaso anticipado?: el caso concreto de la política de vacunación», *Derecho y Salud*, 24, 27-40.

DE MONTALVO JÄÄSKELÄINEN, Federico (2017): «El marco legal de la salud pública», *La gestión orientada hacia la calidad y seguridad de los pacientes*, Fundación MAPFRE, Madrid,139-155.

DE MONTALVO JÄÄSKELÄINEN, Federico (2018): «Medidas para la promoción de la salud pública desde una perspectiva jurídica: información, incentivos y prohibiciones», *Cambio climático y salud: adaptación a las olas de calor*, Aranzadi, Cizur Menor, 37-84.

GARCÍA AMEZ, Javier (2015): «Derechos y deberes en el campo de la Salud Pública», *Derecho y Salud como Realidades Interactivas*, Aranzadi, Cizur Menor, 385-394.

NARVÁEZ RODRÍGUEZ, Antonio (2009): «La limitación de derechos fundamentales por razones sanitarias», *Revista Aranzadi Doctrinal*, 6, 79-88.

NOGUEIRA LÓPEZ, Alba (2020): «Confinar el coronavirus. Entre el viejo Derecho sectorial y el Derecho de excepción», *El Cronista del Estado Social y Democrático de Derecho*, 86-87, 22-31.

PEMÁN GAVÍN, Juan (2009): «El derecho constitucional a la protección de la salud. Una aproximación de conjunto a la vista de la experiencia de tres décadas de vigencia de la Constitución», *Revista Aragonesa de Administración Pública*, 34, 11-49.

PRESNO LINERA, Miguel Ángel (2020): «Estado de alarma por coronavirus y protección jurídica de los grupos vulnerables», *El Cronista del Estado Social y Democrático de Derecho*, 86-87, 54-65.

RUIZ SÁENZ, Ángela (2011): «Intervenciones obligatorias por riesgo de transmisión de enfermedades contagiosas: interés público versus derechos individuales», *Derecho y Salud*, 21, 171-178.

SALAMERO TEIXIDÓ, Laura (2014): «La función no revisora de la jurisdicción contencioso-administrativa», *Estudio de la Ley de la Jurisdicción Contencioso-Administrativa*, Tirant lo Blanch, Valencia, 203-277.

SALAMERO TEIXIDÓ, Laura (2016): «Derechos individuales frente a salud pública en la protección ante enfermedades contagiosas: propuestas de mejora del marco regulatorio vigente», *Informe SESPAS 2016, Gaceta Sanitaria*, 30, 69-73.

SALAMERO TEIXIDÓ, Laura (2018): «La salud pública como límite a los derechos y libertades individuales en situaciones de riesgo y emergencia», *El Derecho ante la salud pública. Dimensión interna, europea e internacional*, Aranzadi, Cizur Menor, 141-172.

SALAMERO TEIXIDÓ, Laura (2020): «Algunas reflexiones sobre la autorización o ratificación judicial de medidas sanitarias al hilo de la aprobación de actos plúrimos para hacer frente a la Covid-19», *Diario La Ley*, 9632, 14 de mayo.

TOLOSA TRIVIÑO, César (2020): «El contagio por coronavirus desde la perspectiva administrativa», *Diario La Ley*, 9602, 26 de marzo.

Libertades públicas durante el estado de alarma por la COVID-19

FRANCISCO VELASCO CABALLERO

Catedrático de Derecho Administrativo
Universidad Autónoma de Madrid

I. LIBERTADES PÚBLICAS EN LOS ESTADOS EXCEPCIONALES

1. En Derecho público comprado se observa que los estados excepcionales, entre los que se cuenta el estado de alarma declarado en España por el Real Decreto 463/2020, de 14 de marzo, afectan gravemente al orden jurídico y al funcionamiento ordinario del correspondiente Estado. Las diferencias entre los distintos países —y en esto cuenta mucho la antigüedad de la correspondiente Constitución— se manifiestan en tres órdenes elementales[1]: en la regulación de los *supuestos y las autoridades* que pueden desencadenar la situación de emergencia; en los ámbitos de funcionamiento del Estado en los que se producen *alteraciones*, cuando se declara la situación de emergencia; y en las posibles *afecciones a los ciudadanos,* incluidas las posibles restricciones de sus derechos fundamentales.

2. Tradicionalmente, los estados excepcionales desencadenan diversas restricciones en los derechos fundamentales, tanto en las libertades públicas como en los demás derechos fundamentales. Esos sacrificios o restricciones están normalmente relacionados con el *orden público,* pues es normalmente el orden público la ra-

---

[1] Similar: Pedro CRUZ VILLALÓN, "El nuevo Derecho de excepción", *Revista Española de Derecho Constitucional,* núm. 2 (1981), pp. 93-128 (p. 94). Vicente ÁLVAREZ GARCÍA, *El concepto de necesidad en el Derecho público,* Civitas, Madrid, 1996, p. 410.

zón justificante del estado excepcional[2]. Eso explica que sean las libertades de circulación, de expresión o de manifestación, así como la privacidad domiciliar y el secreto en las comunicaciones, los derechos o libertades que tradicionalmente son objeto de sacrificio durante los estados excepcionales. Una buena expresión histórica de esta realidad, en España, la tenemos en los repetidos estados de sitio previos a la dictadura de Primo de Rivera (1923)[3] e incluso de forma más reciente —y en este caso en un Estado autocrático— con la declaración de estado de excepción en 1969[4]. Resulta así que las restricciones en los derechos fundamentales y las libertades públicas guardan estrecha conexión con la *causa* que justifica la declaración del estado excepcional. Hoy sabemos que el problema de orden público que motiva un estado excepcional no necesariamente tiene que ser de naturaleza política. En el primer tercio del siglo XX Carl Schmitt[5] se esforzó en argumentar que una grave situación *financiera o económica* puede considerarse como un riesgo de orden público, y dar lugar a medidas de excepción. Lo dicho por Carl Schmitt vale tanto más en una situación de pandemia como la presente, en la que no sólo no hay un problema político, sino ni siquiera un peligro para el orden

---

[2]   Josep M. CASTELLA ANDREU, "Compilación de la Comisión de Venecia de opiniones e informes sobre estados de emergencia", *Revista General de Derecho Constitucional*, núm. 32 (2020), p. 5.

[3]   Varios ejemplos en: Paul PRESTON, *Un pueblo traicionado*, Debate, Barcelona, 2019, p. 143.

[4]   Decreto-ley 1/1969, de 24 de enero, por el que se declara el estado de excepción en todo el territorio nacional. Según su art. 2: "Durante el plazo de tres meses, contados desde la publicación del presente Decreto-ley, se declara el estado de excepción en todo el territorio nacional, quedando en suspenso los artículos doce, catorce, quince, dieciséis y dieciocho del Fuero de los Españoles". Los derechos suspendidos guardan conexión directa con los problemas de orden público (político) que motivan el estado de excepción: libertad de expresión (art. 12); libertad de residencia (art. 14); inviolabilidad del domicilio (art. 15); libre reunión y asociación (art. 16); y libertad frente a la detención gubernativa (art. 18).

[5]   Carl SCHMITT, *Ensayos sobre la Dictadura 1916-1932* (traducción de la compilación original de artículos en alemán, publicada en 2006), Tecnos, Madrid, 2013, p. 370.

público (salvo que se quiera llegar al exceso de identificar el orden público con el bienestar social).

3. La conexión causal entre cada situación extraordinaria o de emergencia y las restricciones a las libertades públicas se manifiesta, en los distintos Derechos nacionales, en la identificación constitucional o legal de una *tipología* de estados excepcionales y en el protagonismo del principio de *proporcionalidad*. Pues es precisamente la conexión directa y útil entre cada restricción de la libertad y la situación de emergencia lo que justifica cada concreta restricción de la libertad. La tipología de situaciones excepcionales es muy variada, según los países[6]. Así, por ejemplo, en una regulación dispersa, no sistemática, la Constitución alemana (*Grundgesetz*: GG) distingue con claridad entre los supuestos de defensa nacional (arts. 115-a, 80-a y 87-a GG), de riesgo de subversión del orden democrático (art. 91 GG) y de desorden público o de catástrofe natural (art. 35 GG). Nuestra Constitución distingue, en el art. 116, entre los estados de alarma, de excepción y de sitio.

4. La comprensión tradicional de los límites a las libertades públicas, durante los estados excepcionales, ha estado muy influida por la idea de que el estado de excepción es el "negativo" del orden constitucional[7]. Esto es, que el orden constitucional, y en especial los derechos y libertades públicas que reconoce, no están vigentes durante el tiempo del estado excepcional. Esta comprensión de los estados excepcionales está muy presente en la cultura política y constitucional de finales del siglo XIX (y en España, en el régimen constitucional de la Restauración). Habría, según esto, dos órdenes jurídicos *alternativos*: el constitucional ordinario, con vigencia plena de las libertades públicas; y el de excepción, donde perdería su vigencia el orden constitucional de libertades y donde el conjunto de los ciudadanos pasaría a una situación de "sujeción especial", respecto del Estado. Restos de esta comprensión dual del orden

---

6   Josep M. CASTELLÀ ANDREU, "Compilación de la Comisión de Venecia...", cit., p. 2

7   Carl SCHMITT, *Ensayos sobre la Dictadura...*, cit, p. 394.

constitucional, que en función de las circunstancias políticas puede estar vigente o en suspenso, se encuentran aún en el art. 55.1 CE, en el que expresamente se habla aún de la posible suspensión de derechos fundamentales. Esta conexión de sentido entre nuestra historia constitucional y el art. 55.1 CE puede servir, como luego se argumentará, para marcar las distancias entre la suspensión de derechos fundamentales y las restricciones, incluso severas, a su ejercicio (*infra* § 8). Pero aquella imagen visual de los estados excepcionales como "negativo" o alternativa, respecto del orden constitucional ordinario, no se corresponde con la realidad constitucional actual. En la actualidad no hay un orden alternativo al constitucional, ni siquiera durante los estados excepcionales. Durante la vigencia de cualquier estado excepcional, es la Constitución misma quien autoriza posibles limitaciones en el disfrute de derechos fundamentales, y quien impone los límites y controles respecto de esas restricciones. Es cierto que durante los estados excepcionales se producen algunas alteraciones estructurales en el funcionamiento ordinario del Estado constitucional. Pero son alteraciones autorizadas, dirigidas y limitadas por la propia Constitución.

5. Más aún. La propia idea de los estados excepcionales, como categoría propia del Derecho público, está perdiendo hoy ya parte de su sentido. Las regulaciones comparadas más recientes sobre las situaciones de emergencia entroncan cada vez más claramente con el concepto contemporáneo de *protección civil*. E incluso va desproporcionado el concepto mismo de "declaración" de la situación de emergencia o necesidad, como acto formal y solemne que en la simbología política de entreguerras suponía la sustitución del orden constitucional (liberal) por un orden extraordinario y autoritario, basado en la necesidad. Así, en Reino Unido la *Civil Contingencies Act* de 2004 ya no regula expresamente la "declaración" de la emergencia (*royal proclamation*), como sí hacía la *Emergency Powers Act 1920*[8]. Ahora la ley simplemente autoriza al

---

8   E.C.S WADE y Anthony W. BRADLEY (1993), *Constitutional and Administrative Law*, 11ª ed., Longman, London, p. 587.

Gobierno a dictar medidas provisionales de emergencia (*emergency regulations*) cuando se den ciertas situaciones extraordinarias. No hay allí, por tanto, estados de excepción propiamente dichos, sino problemas emergentes para los que el Gobierno puede acordar diversas medidas por completo extraordinarias.

II. RESTRICCIONES A LA LIBERTAD

6. El mismo Real Decreto 463/2020, que declara el estado de alarma en España para combatir la COVID-19, contiene mandatos y prohibiciones que afectan de forma directa y severa al ejercicio de algunos derechos fundamentales. Así, el art. 7 expresamente limita la libre circulación de las personas (garantizada por el art. 19 CE); el art. 10 restringe el ejercicio de la libre empresa (garantizada por el art. 38 CE); y el art. 11 restringe las actividades de culto (amparadas por el art. 16 CE). Este estudio se va a centrar en las *libertades públicas*, en su concepción tradicional, dejando al margen las limitaciones a la libre empresa, al derecho a la educación o al derecho de propiedad. No porque esas otras limitaciones no sean reales, que lo son, sino porque su análisis jurídico es muy diverso respecto de las clásicas libertades públicas.

7. Durante el estado de alarma se han dictado también, y esto puede ser una paradoja de nuestro sistema de derechos fundamentales y libertades públicas, algunos mandatos, como el uso obligatorio de mascarillas[9], que no percuten directamente sobre ningún concreto derecho fundamental. Sale aquí a la luz que la Constitución garantiza concretas libertades públicas, pero *no un derecho general de libertad*. No hay tal derecho en la referencia del art. 10.1 CE al "libre desarrollo de la personalidad", que en nuestra Constitución es un "fundamento" del orden político y social, y no un derecho fundamental (como sí lo es, con el mismo texto, en la Constitución alemana: art. 2.1 GG).

---

[9]   Orden TMA/384/2020, de 3 de mayo, sobre la utilización de mascarillas en los transportes públicos.

A) *Suspensión versus limitación de derechos fundamentales*

8. Varios son los autores que sostienen que buena parte de las medidas restrictivas de derechos fundamentales, y en especial el confinamiento severo en la primera etapa del estado de alarma, son contrarias al orden constitucional. No tanto porque la Constitución impida esas limitaciones, sino porque su *grado de severidad* es tal que habría que calificarlas como una *suspensión* de derechos fundamentales, y lo cierto es que el art. 55.1 CE sólo prevé la suspensión de —algunos— derechos fundamentales en los estados de excepción y sitio, pero no para el estado de alarma[10]. Esta opinión no se puede compartir. Dos son los argumentos que me parecen ahora relevantes: el propio concepto de suspensión de derechos fundamentales; y el alcance de los derechos fundamentales (en especial, el de libre circulación) en relación con la ley.

9. Analicemos, en primer lugar, qué es la *suspensión* de derechos fundamentales a la que se refiere el art. 55. 1 CE. Tal y como resulta del propio precepto constitucional, se trata de una medida *extrema* y por completo extraordinaria. Está vinculada a situaciones de grave riesgo para el *orden constitucional* o la soberanía nacional, que son los hechos o circunstancias que en nuestra historia constitucional legitiman los estados de excepción y sitio. Esto es, la posible suspensión de derechos que hoy figura en el art. 55.1 CE aún guarda conexión de sentido con tiempos políticos pretéritos en los que el orden constitucional democrático (liberal) coyunturalmente podía dejar paso a formas de gobierno autoritarias, cuando esto era necesario para mantener el orden público. Es claro que hoy la Constitución no admite ningún episodio autoritario. No permite órdenes autoritarios alternativos, ni siquiera ante desórdenes públicos graves. Pero la suspensión a la que se refiere el art. 55.1 CE aún está conectada con aquella cultura constitucional. Es cierto que el art. 116 CE no dice expresamen-

---

[10] Por todos: Manuel ARAGÓN REYES, "COVID-19: Aproximación constitucional a una crisis", *Revista General de Derecho Constitucional*, núm. 32 (2020), pp. 1-5.

te que el estado de excepción sólo pueda declararse por razones de orden público. Pero lo cierto es que la conexión del art. 116 CE con nuestra historia constitucional, así como el propio listado de derechos fundamentales suspendibles en los estados de excepción y de sitio (conforme al art. 55.1 CE) sin duda que permiten trazar esa conexión de sentido entre estado de excepción y grave riesgo para el *orden público*, o para el orden constitucional, si se quiere utilizar una expresión contemporánea.

10. La conexión constitucional inmanente entre orden público, estado de excepción o sitio y suspensión de derechos fundamentales se mantiene en el desarrollo legislativo de los arts. 55.1 y 116.3 y 4 CE, por medio de la Ley orgánica 4/1981, de 1 de junio, de los Estados de Alarma, Excepción y Sitio (LOEAES). Conforme al art. 13.1 LOEAES, la declaración del estado de excepción procede ante situaciones de riesgo grave para *el orden constitucional*. Y el estado de sitio sólo se puede declarar "cuando se produzca o amenace producirse una insurrección o acto de fuerza contra la soberanía o independencia de España, su integridad territorial o el ordenamiento constitucional, que no pueda resolverse por otros medios" (art. 32.1 LOEAES). Por eso, en tanto que situaciones esencialmente *políticas*, donde lo que está en juego es el orden constitucional o la propia soberanía nacional, el Gobierno no puede actuar sin previa autorización del Congreso. Y durante la vigencia de estos estados excepcionales se pueden suspender derechos directamente vinculados con el orden público-político, como el derecho a no ser detenido sin garantías (art. 17.1 CE), el derecho a la privacidad del domicilio (art. 18.2 CE) o el derecho a la libertad de circulación (art. 19 CE). La vinculación entre la suspensión de derechos constitucionales y los riesgos de quiebra del *orden público-político* explica por qué el art. 55.1 CE no prevé la suspensión de derechos fundamentales durante el estado de alarma. Porque el estado de alarma no responde a situaciones de orden público-político. Y por eso, para tal situación de alarma no se ha previsto constitucionalmente la suspensión de derechos fundamentales. Porque la suspensión de derechos es la respuesta arquetípica e histórica frente a las *quiebras del orden público-político*

(hoy diríamos del orden constitucional). Y no es eso lo propio del estado de alarma. Ni en la Constitución, ni en la LOAES. Es cierto que el art. 116 CE no ha definido con precisión los tres estados de necesidad (alarma, excepción y sitio) y ha sido directamente el art. 4 LOEAES quien ha ligado el estado de alarma a varias "alteraciones graves de la normalidad" que el propio precepto tipifica: terremotos, inundaciones, epidemias, situaciones de desabastecimiento. Con todo, la Constitución sí contiene una nota indiciaria de que el estado de alarma está "despolitizado"[11], esto es, desvinculado del orden público. Conforme al art. 116.1 y 2 CE la alarma la puede declarar directamente *el Gobierno*, por quince días, mientras que la excepción y el sitio los autoriza o declara el Congreso (art. 116.1 y 2 CE). De esta manera, sólo la declaración de los estados de excepción y sitio, por su naturaleza esencialmente política, se reservan al órgano parlamentario que encarna directamente la representación política (el Congreso). Y no ocurre lo mismo con el estado de alarma.

11. Muy distinta de la suspensión, a la que se refiere el art. 55.1 CE, es una posible *intervención o restricción* gubernativa en el disfrute o ejercicio de un derecho fundamental, que es una realidad cotidiana. Esta posible intervención gubernativa, en la medida en que afecta a un derecho fundamental, sólo puede adoptarse *previa autorización por ley* (arts. 53.1 y 81 CE). Y tanto la medida gubernativa como la propia ley que la autoriza tienen *límites constitucionales severos*: el contenido esencial de cada derecho fundamental; y la exigencia de proporcionalidad en toda restricción, tanto abstracta (en la regulación legal) como concreta, respecto de cada medida singular. Este tipo de restricciones en la configuración y disfrute de derechos fundamentales puede darse en *situaciones ordinarias o extraordinarias*. Esto es, las limitaciones en el ejercicio de derechos fundamentales tanto pueden darse para evitar daños en, pongamos, una manifestación pacífica (lo que evidentemente limita el

---

[11]   Pedro CRUZ VILLALÓN, "El nuevo Derecho de excepción", *Revista Española de Derecho Constitucional*, núm. 2, pp. 93-128 (1981) (p. 96).

pleno ejercicio del derecho de reunión: art. 21 CE), como en situaciones excepcionales o de emergencia, y dentro de estas, en situaciones donde se ha declarado el estado de alarma. La separación sistemática, en el propio texto constitucional, entre la suspensión de derechos (art. 55.1 CE) y la regulación —incluso restrictiva— de su ejercicio (art. 53.1 CE), sugiere que la suspensión de derechos es una situación necesariamente distinta de la que resulta de una regulación restrictiva de un derecho fundamental, pues tal posibilidad de *regulación limitativa* ya se regula en el art. 53.1 CE.

12. A partir de lo argumentado hasta aquí, se puede sostener que la suspensión del art. 55.1 CE es, en puridad, la *derogación provisional* o no-vigencia temporal de ciertos derechos fundamentales: la "supresión temporal de la vigencia de las normas iusfundamentales"[12]. En este sentido, la suspensión de derechos fundamentales está más conectada con los arts. 166 a 169 CE, donde se regulan las posibles modificaciones de la Constitución, que con las regulaciones de ejercicio de los derechos fundamentales, según lo previsto en el art. 53.1 CE. Durante la suspensión, el derecho fundamental en cuestión *no está vigente*, no despliega su eficacia constitucionalmente característica. Esto es, el derecho fundamental cesa en su eficacia no sólo en su dimensión subjetiva, sino también en la objetiva. Desde la perspectiva individual o *subjetiva*, no sólo desaparece la simple facultad de *libre actuación* de cada ciudadano, que es la dimensión primaria de todo derecho de libertad[13], sino que también cesa en su eficacia el poder

---

[12]   Paloma REQUEJO RODRÍGUEZ "Comentario al artículo 55 de la Constitución", en Miguel RODRÍGUEZ-PIÑERO y BRAVO-FERRER y María Emilia CASAS BAAMONDE, *Comentarios a la Constitución Española*, Tomo I, Boletín Oficial del Estado, Madrid, 2018, pp. 1521-1543 (p. 1522). Similar: Lorenzo COTINO HUESO, "Los derechos fundamentales en tiempos del coronavirus. Régimen general y garantías y especial atención a las restricciones de la excepcionalidad ordinaria", *El Cronista del Estado Social y Democrático de Derecho*, núm. 86-87 (2020), pp. 88-101 (p. 92)

[13]   Isaiha BERLIN, *Dos conceptos de libertad. El fin justifica los medios. Mi trayectoria intelectual* (traducción del original inglés por Angel Rivero), 2ª ed., Alianza Editorial, Madrid, 2014, p. 76.

jurídico individual de exigir ante un juez o tribunal la protección del derecho o libertad. Además, ahora desde la perspectiva objetiva, cesa también su eficacia como mandato normativo dirigido a todos los poderes públicos, incluidos tanto las cámaras legislativas como los distintos gobiernos y administraciones públicas. Por lo que se refiere a las cámaras parlamentarias, la suspensión de un derecho fundamental desactiva también su *contenido esencial,* que es el reducto o núcleo de todo derecho fundamental inasequible o impenetrable para la regulación legal. Además, un derecho fundamental suspendido tampoco activa el principio constitucional de *proporcionalidad,* que protege a cada derecho fundamental frente a regulaciones legales inidóneas, innecesarias o excesivas. Hay que recordar que el principio de proporcionalidad es ontológicamente relacional, prohíbe sacrificios excesivos sobre derechos efectivamente vigentes, pero nada prohíbe respecto de bienes y derechos temporalmente ineficaces o no vigentes. Esa desactivación del principio de proporcionalidad, derivada de la suspensión del derecho fundamental, rige no sólo frente a las cámaras parlamentarias, sino también ante los gobiernos y administraciones públicas. Esta comprensión vigorosa de la suspensión de derechos no impide aceptar que, tal y como se ha argumentado ya en la doctrina, incluso cuando un derecho fundamental está suspendido los poderes públicos aún tienen algunos límites en su actuación, como son el principio de interdicción de la *arbitrariedad*[14] o la cláusula de *Estado de Derecho* (art. 1.1 CE), lo que impide actuaciones estatales que por completo desfiguren lo que para la conciencia social es el contenido indeclinable del Estado constitucional de Derecho. Estos límites últimos son una consecuencia natural de que, en nuestro tiempo, los estados excepcionales ya no sean un orden constitucional alternativo al ordinario, sino una adaptación del orden constitucional ante circunstancias excepcionales. En suma, y como he argumentado ya antes, podemos entender que en la regulación constitucional del art. 55.1 CE,

---

14   Paloma REQUEJO RODRÍGUEZ, "Comentario...", cit., p. 1523.

epígono de sus antecedentes históricos autoritarios, la suspensión de derechos constitucionales supone la *derogación provisional* de esos derechos. El Gobierno, autorizado por el Congreso, puede excluir la vigencia de ciertos derechos fundamentales. Por completo. Sin límites de contenido esencial o de proporcionalidad (que sólo rigen en la medida en que los derechos fundamentales estén vigentes, pero no cuando han perdido su eficacia de forma transitoria). Es una respuesta extrema del orden constitucional, ante el riesgo de su propia supervivencia.

13. La confusión entre la suspensión de un derecho fundamental y su restricción o limitación, que ha llevado a calificar como suspensión las severas restricciones contenidas en el Real Decreto 463/2020, puede tener su raíz en la heterodoxa regulación de la LOEAES. En efecto, si bien ya se ha dicho antes que el art. 55.1 CE prevé directamente la suspensión de derechos, que sólo puede acordarse una vez declarado el estado de excepción, lo cierto es que los arts. 16 a 20 LOEAES regulan una suerte de *vigencia atenuada o alternativa* de los derechos suspendidos[15]. Ahí puede estar la confusión entre suspensión y restricción en el ejercicio de derechos fundamentales. Porque la LOEAES unas veces regula de forma singular el ejercicio de derechos fundamentales (durante el estado de excepción), otras veces suprime la vigencia de algunos contenidos esenciales del derecho en cuestión —pero no el derecho de forma absoluta o plena— y otras veces efectivamente prevé la plena suspensión del derecho fundamental, incluido su contenido esencial, pero lo sustituye por algún remedo o garantía mínima alternativa. Así, por ejemplo, el art. 16 LOEAES no cuestiona la potestad gubernativa, en los estados de excepción y sitio, para suspender por completo el derecho fundamental a no ser detenido por una autoridad gubernativa durante más de 72 horas sin autorización judicial (art. 17.2 CE). Pero admitido que el art. 55.1 CE permite que ese derecho fundamental quede en suspenso durante los estados de excepción y sitio, el art. 16.1 LOEAES le

---

[15] De nuevo: Paloma REQUEJO RODRÍGUEZ, "Comentario...", cit., p. 1526.

pone un límite: la detención gubernativa no puede prolongarse por más de 10 días. Es obvio que esta regulación legal contradice de lleno la garantía esencial de 72 horas que incluye el art. 17.2 CE, por lo que más que limitar el derecho, lo que hace el art. 16.1 CE es *crear un nuevo derecho sustitutivo* del suspendido. También el derecho a la inviolabilidad del domicilio, que en su enunciado constitucional expreso sólo puede ser sacrificado en casos de flagrante delito o previa autorización judicial (art. 18.2 CE), durante el estado de excepción y de sitio puede ser sacrificado directamente por el Gobierno, con muy pocos límites formales (art. 17 LOEAES). Se ve aquí con claridad que en los estados de excepción y sitio el contenido más elemental o esencial del derecho fundamental puede quedar suspendido. En suma, la LOEAES, en su regulación de los estados de excepción y sitio, parte de la premisa de que el art. 55.1 CE concede al Gobierno el enorme poder de suspender por completo ciertos derechos fundamentales; y admitido esto, la misma LOEAES encauza en mayor o menor medida, con límites o con garantías alternativas, ese fabuloso poder del Gobierno. Esa es precisamente la función de la LOEAES para los estados de excepción y sitio: limitar y graduar —*no autorizar*— el poder suspensivo del Gobierno, que proviene directamente del art. 55.1 CE. Ocurre, no obstante, que por medio de esta regulación legal se difuminan los linderos constitucionales entre la suspensión de derechos (art. 55.1 CE) y la regulación del ejercicio de derechos (art. 53.1 CE). Porque, en la posición constitucional intermedia que es propia de la LOEAES, varios de sus preceptos prohíben al Gobierno suspender pura y simplemente ciertos derechos fundamentales. Tolera la LOEAES que el Gobierno *afecte o limite* algunos contenidos concretos —incluso esenciales— del derecho en cuestión. Pero en general no permite la suspensión plena o absoluta del derecho. Y entonces se dificulta la diferencia entre una suspensión moderada y una limitación severa del derecho en cuestión. En los ejemplos que se han mencionado se observa que la distinción entre suspensión y restricción de ejercicio es estructural, y permanece incluso en la LOEAES, pero sin duda que la imagen legal de una suspensión atenuada o no plena ha podido inducir a la confusión entre qué es la suspensión de un derecho y qué una regulación restrictiva de su ejercicio.

14. El debate en torno a sí el art. 7 del Real Decreto 463/2020 *limita* el ejercicio de derechos fundamentales (en especial, el de libre circulación del art. 19 CE) o si *suspende* el derecho mismo (lo cual sólo sería posible previa declaración del estado de excepción) ha sido intenso. Pero, en general, no ha dado lugar a una *communis opinio*. Este estancamiento y relativa futilidad del debate no puede entenderse en términos sólo jurídicos, y es posible acudir a la psicología social. En el estudio de los cambios de actitudes se distingue, por la *psicología social*, entre situaciones de alta y baja elaboración cognitiva[16]. En situaciones de *alta elaboración cognitiva*, los interlocutores despliegan un extenso proceso racional. Se convencen a través de valoraciones sobre la calidad lógica y la coherencia de los argumentos recibidos. En cambio, en contextos o situaciones de *baja elaboración cognitiva*, la convicción y las actitudes se forman más automáticamente, mediante sesgos o atajos heurísticos: se dan por mejores aquellos argumentos (de los interlocutores) que validan los propios pensamientos y los propios pre-juicios; se da mucho peso a la opinión de la mayoría; se valora la superior autoridad o posición de quien transmite una idea (por errónea que pueda ser). En mi opinión, los debates *entre juristas* —sobre todo de los juristas académicos— suelen ser de alta elaboración cognitiva. Porque pretenden ganar convicción o aceptación mediante la calidad y la coherencia de los argumentos. Y aunque hay también algunos atajos heurísticos, como el mayor valor de las opiniones mayoritarias (dentro del grupo de juristas) o el mayor valor de las opiniones formuladas por los mejores (del mismo grupo de juristas), esto se hace bajo la premisa de que esas opiniones deben ser atendidas porque la mayoría del grupo o su élite ha conseguido formular los enunciados más elaborados, lógicos y coherentes. En mi opinión, cuando el debate es jurídico

---

[16]   Me remito a Amalio BLANCO, Javier HORCAJO y Flor SÁNCHEZ, *Cognición social*, Pearson, Madrid, 2017, p. 241.

y de alta elaboración cognitiva, *es posible convencer* al otro. Y, por tanto, que se diluyan los bandos de un debate por la cualidad racional de los argumentos. Pero esto no ocurre si, como es muy frecuente en democracia, el debate es sólo en apariencia jurídico. En un contexto colectivo e individual extremo, como el actual, el conjunto de la sociedad está presente, como actor o como grupo de control, en el debate sobre si el Real Decreto 463/2020 ha limitado o suspendido algunos derechos fundamentales. Es en este contexto social extremo —y no en el debate entre juristas— donde se forman las intuiciones y argumentos sobre la vigencia y eficacia de los derechos fundamentales. Es en la opinión pública, en estado puro o articulada a través de partidos y redes de comunicación, donde se ha formado la conclusión de que si no se puede salir a la calle (más que a comprar, sacar el perro o ir a trabajar) es porque el derecho a la libre circulación está suspendido. O que si no se puede participar en un acto religioso, claramente está en suspenso la libertad religiosa; o que si no se puede convocar una manifestación, está suspendido el derecho de reunión. Todas estas percepciones hay que tomarlas como ciertas. Esto es, están en la sociedad. Pero cuando se utilizan en el debate jurídico pueden actuar como sesgos o atajos heurísticos: si la mayoría de la gente siente que no es libre, es que la libertad está en suspenso; si la mayoría de la gente siente que no puede convocar una manifestación, es que el derecho de reunión está suspendido. Pero en términos de psicología social, ya no estaríamos en proceso de alta, sino de *baja elaboración cognitiva*. Habríamos dejado los argumentos jurídicos cualitativos, para acomodar la razón jurídica a opiniones sociales intuitivas y extendidas, pero extrajurídicas. Argumentos jurídicos más sofisticados, como que un derecho fundamental suspendido ni siquiera pone límites de proporcionalidad a la ley y al Gobierno; o como que en una situación de suspensión de derechos no habría ningún control jurisdiccional posible a las prohibiciones (precisamente porque no estaría vigente el derecho, estaría suspendido) difícilmente pueden entrar en el debate jurídico, y deshacer la controversia entre suspensión *versus* restricción de derechos fundamentales.

B) Límites constitucionales frente a las limitaciones de las libertades públicas

15. Los poderes públicos pueden impedir o limitar, en abstracto o en casos concretos, y con distintas formas e intensidades, el ejercicio de derechos fundamentales. Pero la propia Constitución que permite esas restricciones fija límites o asocia garantías a esas posibles limitaciones (*Schranken-Schranken*). En primer lugar, toda limitación al ejercicio de un derecho fundamental debe estar prevista o *autorizada por la ley* (art. 53.1 CE). Además, esa ley sólo puede autorizar restricciones *proporcionadas* y respetuosas del *contenido esencial* de cada derecho (STC 236/2007, FJ 4). De otro lado, al acordar las restricciones autorizadas por la ley, el Gobierno y la Administración se someten no sólo a los posibles límites legales, sino de nuevo también al principio de proporcionalidad y al contenido esencial de cada derecho. Por último, la Constitución garantiza alguna forma de *control jurisdiccional* frente a cualquier limitación de un derecho fundamental. Esa tutela jurisdiccional unas veces compete al Tribunal Constitucional y otras a los diversos órganos judiciales. En lo que sigue, se van a precisar los posibles límites y los controles jurisdiccionales respecto de las severas restricciones que han sufrido las libertades públicas durante el estado de alarma.

1. Autorización legal

16. Como reiteradamente tiene dicho el Tribunal Constitucional, todos los derechos fundamentales tienen *límites*. Algunos los impone la propia Constitución; otros son inmanentes, resultan de una comprensión sistemática de los distintos derechos y bienes constitucionales; y otros los establece la ley[17]. De forma expresa,

---

[17]   La distinción entre límites expresos, inmanentes y legales, en: Mariano BACIGALUPO SAGGESE y Francisco VELASCO CABALLERO, "Sobre los límites inmanentes de los derechos fundamentales", *Revista Española de Derecho Administrativo*, núm. 85 (1995), pp. 115-131; Juan José SOLOZÁBAL

la Constitución no establece ningún límite específico para los derechos fundamentales durante los estados de alarma. Ya se ha dicho antes que el art. 55.1 CE no permite la suspensión o cesación provisional de vigencia de derechos fundamentales. La Constitución tampoco contempla expresamente la regulación del ejercicio de los derechos fundamentales durante el tiempo de alarma. En consecuencia, durante el estado de alarma va a regir la *normal relación* entre los derechos fundamentales y la ley. Corresponde a la ley regular el ejercicio de los derechos fundamentales durante el estado de alarma, incluyendo en esa regulación las restricciones necesarias para que los derechos fundamentales sean compatibles con los demás mandatos, principios, derechos, deberes y valores constitucionales[18].

17. En el caso del estado de alarma, la regulación legal de los derechos fundamentales se contiene, de entrada, en la propia LOEAES. En especial, el art. 11 a) LOEAES ha previsto expresamente, para el estado de alarma, la posibilidad de "limitar la circulación o permanencia de personas o vehículos en horas y lugares determinados, o condicionarlas al cumplimiento de ciertos requisitos". Además, el art. 12 LOEAES prevé, específicamente para emergencias sanitarias, la aplicación de todas las medidas restrictivas contempladas en las leyes de salud pública. En esto la LOEAES ha hecho lo mismo que otras muchas leyes orgánicas, que habiendo razones de peso debidamente ponderadas, han excluido determinadas conductas del ámbito de ejercicio legítimo de un derecho fundamental. El carácter orgánico de los arts. 11 y

---

ECHEVARRÍA, "Límites de los derechos fundamentales", en Manuel ARAGÓN REYES y César AGUADO RENEDO, *Derechos fundamentales y su protección*, 2ª ed., Civitas Thomson Reuters, 2011, pp. 30-35 (p. 31). Restringiendo la función de la ley a la identificación de los límites inmanentes: Ignacio VILLAVERDE MENÉNDEZ, "Los límites a los derechos fundamentales", en Francisco J. BASTIDA FREIJEDO, *Teoría general de los derechos fundamentales en la Constitución española de 1978*, Tecnos, Madrid, 2004, pp. 120-150 (p. 139).

18 En general, y por todos: Juan José SOLOZÁBAL ECEHVARRÍA, "Límites de los derechos fundamentales", cit., p. 30.

12 LOEAES no se explica porque tales preceptos *desarrollen* algún derecho fundamental, que es lo que el art. 81 LOEAES reserva a la ley orgánica (STC 292/2000, FJ 11). La cualidad orgánica de aquellos preceptos se debe a que el art. 116.1 CE directamente remite a una ley orgánica la regulación de los estados excepcionales. Esa reserva de ley orgánica no se refiere directa ni específicamente a los derechos fundamentales, durante los estados excepcionales. Y por eso, aunque la LOEAES sin duda que puede regular de forma *directa y abstracta* los límites de los derechos fundamentales, durante el estado de alarma, también puede abstenerse de esa regulación, o *remitir* a otras leyes (ordinarias). En consecuencia, no estando reservada a la ley orgánica la regulación del ejercicio de los derechos fundamentales durante el estado de alarma, es constitucionalmente posible que el art. 12 LOEAES remita, de forma genérica, a las leyes sanitarias o de salud pública, que de ordinario no son orgánicas.

18. Como se ha visto, el art. 11 a) LOEAES autoriza al Gobierno, de forma muy abierta, para "limitar la circulación o permanencia de personas o vehículos en horas y lugares determinados, o condicionarlas al cumplimiento de ciertos requisitos". Puede discutirse si una autorización legal *tan amplia* satisface la reserva de ley que, para toda regulación del ejercicio de derechos, impone el art. 53.1 CE. Y lo mismo podría plantearse en relación con las leyes sanitarias a las que remite el art. 12 LOEAES. Esta remisión hay que entenderla dirigida, en la actualidad, al art. 3 de la Ley orgánica 3/1986, de 14 de abril, de Medidas Especiales en Materia de Salud Pública, y al art. 54 de la Ley 33/2011, de 4 de octubre, General de Salud Pública. La primera permite acordar las medidas "que se consideren necesarias en caso de riesgo de carácter transmisible"; y la segunda autoriza a adoptar "cuantas medidas sean necesarias para asegurar el cumplimiento de la ley". Ninguna duda hay de que todas estas son autorizaciones legales *muy indeterminadas*, que amparan formalmente casi cualquier medida restrictiva adoptada por el Gobierno. Pero incluso reconocido esto, no se puede sostener la inconstitucionalidad abstracta de los citados precep-

tos legales[19]. Porque lo propio de las situaciones de emergencia es, precisamente, su imprevisibilidad relativa. Y esto impide una programación legal más densa, que anticipe concretas situaciones y anude concretas posibles restricciones iusfundamentales. Tal y como históricamente muestra el Derecho policía[20], de lo que aún hoy es reflejo el art. 14 Ley Orgánica 4/2015, de 30 de marzo, de Protección de la Seguridad Ciudadana (LOPSC), o el art. 7 *bis* de la Ley 17/2015, de 9 de julio, del Sistema Nacional de Protección Civil (LSNPC), para situaciones de emergencia en general, ante posibles peligros y riesgos para el orden público o para los derechos fundamentales, las leyes deben contener *cláusulas generales* de actuación gubernativa, que permitan actuaciones muy diversas en función de cuál sea el riesgo o peligro emergente en cada caso concreto. Con todo, y pese a las apariencias, estas autorizaciones generales, ante situaciones de riesgo o peligro indefinibles *ex ante*, no son ilimitadas. Como se expone en los siguientes apartados, las autorizaciones legales generales dan entrada a un mayor protagonismo del principio de proporcionalidad[21] y a que el contenido esencial del derecho actúe también directamente frente al Gobierno y la Administración.

2. Proporcionalidad

19. La necesaria valoración sobre la idoneidad, necesariedad y ponderación de cada decisión o actuación gubernativa de alarma, en la medida en que no puede ser realizada en abstracto (en la ley) ha de ser realizada con mayor intensidad en cada *concreto* estado de alarma, y a la vista de la específica situación que motiva su

---

[19] Una opinión crítica, en cambio, por déficit de "calidad normativa" en la autorización legal, en Lorenzo COTINO HUESO, "Los derechos fundamentales en tiempos del coronavirus…", cit., p. 97.

[20] Klaus VOGEL y Wolfgang MARTENS, *Gefahrenabwehr*, 9ª ed., Carl Heymanns Verlag, Köln, 1986, p. 267

[21] Juan José SOLOZÁBAL ECHEVARRÍA, "Límites de los derechos fundamentales", cit., p. 34.

declaración. Este es precisamente el sentido del art. 1.2 LOEAES cuando expresamente subraya que todas las medidas de alarma han de ser proporcionadas. Lo dijera o no la LOEAES, es claro que toda decisión administrativa debe ser proporcionada, pero la expresa referencia del art. 1.2 LOEAES a la proporcionalidad de todas las medidas de alarma refleja claramente que la ley renuncia a una densa predeterminación normativa de las posibles restricciones a la libertad durante el estado de alarma, y a cambio refuerza la posición central del principio de proporcionalidad como parámetro de validez de cada medida gubernativa. En este punto, la regulación española es similar a la británica, cuando en la Section 31 (3) de la *Civil Contingencies Act 2004* exige que cada concreta medida restrictiva del Gobierno, en situaciones de emergencia, sea necesaria, urgente, expresa y densamente motivada. La cuestión jurídica relevante sería entre nosotros, entonces, si *cada una* de las restricciones a la libertad que contiene el Real Decreto 463/2020 (y luego el R.D 514/2020 y el R.D. 537/2020) supera ese test de proporcionalidad reforzado, consecuencia directa de que la ley difícilmente puede anticipar consecuencias jurídicas para situaciones de hecho objetivamente inciertas.

20. El mandato de *proporcionalidad reforzado*, fruto de la indeterminada autorización legal para limitar el ejercicio de derechos fundamentales durante el estado de alarma, se desglosa en *tres tests*, tal y como se enunciaron por primera vez en la STC 66/1995[22]: toda medida restrictiva debe ser *idónea, necesaria, y ponderada*. Este triple test no es aplicable en abstracto, sino en cada caso concreto. Esto es, está en función de cada concreto caso o situación de hecho, pues es sólo en cada concreto contexto fáctico cuando se puede valorar en qué medida una concreta prohibición es idónea para un concreto fin, no tiene una alternativa menos restrictiva, y contiene un sacrificio justificable por la magnitud del beneficio

---

[22]   Javier BARNES VÁZQUEZ "El principio de proporcionalidad: Estudio preliminar", *Cuadernos de Derecho Público*, núm 5 (1998), pp. 15-50.

que produce en otro bien jurídico relevante. Con todo, con carácter general sí se pueden formular algunas referencias indicativas.

21. En primer lugar, tanto el juicio de idoneidad como el de necesariedad se desenvuelven en un contexto de *incertidumbre sanitaria y científica*. Esto implica que no es posible determinar con precisión si una concreta medida gubernativa, como el confinamiento severo, el uso de mascarillas, o el mantenimiento de una distancia interpersonal de un metro en los centros de trabajo es o no efectiva —o en qué medida— para evitar el contagio masivo. En consecuencia, el juicio de idoneidad sólo puede ser aproximativo y de pronóstico. No puede apoyarse en certidumbres causales inexistentes, sino en la *probabilidad* científica y sanitaria de que determinadas medidas pudieran dar lugar a determinados efectos. Esta nota característica del test de idoneidad es trasladable también al de *necesariedad*: en un contexto de incertidumbre científica y sanitaria no es posible determinar con precisión sin una medida gubernativa puede combatir mejor que otra, y con menos sacrificios, el contagio de la enfermedad. Sólo son posibles los juicios aproximativos y de pronóstico. De aquí derivan dos consecuencias. Una es que las autoridades gubernativas de alarma disponen de un cierto margen de pronóstico sobre la propia idoneidad y necesidad de las medidas de alarma. Y la otra es que ese margen de pronóstico se desenvuelve en los límites de la llamada *discrecionalidad técnica* (esto es, el margen de pronóstico está condicionado por los propios términos de *la incertidumbre científica*). Como ya se ha dicho en general para las decisiones administrativas, en ámbitos de alta *complejidad técnica o científica* las normas no pueden programar condicionalmente las decisiones, sino sólo articular una estructura organizativa y procedimental que normalmente lleve a una decisión correcta o plausible[23]. Partiendo de esta premisa, el posible margen de opción gubernamental para adoptar medidas de alarma (con sacrificio de derechos fundamentales)

---

[23]   José María RODRÍGUEZ DE SANTIAGO, *Metodología del Derecho administrativo. Reglas de racionalidad para la adopción y control de la decisión administrativa*, Marcial Pons, Madrid-Barcelona-Buenos Aires- São Paulo, 2016, p. 53.

sólo es jurídicamente asumible si la incertidumbre científica está *organizativa y procedimentalmente minimizada*. Esto es, si ese espacio irreductible de incertidumbre —y con ello, de tolerancia hacia el Gobierno que decide en ese contexto de incertidumbre— es una consecuencia inevitable del propio estado de la ciencia o la técnica, y no de una deficiente organización administrativa. En este sentido, la incertidumbre científica y el poder gubernativo de pronóstico exigen la existencia de una organización administrativa y unos procedimientos de procesamiento y evaluación de datos epidemiológicos que permitan reducir la incertidumbre científica y sanitaria a sus estrictos términos[24].

22. En lo que hace al test de *ponderación* o de proporcionalidad en sentido estricto, en cada concreto momento y lugar en el que actúa la COVID-19, y en relación con cada posible medida contra el contagio, es necesario identificar qué concretos bienes y derechos (en principio, constitucionales) entran en conflicto, y en qué medida los sacrificios en unos compensan los beneficios en otros. Esto es lo que se ha llamado la "regla de oro de la ponderación"[25]. Sin perjuicio de que la ponderación ha de realizarse en cada momento concreto, y en relación con cada concreta medida de alarma, en términos generales se puede afirmar que a un lado de la ponderación en todo caso van a estar el derecho a la salud (art. 43 CE) y el derecho a la vida (art. 15 CE). Al otro lado estarán diversos derechos, en función de la medida (libertad religiosa, libre manifestación, libre circulación, etc.). El derecho a la salud (art. 43 CE), por su ubicación constitucional en el capítulo tercero del título primero de la Constitución, es un mandato o principio finalista, dirigido a todos los poderes públicos. Podrá dar lugar a derechos subjetivos más o menos extensos, en función de lo que

---

[24]   José ESTEVE PARDO, "La apelación a la ciencia en el gobierno y la gestión de la crisis de la Covid-19", *Revista de Derecho Público: Teoría y Método*, núm. 2 (2020), pp. 35-50 (p. 47).

[25]   José María RODRÍGUEZ DE SANTIAGO, *La ponderación de bienes e intereses en el Derecho administrativo*, Marcial Pons, Madrid-Barcelona-Buenos Aires-Sâo Paulo, 2000, p. 135.

determinen las leyes. En todo caso, como principio constitucional ha de ser ponderado *directamente* por las autoridades gubernativas de alarma, en la medida en que los arts. 11 y 12 LOEAES han concedido un amplísimo margen de discrecionalidad al Gobierno. El peso ponderativo de derecho a la salud resulta no sólo de su propia relevancia axiológica (al menos en un Estado social), sino también de la intensidad con la que está amenazado, en el concreto contexto de la COVID-19. De esta manera, el valor ponderativo del derecho a la salud, y por tanto su capacidad para legitimar severas medidas gubernativas que restrinjan la libertad, está en función de los datos empíricos, y no sólo de consideraciones axiológicas. Y por eso mismo su capacidad ponderativa puede cambiar, en función de los datos epidemiológicos y sanitarios. Esto es, si en un contexto de UCIs saturadas y 800 fallecidos por día el derecho a la salud tiene un gran peso ponderativo, y puede inclinar la balanza de la proporcionalidad a favor de medidas gubernativas muy severas, en otros contextos epidemiológicos menos graves, el peso ponderativo del derecho a la salud se reduce, y por tanto no puede legitimar restricciones graves de la libertad.

23. Una última precisión general sobre el principio de proporcionalidad se refiere a su difícil cohonestación con el llamado *principio de precaución*, procedente del Derecho ambiental (hoy en el art. 191 TFUE) e invocado por la Unión Europea en su estrategia contra la COVID-19[26]. El principio de precaución llama a no asumir riesgos cualificados o trascendentes, allí donde la información científica o técnica disponible no es suficiente para excluir por completo consecuencias muy graves, y en esa medida social y jurídicamente inasumibles[27]. En el inicio de la epidemia, antes del estado de alarma, algunos juzgados confirmaron ciertas decisiones autonómicas de confinamiento invocando precisamente

---

[26]	*Hoja de ruta común europea para el levantamiento de las medidas de contención de la COVID-19* (2020/C 126/01), p. 4.

[27]	Por todos: César CIERCO SEIRA, "El principio de precaución. Reflexiones sobre su contenido y alcance en los Derechos comunitario y español", *Revista de Administración Pública*, núm. 163 (2004), pp. 73-126 (p. 109).

el principio de precaución[28]. Al menos en abstracto, el principio de precaución parece exigir una cierta *desproporción* en las decisiones normativas o administrativas, en la medida en que pudiera justificar mandatos y prohibiciones injustificados en términos de proporcionalidad[29]. Esta contraposición abstracta entre proporcionalidad y precaución, que no niego, puede diluirse si la ratio de la precaución se canaliza a través de los *tests* de idoneidad y necesariedad, propios del principio de proporcionalidad. En efecto, el principio de precaución actúa en el espacio no colonizado por la certidumbre científica. Y ya vimos antes que la incertidumbre científica justifica decisiones cuya idoneidad y necesidad relativa son inciertas. Esto es, en contextos de incertidumbre científica o sanitaria, los tests de idoneidad y necesariedad llevan a admitir medidas y gravámenes severos, pese a no estar por completo probada su eficacia. En esa medida, una correcta aplicación de los tests de idoneidad y necesariedad en contextos de incertidumbre científica y sanitaria produce los efectos propios del principio de precaución.

24. Vistos ya los términos en que actúa el principio de proporcionalidad, frente a las posibles restricciones gubernativas de las libertades públicas, se pueden destacar ahora tres indicadores a través de los cuales evaluar la proporcionalidad de las concretas medidas de alarma acordadas por el Real Decreto 463/2020. Me refiero al *ámbito territorial* de las medidas, al rango de las *excepciones* abstractas y concretas, y a las *fases* del estado de alarma.

25. En cuanto al ámbito territorial de las medidas, las restricciones iusfundamentales suscitan, desde el principio, algunas dudas. La COVID-19 es una pandemia mundial, y sin duda que afecta a toda España. Pero no en la misma medida en todo el territorio nacional. Desde el inicio ha sido claro que las grandes ciudades y su entorno, en especial la Comunidad de Madrid y el

---

28   Auto 80/2020, de 27 de febrero, del Juzgado de lo Contencioso-administrativo núm. 1 de Santa Cruz de Tenerife.

29   José ESTEVE PARDO, "La apelación a la ciencia...", cit., p. 43.

área metropolitana de Barcelona, son los territorios donde más dramática ha sido la propagación del virus. Pero también ha sido claro desde el principio que regiones como Galicia, Murcia, Illes Balears o Canarias presentaban un menor índice de contagios. Esta diversidad epidemiológica no justificaba una dimensión territorial limitada de la declaración de alarma, tal y como autoriza el art. 6.2 LOEAES. Porque de hecho en todas las comunidades y ciudades autónomas existían contagios. Dicho esto, la homogeneidad de las medidas de alarma para toda España —y con ello de las restricciones a la libertad individual— se puede explicar por la propia estructura normativa del estado de alarma en la LOEAES, que propicia una alta concentración de poder en las autoridades estatales (art. 9.1 LOEAES), lo que de por sí es un factor que *desincentiva la adecuación* de las medidas de alarma a los distintos territorios y localidades. Pero incluso reconociendo lo anterior, es dudoso que la homogeneidad territorial en las medidas restrictivas de la libertad haya sido desproporcionada. Hay que tener en cuenta que en las primeras semanas de la alarma la incertidumbre científica y sanitaria sobre la COVID-19 era muy elevada. La falta de un conocimiento preciso sobre las fuentes y vías de contagio —incertidumbre aún presente en torno a la propagación del virus por el aire— y sobre el posible contagio por personas asintomáticas y durante los 14 días incubación (lo que hoy ya se tiene por cierto) exige una aplicación de los tests de idoneidad y necesariedad ajustada al contexto de incertidumbre científica y de necesaria precaución. En un juicio *ex post* podríamos sin duda concluir que algunas restricciones iniciales se han revelado demasiado severas en algunos territorios. Pero este juicio *ex post* poco aporta en términos jurídicos, pues desde la perspectiva normativa lo relevante es valorar si el Gobierno y las "autoridades delegadas", en el concreto contexto de incertidumbre científica y sanitaria en los que actuaron, ejercieron su poder de pronóstico de forma irrazonable o desviada, dando lugar a medidas territorialmente inidóneas o innecesarias. En principio, y aunque en un juicio *ex post* podamos concluir que algunas medidas restrictivas no eran idóneas o eran innecesarias en algunos territorios y localidades, no hay argumentos suficientes para concluir que tal inidoneidad o innecesariedad también era visible *ex ante*.

26. En segundo lugar, en lo que hace a las *excepciones* hay que distinguir entre las abstractas o generales y las singulares o concretas. Desde el inicio, las medidas restrictivas contenidas en el Real Decreto 463/2020, así como en las órdenes ministeriales que lo complementan o modifican, son de aplicación general, como también son *generales y abstractas* sus excepciones. El catálogo de excepciones a las prohibiciones, sobre todo de la libre circulación, es reducido y tasado. No incluye, a diferencia de otros países, la posibilidad de realizar actividad física individual al aire libre (*infra* § 42). Ello no obstante, ya incluso en una fase inicial de la pandemia —no comenzada aún la desescalada— se introdujeron las primeras "flexibilizaciones", como la referida a los paseos de niños con adultos o para el ejercicio físico al aire libre[30]. Estas excepciones generales se han multiplicado y diversificado en las sucesivas fases de la desescalada, siguiendo las recomendaciones de la Unión Europea[31]. En consecuencia, se observa una alta correspondencia entre, de un lado, la situación epidemiológica y el grado de incertidumbre científica y, de otro lado, el número de excepciones abstractas a las prohibiciones generales. En lo que hace a las posibles excepciones *singulares*, éstas han sido muy reducidas desde el principio. Únicamente la excepción de *fuerza mayor y situación de necesidad* (art. 7.1 g) del R.D. 463/2020), así como la de "analogía" (art. 7.1 h), han permitido una cierta adaptación de las prohibiciones a algunas circunstancias singulares. Sólo en

---

[30]   Orden SND/370/2020, de 25 de abril, que facilita la movilidad de los niños; Orden SND/380/2020, de 30 de abril, sobre actividad física no profesional al aire libre.

[31]   Orden 386/2020, de 3 de mayo, sobre actividad comercial, de hostelería y restauración; Orden SND/388/2020, de 3 de mayo, sobre comercios, servicios y práctica del deporte profesional; y sobre todo: Orden SND/399/2020, de 9 de mayo, para la "flexibilización de determinadas restricciones de ámbito nacional, establecidas tras la declaración del estado de alarma en aplicación de la fase 1 del Plan para la transición hacia una nueva normalidad". Para la fase 3: art. 7 de la Orden SND/458/2020, de 30 de mayo.

el proceso de desescalada se han abierto algunas modestas posibilidades de excepciones singulares a las prohibiciones generales[32]. Esta limitada capacidad de excepción singular es, en principio, un indicador de desproporción, si bien tal indicador ha de valorarse de *forma diacrónica*: en función de la incertidumbre sanitaria y científica, de los datos empíricos de contagio en cada momento, de la capacidad administrativa para gestionar excepciones individualizadas, y de la amplitud de las excepciones generales en cada fase.

27. En lo que se ha calificado como "desescalada", conforme al denominado "Plan de Transición a una Nueva Normalidad," aprobado por el Gobierno el 28 de abril de 2020, se diseñó un *programa de fases*, de 0 a 3, por el que transitarían las distintas provincias o, en su caso, otras unidades territoriales (las áreas sanitarias). El paso de una fase a otra, acordado por el Ministerio de Sanidad, se basa en la capacidad sanitaria y de salud pública del correspondiente territorio. Esto es, en la capacidad hospitalaria y de atención primaria, y en la capacidad para evitar los contagios. En lo que ahora importa, a cada fase se aplican diversas medidas restrictivas de la libertad, menos gravosas cuanto más avanzada sea la fase. Así, a los territorios en la fase "0" se han aplicado las medidas severas iniciales (contenidas en el Real Decreto 463/2020 y en la Orden INT/226/2020, de 15 de marzo, con algunas pequeñas adaptaciones posteriores). En la fase 1 las medidas restrictivas han sido moderadas (conforme al Real Decreto 514/2020 y la Orden SND/399/2020), más aún en la fase 2 (Orden SND/414/2020, de 16 de mayo) y en la fase 3 (Orden SND/458/2020, de mayo), momento en el que se cierra este estudio. La estrategia de fases resulta *adecuada y suficiente* desde la perspectiva del principio de proporcionalidad. Porque pone en directa relación el grado de riesgo real para la salud en cada territorio con el grado de seve-

---

[32] Orden TMA/419/2020, de 18 de mayo, donde se prevé, respecto de la prohibición general de entrada de barcos en los puertos españoles, que el Ministerio de Sanidad pueda "excepcionalmente levantar las restricciones" (art. 3.1).

ridad de las restricciones a la libertad. La proporcionalidad, con todo, no es óptima, en la medida en que las unidades territoriales de referencia no siempre son las áreas sanitarias comarcales (como en Castilla y León), sino en muchos casos las provincias, en cuyo territorio pueden convivir situaciones epidemiológicas y sanitarias muy diversas. Al *nivel óptimo* de proporcionalidad sólo se llega mediante la aplicación de las fases por unidades sanitarias o remitiendo a los gobiernos locales parte de las medidas de alarma (las referentes al control de los contagios en las vías y espacios públicos).

3. El contenido esencial de las libertades públicas

28. Toda limitación legal al ejercicio de un derecho fundamental ha de respetar el *contenido esencial* de ese derecho, tal y como impone expresamente el art. 53.1 CE. En principio, se trata de un límite constitucional diverso respecto del principio de proporcionalidad[33], aunque en seguida veremos que esa distinción no es tan clara como pudiera parecer *a priori*. En lo que ahora importa, que es su aplicación a las medidas gubernativas de alarma, ocurre aquí algo similar a lo que ya se ha expuesto en relación con el principio de proporcionalidad. Durante el estado de alarma, los arts. 11 y 12 LOEAES autorizan de forma indeterminada muy diversas actuaciones gubernativas con posibles efectos restrictivos sobre la libertad individual. Esa misma indeterminación dificulta toda valoración sobre el respeto al contenido esencial de cada derecho fundamental. Podría pensarse que autorizaciones legales tan abiertas, como las de los arts. 11 y 12 LOEAES, afectan ya directamente al contenido esencial de diversos derechos fundamentales. Pero ya se ha dicho que ante contextos imprevisibles e inciertos en su alcance, como son los que motivan la declaración de un estado de alarma, la ley *apenas si puede predeterminar* normativamente las posibles actuaciones gubernativas, y traslada esa valoración a

---

[33] SSTC 236/2007, FJ 4, y 93/2015, FJ 13.

las autoridades de alarma. En esa remisión legal no hay *per se* ninguna limitación o afección al contenido esencial de ningún derecho fundamental. Pero ello no significa que el contenido esencial del derecho se haya desvanecido. Más bien, actuará en cada caso concreto, por remisión de la ley. Serán las autoridades gubernativas del estado de alarma quienes deberán *identificar* ese contenido esencial del correspondiente derecho fundamental en cada caso concreto[34]. Se da entonces la paradoja, difícilmente resoluble, de que en situaciones de emergencia, como las que motivan la declaración de un estado de alarma, le corresponde a las autoridades gubernativas desplegar una actividad técnico-jurídica, como es la identificación del contenido esencial de cada derecho fundamental, ya de por sí muy compleja incluso en situaciones ordinarias.

29. Visto ya que el contenido esencial de cada derecho fundamental es un límite final frente a cualesquiera medidas de alarma, aún quedaría plantearse cuál es efectivamente el contenido esencial de cada derecho fundamental. Pero ocurre que ese contenido esencial no es mi mucho menos obvio. Depende mucho de la propia comprensión que se tenga de la Constitución, de su conexión con la cultura jurídica antecedente y del entendimiento más o menos integrado y coherente de las normas de un mismo texto constitucional. Lo cierto es que por una u otra vía, el contenido esencial de los derechos fundamentales no es el bastión último, irreductible, inmutable e imponderable que en ocasiones se ha pretendido[35]. Por un lado, el contenido esencial de cada derecho no puede adquirirse sólo por vía lógica o axiológica, es precisa una indagación sociológica. Y de otro lado, el contenido esencial

---

[34] Juan Carlos GAVARA DE CARA, *Derechos fundamentales y desarrollo legislativo*, CEC, Madrid, 1994, p. 135.

[35] Juan José SOLOZÁBAL, *Límites de los derechos fundamentales*, cit., p. 34. Véase en cambio una comprensión más "absoluta" del contenido esencial de los derechos fundamentales en Teresa FREIXES SAN JUÁN "Contenido esencial de los derechos fundamentales", en Manuel ARAGÓN REYES y César AGUADO RENEDO, *Derechos fundamentales y su protección*, 2ª ed., Civitas Thomson Reuters, 2011, pp. 67-73.

del derecho no es impermeable a los demás bienes y derechos con los que convive en la misma Constitución. Veamos.

30. En la jurisprudencia constitucional se han enunciado dos metodologías para identificar el contenido esencial de los derechos fundamentales. Una se centra en las *convicciones* socialmente compartidas sobre cada derecho; la otra se refiere a los *intereses* jurídicamente protegidos con cada derecho fundamental[36]. Por ambas vías, el contenido esencial de los derechos fundamentales —trasunto de la *Wesensgehaltsgarantie* del art. 19.2 GG— remite a consideraciones *sociológicas*[37], a cuál sea la imagen social de un derecho en cada tiempo y lugar. La cuestión sería, entonces, si un mismo país o comunidad política tiene una única imagen de los derechos, de los intereses que protegen y de sus límites, o si por el contrario en una misma sociedad podemos encontrar varias imágenes aceptadas de cada derecho, una ordinaria y otra para situaciones excepcionales. Piénsese, en el actual contexto de la COVID-19, en la libertad de circulación (art. 19 CE). Es posible que la conciencia social predominante, en este momento y lugar, sea que en tiempo de pandemia el contenido esencial del derecho a la libre circulación es reducido. Pudiera ser, por tanto, que en tiempos de pandemia el contenido esencial del derecho a la libre circulación sólo alcanzara a la movilidad imprescindible, para necesidades primarias o ineludibles. Según esto, las medidas restrictivas a la movilidad, como las contenidas en el art. 7.1 del

---

[36] STC 11/1981, FJ 11. Y sobre estas dos metodologías: Juan Carlos GAVARA DE CARA, *Derechos fundamentales y desarrollo legislativo*, cit., p. 345; Ignacio VILLAVERDE MENÉNDEZ, "Los límites a los derechos fundamentales", en Francisco J. BASTIDA FREIJEDO, *Teoría general de los derechos fundamentales en la Constitución española de 1978*, Tecnos, Madrid, 2004, pp. 120-150 (p. 138); y Manuel MEDINA GUERRERO, "Comentario al artículo 53 de la Constitución", en Miguel RODRÍGUEZ-PIÑERO y BRAVO-FERRER y María Emilia CASAS BAAMONDE, *Comentarios a la Constitución Española*, Tomo I, Boletín Oficial del Estado, Madrid, 2018, pp. 1456-1472 (p. 1463).

[37] Alfredo GALLEGO ANABITARTE, *Derechos fundamentales y garantías institucionales: análisis doctrinal y jurisprudencial*, Civitas, Madrid, 1994, pp. 33, 88, 167.

Real Decreto 463/2020, en ningún caso estarían invadiendo el contenido esencial del derecho, porque ya de por sí la conciencia social en este concreto tiempo y lugar ofrecería una comprensión reducida de ese contenido esencial.

31. En segundo lugar, en la definición del contenido esencial de cada derecho participan *otros bienes y derechos constitucionales*. Esto es, los llamados límites inmanentes de los derechos fundamentales *no son externos* al núcleo o contenido esencial, sino que también participan en su propia definición, en cada concreto contexto[38]. Según esto, de ninguna libertad pública podría decirse que tiene un contenido esencial irreductible. Todo el contenido facultativo de cada libertad pública, también su contenido esencial, se definiría por su relación o conexión con otros bienes jurídicos presentes en cada concreto contexto social. El contenido esencial de la libertad de manifestación, o de la libertad religiosa, no sería el mismo cuando entra en conflicto con el orden público, o con la libertad de expresión, que cuando está en tensión con el derecho a la vida o con el mandato de protección constitucional de la salud. De tal manera que si bien está claro que la ley no puede afectar al contenido esencial del derecho (art. 53.1 CE), ese contenido esencial no sería unívoco, sino que resultaría de su coexistencia, en cada concreto contexto, con otros bienes, valores o derechos constitucionales. Esta comprensión sistemática del contenido esencial de cada derecho tiene, sin duda, el riesgo de la relatividad, de que por vía de ponderación se desnaturalice por completo el derecho en cuestión. Pero sirve para evitar situaciones *a priori* absurdas, como sería aceptar que incluso en determinados contextos excepcionales de alto riesgo o peligro para la salud o la vida, algunas libertades públicas presentan núcleos facultativos irreductibles o absolutos, que exigen la inactividad estatal.

---

[38] Es la propuesta clásica de Peter HÄBERLE, *Die Wesensgehaltsgarantie des Art. 19 Abs. 2 GG*, C.F. Müller, 3 ed., Heidelberg 1983, pp. 50 y ss. Crítico: Juan Carlos GAVARA DE CARA, *Derechos fundamentales y desarrollo legislativo*, cit., p. 276.

4. Control jurisdiccional de las restricciones

32. Una vez declarado el estado de alarma por el Real Decreto 463/2020, los diversos ministerios que actúan como "autoridades delegadas" comenzaron a dictar múltiples órdenes o medidas vinculantes. Se plantea entonces, como es propio de todo Estado democrático de Derecho, *quién controla* todas estas decisiones.

33. El art. 116.6 CE establece categóricamente que la declaración del estado de alarma no modifica el principio de *responsabilidad* del Gobierno "y sus agentes". Esta genérica responsabilidad presenta muchas posibles formas. Entre ellas se cuenta, desde luego, la responsabilidad *política*. Pero también alguna suerte de responsabilidad jurídica. Es propio de un Estado de Derecho que el ejercicio del poder público esté sometido a alguna forma de *control jurídico*, por laxo y deferente que sea ese control. En el caso del estado de alarma, dos son las actuaciones del Gobierno que activan su responsabilidad y, por tanto, el control: la propia declaración del estado de alarma, al amparo del art. 116.2 CE; y las medidas de emergencia tomadas por el Gobierno y las distintas "autoridades delegadas".

34. La *declaración* de alarma, por el Gobierno, está sometida al control *político* de Las Cortes. Ese es el sentido principal de que el art. 116.5 CE establezca que durante el estado de alarma Las Cortes quedan automáticamente convocadas. De otro lado, la previsión de una posible prórroga del estado de alarma por el Congreso de los Diputados (art. 116.2 CE) permite por sí un juicio político sobre el Gobierno[39].

35. Pero además de este control parlamentario, de naturaleza política, también hay un posible control jurídico, por el *Tribunal Constitucional*. De acuerdo con la STC 83/2016, FJ 11, el Real Decreto de declaración del estado de alarma —o cada una de sus prórrogas— en la medida en que activa una competencia extraordinaria del Estado que de por sí afecta a cualesquiera leyes, tiene

---

[39]   ATS de 10 de febrero de 2011 (ECLI: ES:TS:2011:857A).

"valor de ley". En consecuencia, su control jurídico sólo puede provenir del Tribunal Constitucional. Bien mediante el recurso de inconstitucionalidad (arts. 161.1 a) CE y 31 LOTC). Bien mediante la cuestión de inconstitucionalidad (arts. 163 CE y 35 LOTC), cuando el enjuiciamiento de una concreta medida gubernativa de emergencia exija cuestionar la propia constitucionalidad de la declaración de alarma. Bien mediante un conflicto en defensa de la autonomía local (art. 75 *bis* LOTC), que es por completo hipotético, dado el complejo litisconsorcio activo necesario que establece el art. 75 *ter* LOTC. Todos estos posibles medios constitucionales de impugnación permiten controlar el cumplimiento de la Constitución, lo que incluye tanto los límites de los arts. 55.1 y 116.2 CE como —en lo que ahora importa— las libertades públicas inmediatamente garantizados por la Constitución.

36. Más discutible es que la LOEAES actúe como parámetro para el control de constitucionalidad, al menos directamente. De entrada, la LOEAES no integra propiamente el "bloque de la constitucionalidad", en el sentido del art. 28.1 LOTC, porque no todos sus preceptos articulan la distribución territorial del poder durante el estado de alarma. De otro lado, la jurisprudencia constitucional ha sido normalmente contraria a integrar a las leyes entre los cánones de constitucionalidad, salvo aquellas que completan la distribución territorial del poder conforme al art. 28.1 LOTC. En este sentido, el concepto de "función constitucional" de algunas leyes, que fue propuesto en la doctrina para reconocer la condición cuasi constitucional de algunas leyes directamente mencionadas en la Constitución[40], no ha encontrado acogida jurisprudencial, por el riesgo inmanente de difuminar los límites entre constitucionalidad y legalidad[41]. Por último, la jurisprudencia constitucional ya mencionada antes, que califica al Real Decreto de alarma como norma "con valor de ley", dificulta

---

[40] Rafael GÓMEZ-FERRER MORANT, "Relaciones entre leyes: competencia, jerarquía y función constitucional", *Revista de Administración Pública*, núm. 113 (1987), pp. 7-38 (p. 22).

[41] Así, en relación con la legislación básica estatal: STC 204/2006.

la consideración de la LOEAES como canon de constitucionalidad del Real Decreto 463/2020. Pues estaríamos entonces ante una ley (orgánica) que actúa como parámetro de validez de otra norma "con valor de ley".

37. En este punto de la cuestión se puede afirmar que *la LOEAES no es canon directo* de constitucionalidad del Real Decreto 463/2020. Esto no significa que la LOEAES carezca de resistencia pasiva frente al Real Decreto de alarma. La jurisprudencia constitucional da cuenta de varios supuestos en los que la regulación de una misma materia está dividida entre leyes orgánicas y leyes ordinarias. Así, por ejemplo, en relación con el art. 135.5 CE, que establece una reserva de ley orgánica para la regulación de la estabilidad presupuestaria, el Tribunal Constitucional consideró que en esa misma materia podían convivir la ley orgánica, encargada de establecer la estructura general de la estabilidad presupuestaria, y la legislación ordinaria, encargada de proyectar esa estructura general sobre distintas administraciones públicas[42]. Pues bien, algo similar se podría plantear en relación con el estado de alarma. Es claro que el art. 116.1 CE ha reservado a la ley orgánica la regulación de los estados excepcionales. El perímetro de esa reserva de ley orgánica no está definido en la Constitución, aunque de entrada se podría aceptar que el contenido de la actual LOEAES no excede de la reserva orgánica. Y bien, si se acepta esta premisa, seguidamente se puede considerar que el Real Decreto 463/2020, en la medida en que se desviase de lo regulado en la LOEAES, estaría infringiendo la reserva de ley orgánica del art. 116.1 CE. De esta forma, si bien tanto la LOEAES como el Real Decreto 463/2020 tienen "valor de ley", entre ambos textos corre una *reserva de procedimiento*[43]. De tal manera que la *estructura jurídica* del estado de alarma está reservada a la ley orgánica, mientras que el régimen de *cada concreto* estado de alarma se define en cada Real Decreto, con el límite constitucional de no invadir la estructura

---

[42] SSTC 41/2016, FJ 3a, y 111/2016, FJ 4.
[43] Este tipo de articulación normativa, en: Juan Alfonso SANTAMARÍA PASTOR, *Fundamentos de Derecho Administrativo*, CEURA, Madrid, 1991, p. 320.

jurídica general de los estados excepcionales, que está reservada a la ley orgánica.

38. Visto ya que el Tribunal Constitucional puede controlar la licitud del Real Decreto 463/2020, seguidamente hay que señalar que este control ha de ser necesariamente *deferente* con el Gobierno, excepto en lo referente al límite temporal. Porque precisamente el art. 116.2 CE ha concedido al Gobierno un amplio margen de apreciación y pronóstico, no sustituible por el Tribunal Constitucional. Ese margen de apreciación es, al menos, el que viene reconociendo la jurisprudencia constitucional al Gobierno cuando dicta decretos-leyes[44]. De esta forma, el juicio de constitucionalidad no consiste en comprobar si el Gobierno ha *acertado* en la declaración de alarma, sino sólo si el Gobierno, en el contexto de *incertidumbre y precaución* propio de toda situación de emergencia, ha actuado con la suficiente información y diligencia como para poder evaluar correctamente la situación y ha adoptado medidas restrictivas de las libertades públicas que, no siendo contrarias al régimen general de las limitaciones en los arts. 11 y 12 LOEAES, tampoco pueden tacharse de irrazonables o claramente inidóneas, innecesarias o imponderadas. Más allá, el control de corrección es sólo político, por Las Cortes, que de hecho han ejercido en cada prórroga del estado de alarma.

39. Más problemas plantea el control jurisdiccional de las *concretas medidas* gubernativas que siguen a la declaración del estado de alarma. El art. 1.3 LOEAES declara expresamente que "los actos y disposiciones de la Administración pública adoptados durante la vigencia de los estados de alarma, excepción y sitio serán impugnables en vía jurisdiccional de conformidad con lo establecido en las leyes". Tanto el ATC 7/2002 (FJ 3) como la STC 83/2016 (FJ 11) sostienen abiertamente que ese control "jurisdiccional" de las concretas medidas de emergencia, una vez declarado el estado de alarma, ya no le corresponde al Tribunal Constitucional, sino a la Jurisdicción Contencioso-administrativa. De hecho, considerando

---

[44]   SSTC 142/2014, FJ 3; 61/2018, FJ 4 b); 14/2020, FJ 2.

que todas esas medidas ministeriales se han dictado por delegación del Gobierno (y por tanto en su nombre, conforme al art. 9.4 LRJSP), la Sala de lo Contencioso-administrativo del Tribunal Supremo está monopolizando la admisión a trámite de los correspondientes recursos. Con todo, este control contencioso-administrativo es menos claro de lo que pudiera parecer. Porque resulta que no sólo el Real Decreto que declara el estado de alarma, sino también las concretas medidas que dictan las "autoridades delegadas", tienen "valor de ley". Y si es así, si esas medidas ministeriales tienen tal "valor de ley", sólo el Tribunal Constitucional podría ejercer sobre ellas un control jurisdiccional. Según esto, la "vía jurisdiccional" a la que se refiere el art. 1.3 LOEAES no podría ser la ordinaria (contenciosa), sino la constitucional. En hipótesis, se podría argumentar que el "valor de ley" de las medidas gubernativas no es propia, sino que es un *efecto reflejo* del Real Decreto de alarma, que es quien desplaza la vigencia de cualquier ley vigente, durante quince días, dejando así el campo desbrozado y libre para la prevalencia provisional de cualquier medida ministerial de emergencia. Esta hipotética explicación negaría que las medidas gubernativas tengan, por sí, "valor de ley", y por tanto podrían ser impugnables en vía contencioso-administrativa. Se trata de una explicación atractiva, pero no deja de ser una ficción jurídica. En todo caso, y por ahora, está claro que los recursos contra las órdenes ministeriales que ejecutan el estado de alarma se están residenciando sin aparente controversia ante la Sala de lo Contencioso-administrativo del Tribunal Supremo. De hecho, las múltiples órdenes ministeriales de alarma contienen, tras las dudas iniciales, el debido pie de recurso, informando de su recurribilidad ante el Tribunal Supremo.

40. En el inicio del estado de alarma se han planteado algunas dudas sobre la posible aplicación, frente a las medidas de confinamiento, del art. 8.6.2 de la Ley 29/1998, de 13 de julio, reguladora de la Jurisdicción Contencioso-administrativa (LJCA), que expresamente prevé la *ratificación judicial* "de las medidas que las autoridades sanitarias consideren urgentes y necesarias para la salud pública e impliquen privación o restricción de la libertad o de otro

derecho fundamental". Ocurre que antes de la declaración de alarma algunos gobiernos autonómicos adoptaron medidas sanitarias de confinamiento o limitativas de la libertad y las sometieron a ratificación judicial. Algunos juzgados de lo contencioso-administrativo efectivamente aplicaron el art. 8.6.2 LJCA, y ratificaron algunas medidas de confinamiento singulares para grupos determinados[45]. Sin embargo, también tempranamente distinguieron los juzgados de lo contencioso entre las restricciones *generales*, de carácter normativo, y las medidas singulares, respecto de concretas personas o grupos de personas. Y a partir de esa distinción se ha considerado que las limitaciones generales a la movilidad no entran en el ámbito de aplicación del art. 8.6.2 LJCA[46]. Una vez declarada la alarma, que incluía la confirmación de las medidas de confinamiento adoptadas previamente por algunas Comunidades Autónomas, se ha mantenido el criterio judicial anterior. De esta manera, no ya sólo las medidas del art. 7 del Real Decreto 463/2020, sino tampoco las restricciones acordadas por los distintos ministros, se han sometido a ratificación judicial. Y ello pese a que, conforme al criterio de la STC 83/2016, las medidas restrictivas ministeriales son impugnables ante la jurisdicción contencioso-administrativa.

III. LIBERTAD DE CIRCULACIÓN

41. En términos generales, la respuesta gubernativa frente a la COVID-19 ha sido muy similar en la mayoría de los países, dejando fuera ahora a los Estados Unidos, Brasil y, en Europa, el singular caso de Suecia. En casi todos los países se han adoptado

---

[45] Auto 80/2020, de 27 de febrero, del Juzgado de lo Contencioso-administrativo núm. 1 de Santa Cruz de Tenerife.

[46] Así: Auto del Juzgado de lo Contencioso-administrativo nº 1 de Zaragoza, de 16 de marzo de 2020. Y sobre ello: Jesús MOZO AMO, "La ratificación judicial de las medidas adoptadas por la administración en supuestos de urgencia y necesidad para la salud pública: el párrafo segundo del artículo 8.6 LJCA", *Actualidad Administrativa*, núm. 5 (2020).

medidas de *confinamiento* más o menos estricto[47]. Las prohibiciones y mandatos concretos son muy similares en todos los países. En general, existe una norma gubernamental general que prohíbe la circulación, y a ella se acompaña un catálogo más o menos extenso y abierto de excepciones. Lo distinto entre los diversos países es el *contexto jurídico general* en el que toman sentido esas prohibiciones y excepciones. Dos son las notas diferenciales de los distintos sistemas jurídicos, a la hora de dar sentido a las concretas órdenes de confinamiento: la existencia o no de *un derecho constitucional de libertad*, vinculante tanto para la ley como para los mandatos gubernativos; y la relación entre la ley y las *normas dictadas por el* Gobierno.

42. Tomemos como referencia Inglaterra y Gales, donde rigen las denominadas *The Health Protection (Coronavirus, Restrictions) (England) Regulations 2020*, dictadas por el Gobierno británico aunque necesitadas de confirmación del Parlamento en el plazo de 28 días. La *Regulation* 6 (1) establece expresamente que "During the emergency period, no person may leave the place where they are living without reasonable excuse" y esta prohibición expresa se acompaña un listado de excepciones, algo más amplio que el del art. 7 el Real Decreto 463/2020 (por ejemplo, por la posibilidad de realizar ejercicio físico en el exterior). La *Regulation* ministerial se dictó al amparo de la *Section 45C (3) (c) de la Public Health (Control of Disease) Act 1984* que, en lo que ahora importa, dice textualmente que "Regulations under subsection (1) may in particular include provision (...) (c) imposing or enabling the imposition of restrictions or requirements on or in relation to persons, things or premises in the event of, or in response to, a threat to public health". La singularidad constitucional del Reino Unido determina que el debate jurídico en torno a la prohibición general de circulación contenida en la *Regulation 6 (1)* ya citada se haya planteado no como una lesión a un inasequible derecho constitucional de libre circulación (sin duda presente en el *common law*, pero de perfiles difusos), sino so-

---

bre el posible *ultra vires* de la *Regulation* gubernamental, respecto de la *Section 45C (3) (c) de de la Public Health (Control of Disease) Act 1984*. La centralidad de la ley parlamentaria en el Derecho británico, con capacidad para desplazar la aplicación de cualquier norma de *common law*, explica que el debate jurídico británico sobre las medidas de confinamiento se centre en los exactos términos en los que la ley parlamentaria autoriza posibles prohibiciones o mandatos gubernativos. Y bien, en un contexto jurídico general donde la ley debe ser especialmente precisa a la hora de autorizar restricciones de la libertad individual (como única forma de desplazar la garantía general de libertad del *common law*) nos encontramos con que la ley de salud pública contiene autorizaciones generales de actuación a favor del Gobierno o sus ministros. Esto es, por mucho que un sistema jurídico articule la relación entre la ley parlamentaria y las normas gubernativas a través de una rigurosa exigencia de predeterminación y precisión en la ley, para las emergencias sanitarias las leyes no pueden evitar las autorizaciones generales de actuación a favor del Gobierno.

43. En el caso de *España*, las restricciones a la libre circulación han sido muy severas, al menos inicialmente, hasta la fase de desescalada. El art. 7 del Real Decreto 463/2020 establecía una *prohibición general* de circulación, con un catálogo tasado de excepciones. Aunque ya en los primeros días se adoptaron algunos criterios mínimos de flexibilización, que luego en el proceso de desescalada se han ido generalizando de forma gradual: para ciertos grupos de personas; por franjas horarias; y por territorios (*supra* § 26). Sin duda que las medidas de confinamiento regulan de forma restrictiva, o simplemente limitan, el ejercicio del derecho fundamental a la libre circulación. Pues, lo propio del derecho de libre circulación es precisamente la "abstención o no injerencia de los poderes públicos en el ir y venir de los ciudadanos dentro de España"[48].

---

[48]   Herminio LOSADA GONZÁLEZ, "Comentario al artículo 19 de la Constitución", en Miguel RODRÍGUEZ-PIÑERO y BRAVO-FERRER y María Emilia CASAS BAAMONDE, *Comentarios a la Constitución Española*, Tomo I, Boletín Oficial del Estado, Madrid, 2018, pp. 567-579 (p. 572).

44. De acuerdo con el esquema expositivo enunciado más arriba (*supra* § 15) las prohibiciones de movilidad han de valorarse conforme a tres parámetros normativos, necesariamente constitucionales: su adecuación a la reserva de ley orgánica establecida en el art. 116.1 CE; el principio de proporcionalidad; y el respeto al contenido esencial del derecho fundamental.

45. Como ya se ha argumentado más arriba, el art. 116.1 CE establece una reserva de ley orgánica para la regulación de los estados excepcionales (*supra* § 37). Esta reserva de ley orgánica incluye expresamente las "limitaciones correspondientes". Esto implica que el art. 7 del Real Decreto 463/2020, aun teniendo "valor de ley" conforme a la jurisprudencia constitucional, no puede por sí mismo autorizar restricciones en el ejercicio de derechos fundamentales. Ha de ser la propia ley orgánica, directamente o por remisión, quien defina y autorice las posibles restricciones a la libertad de circulación. Esta es la función que cumplen los arts. 11 y 12 LOEAES. En consecuencia, dado que las "limitaciones" a las posibles medidas gubernativas durante el estado de alarma están reservadas a la ley orgánica, cualquier exceso del Real Decreto 463/2020, respecto de los arts. 11 y 12 LOEAES, infringiría la reserva de ley orgánica definida en el art. 116.1 CE. A partir de aquí, para averiguar si el Real Decreto 463/2020 ha añadido restricciones a la libertad de circulación que invaden la reserva de ley orgánica es necesario atender a los precisos términos en los que los arts. 11 y 12 LOEAES han constreñido el poder gubernativo de alarma. En lo que puede afectar a la libre circulación de personas, el art. 11 a) LOEAES autoriza al Gobierno a "limitar la circulación o permanencia de personas o vehículos en horas y lugares determinados, o condicionarlas al cumplimiento de ciertos requisitos". Los términos del art. 11 a) LOEAES son lo suficientemente abiertos como para permitir muy diversas restricciones a la libre circulación, tanto generales como específicas. Únicamente hay precisión normativa en su referencia a las "horas y lugares determinados". Pero esa precisión normativa no impide por sí una medida general de *confinamiento*. Primero, porque el mandato de que las restricciones se refieran a "horas y lugares determinados" sirve única-

mente para poner en conexión las posibles restricciones a la libre circulación con la dimensión o características del fenómeno que en cada caso justifica la alarma. De esta manera, si el estado de alarma resulta de una nube de contaminación química, es claro que la posible orden de confinamiento ha de fijar con precisión su perímetro espacial. Y por la misma razón, cuando se trata de una pandemia mundial, el "lugar determinado" puede ser todo el territorio español. De otro lado, el mismo art. 11 a) LOEAES contiene una segunda autorización, alternativa a la anterior: posibilidad de limitar la libre circulación mediante su condicionamiento al cumplimiento de "ciertos requisitos". En este sentido, el art. 7 del Real Decreto 463/2020 contiene un catálogo de desplazamientos posibles, si se dan ciertos requisitos funcionales (desempeño de un trabajo, atención a personas dependientes, etc.). Se puede concluir, en suma, que cualquiera de las dos autorizaciones del art. 11 a) LOEAES puede dar lugar a un confinamiento general, con excepciones de movilidad tasadas. En realidad, y como es propio de la legislación de emergencias, la ley apenas si puede programar y delimitar las medidas gubernamentales *ex ante*, de manera que la ley traslada al principio de proporcionalidad, que actúa en cada concreta situación de alarma, la protección efectiva del derecho fundamental a la libre circulación.

46. Además, el art. 12.1 LOEAES expresamente prevé, ante epidemias, la posibilidad de que el Gobierno adopte todas aquellas medidas "establecidas en las normas para la lucha contra las enfermedades infecciosas". Como ya se ha dicho antes (*supra* § 18), esto nos remite al art. 3 de la Ley orgánica 3/1986, de Medidas Especiales de Salud Pública, y al art. 54 de la Ley 33/2011, General de Salud Pública. Ambos preceptos conceden un amplísimo margen de opción al Gobierno. Dada la amplitud de las autorizaciones legales se puede considerar que el art. 7 del Real Decreto 463/2020 no añade nuevas restricciones a la libre circulación, sino que actúa dentro del perímetro definido por el art. 12.1 LOEAES. En esa medida, el art. 7 del Real Decreto 463/2020 *no infringe la reserva de ley orgánica* para fijar las "limitaciones corres-

pondientes" que ha de respetar el Gobierno durante el estado de alarma (art. 116.1 CE).

47. Por lo dicho, todo juicio constitucional sobre el art. 7 del Real Decreto 463/2020 se encauza, fundamentalmente, a través del principio de *proporcionalidad*. Este juicio consiste en valorar si la prohibición general de libre circulación (salvo por razones tasadas) es idónea, necesaria, y ponderada (*supra* § 19). Este triple enjuiciamiento es de gran complejidad, en la medida en que todos los indicadores de los que depende están en continua evolución. De un lado, las propias medidas prohibitivas se han ido flexibilizando progresivamente. De otro lado, el conocimiento científico y sanitario, que es determinante sobre todo para el test de idoneidad (*supra* § 21), ha crecido exponencialmente en pocas semanas. En consecuencia, resulta muy difícil concluir, al menos a priori, que el mandato de confinamiento, ni siquiera en su fase inicial más severa, ha sido desproporcionado. Hay que tener en cuenta, además, que en cada momento de la pandemia el Gobierno cuenta con un margen de pronóstico al menos similar al que dispone cuando aprecia la "extraordinaria y urgente necesidad" justificativa de un real decreto-ley. En consecuencia, un hipotético reproche de desproporción frente al art. 7 del Real Decreto 463/2020 sólo sería posible si resultara que el 14 de marzo de 2020, fecha en que se declara el estado de alarma, existía una certidumbre científica y sanitaria elevada (tanto como para superar las exigencias del principio de precaución) que acreditara la *inidoneidad* del confinamiento general para frenar el contagio de la COVID-19; o que acreditara que algunas de las actividades prohibidas *no eran necesarias*, porque podían realizarse sin riesgo de contagio mediante determinadas medidas profilácticas complementarias; o finalmente, que acreditara que el *beneficio* para la salud y la vida (tutelados por los arts. 43 y 15 CE) no era de tal magnitud como para justificar el confinamiento. Este triple juicio de proporcionalidad, extremadamente complejo y por completo dependiente del conocimiento científico y sanitario disponible en cada momento, está aún por hacer. Hasta ahora, en la jurisprudencia sólo contamos con algunos en-

sayos sumarios. Primero, ante la solicitud de medidas cautelares, los tribunales han entrado directamente a ponderar —de forma sumaria— el derecho a la integridad física (art. 15 CE) frente la libertad de circulación, con clara *prevalencia* del primero[49]. Y segundo, para la admisión de recursos de amparo, el Tribunal Constitucional también ha concedido mayor peso ponderativo a la vida y la salud, frente a la libre circulación (ATC de 30 de abril de 2020, párrafo 4 b) ii).

48. El mandato de confinamiento del art. 7 del Real Decreto 463/2020 también ha de ser confrontado con el *contenido esencial* del derecho fundamental a la libre circulación. Ya se hizo referencia más arriba a la difícil aplicación de este "límite de los límites", más fácil de definir en un plano teórico que para la vigencia práctica de cada derecho fundamental *(supra § 28)*. De hecho, en la jurisprudencia constitucional son pocas las ocasiones en las que un conflicto entre derechos o bienes constitucionales se resuelve por referencia al correspondiente contenido esencial. En principio, se puede convenir en que este límite no se confunde con el test de proporcionalidad. Pero no es sostenible, a mi juicio, que el contenido esencial de cada derecho fundamental sea un límite absoluto, que actúe al margen del resto de los bienes y derechos constitucionales. Porque, si así fuera, la preservación del contenido esencial de un derecho normalmente exigiría la negación del contenido esencial de otro u otros derechos, o la ablación plena de algún otro bien constitucional. En ese sentido, se puede afirmar que en un contexto de emergencia sanitaria extrema, con un riesgo acreditado para la salud y la vida del conjunto de la población, el contenido esencial del derecho a la libre circulación está reducido por la propia Constitución, de forma *inmanente*, a su mínima expresión: garantiza la movilidad necesaria para tareas ineludibles, como el trabajo, el abastecimiento de productos bási-

---

[49]   Auto de la Sala de lo Contencioso-administrativo del Tribunal Supremo de 19 de mayo de 2020 (recurso ordinario 99/2020), en relación con las medidas de flexibilización de la prohibición de circulación de los menores de 14 años (Orden SND/370/2020, de 25 de abril).

cos o el cuidado de otras personas; pero no garantiza por sí y en todo caso la deambulación libre. En este sentido, la *concordancia práctica* de la Constitución exige que incluso el contenido esencial de cada derecho fundamental se defina de forma sistemática, de forma compatible con otros bienes y derechos constitucionales. Sentado esto, se puede concluir que el catálogo de movimientos posibles, conforme al art. 7.1 del Real Decreto 463/2020, hace recognoscible el mínimo de derecho a la libre circulación que la Constitución asegura en un contexto de riesgo vital real y generalizado.

IV. DERECHO DE REUNIÓN

49. Ni el Real Decreto 463/2020, ni ninguna de las órdenes ministeriales que lo aplican, corrigen o desarrollan, contiene prohibición alguna directamente referida al derecho fundamental de reunión, garantizado por el art. 21 CE. Ocurre, sin embargo, que la prohibición de libre circulación contenida en el art. 7 del Real Decreto 463/2020 *de facto* dificulta el ejercicio de ese derecho. Por eso, tales prohibiciones de libre circulación han de ser enjuiciadas no sólo desde la perspectiva del art. 19 CE, sino también por su hipotética infracción mediata del art. 21 CE.

50. Pocas dudas hay sobre el ámbito de libertad protegido por el art. 21 CE. La jurisprudencia ya ha insistido en la conexión entre el derecho de reunión y la libertad de expresión en una sociedad democrática[50]. Y también ha destacado que el derecho de reunión, como todos los derechos fundamentales, tiene límites. Bien en la propia Constitución, bien en las leyes que regulan su ejercicio. En lo que hace a los límites legales, nos encontramos con que la Ley orgánica 9/1983, de 15 de julio, Reguladora del Derecho de Reunión (LORDR), apenas si contiene límites distintos de los que inmediatamente fija el art. 21 CE. Más bien, la

---

[50]   Así: SSTC 66/1995, FJ 3, SSTC 195/2003, FJ 3.

LORDR procedimentaliza el ejercicio del derecho, sin incluir propiamente límites en su ejercicio. Esto supone que los límites habrán de ser definidos *en cada caso concreto*, en aplicación de la cláusula general de orden público del art. 21 CE y en atención a la presencia, también en cada caso concreto, de otros bienes y derechos constitucionales merecedores de protección. En la definición de estos límites actúan, de forma principal, el principio de proporcionalidad, con el triple test que repite la jurisprudencia desde la STC 66/1995: idoneidad de los límites para la protección de otros bienes jurídicos; inexistencia de otros límites menos restrictivos (test de necesariedad); y ponderación de las restricciones. Esta tarea de identificación o definición de límites en cada caso concreto corresponde, en primer lugar, a la Administración a la que hay que comunicar cada posible manifestación (art. 8 LORDR) y en última instancia a la jurisdicción contencioso-administrativa.

51. El ejercicio del derecho de reunión ha pasado por *dos momentos*, a lo largo del estado de alarma. En un primer momento, coincidiendo con la fase de "escalada" de la pandemia, pocos han sido los intentos de celebrar manifestaciones o reuniones en espacios públicos. Y los escasos intentos han sido prohibidos por las correspondientes delegaciones del gobierno, con posterior confirmación judicial. En una segunda fase, desde el inicio de la "desescalada" anunciada por el Gobierno el 28 de abril de 2020 y que incluye como momento cumbre el 1 de mayo de 2020, las convocatorias se han multiplicado y los tribunales han ido amparando progresivamente a los convocantes, frente a las prohibiciones administrativas.

52. Como se ha anunciado, en fase de "escalada", las delegaciones del gobierno han tendido a prohibir cualquier reunión en lugares de tránsito público, invocando precisamente las prohibiciones de movilidad del art. 7 del Real Decreto 463/2020 y los altos riesgos para el la salud (art. 43 CE) y la vida (art. 15 CE). Así, lo entendió el propio Tribunal Constitucional en su Auto de 30 de abril de 2020, con continuidad en la jurisprudencia

contenciosa[51]. El ATC se centró en los *límites* constitucionales del derecho de manifestación. Tanto en los expresos como en los inmanentes. En cuanto a los límites expresos, el ATC deja bien claro que el "orden público" al que se refiere el art. 21 CE ha de entenderse en sentido estricto, como orden cívico en los espacios públicos, y no como orden jurídico general. Con esta afirmación, el Tribunal Constitucional se aleja de aquellas opiniones que habían visto en la actual situación de emergencia sanitaria un problema de "orden público". Seguidamente, y visto que el límite constitucional expreso del "orden público" no concurría en el caso, el Tribunal Constitucional dirigió su atención hacia los límites constitucionales *inmanentes* del derecho de manifestación. Esto es, los límites que resultan directamente de la puesta en conexión del derecho de manifestación (art. 21 CE) con otros derechos y bienes constitucionales, en especial con el derecho fundamental a la vida (art. 15 CE) y con el derecho constitucional a la protección de la salud (art. 43 CE). Según esto, el derecho fundamental de reunión tiene, además del límite expreso del orden público que establece el art. 21 CE, otros límites —esta vez inmanentes— en la propia Constitución. Estos límites no son enunciables en abstracto. Sólo son identificables por procedimiento de *ponderación* y, por tanto, en cada concreto contexto real. De esta manera, en un contexto de emergencia sanitaria tan extraordinario y extremo como el vivido, donde cobra todo el protagonismo el mandato y derecho constitucional a la salud (art. 43 CE), el derecho fundamental de manifestación queda *per se* muy reducido. Y no por la ley o por el Gobierno (mediante el Real Decreto de alarma), sino por la propia Constitución. Es el principio de *concordancia práctica*[52], que ordena la vigencia simultánea y coherente de todos los mandatos y derechos constitucionales lo que lleva a entender que en una situación de pandemia, con gravísimo riesgo vital para el conjunto

---

51 STSJ de Madrid 195/2020, de 30 de abril (ECLI:ES:TSJM:2020:1546).

52 Konrad HESSE, *Grundzüge des Verfassungsrechts der Bundesrepublik Deutschland*, 19ª ed., Heidelberg, 1993, p. 27.

de la población, la Constitución misma, de forma inmanente, retranquea al mínimo posible el contenido facultativo del derecho de manifestación. Según esta vía metodológica, que es la que late en el Auto del Tribunal Constitucional, el Real Decreto 463/2020 no estaría imponiendo límites al derecho de manifestación. Porque el derecho fundamental de manifestación está de por sí muy constreñido en la propia Constitución, cuando se proyecta sobre un contexto real y extraordinario como el presente, en el que ganan protagonismo otros bienes y derechos constitucionales.

53. La prohibición generalizada de las manifestaciones llevó a dudar sobre la vigencia misma del derecho en el estado de alarma. Se decía en una prohibición de manifestación, dictada por el *Conseller d'Interior* de la Generalitat de Catalunya, que "el derecho de reunión no se podrá ejercer mientras dure el estado de alarma". Ya se ha dicho antes que una limitación severa de un derecho fundamental es algo ontológicamente distinto de una suspensión (*supra* § 8). Pero lo cierto es que aquellas prohibiciones, incluso en el momento álgido de la pandemia, difícilmente superaban un test de proporcionalidad. En este punto hay que tener en cuenta que no cualquier forma de manifestación resultaba impedida por las restricciones de movilidad del Real Decreto 463/2020. Y, en consecuencia, no podía considerarse que cualquier forma de manifestación afectase por sí al orden público. Por supuesto que las formas de manifestación compatibles con las prohibiciones de circulación eran más reducidas, pero no inexistentes. Eran posibles las manifestaciones en los espacios abiertos de los centros de trabajo, o en los espacios abiertos de los establecimientos comerciales. También era posible la protesta colectiva con motivo de los desplazamientos al lugar de trabajo, tanto en los transportes públicos como sirviéndose de los vehículos privados, emulando así las "tractoradas", que la jurisprudencia constitucional considera una forma legítima de manifestación (ATC 176/2000). Además, hay posibles formas de manifestación que no se realizan transitando por una vía pública, aunque si por la presencia simultánea y expresiva de un conjunto de personas sobre el espacio público,

como ocurre con las "caceloradas" desde los balcones y ventanas. También eran posibles las manifestaciones digitales, a través de internet.

54. El cambio de orientación en los tribunales se inicia, paradójicamente, a partir de una resolución del Tribunal Constitucional Federal Alemán (*BVerfG*), de 15 de abril de 2020[53]. Esta resolución tuvo una considerable difusión en la comunidad jurídica española. En esa resolución del Tribunal alemán se anulaba una prohibición de manifestación proveniente del Ayuntamiento de Giessen, luego confirmada por la jurisdicción contenciosa en primera instancia y apelación. Se motivaba la prohibición con la cita de la previa orden del Gobierno de Hesse (*Verordnung zur Bekämpfung des Corona-Virus*, de 13 de marzo de 2020) de mantener en la vía pública una distancia interpersonal mínima de 1.5 metros. El Tribunal Constitucional Federal Alemán consideró que el Ayuntamiento de Giessen, al considerar prohibida toda manifestación mientras durase el mandato de distancia interpersonal mínima, había hecho una deficiente aplicación de la Ley reguladora del derecho de reunión y de la orden de distancias mínimas del Gobierno de Hesse. Consideraba el Tribunal que era obligado para el Ayuntamiento valorar si *la concreta manifestación* comunicada respetaba la orden de distancia mínima, y en consecuencia era lícita. En el caso, la manifestación comunicada era ciertamente singular, casi de laboratorio para provocar un precedente judicial. En su comunicación, los convocantes habían hecho un pronóstico de asistencia de 30 personas y habían previsto una organización de la manifestación de tal manera que se mantuvieran distancias de hasta diez metros entre los individuos (por tanto, muy por encima de los 1.5 metros de distancia social impuesta por la orden del Gobierno de Hesse). Es en un caso así de singular en el que el *BVerfG* ampara cautelarmente a los recurrentes, y ordena al Ayuntamiento de Giessen decidir de nuevo, teniendo en cuenta

---

53   BVerfG, Beschluss der 1. Kammer des Ersten Senats vom 15. April 2020 —1 BvR 828/20—, Rn. 1-19 (ECLI:DE:BVerfG:2020:rk20200415.1bvr082820)

la vigencia efectiva e incuestionada del derecho fundamental de reunión.

55. El *cambio de tendencia* en España, con motivo de las tradicionales manifestaciones del primero de mayo, se inicia con una sentencia de la Sala de lo Contencioso-administrativo del Tribunal Superior de Justicia de Aragón, de 30 de abril[54]. Esta sentencia afirma categóricamente que el derecho de manifestación está vigente —no está suspendido— durante el estado de alarma. Además, la sala contenciosa razona que el Real Decreto 463/2020 no ha limitado, ni poco ni mucho, el derecho fundamental de manifestación. De una manera elemental sostiene la sentencia aragonesa que ningún artículo del Real Decreto 463/2020 dice nada sobre el derecho de manifestación. En consecuencia, la sentencia afirma con rotundidad que el Gobierno, en su declaración del estado de alarma, no ha prohibido ninguna manifestación. Por supuesto que el Real Decreto de alarma había limitado múltiples expresiones de la libertad de circulación (art. 19 CE), pero dado que no había prohibido expresamente el ejercicio del derecho de manifestación, el Real Decreto tenía que ser leído *sistemáticamente*, de tal forma que las múltiples prohibiciones de movilidad fueran compatibles con el lícito ejercicio del derecho de manifestación. Para hacer compatibles los dos enunciados normativos del Real Decreto 463/2020 (la inexistente prohibición de las manifestaciones y las múltiples prohibiciones de movilidad), la Sala sugiere una lectura integrada del Real Decreto 463/2020, que se puede enunciar así: el art. 7 del Real Decreto 463/2020 no contiene un listado taxativo de causas de posible circulación. Ese listado, para ser conforme con la Constitución, ha de integrar también *otras posibles causas de movilidad lícita*, aquellas que resultan de la indiscutida vigencia de los derechos fundamentales. Podríamos decir, entonces, que el art. 7 del Real Decreto 463/2020 ha sido completado o parcialmente reescrito por la Sala de lo Contencioso-administrativo, y que ahora incluye implícitamente una causa más

---

[54]   STSJ de Aragón 151/2020, de 30 de abril (ECLI: ES:TSJAR:2020:224).

de movilidad lícita, con un texto más o menos así: "o cuando la circulación sea necesaria para el lícito ejercicio del derecho de reunión, conforme a los límites y el procedimiento regulado en la correspondiente Ley orgánica". Sin duda que aquí hay creación jurisprudencial del Derecho. Pero tal creatividad jurisprudencial es ineludible en contextos normativos en los que las leyes autorizan muy genéricamente al Gobierno y donde éste ha de adoptar sus decisiones normativas con gran celeridad.

56. A partir de la sentencia aragonesa se observa mayor contención de las delegaciones del gobierno, a la hora de prohibir manifestaciones. Y también una jurisprudencia más claramente favorable al ejercicio del derecho. Esta jurisprudencia se sirve invariablemente del principio de *proporcionalidad*, y atiende de forma principal a las circunstancias concretas de cada manifestación, de su forma de celebración, lugar y momento. De este modo, subrayando los datos epidemiológicos específicos en cada lugar, así como la "fase de desescalada" en que se encuentra cada localidad y la concreta forma de celebración de la manifestación pretendida (número de personas, distancias interpersonales previstas), los tribunales llegan fácilmente a la conclusión de que las prohibiciones gubernativas pueden ser ciertamente idóneas para contener la pandemia, pero son excesivas (innecesarias) e imponderadas (el sacrificio que causan no está compensado con el beneficio que originan)[55].

57. El avance en el proceso de desescalada ha multiplicado las reuniones de protesta política en los espacios públicos. Algunas han sido comunicadas y no prohibidas por las delegaciones del gobierno. Otras son espontáneas y no previamente comunicadas (y por tanto ilegales, conforme al art. 10 LORDR). La no-prohibición de gran parte de las manifestaciones descansa sobre la interpretación del Real Decreto 463/2020 conforme a la Constitución —según la sugerencia hermenéutica del TSJ de Aragón— y sobre una

---

[55]   En este sentido, STSJ de Madrid 214/2020, de 21 de mayo (ECLI:ES: TSJM:2020:1955).

recta aplicación del principio de proporcionalidad, en la medida en que la información epidemiológica muestra menores riesgos de contagio masivo y que las correspondientes convocatorias incorporan medidas de distancia social, como su celebración en vehículos privados. El mayor problema en estas manifestaciones no viene de la licitud de su convocatoria, sino de su desarrollo efectivo, donde con frecuencia se infringen las normas de distancia social fijadas por la autoridad gubernativa como condición para su celebración. Se plantea aquí, entonces, la posible *responsabilidad de los promotores* de las manifestaciones. Dice el art. 4.3 LORDR que los promotores de las manifestaciones responden de los daños "que los participantes causen a terceros cuando hayan omitido la diligencia razonablemente exigible para prevenir el daño causado". En el contexto actual de pandemia, una alta concentración de personas sin respetar las reglas de distancia social es un riesgo para la salud de otras personas. En la actualidad, con el desarrollo de las técnicas de rastreo se puede identificar con cierta precisión la cadena causal de un contagio. En tal caso, en la medida en que el lícito ejercicio del derecho de manifestación comportara daños ciertos y causalmente probados sobre la salud de terceros, las posibles compensaciones o indemnizaciones por daños corresponderían a quienes, en un contexto de pandemia con riesgo aún alto de contagios y daños para la salud, optan por la lícita convocatoria de una manifestación en el espacio público (con inevitable contacto físico o proximidad entre personas) en lugar de canalizar la libre expresión colectiva a través de otras formas en las que por completo está excluido el contagio.

V. LIBERTAD RELIGIOSA

58. El art. 11 del Real Decreto 463/2020 no prohíbe las reuniones por motivos religiosos, pero sí contiene dos mandatos generales para su efectiva celebración: la obligación de adoptar "medidas organizativas consistentes en evitar aglomeraciones de personas"; y la regla final de mantenimiento de una distancia interpersonal de, al menos, un metro.

59. De acuerdo con la jurisprudencia constitucional, el derecho de libertad religiosa (art. 16.1 CE) incluye la *exteriorización social* de las convicciones religiosas, mediante actos confesionales o de culto (STC 195/2003, FJ 8). Y aunque el propio art. 16.1 CE fija como único límite expreso del derecho el orden público, es claro que otros derechos y bienes constitucionales proyectan límites inmanentes elementales sobre tal derecho, en especial sobre su libre ejercicio en sociedad.

60. Habría sido posible, conforme a los arts. 11 a) y 12 LOEACE, que durante el estado de alarma el Gobierno hubiera prohibido ciertos actos de culto, en la medida en que naturalmente dan lugar a la concentración de personas. Tal prohibición, aunque sin duda habría afectado a la libertad religiosa, difícilmente habría infringido el *contenido esencial* de ese derecho, en la medida en que aún habrían sido posibles los actos de culto individuales, o incluso los actos colectivos pero no presenciales. La prohibición total de los actos de culto comunitarios y presenciales presentaría más dificultades desde la perspectiva del principio de proporcionalidad, como ha mostrado la jurisprudencia francesa (*infra* § 61). En todo caso, el art. 11 del Real Decreto 463/2020 no prohibió por completo el ejercicio colectivo de la libertad religiosa, sino que simplemente impuso límites a su ejercicio. Además, en el proceso de desescalada, estas restricciones han sido enmendadas, permitiendo un ejercicio más amplio de los actos de culto[56]. En estas últimas regulaciones se han sustituido buena parte de las prohibiciones iniciales por mandatos de higiene o cuidado en las diversas prácticas religiosas comunitarias. Dado que esas prácticas o liturgias son muy singulares y propias de cada confesión religiosa, sobre ellas la intervención de Estado debe ser de plena neutralidad[57] y trato igual (STC 46/2001,

---

[56] Art. 9 de la Orden SND/399/2020, de 9 de mayo; y art. 9 de la Orden SND/458/2020, de 30 de mayo.

[57] José María RODRÍGUEZ DE SANTIAGO, "El Estado aconfesional o neutro como "religiosamente incapaz". Un modelo explicativo del artículo 16.3 CE", en *Estado y religión en la Europa del siglo XXI. Actas de las XIII Jornadas de las Asociación de Letrados del Tribunal Constitucional*, CEPC, Madrid, 2008, pp. 115-146.

FJ 4). Así, se observa en la mencionada Orden SND/399/2020 un llamativo ejercicio de asepsia confesional, regulando el ejercicio de las distintas prácticas religiosas en abstracto, sin conectarlas explícitamente con ninguna concreta confesión religiosa. Esta forma de regular el ejercicio de la libertad religiosa, tanto en el inicial art. 11 del Real Decreto 463/2020 como en la posteriores órdenes ministeriales, difícilmente puede considerarse una limitación desproporcionada del derecho fundamental. Véase en cambio, y como contrapunto, dos resoluciones jurisdiccionales sobre los límites a los actos de culto en Francia y en Estados Unidos. Ambas coinciden en que no analizan las restricciones estatales a las reuniones religiosas en sí mismas (por su mayor o menor afección a la libertad religiosa), sino por comparación con otras actividades sociales —como el comercio o los espectáculos públicos— sometidas a menores restricciones. Posiblemente, la neutralidad estatal en ambos países, distinta de la que configura el art. 16.3 CE, lleva a no considerar la libertad religiosa por sí, sino como una reunión social más.

61. En Francia, a causa de la COVID-19, se han adoptado prohibiciones de reunión social que afectan directamente a la dimensión colectiva de la libertad religiosa. Una nota peculiar de esas prohibiciones en Francia, a diferencia de España, es que apenas si se han modificado al compás de los datos epidemiológicos y en comparación con otras actividades colectivas, en las que las severas prohibiciones iniciales se han visto progresivamente relajadas. De esta forma, el artículo 10 III del Decreto del Primer Ministro 2020-54, de 11 de mayo de 2020, contenía aún la prohibición de toda reunión en los lugares de culto (salvo para ceremonias funerarias, con un máximo de 20 personas). En este estado de cosas, varios particulares impugnaron aquella prohibición ante el *Conseil d'État* y cautelarmente pidieron medidas de restablecimiento de la libertad religiosa. El *juge des réferés* del *Conseil d'Etat*, por medio de una *ordonannce* de 18 de mayo de 2020[58], estimó la petición,

---

[58]   *Ordonnance* núm. 440366, de 18 de mayo de 2020. Texto completo en: *www. conseil-etat.fr/ressources/decisions-contentieuses.*

y ordenó al primer ministro que modificase el previo decreto de 11 de mayo de 2020. La argumentación del *Conseil d'État* es muy sencilla, y fácilmente compartible. Se apoya por completo en el principio de *proporcionalidad*, que sin duda está siendo el parámetro jurídico más relevante del Derecho público en los tiempos de la COVID-19. El *Conseil d'État* parte de la premisa de que la libertad religiosa se encuentra efectivamente limitada, y de forma severa, por el art. 10 III del Decreto de 11 de mayo. Se admite en la resolución jurisdiccional que tal limitación puede ser lícita, pero no en cualquier circunstancia. En ningún momento se pone en duda que la prohibición de actos religiosos pueda ser una medida útil para evitar el contagio de la enfermedad. Únicamente se cuestiona si, en la fase de "déconfinement" en que se encontraba Francia, tal medida, sin dejar de ser adecuada, había dejado de ser proporcionada. La conclusión del *Conseil d'État* es negativa.

62. La decisión del *Conseil d'État* muestra una peculiar forma de aplicar el principio de proporcionalidad. En puridad, la técnica aplicativa propia de todo mandato ponderativo, como es el principio de proporcionalidad en Derecho francés, requiere comparar los sacrificios *concretos* que cada decisión estatal ocasiona en cada bien, valor o derecho en conflicto. Exige que el sacrificio que produce una decisión estatal (en un bien jurídico relevante) propicie un beneficio al menos igual o mayor en otro bien jurídico (de al menos la misma relevancia constitucional). Y esta comparación no es posible realizarla en abstracto, sino sólo en cada situación o contexto concreto, a partir de cada concreta realidad, que es donde entran en conflicto los distintos bienes, valores y derechos constitucionales. Y bien, el *Conseil d'État* claramente identifica, como bienes jurídicos en tensión, la libertad religiosa, de una lado, y la protección de la salud, por otro lado. Pero para medir o ponderar los sacrificios concretos en uno y otro bien jurídico no se atiende a los concretos *datos epidemiológicos*, que son los que definen la realidad. Porque la realidad es que la situación epidemiológica en Francia, a 18 de mayo de 2020, no parecía estar aún controlada. El *Conseil d'État*, más que valorar directamente la información epidemiológica, absolutamente determinante del

peso que en la ponderación debía tomar la salud pública, articula su juicio de proporcionalidad *por comparación*. Atiende el *Conseil d'État* a que en otras actividades colectivas, como el transporte urbano o la compra en establecimientos comerciales, el mismo Decreto del Primer Ministro 2020-54 había flexibilizado las iniciales prohibiciones, que sin embargo se habían mantenido para las reuniones religiosas. De esta manera, poniendo en relación unas y otras actividades sociales o colectivas, se llega a la conclusión de que la prohibición total de congregación de fieles en centros de culto es desproporcionada. Pero no porque su severo sacrificio sea desequilibrado, en relación con el beneficio que la prohibición aporta a la salud pública, sino a la vista de que otras actividades colectivas sí estaban permitidas. De esta forma, y esto es comprensible en el limitado espacio de cognición propio de una decisión cautelar, el *Conseil d'État* induce implícitamente que si otras prohibiciones se han relajado, lógicamente ha de ser porque la situación epidemiológica, y por tanto el riesgo para la salud pública, así lo permiten. Con esto, en puridad, el *Conseil d'État* no ha desvirtuado las reglas propias de la metodología ponderativa, simplemente ha considerado la realidad epidemiológica *de forma indirecta*, no a través de los datos de salud pública, sino presumiendo que el riesgo de contagio ha descendido, a la vista de que el Gobierno ha relajado otras prohibiciones. Esta conclusión, aunque comprensible en un enjuiciamiento cautelar sumario, puede ser incorrecta. Porque la razón real de la reapertura del comercio, o de los transportes públicos, no parece tener que ver con el riesgo real de contagio, sino con la necesidad imperiosa de reactivar la economía.

63. La segunda resolución jurisdiccional mencionada, de 29 de mayo de 2020, procede del Tribunal Supremo norteamericano[59]. En ella, una confesión religiosa californiana pedía tutela cautelar (*injunctive relief*) frente a las restricciones de congregación impuestas

---

[59]   590 U.S (2020). South Bay United Pentecostal Church, et al., v. Gavin New-son, Governor of California et al. El texto completo, en: *www.supremecourt.gov.*

por el Gobernador del Estado (ocupación máxima de un 25 por 100 de la capacidad de los tempos, con un máximo absoluto de 100 personas). El Tribunal Supremo no atendió la petición cautelar, por una mayoría de sólo 5 votos frente a 4. En la motivación aparecen dos argumentos que muestran las similitudes en el tratamiento jurídico de la COVID-19 en la mayoría de los Estados de Derecho occidentales. De un lado, se subraya la relevancia constitucional de la salud y la seguridad; también se destaca que en contextos de incertidumbre sanitaria o científica los poderes de las autoridades democráticas "must be especially broad", lo que excluye un escrutinio intenso por un poder judicial que, textualmente: "lacks the background, competence and expetise to assess public health and is not accountable to the people". Sentadas estas premisas, y en una especie de control implícito de *proporcionalidad por comparación*, el mismo Tribunal Supremo argumenta en su resolución cautelar denegatoria que las restricciones referidas a los reuniones religiosas son comparables a las de otras reuniones seculares, como las educativas, conciertos, proyecciones cinematográficas o espectáculos deportivos; y que si bien otras actividades sociales están menos limitadas (como la presencia en tiendas de alimentación, bancos o lavanderías) esto se debe a que en estos casos el público se concentra en grupos menores y por menos tiempo. Como se ve, el Tribunal en nada atiende a la singularidad de la actividad religiosa *en sí misma*, y simplemente se atiene al significado sanitario de la congregación de personas. En otras palabras, no pondera la protección de la salud frente a la libertad religiosa, sino que equipara los actos colectivos de culto a cualquier otra reunión social numerosa. Más llamativo aún es el voto particular de la resolución (que suscriben cuatro magistrados), porque en él no se reclama una consideración diferenciada de la libertad religiosa, garantizada por la primera enmienda, sino que se considera injustificado el trato más gravoso de las reuniones religiosas respecto de otras reuniones sociales que los magistrados disidentes consideran plenamente comparables, como acudir a un supermercado. Consideran, por eso, que el Gobernador de California ha utilizado la religión como un factor determinante de consecuencias jurídicas negativas, lo que está prohibido por la Constitución.

Transparencia y protección de datos en el estado de alarma y en la sociedad digital post COVID-19[1]

JOSÉ LUIS PIÑAR MAÑAS

*Catedrático de Derecho Administrativo y Titular de la Cátedra
Google sobre Privacidad, Sociedad e Innovación
de la Universidad CEU-San Pablo de Madrid.
Abogado. Of Counsel CMS Albiñana & Suárez de Lezo*

---

[1] El presente trabajo se enmarca en el Proyecto de Investigación DER2016-79819-R, del Programa estatal de investigación, Desarrollo e Innovación Orientada a los Retos de la Sociedad, del Ministerio de Economía y Competitividad, sobre "Protección de datos, seguridad e innovación: retos en un mundo global tras el Reglamento Europeo de Protección de Datos", del que soy investigador principal. Para su elaboración me baso en parte en lo que ya he tenido ocasión de exponer recientemente en otros lugares. En particular, "Contra los bulos, transparencia. O sobre cómo la transparencia y el derecho a saber son exigencias democráticas también (o aún más) en estado de alarma", publicado el 6 de mayo de 2020 en *Hay Derecho-Expansión*, disponible en *https://hayderecho.expansion.com/2020/05/06/contra-los-bulos-transparencia-o-sobre-como-la-transparencia-y-el-derecho-a-saber-son-exigencias-democraticas-tambien-o-aun-mas-en-estado-de-alarma/*; "La protección de datos durante la crisis del coronavirus", publicado el 20 marzo 2020 en la *Newsletter* de la Abogacía, disponible en *https://www.abogacia.es/actualidad/opinion-y-analisis/la-proteccion-de-datos-durante-la-crisis-del-coronavirus/*; "Privacidad en estado de alarma y normal aplicación de la Ley", publicado el 9 abril, 2020 en *Hay Derecho-Expansión*, disponible en *https://hayderecho.expansion.com/2020/04/09/privacidad-en-estado-de-alarma-y-normal-aplicacion-de-la-ley/*; "Celebración de reuniones 'online' por órganos de gobierno y administración de personas jurídicas y protección de datos de carácter personal", publicado en *CMS Referencias Jurídicas*, mayo de 2020 y disponible en *https://cms.law/es/esp/publication/celebracion-de-reuniones-online-por-organos-de-gobierno-y-administracion-de-personas-juridicas-y-proteccion-de-datos-de-caracter-personal*. Libero al lector de las constantes remisiones que debería incluir a lo largo del trabajo a todas estas reflexiones previas, considerando que al citarlas ahora las tengo ya por hechas.

I. ESTADO DE ALARMA, SOCIEDAD DIGITAL Y DERECHOS FUNDAMENTALES. LA TRASCENDENCIA DE LA TRANSPARENCIA Y LA PROTECCIÓN DE DATOS

Como ya todos sabemos el artículo 116 de la Constitución dispone que una ley orgánica regulará los estados de alarma, de excepción y de sitio, y las competencias y limitaciones correspondientes. Precisa que el estado de alarma será declarado por el Gobierno mediante decreto acordado en Consejo de Ministros por un plazo máximo de quince días, dando cuenta al Congreso de los Diputados, reunido inmediatamente al efecto y sin cuya autorización no podrá ser prorrogado dicho plazo (nada dice acerca del número máximo de prórrogas que pueden acordarse). El decreto determinará el ámbito territorial a que se extienden los efectos de la declaración.

La Ley Orgánica 4/1981, de 1 de junio, de los estados de alarma, excepción y sitio regula en los artículos 4 a 12 el estado de alarma, que, según el art. 4, podrá ser decretado cuando, entre otras alteraciones graves de la normalidad, se produzcan "crisis sanitarias, tales como epidemias y situaciones de contaminación graves". En aplicación de lo que establece la Constitución y la citada Ley Orgánica el Gobierno aprobó el Real Decreto 463/2020, de 14 de marzo, por el que se declaró el estado de alarma para la gestión de la situación de crisis sanitaria ocasionada por el COVID-19. A partir de ahí se han aprobado innumerables disposiciones, Decretos-leyes, Decretos, Órdenes, decenas de ellas, del Estado, de las Comunidades Autónomas, de las Entidades Locales, en un proceso normativo totalmente desconocido hasta la fecha, imposible de abarcar, con normas publicadas en todos los Boletines Oficiales de cada día y a veces incluso dos al día, en ocasiones minutos antes de concluir la jornada para ser aplicable ese mismo día de publicación. El objetivo era hacer frente a las consecuencias derivadas de la crisis del coronavirus, convertida en pandemia global.

La declaración del estado de alarma no permite suspender derechos y libertades. Tan sólo permite limitarlos en los términos previstos en el artículo 11 de la Ley Orgánica 4/1981[2]. Así debe interpretarse el artículo 55.1 de la Constitución que tan sólo permite suspender derechos cuando se declare el estado de excepción o de sitio, pero no el de alarma. Y aun así no todos los derechos pueden ser suspendidos, sino sólo los reconocidos en los artículos 17, 18, apartados 2 y 3, artículos 19, 20, apartados 1, a) y d), y 5, artículos 21, 28, apartado 2, y artículo 37, apartado 2 de la Constitución. El derecho a la protección de datos deriva del artículo 18.4 de la Constitución de modo que ni siquiera en los estados de excepción y sitio puede ser suspendido; mucho menos, pues, en el estado de alarma. En cuanto al derecho de acceso a la información la cuestión radica en que no se reconoce formalmente como derecho fundamental ni en la Constitución ni en la Ley 19/2013, de transparencia, que se dicta de acuerdo al artículo 105 de la Constitución. En cualquier caso la libertad de expresión e información y el derecho a participar en los asuntos públicos no han sido tampoco suspendidos, pues en ningún caso es posible en el estado de alarma.

En consecuencia, como punto de partida, los derechos a la protección de datos, a la libertad de información y expresión y a participar en los asuntos públicos no han resultados ni suspendidos durante el estado de alarma. Sin embargo no pocas de las medidas que se han adoptado desde el 14 de marzo han incidido

---

[2]	*El decreto de declaración del estado de alarma, o los sucesivos que durante su vigencia se dicten, podrán acordar las medidas siguientes:*

a) Limitar la circulación o permanencia de personas o vehículos en horas y lugares determinados, o condicionarlas al cumplimiento de ciertos requisitos.

b) Practicar requisas temporales de todo tipo de bienes e imponer prestaciones personales obligatorias.

c) Intervenir y ocupar transitoriamente industrias, fábricas, talleres, explotaciones o locales de cualquier naturaleza, con excepción de domicilios privados, dando cuenta de ello a los Ministerios interesados.

d) Limitar o racionar el uso de servicios o el consumo de artículos de primera necesidad.

e) Impartir las órdenes necesarias para asegurar el abastecimiento de los mercados y el funcionamiento de los servicios de los centros de producción.

negativamente en los derechos que acabo de mencionar, lo que a su vez plantea la cuestión de si realmente hemos sufrido una situación más cercana al estado de excepción, pese a que formalmente el que se ha declarado es el estado de alarma. Sobre ello se han pronunciado Tomás de la Quadra-Salcedo[3], Manuel Aragón[4], Mercedes Fuertes[5], Pedro Cruz Villalón[6], o Javier Álvarez[7]. Pese a que el debate es sin duda de enorme interés, no podemos ahora ocuparos de ello. La sentencia del Tribunal Constitucional 30/2016, dictada como consecuencia de la declaración del estado de alarma acordado por Real Decreto 1673/2010, de 4 de diciembre, para la normalización del servicio público esencial del transporte aéreo paralizado "como consecuencia de la situación desencadenada por el abandono de sus obligaciones por parte de los controladores civiles de tránsito aéreo", da pistas para aventurar la que puede ser una solución a las controversias que ahora se están planteando. Más recientemente el debate se ha reabierto a raíz del Auto del Tribunal Constitucional de 30 de abril de 2020, o las sentencias de algún Tribunal Superior de Justicia, como el de Aragón, también de 30 de abril, dictados en uno y otro caso como consecuencia de las manifestaciones convocadas con ocasión del 1º de mayo.

Pese a lo que dispone la ley Orgánica 4/1981 y el Artículo 55 de la Constitución lo cierto es que no pocas medidas adoptadas en el marco del Estado alarma han afectado muy directamente a la protección de datos, la transparencia y el acceso a la información. Esta situación es especialmente delicada si tenemos en cuenta que las especiales condiciones en las que nuestras vidas se han desarrollado durante estas semanas han puesto sobre la

---

3   "Límite y restricción, no suspensión", *El País*, 8 de abril de 2020, y más tarde "La aversión europea al estado de excepción", *El País*, 28 de abril de 2020.
4   "Hay que tomarse la Constitución en serio", *El País*, 10 de abril de 2020.
5   "Estado de excepción, no de alarma", *El Mundo*, 20 de abril de 2020.
6   "La Constitución bajo el estado de alarma", *El País*, 20 de abrirl de2020.
7   "Estado de alarma o de excepción", *Estudios Penales y Criminológicos*, vol. XL (2020), pp. 1-20).

mesa la importancia de la innovación tecnológica en el marco de la sociedad digital.

II. TRANSPARENCIA Y ACCESO A LA INFORMACIÓN DURANTE EL ESTADO DE ALARMA

A) *A vueltas con el derecho de acceso como derecho fundamental*

En el marco del estado de alarma, ¿se ha producido de hecho una suspensión de los derechos de expresión e información y participación y por tanto del derecho de acceso a la información pública? Ya he señalado en otro lugar que en mi opinión, si no suspendidos (evidentemente tales derechos no han quedado suspendidos ni de facto ni de iure), sí han sufrido limitaciones no siempre justificadas. Sobre ello se han pronunciado también, críticamente, entre otros, Elisa de la Nuez[8], Esperanza Zambrano[9] o José María Gimeno[10], así como Access Info y Transparencia Internacional.

La *International Conference of Information Commissioner's* (ICIC) ha emitido una Declaración[11] (suscrita entre otros por el Consejo de Transparencia y Buen Gobierno de España, el Consejo de Transparencia de Andalucía[12] y el de Murcia), en la que reco-

---

[8] "¿Está suspendida o no la transparencia por el estado de alarma?", en *Hay Derecho-Expansión*, disponible en *https://hayderecho.expansion.com/2020/04/20/esta-suspendida-o-no-la-transparencia-por-el-estado-de-alarma/*

[9] "Crisis sanitaria, no crisis de transparencia", en *https://investigacionapi.com/portada/2020/03/30/crisis-sanitaria-no-crisis-en-transparencia/*

[10] "Transparencia y crisis sanitaria", en *El Heraldo*, 20 de abril de 2020, *https://www.heraldo.es/noticias/opinion/2020/04/21/transparencia-y-crisis-sanitaria-jose-maria-gimeno-la-firma-1370658.html*

[11] *https://www.informationcommissioners.org/covid-19*

[12] Que en su página web afirma expresamente que "ha suscrito la Declaración de la Conferencia Internacional de Comisionados de Información.... y ha defendido el derecho de acceso a la información de la ciudadanía en el marco de la pandemia global del coronavirus": *https://www.ctpdandalucia.es/*

noce que "las autoridades públicas deben tomar decisiones importantes que afecten la salud pública, las libertades civiles y la prosperidad de las personas" y que "los recursos pueden desviarse del trabajo habitual de derechos de información", por lo que "las organizaciones públicas centrarán correctamente sus recursos en la protección de la salud pública", y puede ser necesario "adoptar un enfoque pragmático, por ejemplo, en torno a la rapidez con que los organismos públicos responden a las solicitudes". Pero asimismo advierte que el derecho del público a acceder a información sobre las decisiones que se adopten durante la crisis del Covid-19 "es vital" y que "la importancia del derecho de acceso a la información permanece" y concluye que "los organismos públicos también deben reconocer el valor de una comunicación clara y transparente, y de un buen mantenimiento de registros, en lo que será un período muy analizado de la historia". Me interesa mucho resaltar esta última precisión: estamos ante un período de la historia que será "muy analizado",

Según el art. 15 de la Declaración de Derechos del hombre y el ciudadano de 1789 "La sociedad tiene derecho a pedir cuentas de su gestión a todo agente público". Ya antes, en 1766, Suecia había aprobado su *Freedom of the Press Act*. En 1914 el Juez Brandeis incluyó en el capítulo V ("What Publicity Can Do") de su opúsculo *Other's People Money*[13] su famosa frase: "La luz del sol es el mejor de los desinfectantes". El artículo 42 de la Carta de los Derechos Fundamentales de la Unión Europea reconoce el derecho de acceso a los documentos públicos, si bien es verdad que sólo frente al Parlamento Europeo, el Consejo y la Comisión. Son sólo algunos de los pasos que se han ido dando desde al menos el siglo XVIII para poder reconocer el derecho de acceso a la información pública como un derecho fundamental. Algo tan simple como el "derecho a saber", el *Right to Know*.

---

[13]　*https://louisville.edu/law/library/special-collections/the-louis-d.-brandeis-collection/other-peoples-money-by-louis-d.-brandeis*

Que entre nosotros, sin embargo, no se reconozca el derecho de acceso a la información pública como un derecho fundamental autónomo o independiente es tan inexplicable como incomprensible. La ley 19/2013, de transparencia, es una ley ordinaria, no orgánica, y en todo su texto no hay ni una sola referencia a los artículos constitucionales en los que se reconoce el derecho a la libertad de expresión e información (art. 20.1 apartados a y d CE) o de participación en los asuntos públicos (art. 23), derechos estos de los que suele hacerse derivar el de acceso a la información. Muy al contrario la ley reconoce en su artículo 12 que todas las personas tienen "derecho a acceder a la información pública en los términos previstos en el artículo 105.b) de la Constitución", es decir en los términos de un precepto que para nada pretende regular un derecho fundamental sino tan sólo un principio de actuación de la Administración Pública del que a lo sumo derivan derechos subjetivos de las personas "con capacidad de obrar" en sus relaciones con las Administraciones Públicas (art. 13.d de la Ley 39/2015[14]) o derechos de los interesados en el procedimiento.

En cualquier caso, sólo en los supuestos de estado de excepción o de sitio, nunca de alarma, sería posible suspender los derechos a la libertad de expresión e información y en ningún caso el de participación en los asuntos públicos. Así lo establece el tan repetido artículo 55 de la Constitución. Por tanto hemos de partir de la base de que los derechos fundamentales en los que se basa el derecho de acceso a la información pública (ya que hoy por hoy, como he señalado, con la ley en la mano, no se considera como

---

[14] "Quienes de conformidad con el artículo 3, tienen capacidad de obrar ante las Administraciones Públicas, son titulares, en sus relaciones con ellas, de los siguientes derechos: d) Al acceso a la información pública, archivos y registros, de acuerdo con lo previsto en la Ley 19/2013, de 9 de diciembre, de transparencia, acceso a la información pública y buen gobierno y el resto del Ordenamiento Jurídico". Cáigase en la cuenta de que el ámbito subjetivo de este precepto es incluso menor que el de la Ley 19/2013, pues no se extiende a "todas las personas".

un derecho fundamental autónomo) no puede entenderse que hayan quedado en absoluto suspendidos con la declaración del estado de alarma.

Sin embargo las dudas se han planteado. Se ha señalado, por un lado, que el portal de transparencia se había "cerrado" y, por otro, se han suspendido los plazos para responder las peticiones de acceso. Veamos.

B) *El Portal de la Transparencia*

Los artículos 10 y 11 de la ley 19/2013 de Transparencia, acceso a la información pública y buen gobierno se refieren al Portal de la Transparencia. El primero señala que "la Administración General del Estado desarrollará un Portal de la Transparencia, dependiente del Ministerio de la Presidencia[15], que facilitará el acceso de los ciudadanos a toda la información a la que se refieren los artículos anteriores relativa a su ámbito de actuación". Primero, por tanto, e importante, no hay un único portal de transparencia, sino varios, en función de la estructura descentralizada de nuestro Estado y la consiguiente existencia de diversas Administraciones Públicas. De hecho en el Portal de la Transparencia no se publica información de Comunidades Autónomas, Entidades Locales, Sociedades Estatales, Fundaciones y órganos Constitucionales.

Según el citado artículo 10 de la Ley 19/2013 el Portal incluirá la información de la Administración General del Estado cuyo acceso se solicite con mayor frecuencia. Además, según el artículo 11 la información se publicará de acuerdo a los principios de accesibilidad, interoperabilidad y reutilización.

---

[15]   Hoy el Portal de la Transparencia depende del Ministerio de Política Territorial y Función Pública, Secretaría de Estado de Función Pública, Dirección General de Gobernanza Pública.

Durante el estado de alarma se ha planteado cierta controversia acerca de si el Portal de la Transparencia estaba o no cerrado. La respuesta debe en mi opinión ser matizada. Es cierto que el Portal de la Transparencia de la Administración General del Estado así como el resto de Portales de Transparencia de las demás Administraciones y entidades públicas han seguido funcionando durante el estado de alarma. Ningún portal, por tanto y en lo que yo conozco, ha sido cerrado. Ahora bien el Portal es una pieza clave en el modelo de transparencia que diseña la ley 19/2013, que sólo adquiere plena virtualidad si se pone en relación con el derecho de acceso. La cuestión es sencilla: la transparencia pivota fundamentalmente en torno a dos grandes ejes, la transparencia activa y el derecho de acceso a la información. Dejar solo en manos de la voluntad de los sujetos obligados, por muy obligados que por ley estén, la publicación de información puede que permita afirmar que el portal de la transparencia sigue funcionando, y así es sin duda, pero no que la transparencia en sí siga plenamente operativa. En circunstancias de normalidad la transparencia activa debe necesariamente ser complementada con el derecho de acceso a la información al objeto de poder tener conocimiento no solo de lo que publican las entidades públicas sino de aquello que sin ser publicado debe ser conocido por los ciudadanos. Y si ello es así en circunstancias de normalidad aún más en el marco de excepcionalidad como la que hemos vivido y aún todavía seguimos viviendo. Si la carencia de información o la publicación incompleta no pueden ser compensadas mediante el derecho de acceso a la información pública, podrá sin duda afirmarse que el portal de la transparencia sigue abierto, y repito que así así, pero no que la transparencia sea o haya sido plenamente eficaz. En consecuencia ninguna objeción cabe hacer a la afirmación de que los portales de transparencia han seguido operativos durante el estado de alarma y que por tanto no es correcto afirmar que han sido cerrados. Pero esa situación, unida a la suspensión de plazos para atender las peticiones de acceso, ha hecho que irremediablemente la transparencia como tal haya sido en parte desactivada durante el estado de alarma.

C) La controvertida suspensión de plazos durante el estado de alarma

En contra de lo que ha ocurrido en otros países o en relación con algunas instituciones internacionales, entre nosotros los plazos para atender las peticiones de acceso a la información pública han estado suspendidos hasta el 1 de junio. Se levantó la suspensión de plazos administrativos a partir de dicha fecha por Real Decreto 537/2020, de 22 de mayo[16].

Mantener abiertas las vías para que el derecho de acceso a la información pública y con él la libertad de expresión e información así como de participación en los asuntos públicos sean reales y efectivos, incluso en estado de alarma, es imprescindible. El 27 de abril veintisiete organizaciones miembros de la Coalición Pro Acceso pidieron al Gobierno que garantice el ejercicio del derecho de acceso a la información, después de que se hayan suspendido los plazos administrativos por el estado de alarma[17].

Por su parte el Consejo de la Unión Europea ha mantenido el plazo de 15 días para atender las solicitudes de acceso, sin perjuicio de que puedan producirse ciertos retrasos al responder[18]. Y en Argentina la Agencia de Acceso a la Información Pública dictó su Resolución 70/2020[19] por la que dispone que quedan exceptuados de la suspensión de los plazos administrativos los trámites previstos por la Ley N° 27.275, de Acceso a la Información Pública.

---

[16] Por otra parte, mediante Orden SND/388/2020, de 3 de mayo, se estableció la reapertura al público de los archivos, de cualquier titularidad y gestión, y se han regulado las condiciones para la realización de su actividad y la prestación de los servicios que le son propios. Si bien se facilita con ella el acceso a archivos, no resuelve los problemas de falta de transparencia que aquí he puesto de manifiesto. Tan sólo facilita el viejo derecho de acceso a archivos y documentos, preferentemente para su aportación en procedimientos administrativos y judiciales.

[17] *https://www.access-info.org/es/blog/2020/04/27/espana-acceso-informacion-co-vid19/*

[18] *https://www.access-info.org/blog/2020/04/21/eu-council-maintains-timeframes-responding-access-requests/*

[19] RESOL-2020-70-APN-AAIP.

La Resolución se basa en que "si bien el ejercicio del derecho de acceso a la información pública es susceptible de ser suspendido en circunstancias excepcionales (…) no ha mediado en tal sentido declaración alguna por parte del Estado Nacional; de allí que mantiene plena vigencia al presente." Además llama la atención sobre el hecho de que "su ejercicio resulta fundamental para el control ciudadano de los actos públicos y la evaluación de la gestión del Estado; a la vez que, ante una situación de emergencia y crisis sanitaria producto de la pandemia generada por el COVID 19, acceder a la información pública se torna indispensable para conocer la actuación de la Administración y evitar la arbitrariedad en la toma de decisiones públicas"[20]. Podríamos referir ahora más ejemplos de no suspensión de plazos.

Según el artículo 1º del Real Decreto 463/2020 el estado de alarma se declaró "con el fin de afrontar la situación de emergencia sanitaria provocada por el coronavirus Covid19". En consecuencia todas las medidas que se adopten y que pueden implicar limitación o restricción de derechos deben estar dirigidas a esa finalidad y no a otra. La suspensión de plazos administrativos que regula la disposición adicional tercera, cuyo texto fue modificado por Real Decreto 465/2020, debe tener como objetivo, o al menos fundamentarse en la necesidad de afrontar tal situación. No olvidemos que la suspensión de plazos trae como consecuencia la suspensión de la obligación que tienen las Administraciones de dictar resolución expresa (art. 21 de la Ley 39/2015) y en consecuencia se enerva la posibilidad de reaccionar contra la inactividad o el silencio de la Administración. Como hace ya años recordaban García de Enterría y Tomás-Ramón Fernández, la figura del silencio administrativo, tuvo en su origen (1900, en Francia) como finalidad evitar que la Administración pudiese "eludir el control jurisdiccional con solo permanecer inactiva; en tal caso

---

[20]   Sobre ello vid Federico ANDREUCCI, "Consideraciones sobre las excepciones de la Agencia de Acceso a la Información Pública de la República Argentina respecto de la suspensión de plazos administrativos por la pandemia de Coronavirus", en *Derecho Digital e Innovación*, nº 5.

el particular afectado por la inactividad de la administración quedaba inerme ante ella, privado de toda garantía judicial"[21]. Pues bien, la suspensión de plazos y con ello de la obligación de resolver, puede producir la inmunidad siquiera sea temporal de la Administración. Algo que es especialmente relevante en el ámbito de las solicitudes de acceso a la información pública y que carece de justificación incluso en estado de alarma.

Por otra parte, parece que en un marco de teletrabajo y tras la apuesta decidida por el funcionamiento electrónico del sector público que recoge la ley 40/2015 (arts. 38 y ss.) no parece que esté justificado suspender todos los plazos administrativos Menos aun cuando de ello depende, aunque sea indirectamente, la efectividad misma de derechos fundamentales que no solo parece que no deben ser limitados en el estado de alarma sino que muy al contrario han de ser fortalecidos o al menos mantenidos en los mismos términos que en un estado de normalidad.

Por tanto, la suspensión de plazos a la que vengo refiriéndome carece en mi opinión de toda justificación, sin perjuicio, además, de que la regulación de tal suspensión ha dejado mucho que desear. De entrada, no todos los plazos han quedado suspendidos[22]. Por lo que muy bien podría haberse acordado mantener vigentes los referidos a la contestación a las peticiones de acceso. Además, la reforma operada por el Real Decreto 465/2020 introdujo la previsión de que los plazos quedan suspendidos sin perjuicio de poder "acordar motivadamente la continuación de aquellos procedimientos administrativos que vengan referidos a situaciones estrechamente vinculadas a los hechos justificativos del estado de

---

[21] *Curso de Derecho Administrativo, I*, 2017, Madrid: Civitas.

[22] Sobre suspensión de plazos en el estado de alarma, por todos, Alfonso Melón Muñoz, "Algunas consideraciones sobre la suspensión de plazos sustantivos, administrativos y procesales derivada del estado de alarma declarado por la pandemia de coronavirus COVID-19", *El Derecho*, 1 de abril de 2020: *https://elderecho.com/algunas-consideraciones-la-suspension-plazos-sustantivos-administrativos-procesales-derivada-del-estado-alarma-declarado-la-pandemia-coronavirus-covid-19*

alarma, o que sean indispensables para la protección del interés general o para el funcionamiento básico de los servicios". Carece de sentido, en mi opinión, que plazos "indispensables para la protección del interés general", entre los que sin duda deben entenderse incluidos los relativos al acceso a la información pública, puedan continuar corriendo sólo si lo motiva la entidad del sector público que así lo considere oportuno. Cuando la situación debería ser cabalmente la contraria: sólo motivadamente podrían en tales casos suspenderse los plazos (y aun así sería dudoso, pues bastaría con aplicar las limitaciones al acceso o las causas de inadmisión de la solicitud que pudieran producirse, de acuerdo a los arts. 14 y 18, respectivamente, de la Ley 19/2013).

Por otra parte debe tenerse en cuenta que la suspensión de términos y la interrupción de plazos se ha aplicado, según el apartado 2 de la Disposición adicional tercera del Real Decreto 463/2020, "a todo el sector público definido en la ley 39/2015", es decir la Administración General del Estado, las Administraciones de las Comunidades Autónomas, las Entidades que integran la Administración Local y el sector público institucional. Pero solo a las entidades que en tal concepto cabe integrar. Quiero con esto resaltar que no coincide el ámbito subjetivo de aplicación de la ley 39/2015 con el de la ley 19/2013. Así por ejemplo las peticiones de acceso a la información pública dirigidas a la Casa de su Majestad el Rey, el Congreso de los Diputados, el Senado, el Tribunal Constitucional y el Consejo General del Poder Judicial así como el Banco de España, el Consejo de Estado, el Defensor del Pueblo, el Tribunal de Cuentas, el Consejo Económico y Social o las instituciones autonómicas análogas en relación con sus actividades sujetas a derecho administrativo no quedaron sujetas a la suspensión de plazos que estableció el Real Decreto de declaración de estado de alarma. Pero es que incluso cabe plantear dudas acerca de si la suspensión de plazos era aplicable también a las corporaciones de derecho público por cuanto éstas no forman parte del sector público definido en la ley 39/2015 sino que ésta se les aplica supletoriamente en relación con el ejercicio de sus actividades de derecho público. Tampoco las sociedades mercantiles en cuyo capital social la participación pública, directa o indirecta, sea superior al 50% o las fundaciones del sector público quedaron afectadas por la suspensión de plazos. Si esto es así no se comprende que la transparencia y el acceso a la información no estén limitados en relación con ciertas entidades pero sí con otras. Si la justificación se pretende encontrar en la imposibilidad o dificultad en la actuación administrativa y las relaciones con los ciudadanos que el confinamiento durante el estado de alarma ha traído consigo, hay que concluir que el mismo alcanza (o no, que es lo lógico) a las entidades del sector público previstas en la ley 39/2015 y a las demás a que se aplica la ley de transparencia.

En conclusión en época de estado alarma es imprescindible facilitar toda aquella información pública de la que se disponga. No luchamos ante un enemigo que no deba conocer la realidad de las cosas. Nuestro enemigo común ha sido y es el coronavirus y para atajarlo es imprescindible conocer toda la información que sea posible. De este modo el "derecho a saber", que está en la base misma de la transparencia y el acceso a la información, debe ser ahora más reivindicado que nunca. Información que alcanza también a todos los datos sobre la evolución de la pandemia y sobre la gestión económica que desde los poderes públicos se está llevando a cabo, incluida la referida a adquisiciones de material, coste, adjudicatarios y en general celebración de contratos.

En un estado de alarma declarado con el fin de afrontar la situación de emergencia sanitaria provocada por el coronavirus no debieron suspenderse los plazos para atender las solicitudes de información pública y mucho menos deben limitarse o restringirse las informaciones que en base al deber de transparencia activa deben estar a disposición de todas las personas. Más aún en un escenario de digitalización e implantación de herramientas y recursos digitales del que siempre han hecho gala nuestros Gobiernos.

La transparencia, en fin, debe salir reforzada del estado de alarma. Lástima que nada haya sobre ello en el Real Decreto-ley 21/2020, de 9 de junio, de medidas urgentes de prevención, contención y coordinación para hacer frente a la crisis sanitaria ocasionada por el COVID-19, que acaba de publicarse.

III. PRIVACIDAD DURANTE EL ESTADO DE ALARMA

A) *El alcance de la posible limitación de la privacidad durante el estado de alarma. En particular el informe de la AEPD 0017/2020*

Como se ha puesto de manifiesto ya en varias ocasiones, tanto el Reglamento (UE) 2016/679, General de Protección de Datos de la Unión Europea (RGPD) como la Ley Orgánica 3/2018, de Protección de Datos (LOPDGDD) permiten, como no puede ser de otro modo, el tratamiento de datos, incluidos datos de salud, sin el consentimiento de los afectados, cuando sea necesario para atajar el coronavirus. La legislación sectorial en materia de sanidad y salud pública también lo permiten, como la de prevención de riesgos laborales. Con todo este marco normativo ha de ponerse de relieve una vez más que la protección de datos ni es ni puede ni debe ser un obstáculo para la más efectiva de las luchas contra el coronavirus dentro del Estado de Derecho. Una vez más insisto en que la protección de datos apenas prohíbe hacer nada, sino que marca la línea que indica cómo deben hacerse las cosas.

Desde luego, como ya he puesto de manifiesto en otras ocasiones, no creo que pueda pensarse que el derecho fundamental a la protección de datos se haya vaciado de contenido durante el estado de alarma. Pero hay que ser extraordinariamente cauto para evitar cualquier riesgo de impacto irreversible en la protección de datos. Las pistas ya las dio la Agencia Española de Protección de Datos en su relevante Informe 0017/2020[23] y el Comité Europeo de Protección de Datos lo advirtió ya desde su *Declaración sobre el tratamiento de datos personales en el contexto de la crisis del CO-*

---

[23]   *https://www.aepd.es/es/documento/2020-0017.pdf*

VID-19, adoptada el pasado 19 de marzo[24] en la que resalta que la normativa sobre protección de datos y en particular el Reglamento (UE) 2016/679, no impiden tomar medidas en la lucha contra la pandemia del coronavirus, pero advierte que incluso en estas excepcionales circunstancias quienes traten datos personales deben asegurar su protección. Sin perjuicio de que el propio Reglamento y la Directiva 2002/58/CE sobre la privacidad y las comunicaciones electrónicas (Directiva e-Privacy) prevén reglas que pueden aplicarse al tratamiento de datos que se lleve a cabo en un contexto como el actual, que permitiría incluso obviar en ciertos casos el consentimiento de los afectados. Además el Comité Europeo de Protección de Datos lo ha analizado con detalles en sus Directrices 03/2020 sobre el tratamiento de datos relativos a la salud con fines de investigación científica en el contexto del brote de COVID-19 y 04/2020 sobre el uso de datos de localización y herramientas de rastreo de contactos en el contexto del brote de COVID-19[25]. Por su parte Wojciech WIEWIÓROWSKI, Supervisor Europeo de Protección de Datos hizo pública el 6 de abril de 2020 una declaración sobre *EU Digital Solidarity: a call for a pan-European approach against the pandemic*[26] en la que insistía en que la protección de datos no debe ser un obstáculo en la lucha contra la pandemia pero teniendo en cuenta que cualquier medida tomada a nivel europeo o nacional debe ser:

– Temporal: "no están aquí para quedarse después de la crisis".

– Con finalidades limitados: "sabemos lo que estamos haciendo".

– En base a un acceso a los datos limitado: "sabemos quién está haciendo qué".

---

[24] *https://edpb.europa.eu/sites/edpb/files/files/file1/edpb_statement_2020_processing-personaldataandcovid-19_en.pdf*

[25] Ambas disponibles en *https://edpb.europa.eu/our-work-tools/our-documents/publication-type/guidelines_en*

[26] *https://edps.europa.eu/sites/edp/files/publication/2020-04-06_eu_digital_solidarity_covid19_en.pdf*

– Y conociendo qué se hará tanto con los resultados de las operaciones de tratamiento como con los datos en bruto utilizado en el proceso: "sabemos el camino de vuelta a la normalidad".

La cuestión, sobre el papel, ni era ni es difícil: si no es en ningún caso posible suspender el derecho a la protección de datos (recuerdo que ello tampoco sería posible ni en un estado de excepción ni de sitio) sino sólo limitar su ejercicio en lo imprescindible para combatir la situación que ha dado lugar al estado de alarma ("afrontar la situación de emergencia sanitaria provocada por el coronavirus COVID-19", según el art. 1 del Real Decreto 463/2020), si ello es así, decía, los principios esenciales que configuran el contenido esencial del derecho a la protección de datos en ningún caso pueden violarse y la situación ha de volver a una total normalidad una vez concluido el estado de alarma.

En este escenario las medidas que hubiese que adoptar (y que se han adoptado) en materia de protección de datos para acabar cuanto antes con la pandemia deberían y deben respetar en todo caso los principios que enumera el artículo 5 del RGPD: licitud, lealtad y transparencia; limitación de la finalidad; minimización de datos; exactitud; limitación del plazo de conservación; seguridad en términos de integridad y confidencialidad de los datos y responsabilidad proactiva. Ninguno de estos principios cede en el estado de alarma. Y todo ello bajo la supervisión de las autoridades de protección de datos, en particular la Agencia Española de Protección de Datos, cuyas competencias en este ámbito, por lo demás, en ningún caso pueden ser sustraídas ni ejercidas por las autoridades competentes delegadas a que se refiere el Real Decreto 463/2020, pues la existencia misma de una autoridad de control independiente forma asimismo parte del contenido esencial del derecho a la protección de datos, tal como se desprende del artículo 8.3 de la Carta de los derechos fundamentales de la Unión Europea[27].

---

[27] "El respeto de estas normas (sobre protección de datos) estará sujeto al control de una autoridad independiente".

Más atrás ya señalé que en relación con el alcance del derecho a la protección de datos durante el estado de alarma es de enorme importancia el Informe 0017/2020 del Gabinete Jurídico de la Agencia Española de Protección de Datos que hizo público el pasado 12 de marzo (antes pues del Real Decreto 463/2020, publicado en el BOE del 14 de marzo) sobre tratamientos de datos resultantes de la actual situación derivada de la extensión del virus COVID-19[28]

Dicho Informe parte de la base de que "la normativa de protección de datos personales, en tanto que dirigida a salvaguardar un derecho fundamental, se aplica en su integridad a la situación actual, dado que no existe razón alguna que determine la suspensión de derechos fundamentales, ni dicha medida ha sido adoptada". En efecto, tras el Real Decreto 463/2020 no se ha suspendido el derecho a la protección de datos (que por lo demás, como antes vimos, ni en los estados de excepción o sitio puede suspenderse), y su ejercicio, por el mero hecho de declarar el estado de alarma, no queda limitado. Ahora bien, como también advierte el Informe, "la propia normativa de protección de datos personales [RGPD] contiene las salvaguardas y reglas necesarias para permitir legítimamente los tratamientos de datos personales en situaciones, como la presente, en que existe una emergencia sanitaria de alcance general". La advertencia de la Agencia es totalmente acertada, como también lo es la que recoge a continuación: "Por ello, al aplicarse dichos preceptos previstos para estos casos en el RGPD, en consonancia con la normativa sectorial aplicable en el ámbito de la salud pública, las consideraciones relacionadas con la protección de datos —dentro de los límites previstos por las leyes— no deberían utilizarse para obstaculizar o limitar la efectividad de las medidas que adopten las autoridades, especialmente las sanitarias, en la lucha contra la epidemia, por cuanto ya la normativa de protección de datos personales contiene una regulación para dichos casos que compatibiliza y pondera los intereses

---

28   *https://www.aepd.es/es/documento/2020-0017.pdf*

y derechos en liza para el bien común". Especialmente relevante me parece la afirmación de que la protección de datos no debe utilizarse para obstaculizar o limitar las medidas que deban tomarse para luchar contra la epidemia. No puedo estar más de acuerdo con tal afirmación. En numerosas ocasiones, constantemente mejor dicho, vengo afirmando que la protección de datos no es un derecho impertinente que "prohíba" sin más "hacer cosas"; más bien marca el camino que indica "cómo deben hacerse las cosas". Ni en situaciones de pandemia global como la que estamos sufriendo podemos poner en entredicho un derecho fundamental como es el de la protección de datos. Muchas fueron las voces que reclamaban poco menos que acabar con la protección de datos tras los atentados del 11S. La seguridad, se decía, estaba por encima de la privacidad. Hubo que luchar, y no poco, para hacer ver que la seguridad y la privacidad no son contradictorias sino complementarias. Es decir, y volviendo a la crisis del coronavirus: la protección de datos en ningún caso es un obstáculo para luchar con todas las armas que en nuestras manos estén contra el coronavirus.

Así debe entenderse el reiterado informe de la Agencia. Que parte claramente de la realidad incontestable de que el derecho a la protección de datos no es un derecho absoluto (como también ha recordado el Supervisor Europeo de Protección de Datos). Y de que tanto el Reglamento General de Protección de Datos como la Ley Orgánica 3/2018 contienen previsiones que, junto lo que establecen otras normas sectoriales, permiten en situaciones excepcionales el tratamiento de datos de salud incluso sin necesidad de contar con el consentimiento de los afectados. Recuerda el Informe el Considerando 46 del RGPD: "El tratamiento de datos personales también debe considerarse lícito cuando sea necesario para proteger un interés esencial para la vida del interesado o la de otra persona física. En principio, los datos personales únicamente deben tratarse sobre la base del interés vital de otra persona física cuando el tratamiento no pueda basarse manifiestamente en una base jurídica diferente. Ciertos tipos de tratamiento pueden responder tanto a motivos importantes de interés público como

a los intereses vitales del interesado, como por ejemplo cuando
el tratamiento es necesario para fines humanitarios, incluido el
control de epidemias y su propagación, o en situaciones de emergencia humanitaria, sobre todo en caso de catástrofes naturales
o de origen humano". Esta es cabalmente la situación por la que
se declaró el estado de alarma: la necesidad de controlar una epidemia y su propagación. Teniendo en cuenta que el interés vital
que puede estar en juego no es sólo el propio del afectado, sino
de un tercero: "de otra persona física" (artículo 9.2.*c*) del RGPD).
Partiendo de esta base la Agencia analiza asimismo la legislación
sectorial que permite el tratamiento de datos de salud sin consentimiento de los afectados. La Ley 31/1995, de 8 de noviembre,
de prevención de riesgos laborales; la Ley Orgánica 3/1986, de
14 de abril, de Medidas Especiales en Materia de Salud Pública
(modificada por el Real Decreto-Ley 6/2020, de 10 de marzo) o
la Ley 33/2011, de 4 de octubre, General de Salud Pública. A las
que habría que añadir ahora el Real Decreto 463/2020, de 14 de
marzo, de declaración del estado de alarma y el Real Decreto-ley
21/2020,de 9 de junio,en los términos que más adelante analizo. Por tanto ningún obstáculo al tratamiento de datos de salud
con la finalidad de luchar contra la pandemia. La Agencia lo deja
claro: "el RGPD ha pretendido dar la mayor libertad posible a
los responsables del tratamiento en caso de necesidad para salvaguardar intereses vitales de los interesados o de otras personas
físicas, intereses públicos esenciales en el ámbito de la salud pública o cumplimiento de obligaciones legales, dentro de las medidas establecidas en la normativa legal correspondiente del Estado
miembro o de la Unión Europea en cada caso aplicable". Y añade
que en consecuencia, en una situación de emergencia sanitaria
como la que vivimos "es preciso tener en cuenta que, en el exclusivo ámbito de la normativa de protección de datos personales,
la aplicación de la normativa de protección de datos personales
permitiría adoptar al responsable del tratamiento aquellas decisiones que sean necesarias para salvaguardar los intereses vitales
de las personas físicas, el cumplimiento de obligaciones legales
o la salvaguardia de intereses esenciales en el ámbito de la salud

pública, dentro de lo establecido por la normativa material aplicable. Cuáles sean dichas decisiones, (desde el punto de vista de la normativa de protección de datos personales, se reitera) serán aquellas que los responsables de los tratamientos de datos deban de adoptar conforme a la situación en que se encuentren, siempre dirigida a salvaguardar los intereses esenciales ya tan reiterados. Pero los responsables de tratamientos, al estar actuando para salvaguardar dichos intereses, deberán actuar conforme a lo que las autoridades establecidas en la normativa del Estado miembro correspondiente, en este caso España, establezcan".

Y aún más: "Serán estas autoridades sanitarias competentes de las distintas administraciones públicas quienes deberán adoptar las decisiones necesarias, y los distintos responsables de los tratamientos de datos personales deberán seguir dichas instrucciones, incluso cuando ello suponga un tratamiento de datos personales de salud de personas físicas. Lo anterior hace referencia, expresamente, a la posibilidad de tratar los datos personales de salud de determinadas personas físicas por los responsable de tratamientos de datos personales, cuando, por indicación de las autoridades sanitarias competentes, es necesario comunicar a otras personas con las que dicha persona física ha estado en contacto la circunstancia del contagio de esta, para salvaguardar tanto a dichas personas físicas de la posibilidad de contagio (intereses vitales de las mismas) cuanto para evitar que dichas personas físicas, por desconocimiento de su contacto con un contagiado puedan expandir la enfermedad a otros terceros (intereses vitales de terceros e interés público esencial y/o cualificado en el ámbito de la salud pública). Del mismo modo, y en aplicación de lo establecido en la normativa de prevención de riesgos laborales, y de medicina laboral, los empleadores podrán tratar, de acuerdo con dicha normativa y con las garantías que estas normas establecen, los datos de sus empleados necesarios para garantizar la salud de todos sus empleados, lo que incluye igualmente al resto de empleados distintos del interesado, para asegurar su derecho a la protección de la salud y evitar contagios en el seno de la empresa y/o centros de trabajo".

Dicho lo anterior, lo que de ningún modo cabe, como ya he advertido más atrás, es ignorar los principios y garantías que han de observarse en todo caso en relación con el derecho fundamental a la protección de datos. También lo señala la Agencia: deben respetarse los principios contenidos en el artículo 5 del RGPD, "y entre ellos el de tratamiento de los datos personales con licitud, lealtad y transparencia, de limitación de la finalidad (en este caso, salvaguardar los intereses vitales/esenciales de las personas físicas), principio de exactitud, y por supuesto, y hay que hacer especial hincapié en ello, el principio de minimización de datos. Sobre este último aspecto hay que hacer referencia expresa a que los datos tratados habrán de ser exclusivamente los limitados a los necesarios para la finalidad pretendida, sin que se pueda extender dicho tratamiento a cualesquiera otros datos personales no estrictamente necesarios para dicha finalidad, sin que pueda confundirse conveniencia con necesidad, porque el derecho fundamental a la protección de datos sigue aplicándose con normalidad, sin perjuicio de que, como se ha dicho, la propia normativa de protección de datos personales establece que en situaciones de emergencia, para la protección de intereses esenciales de salud pública y/o vitales de las personas físicas, podrán tratarse los datos de salud necesarios para evitar la propagación de la enfermedad que ha causado la emergencia sanitaria". Por ello debe evitarse a toda costa, como advierte el Considerando 54 del RGPD, que "terceros, como empresarios, compañías de seguros o entidades bancarias, traten los datos personales con otros fines".

Una lectura sosegada de la opinión de la AEPD, de la declaración de la Presidencia y de las Directrices del Comité Europeo de Protección de Datos y del Supervisor Europeo nos lleva a la conclusión de que la protección de datos en absoluto puede ser un obstáculo en la lucha contra el coronavirus.

Por lo demás, la Agencia ha desarrollado y sigue desarrollando durante todo el estado de alarma una labor ingente para fijar criterios en relación con la protección de datos, en ocasiones reclamando de las autoridades sanitarias que fijen los suyos para de este modo poder aclarar mejor los tratamientos que son posibles, con qué finalidad y en base a qué legitimación. Más adelante me refiero a algunos de los documentos que en este escenario ha hecho públicos la Agencia[29].

B) Algunos retos para la protección de datos derivados de las medidas que han debido implantarse para luchar contra el coronavirus

1. Las aplicaciones de seguimiento y/o trazabilidad

Las características del COVID-19, su extraordinaria expansión y el alto grado de contagio hicieron que en diversos países se pusieran pronto en marcha dispositivos, programas y aplicaciones que permitiesen hacer un seguimiento y trazabilidad de las personas a efectos de poder contar con información sobre la evolución de la enfermedad. Parece que, sobre todo las aplicaciones, eran muy efectivas de cara al control y contención de los contagios, pero a su vez implicaban notables riesgos para la privacidad de las personas. Sin perjuicio del uso fraudulento y sin garantías de webs y aplicaciones que, si no dirigidas al seguimiento y trazabilidad de los contagios, sí permitía, aparentemente, la autoevaluación de las personas en función de los síntomas, lo que obligó a la Agencia a emitir un *Comunicado en relación con webs y apps que ofrecen autoevaluaciones y consejos sobre el coronavirus* en el que advirtió "de los riesgos que implica el facilitar categorías de datos sensibles, como son los relativos a la salud, a estas webs y apps, incluso en aquellos casos en los que aparentemente esos datos no se asocian a la identidad del usuario que utiliza la aplicación"[30]. Asimismo es de

---

[29]   La mayoría están fácilmente localizables en *https://www.aepd.es/es/areas-de-actuacion/proteccion-datos-y-coronavirus*

[30]   La Agencia también advertía que había "podido constatar que algunas páginas web y apps no aportan la detallada información exigible para identificar a los responsables, ni incluyen las finalidades para las que podrían tratarse los datos": *https://www.aepd.es/es/prensa-y-comunicacion/notas-de-prensa/comunicado-de-la-aepd-en-relacion-con-webs-y-apps-que-ofrecen*

gran interés su Documento sobre *El uso de las tecnologías en la lucha contra el COVID19*[31].

Por parte del Gobierno se puso en marcha lo que se ha denominado "DataCOVID", que, según exponía el propio Gobierno, constituye un estudio de movilidad de la población para contribuir a la toma de decisiones ante el coronavirus[32]. Incluso se aprobó por el Ministerio de Sanidad la Orden SND/297/2020, de 27 de marzo, por la que se encomendó a la Secretaría de Estado de Digitalización e Inteligencia Artificial, del Ministerio de Asuntos Económicos y Transformación Digital, el desarrollo de diversas actuaciones para la gestión de la crisis sanitaria ocasionada por el COVID-19, que en definitiva vino a poner de manifiesto la intención de utilizar masivamente las posibilidades que la geolocalización puede ofrecer a partir de los datos de los teléfonos móviles. Se trataba, por un lado, de "verificar que [el usuario] se encuentra en la comunidad autónoma en que declara estar", y por otro de analizar "la movilidad de las personas en los días previos y durante el confinamiento"[33].

La Orden SND/297/2020 no autorizaba o regulaba los tratamientos de datos que derivarían del diseño y uso de las Apps y que permitirían la geolocalización o estudiar la movilidad de, parece, cualquier cliente de operadores móviles, sino establecer una relación de responsable-encargado en los tratamientos a que se refiere. En un caso (geolocalización) el responsable era el Ministerio de Sanidad y el encargado la Secretaria General de Administración Digital; en el otro (estudio de movilidad de la población), el responsable sería el Instituto Nacional de Estadística y los encargados "los operadores de comunicaciones electrónicas móviles con los que se llegue a un acuerdo".

---

[31] *https://www.aepd.es/sites/default/files/2020-05/analisis-tecnologias-COVID19.pdf*
[32] *https://www.lamoncloa.gob.es/serviciosdeprensa/notasprensa/asuntos-economicos/ Paginas/2020/010420-datacovid.aspx*
[33] Sobre dicha Orden vid. MARTÍNEZ, Ricard, "Protección de datos y geolocalización en la Orden SND/297/2020", *https://hayderecho.expansion. com/2020/03/31/proteccion-de-datos-y-localizacion-en-la-orden-snd-297-2020/*

En cualquier caso, los tratamientos a que se refiere la Orden han de basarse en un título habilitante que los haga lícitos (título que sin duda puede encontrarse en el artículo 6.1.d) y e) y en varios apartados del artículo 9.2, ambos del RGPD) y deben respetar el resto de principios de la protección de datos que antes he recordado. Entre otros los de finalidad, seguridad, minimización de los datos y limitación del plazo de conservación. Y en particular el principio de responsabilidad proactiva, que a su vez exige tener en cuenta la protección de datos desde el diseño y por defecto (especialmente importante cuando se trata de desarrollar una aplicación informática para el apoyo en la gestión de la crisis sanitaria), la realización de una evaluación de impacto a la protección de datos (pues se dan sin duda las condiciones previstas en el artículo 35 del RGPD) y la elaboración del correspondiente registro de actividades del tratamiento, de acuerdo con el artículo 30 del RGPD, que además debe hacerse público, según el art. 31.2 de la LOPDGDD. Por otra parte es imprescindible informar a los interesados en los términos previstos, según los casos, en los artículos 13 y 14 del RGPD salvo que se acredite que se dan algunas de las circunstancias que prevén los apartados 4 y 5, respectivamente, de ambos artículos. Por otra parte, deberán aplicarse las previsiones del Real Decreto-ley 14/2019, de 31 de octubre, en materia de administración digital, contratación del sector público y telecomunicaciones[34]. Todas estas circunstancias han de ser tenidas en cuenta así como, por supuesto, el acceso a la vía judicial en su caso, como ha advertido el Comité Europeo de Protección de Datos precisamente en relación con el posible uso de datos de geolocalización a partir del uso de los móviles[35].

Dicho lo anterior, hay que tener en cuenta varias circunstancias.

---

[34] De él me he ocupado en "Los peligros de una república digital desbocada. A propósito del Real Decreto-Ley 14/2019, de 31 de octubre, en materia de administración digital, contratación del sector público y telecomunicaciones", en *Revista Derecho Digital e Innovación*, Wolters Kluwer, n° 3.

[35] *Declaración sobre el tratamiento de datos personales en el contexto de la crisis del CO-VID-19*, citada más atrás.

Por un lado, es imprescindible conocer la situación real en la que tales medidas van a ser aplicadas. No sólo por parte de los poderes públicos que van a ponerlas en marcha, sino también por todas las personas que vamos a ser destinatarios de las mismas. En este sentido la transparencia en cuanto a la transmisión de la información por parte de las autoridades competentes en los términos del Real Decreto 463/2020 es imprescindible. Los datos han de ser reales, sean los que sean.

Por otra parte, deben realizarse las evaluaciones necesarias para concluir qué tipo de aplicación, qué tratamiento de datos basado en las técnicas de *big data* y qué medidas se han adoptado o deben adoptarse para garantizar plenamente el derecho a la privacidad de las personas. La propia Orden en su punto cuarto se remite a la legislación de protección de datos, cuya plena aplicación ha de darse por descontada[36]. Pero no podemos olvidar que hay voces que, incluso fuera de nuestras fronteras y referidas a experiencias semejantes a la nuestra, han expresado sus cautelas frente a las técnicas basadas en la geolocalización. Me refiero por ejemplo al Libro Blanco sobre "Decentralized Privacy-Preserving Proximity Tracing", elaborado por investigadores de diversos centros europeos[37], incluyendo un detallado estudio de las medidas de seguridad que deben implantarse[38]. Por su parte el Supervisor Europeo de Protección de Datos ha abogado por el uso de la tecnología para acabar con el virus y ha instado a poner en marcha una pan-Europea "*COVID-19 mobile application*", coordinada a nivel de la Unión Europea, si bien lo ideal sería que también se

---

[36] Aunque lo cierto es que no parece que lo más adecuado sea afirmar, como hace el citado punto cuarto, que "lo dispuesto en esta orden se entiende sin perjuicio de la aplicación del régimen previsto" en el RGPD y la LOPD-GDD. Esta afirmación sólo puede ser interpretada en el sentido de que la aplicación de la orden se someterá totalmente y sin excepción alguna a la normativa sobre protección de datos. Quiero pensar que se trata tan sólo de una redacción propia de la urgencia en aprobar la orden.
[37] *https://github.com/DP-3T/documents/blob/master/DP3T%20White%20Paper.pdf*
[38] *https://github.com/DP-3T/documents/blob/master/DP3T%20-%20Data%20Protection%20and%20Security.pdf*

coordinara con la Organización Mundial de la Salud, para garantizar la protección de datos por diseño a nivel mundial desde el principio[39], al objeto de evitar las posibles diferencias que puedan existir entre las aplicaciones que vayan desarrollándose en cada país.

Las alternativas y posibilidades que la tecnología ofrece son muchas. María ALVAREZ CARO, en un muy interesante trabajo[40], ha analizado la solución ofrecida conjuntamente por Google y Apple. El pasado 10 de abril ambas compañías anunciaron "una solución conjunta para acelerar y facilitar el uso de tecnología BLE [*bluetooth* de bajo consumo energético] para el rastreo de contactos por parte de los Gobiernos"[41]. Se trata de una solución en dos etapas: "Primero, a mediados de mayo, se lanzan unas APIs (*Application Programming Interfaces*) para que los desarrolladores de apps gubernamentales puedan acceder a las mismas para el desarrollo de apps de este tipo y, en un segundo estadio, en los próximos meses, tendrán la funcionalidad de rastreo de contactos (realmente, funcionalidad de notificación de exposición al virus) incorporada a nivel de sistema operativo. Es importante destacar que sólo las autoridades sanitarias gubernamentales (desarrolladores en nombre de autoridades gubernamentales) podrán tener acceso a las APIs". Se trata de una solución que pretende alcanzar al mayor número de personas y que sería respetuosa con el derecho a la protección de datos[42].

---

[39] *EU Digital Solidarity: a call for a pan-European approach against the pandemic,* declaración del EDOS, Wojciech Wiewiórowski hecha pública el 6 de abril de 2020. Puede consultarse en *https://edps.europa.eu/sites/edp/files/publication/2020-04-06_eu_digital_solidarity_covid19_en.pdf*

[40] "Privacidad y protección de datos en el rastreo de contactos para la lucha contra el COVID-19", *Revista Derecho Digital e innovación,* nº 5, abril-junio 2020.

[41] *https://www.google.com/covid19/exposurenotifications/*

[42] Con respecto a las protecciones en el ámbito de la privacidad que la solución de Google y Apple aporta, ALVAREZ CARO destaca las siguientes (*https://blog.google/documents/73/Exposure_Notification_-_FAQ_v1.1.pdf*):

2. La toma de temperatura

La posible (y en realidad evidente) generalización de la toma de temperatura como medio para atajar el coronavirus ha hecho que la Agencia haya reaccionado y haya hecho público un *Comunicado en relación con la toma de temperatura por parte de comercios, centros de trabajo y otros establecimientos*[43] en el que "expresa su preocupación por este tipo de actuaciones, que suponen una injerencia particularmente intensa en los derechos de los afectados y que se están realizando sin el criterio previo de las autoridades sanitarias".

En su comunicado la Agencia es extraordinariamente cautelosa a la hora de aceptar la toma de temperatura como medida adecuada para la lucha contra el coronavirus y prevenir nuevos contagios. En realidad el comunicado gira sobre todo en torno a la necesidad de contar con criterios de la autoridad sanitaria que determinen si la toma de temperatura es medida adecuada para la finalidad perseguida o existen medidas alternativas. Señala expresamente que "la aplicación de estas medidas y el correspondiente tratamiento de datos requeriría la determinación previa

---

"1) se trata de un sistema voluntario, *opt-in*, que requiere el consentimiento explícito del usuario, quien puede en todo momento desinstalar la aplicación o deshabilitar la funcionalidad en los ajustes;

2) el proceso para reconocer si dos móviles están físicamente próximos sucede a nivel de dispositivo. Es decir, el *matching* de los códigos de *bluetooth* que emiten los dispositivos se produce a nivel del propio dispositivo, reteniéndose esos códigos en el dispositivo durante 14 días;

3) los códigos que emiten y reciben los dispositivos móviles rotan cada 15 minutos aproximadamente;

4) Si un usuario es diagnosticado Covid-19 positivo, ni este resultado ni la identidad del infectado se comparte con Google o Apple ni con ningún otro usuario;

5) No se utiliza el dato de localización, sino que se basa únicamente en señales de *bluetooth*;

6) Google y Apple pueden deshabilitar el sistema para una región concreta cuando no sea necesario".

[43]   *https://www.aepd.es/es/prensa-y-comunicacion/notas-de-prensa/comunicado-aepd-temperatura-establecimientos*

que haga la autoridad sanitaria competente, que en estos momentos es el ministro de Sanidad, de su necesidad y adecuación al objetivo de contribuir eficazmente a prevenir la diseminación de la enfermedad en los ámbitos en los que se apliquen, regulando los límites y garantías específicos para el tratamiento de los datos personales de los afectados"." Estas medidas, continúa la Agencia, deben aplicarse sólo atendiendo a los criterios definidos por las autoridades sanitarias, tanto en lo relativo a su utilidad como a su proporcionalidad, es decir, hasta qué punto esa utilidad es suficiente para justificar el sacrificio de los derechos individuales que las medidas suponen y hasta qué punto estas medidas podrían o no ser sustituidas con igual eficacia por otras menos intrusivas". E insiste que a la hora de ponderar entre el impacto sobre los derechos de los clientes usuarios de estas medidas y el impacto en el nivel de protección de las personas empleadas deben tenerse en cuenta en primer lugar los criterios establecidos por las autoridades sanitarias.

Partiendo de esta base y por tanto del llamamiento que en realidad hace la Agencia para que las autoridades sanitarias fijen cuanto antes sus criterios, considera que la base jurídica para la comprobación de la temperatura corporal no puede ser con carácter general el consentimiento ya que las personas afectadas no pueden negarse a someterse a la toma de temperatura sin perder al mismo tiempo la posibilidad de entrar en los centros de trabajo, educativos o comerciales o en los medios de transporte a los que estén interesados en acceder. Por tanto, concluye la Agencia, ese consentimiento no sería libre. En el entorno laboral la base jurídica podría ser la obligación que tienen los empleadores de garantizar la seguridad y salud de las personas trabajadoras a su servicio en los aspectos relacionados con el trabajo, pero siempre y cuando se establezcan garantías adecuadas por parte del responsable del tratamiento. Asimismo podría entenderse que la existencia de intereses generales en el terreno de la salud pública también podría ser considerado como título habilitante, pero en ningún caso el interés legítimo de los responsables por cuanto en el tratamiento de categorías especiales de datos dicho título no es título habilitante.

Por otra parte debe limitarse rigurosamente la finalidad del tratamiento, que no puede ser otra que la de detectar posibles personas contagiadas y evitar su acceso a un determinado lugar y su contacto con otras personas, pero en ningún caso deben ser utilizados para otras finalidades lo cual es especialmente relevante cuando se utilicen dispositivos tales como cámaras térmicas que puedan grabar y conservar los datos o tratar información adicional.

En cuanto a quién puede tomar la temperatura la Agencia opta por no ser especialmente rigurosa y en consecuencia parece aceptar que no siempre tenga que ser personal sanitario quien lleve a cabo tal tratamiento. De las preguntas frecuentes sobre COVID-19 y protección de datos que publicó inicialmente la Agencia[44] podría entenderse que no se exige que en todo caso y en exclusiva sea sólo y nada más que personal sanitario quien puede tomar la temperatura a los trabajadores con el fin de detectar casos de coronavirus. Lo que sí se exige en todo caso es que se respeten los principios de protección de datos, y especialmente el de finalidad (sólo contener la propagación del coronavirus y no otras distintas) y conservar los datos no más del tiempo necesario para tal finalidad. En el documento que ahora abalizamos señala, por un lado que los datos deben ser exactos en el sentido de que los equipos de medición deben ser adecuados para poder registrar con fiabilidad los intervalos de temperatura que se consideren relevantes. Por otro exige que la adecuación se establezca utilizando solo equipos homologados, que deberán ser utilizados por personal que reúna los requisitos legalmente establecidos y esté formado en su uso. En cualquier caso el tema es más que complicado, tal como con gran rigor ha puesto de manifiesto Jesús MERCADER, que considera que a la luz del art. 22.6 Ley de Prevención de Riesgos Laborales, las medidas de vigilancia que como

---

[44] *https://www.aepd.es/sites/default/files/2020-03/FAQ-COVID_19.pdf*

en el caso de la toma de temperatura deban implantarse han de ser llevadas a cabo por "personal sanitario con competencia técnica, formación y capacidad acreditada", si bien admite que "el número de sanitarios necesarios para llevar a cabo esos controles puede resultar a todas luces insuficiente, por lo que resulta necesario valorar el recurso otros sistemas que se encuentren dotados de las suficientes garantías". En cualquier caso concluye que si bien parece que la AEPD parte "de una interpretación amplia de los sujetos que están facultados para realizar dicho control, esa interpretación choca en este momento con las limitaciones existentes en la normativa de prevención de riesgos laborales y que se proyectan en materia de protección de datos"[45].

En fin la AEPD exige que se cumpla con el deber de información, que se establezcan plazos y criterios de conservación y que se adopten las medidas de seguridad adecuadas.

La declaración de la Agencia es en principio impecable, pero parte de un presupuesto que quizá podría ser controvertido. Me refiero al hecho de que la simple toma de temperatura utilizando para ello dispositivos que en ningún caso identifiquen al afectado ni guarden o conserven la información podría no ser considerado un tratamiento de datos personales por cuanto que la información recabada no podría en ningún caso vincularse a una persona identificada o identificable. Excluyó por supuesto de este planteamiento el uso de cámaras térmicas que puedan identificar a los afectados o de cualquier otro dispositivo que permita esa identificación. Cierto que en caso de que se detecte una temperatura superior a la recomendable podrán producirse efectos sobre el interesado, que obviamente no podría acceder al lugar o entorno al que deseaba entrar. Se estaría por tanto produciendo una consecuencia negativa para él derivada de una información captada al tomarle la tempera-

---

[45] "¿Quién puede controlar la temperatura de los trabajadores? Comenzando a pensar en el desescalado", en *Foro de Labos*, publicado el 21de abril de 2020, actualizado el 30 de abril. Disponible en *https://forodelabos.blogspot. com/2020/04/quien-puede-controlar-la-temperatura-de.html*

tura. Quizá en este caso sí nos encontremos ante un tratamiento de datos, con todas las consecuencias que de ello derivarían.

3. El teletrabajo y la protección de datos

Una de las consecuencias más evidentes de la declaración del estado de alarma es la generalización del teletrabajo. La imposibilidad de desplazarse a los centros de trabajo y la necesidad de permanecer confinados han hecho que lo que hasta ahora venía siendo casi una excepción se haya convertido en la regla general. En todos aquellos supuestos en los que el desarrollo de una actividad no requería de la presencia física de la persona se han implantado técnicas de teletrabajo que han demostrado ser extremadamente eficaces y que suponen una de las notas características del desarrollo cotidiano del estado de alarma que puede convertirse en una de las consecuencias de futuro más evidentes y llamativas de la situación que durante estos meses nos ha tocado vivir. En efecto el teletrabajo puede pasar de ser una manifestación casi anecdótica o residual a la norma general en muchos sectores, sin perjuicio además de ser manifestación de lo que ya se empieza a considerar como un nuevo derecho fundamental: el de la conciliación familiar y laboral[46].

La implantación del teletrabajo tiene sin embargo numerosas implicaciones relacionadas con la seguridad de la información y la protección de datos.

De la primera se ha ocupado el INCIBE, que a través de la Oficina de Seguridad del Internauta (OSI) ha hecho públicas diversas reglas para un teletrabajo seguro que evite los cibera-

---

[46] Alicia PIÑAR REAL, "La conciliación en tiempos de coronavirus: del Plan ME-CUIDA al futuro que nos aguarda (¿Hacia el derecho a la conciliación como nuevo derecho fundamental?)", en *Hay Derecho-Expansión*, junio de 2020. Disponible en https://hayderecho.expansion.com/2020/06/14/la-conciliacion-en-tiempos-de-coronavirus-del-plan-mecuida-al-futuro-que-nos-aguarda-hacia-el-derecho-a-la-conciliacion-como-nuevo-derecho-fundamental/

taques[47]. Asimismo el CCN-CERT ha hecho público su Informe RBP/18 sobre "Recomendaciones de seguridad de situaciones de teletrabajo y refuerzo en vigilancia"[48]. Desde el punto de vista de la protección de datos la Agencia Española de Protección de Datos ha hecho públicas unas *Recomendaciones para proteger los datos personales en situaciones de movilidad y teletrabajo*[49]. Se formulan, por un lado, recomendaciones al empleador, en cuanto responsable del tratamiento, que se refieren a la definición de una política de protección de la información para situaciones de movilidad, la elección de soluciones y prestadores de servicios confiables y con garantías, la restricción del acceso a la información, la configuración periódica de los equipos y dispositivos utilizados en las situaciones de movilidad, la monitorización de los accesos realizados a la red corporativa desde el exterior y la gestión racional de la protección de datos y la seguridad. Por otro al personal que participa en las operaciones de tratamiento en el marco del teletrabajo, que se refieren al respeto a la política de protección de la información en situaciones de movilidad definida por el responsable, la protección del dispositivo utilizado en movilidad y el acceso al mismo, la garantía de la protección de la información que se esté manejando, el almacenamiento de la información en los espacios de red habilitados al efecto y la comunicación inmediata de cualquier brecha de seguridad que en su caso pudiera producirse.

Todas estas recomendaciones deben considerarse aplicables no solo durante el estado de alarma sino con carácter general. Como decía, el teletrabajo se está generalizando y en su desarrollo es imprescindible tener en cuenta las exigencias derivadas del respeto a la protección de datos de carácter personal.

---

47   *https://www.osi.es/es/cibercovid19*
48   *https://www.ccn-cert.cni.es/informes/informes-ccn-cert-publicos/4691-ccn-cert-bp-18-recomendaciones-de-seguridad-para-situaciones-de-teletrabajo-y-refuerzo-en-vigilancia-1/file.html*
49   *https://www.aepd.es/sites/default/files/2020-04/nota-tecnica-proteger-datos-teletrabajo.pdf*

4. Celebración on line de reuniones y protección de datos

La situación de confinamiento que ha traído consigo la crisis del coronavirus, no solo en España, como es obvio, sino a nivel global ha hecho que prolifere la celebración de reuniones on line utilizando herramientas colaborativas de muy diverso tipo, lo que puede plantear problemas de protección de datos que deben tenerse muy en cuenta sobre todo pensando en la posibilidad, casi certeza, de que el sistema va a seguir utilizándose aún después de estos meses de falta de presencialidad. De hecho la preocupación por el uso de herramientas o aplicaciones que permiten la celebración de videoconferencias online ha sido analizada por numerosas autoridades con competencias en materia de protección de datos y privacidad no solo en Europa sino más allá de su territorio. Basta hacer referencia, por ejemplo, a los puntos que ha señalado la *Federal Trade Commission* y que deberían tenerse en cuenta a la hora de celebrar reuniones online utilizando herramientas colaborativas[50].

En algunas ocasiones, además, puede tratarse de reuniones formales con un régimen jurídico muy preciso en cuanto a las reglas de convocatoria, celebración y adopción de acuerdos. Lo que puede exigir un tratamiento de datos más intenso, pero que al mismo tiempo ha de llevarse a cabo con todas las garantías.

Ante todo debe partirse de que la celebración de reuniones por videoconferencia implica el tratamiento de datos de carácter personal: en todo caso la voz y a veces los datos de identificación de los participantes, así como su imagen. Este tratamiento de datos debe cumplir los principios de protección de datos, es decir licitud, lealtad y transparencia, limitación de la finalidad, minimización de datos, exactitud, limitación del plazo de conservación,

---

[50] *Video conferencing: 10 privacy tips for your business*, https://www.ftc.gov/news-events/blogs/business-blog/2020/04/video-conferencing-10-privacy-tips-your-business

seguridad y responsabilidad proactiva. Veamos cómo operan alguno de ellos.

En cuanto al principio de licitud es imprescindible que se dé alguno de los supuestos que legitiman el tratamiento de datos de carácter personal. El consentimiento de los afectados puede ser título habilitante pero no hay que excluir que pueda así mismo considerarse aplicable el título de interés legítimo o incluso el de interés público dada la necesidad de que se acrediten las circunstancias que en su caso sean necesarias para considerar válidamente celebrado la reunión y válidamente adoptados los acuerdos a los que en su caso se llegue. En particular puedes resultar imprescindible identificar a los participantes para evitar que puedan participar quiénes no forman parte del órgano colegiado, garantizar la validez de la constitución del órgano acreditando el quórum de constitución o garantizar la validez de los acuerdos adoptados acreditando para ello el quórum de adopción de acuerdos. Estas circunstancias implican que en ciertos casos sea imprescindible identificar a los asistentes sin que ello pueda estar condicionado a que estos otorguen su consentimiento. Asimismo no puede ser el consentimiento el que habilite el tratamiento para la elaboración de las actas correspondientes.

Por otra parte debe informarse a los interesados de acuerdo a lo que establecen los artículos los artículos 13 y 14 del RGPD así como el artículo 11 de la Ley Orgánica 3/2018. En particular acerca de la identidad de quién trata los datos, qué tipos de datos van a ser recabados o la finalidad.

Distinto es el tema de qué datos pueden o deben ser recabados para las anteriores finalidades, lo que nos lleva a plantear el tema, por un lado, de la limitación de la finalidad y por otro el de la minimización de datos.

La finalidad sólo puede ser la de poder llevar a cabo o facilitar la celebración de reuniones online, así como, en su caso, la elaboración de las actas correspondientes, sin que los datos puedan ser utilizados para finalidades distintas. En cuanto a los datos que pueden ser tratados, plantea especial interés la posibilidad de utilizar categorías especiales de datos, especialmente datos biométricos, para identificar a los participantes. Según el artículo 9 del Reglamento General de Protección de Datos los datos biométricos son considerados categorías especiales de datos si permiten identificar de manera unívoca a una persona física. En este sentido no cabe duda de que la utilización de sistemas de reconocimiento facial implicaría el uso de datos biométricos con la finalidad de reconocer o identificar de manera unívoca a las personas intervinientes en las reuniones. Cabe entonces plantear si el uso de tales sistemas es legítimo o si por el contrario deberían utilizarse otros sistemas menos intrusivos para la privacidad que permitiesen alcanzar la misma finalidad (identificar a los asistentes a la reunión).

Más adelante me ocupo del tratamiento de datos, y en particular del reconocimiento facial, en la celebración de exámenes. Lo que entonces diré es de aplicación a la celebración de reuniones, por lo que me remito a ello.

La misma remisión cabe hacer en relación con la posibilidad de grabar las reuniones. Esta circunstancia puede ser no solo conveniente sino incluso imprescindible para la constancia del desarrollo del debate y de los acuerdos adoptados así como para la elaboración del correspondiente acta. En este sentido los asistentes deben ser informados de que la sesión se va a grabar, bien en audio o también en imágenes, para garantizar el principio de transparencia. El hecho de que la plataforma utilizada advierta además de forma expresa de que la sesión está siendo grabada incrementa aún más la transparencia en el tratamiento de datos.

En fin es especialmente relevante el cumplimiento estricto del principio de integridad y confidencialidad de los datos, es decir, la exigencia de adoptar estrictas medidas de seguridad. El responsable del tratamiento deberá adoptar tales medidas o, en caso de que la reunión se celebre utilizando herramientas de terceros, exigir que estas reúnan todas las garantías de seguridad que sean necesarias. No es necesario ahora recordar que, como en más de una ocasión se ha puesto de manifiesto, parece que ciertas plataformas colaborativas tienen o han tenido fallos de seguridad que desaconsejarían su uso o cuando menos y en todo caso el de versiones que no fuesen las últimas y más actualizadas. Incluso alguna institución relevante ha acordado suspender las reuniones on line por temor a posibles ataques informáticos que incrementarían el riesgo de que las mismas pudiesen ser intervenidas y hechas públicas.

En otro orden de cosas deben estar plenamente garantizados los derechos de los afectados tal como están regulados en los artículos 15 a 22 del RGPD y artículos 12 a18 de la LOPDGDD. De entre ellos puede plantear alguna duda el cómo atender el derecho de acceso, teniendo en cuenta que el mismo podría afectar a datos personales de terceros tal como ocurriría si se pretendiese el acceso íntegro a grabaciones de voz o de imagen. En este sentido cabe traer a colación la Resolución de la Agencia Española de Protección de Datos nº R/00558/2019, referida al acceso a grabaciones de voz. En ella la Agencia advierte que "dichas grabaciones pueden contener, además de sus datos [del interesado], información relativa a terceras personas que no le podría ser comunicada, ya que, en caso contrario, podría constituir una cesión de datos sin consentimiento". Y permite expresamente que "el derecho de acceso a la grabación de su voz solicitado por la parte reclamante sí está amparado por la normativa vigente en materia de protección de datos, facilitando la copia de la grabación solicitada a la parte reclamante o, en su defecto, transcripción de su contenido".

Un aspecto especialmente relevante del régimen jurídico de la celebración de reuniones online es el de la relación entre quién organiza la reunión y el prestador del servicio, plataforma o herramienta que va a ser utilizado para dicha reunión. Con carácter general estaremos ante una relación entre un responsable del tratamiento —quien organiza la reunión— y un encargado —quien presta el servicio—. En estos casos debe aplicarse en su totalidad el artículo 28 del RGPD, en particular lo que establece su apartado primero según el cual cuando se vaya a realizar un tratamiento por cuenta de un responsable éste elegirá únicamente un encargado que ofrezca garantías suficientes para aplicar medidas técnicas y organizativas apropiadas de manera que el tratamiento sea conforme con los requisitos del Reglamento y garantice la protección de los derechos de los interesados. Además dicho artículo exige que el tratamiento por el encargado se rija por un contrato u otro acto jurídico que vincule al encargado y el responsable y establezca el objeto, la duración, la naturaleza y la finalidad del tratamiento, el tipo de datos personales y categorías de interesados y las obligaciones y derechos del responsable. Por su parte el artículo 33 de la LOPDGDD se refiere asimismo a la relación entre responsable y encargado.

Es evidente que en no pocas ocasiones la celebración de videoconferencias utilizando las plataformas generalmente usadas, más que en un contrato se basara en la aceptación de los términos y condiciones de quién presta el servicio. En este sentido es muy importante señalar que deben revisarse con mucha atención tales términos y condiciones al objeto de comprobar que están en línea con lo que exige el Reglamento y la Ley. En particular deberá tenerse especial cuidado con la ubicación de los servidores del prestador, que en principio deberían estar alojados en territorio de la Unión Europea o en su caso en territorio de algún Estado que cuente con declaración de adecuación por parte de la Unión Europea. Si no fuese así, debería darse alguna de las garantías que regulan los artículos 46 y 47 del Reglamento o basarse en alguno de los supuestos excepcionales que prevé su artículo 49. De lo contrario podríamos encontrarnos con un caso de transferencias internacionales de datos no acordes al Derecho de la Unión Europea.

Por otra parte el responsable debe exigir al encargado que adopte las medidas de seguridad que sean necesarias para evitar violaciones tales como el acceso a los datos por parte de terceros.

Por último todo lo anterior es aplicable, en lo esencial, a las reuniones on line que celebren las Administraciones Públicas.

El artículo 17 de la Ley 40/2015, de régimen jurídico del sector público, permite las reuniones de órganos colegiados "a distancia": "todos los órganos colegiados se podrán constituir, convocar, celebrar sus sesiones, adoptar acuerdos y remitir actas tanto de forma presencial como a distancia, salvo que su reglamento interno recoja expresa y excepcionalmente lo contrario". Y añade que "en las sesiones que celebren los órganos colegiados a distancia, sus miembros podrán encontrarse en distintos lugares siempre y cuando se asegure por medios electrónicos, considerándose también tales los telefónicos, y audiovisuales, la identidad de los miembros o personas que los suplan, el contenido de sus manifestaciones, el momento en que éstas se producen, así como la interactividad e intercomunicación entre ellos en tiempo real y la disponibilidad de los medios durante la sesión. Entre otros, se considerarán incluidos entre los medios electrónicos válidos, el correo electrónico, las audioconferencias y las videoconferencias".

Por otra parte, no sólo las Administraciones Públicas que celebren las reuniones han de tomar las medidas de seguridad establecidas en el Esquema Nacional de Seguridad regulado mediante Real Decreto 3/2010, de 8 de enero, sino que los proveedores que en su caso les presten el servicio de videoconferencia deberán asimismo cumplir con medidas de seguridad semejantes. Así lo dispone la disposición adicional primera de la Ley Orgánica 3/2018 según la cual en los casos en los que un tercero preste un servicio en régimen de contrato a alguna de las administraciones públicas (por ejemplo el servicio de organización o gestión de reuniones telemáticas) las medidas de seguridad se corresponderán con las de la Administración Pública de origen y se ajustarán al Esquema Nacional de Seguridad.

5. La celebración de exámenes on line y el reconocimiento facial

También el confinamiento ha exigido rediseñar enteramente la docencia a todos los niveles lo que ha afectado en particular a la celebración de las pruebas de evaluación, que requieren entre otras cosas medidas que garanticen la identidad de los estudiantes y el recto desarrollo de los exámenes. A dicho tema se refiere específicamente el Informe de la Agencia Española de Protección de Datos 0036/2020 sobre utilización del reconocimiento facial para la realización de exámenes on line[51]. El tema es de tal entidad que la Agencia ha hecho también público un Informe (010308/2019) sobre el uso de sistemas de reconocimiento facial por parte de las empresas de seguridad privada[52].

El reconocimiento facial es una de las expresiones más relevantes de tratamiento de datos intrusivo. Se considera como una de las más graves amenazas para la privacidad en el futuro, y también, desgraciadamente, en el presente. Incluso en una reciente carta de 8 de junio de 2020, que dirige el CEO de IBM Arvind Krishna al Congreso y al Senado de Estados Unidos, se compromete formalmente a no llevar a cabo más avances en tecnologías de reconocimiento facial y se opone firmemente a cualquier tecnología, incluida el reconocimiento facial, que pueda ser utilizada para vigilancia masiva, perfilado racial, violaciones de derechos básicos o libertades, o cualquier otra finalidad que no esté de acuerdo con sus principios y valores de confianza y transparencia.

El uso de categorías especiales de datos está en principio prohibido por la legislación de protección de datos, lo que no impide que en ciertos casos tal prohibición pueda ser levantada con el consentimiento de los afectados. Esto es lo que ocurre con los datos biométricos. Significa esto, como dice la Agencia, que el consentimiento del afectado podrá permitir el tratamiento de sus datos biométricos, pero siempre que el mismo sea explícito, previo, libre e informado. El principal problema que plantea el consentimiento para el tratamiento de datos biométricos de cara

---

[51] *https://www.aepd.es/es/documento/2020-0036.pdf*

[52] *https://www.aepd.es/es/documento/2019-0031.pdf.* En el Informe, además de recordar que las técnicas de reconocimiento facial con fines de identificación biométrica suponen un tratamiento de categorías especiales de datos, se señala para tratar categorías especiales de datos con estos fines, la normativa requiere que exista un "interés público esencial" recogido en una norma con rango de ley que no existe actualmente en el ordenamiento jurídico. Además la Agencia rechaza que la legitimación reconocida para los sistemas de videovigilancia que sólo captan y graban imágenes y sonidos pueda abarcar tecnologías como el reconocimiento facial.

a la celebración de exámenes (así como de reuniones de órganos colegiados online, a las que antes me he referido) es que podría considerarse que su otorgamiento no es libre. En este sentido el considerando 42 del RGPD destaca que el consentimiento no debe considerarse libremente prestado cuando el interesado no goza de verdadera o libre elección o no puede denegar o retirar su consentimiento sin sufrir perjuicio alguno. La anterior consideración nos puede llevar a la conclusión de que no sería posible exigir en todo caso el reconocimiento facial para la identificación de quienes hacen un examen o asisten a una reunión online. En particular sería dudoso poder considerar libre el consentimiento en caso de que existiendo varias posibilidades para tal identificación además del reconocimiento facial, algunas de las cuales pueden ser menos intrusivas para la protección de datos, no se diese posibilidad a los interesados de poder optar por ese otro medio de identificación.

Por otra parte, y al objeto de poder demostrarlo, es preciso tener constancia del consentimiento otorgado, en particular si se tratan datos biométricos. En este sentido son relevantes algunas de las consideraciones que el Comité Europeo de Protección de Datos ha recogido en sus recientes Directrices 5/2020 sobre el consentimiento en el Reglamento 2016/79 adoptadas el pasado 4 de mayo[53]. En ellas se afirma que el hecho de que el consentimiento deba ser explícito (en particular cuando se pretenden tratar categorías especiales de datos) no implica que sea necesario que en todo caso deba ser escrito. Especialmente, al referirse al consentimiento en un contexto online, señala que puede acreditarse, por ejemplo, a través de la "conservación de información sobre la sesión en la que el consentimiento ha sido expresado". Lo que el Comité Europeo exige es que los responsables del tratamiento apliquen el principio de responsabilidad proactiva en

---

[53] *https://edpb.europa.eu/our-work-tools/our-documents/guidelines/guidelines-052020-consent-under-regulation-2016679_en*

relación con la obtención válida del consentimiento de los afectados.

En conclusión cabría afirmar que la exigencia del reconocimiento facial podría ser lícita si el interesado otorga su consentimiento expreso para ello y además se articulan sistemas alternativos menos intrusivos para su identificación.

Por otra parte la Agencia se refiere a la posibilidad de grabar las pruebas orales. En este sentido señala que "la grabación de los exámenes orales puede ser necesaria como medio de prueba para el ejercicio de sus derechos por parte del alumno, así como para que el profesor pueda justificar la evaluación realizada, sin perjuicio de que puedan admitirse otros medios probatorios (por ejemplo, exigir al alumno un esquema de lo que va a exponer)". Y añade que "con la finalidad señalada, y siempre que las normas internas de la Universidad prevean la grabación de los exámenes orales, el tratamiento se encontrará fundamentado en lo previsto en el artículo 6.1.e): el tratamiento es necesario para el cumplimiento de una misión realizada en interés público o en el ejercicio de poderes públicos conferidos al responsable del tratamiento".

6. Protección de datos, detección precoz de la enfermedad, control de las fuentes de infección y vigilancia epidemiológica tras el estado de alarma en el Real Decreto-ley21/2020, de 9 de junio, de medidas urgentes de prevención, contención y coordinación para hacer frente la crisis sanitaria ocasionada por el COVID-19

No es posible concluir estas líneas sin hacer una referencia, que necesariamente debe ser breve y meramente descriptiva, al Real Decreto Ley 21/2020, de 9 de junio, de medidas urgentes de prevención, contención y coordinación para hacer frente a la crisis sanitaria ocasionada por el COVID-19.

Publicado en el *BOE* del 10 de junio, el Real Decreto-ley, según dispone su artículo 1º, tiene por objeto establecer las medidas urgentes a que antes me refería, así como prevenir posibles rebrotes, con vistas a la superación de la fase III del Plan para la Transición hacia una Nueva Normalidad (sic, con mayúsculas en el texto original) por parte de algunas provincias, islas y unidades territoriales y, eventualmente, la expiración de la vigencia del estado de alarma declarado por el Real Decreto Ley 463/2020. Sin perjuicio de que llama la atención que en una norma se haga referencia a un concepto como el de "Nueva Normalidad", el Decreto-ley se enfrenta ya a la situación posterior al COVID-19 teniendo en cuenta, lo cual es de gran importancia, que gran parte de las medidas a que se refiere, y en particular las que a continuación analizo, serán de aplicación en todo el territorio nacional, una vez finalizada la prórroga del estado de alarma, "hasta que el Gobierno declare de manera motivada y de acuerdo con la evidencia científica disponible, previo informe del Centro de Coordinación de Alertas y Emergencias Sanitarias, la finalización de la situación de crisis sanitaria ocasionada por el COVID-19" (art. 2.3 del Real Decreto-ley 21/2020). Es decir las medidas que a continuación expongo no tienen fijado un plazo de aplicación determinado, sino que estarán vigentes en tanto el Gobierno no lleve a cabo tal declaración. Lo cual supone dejar en manos del Gobierno la determinación temporal de la aplicación de medidas extraordinariamente relevantes, algunas de las cuales afectan directamente a derechos, como la protección de datos. Tema muy controvertido y me atrevería a decir que de dudosa constitucionalidad.

Del reiterado Real Decreto-ley nos interesa ahora hacer referencia al Capítulo V que establece medidas para la detección precoz, control de fuentes de infección y vigilancia epidemiológica, lo que implica el tratamiento de una gran cantidad de datos personales que además tienen que ver con la salud de las personas por lo que entran dentro de lo que se denomina categorías especiales de datos.

El Real Decreto-ley (art. 22) considera el COVID 19 como enfermedad de declaración obligatoria urgente a efectos de lo previsto en el Real Decreto 2210/1995 de 28 de diciembre por el que se crea la red nacional de vigilancia epidemiológica.

Dicho esto el artículo 23 establece la obligación de facilitar a la Autoridad de Salud Pública competente todos los datos necesarios para el seguimiento y la vigilancia epidemiológica del COVID-19 que le sean requeridos, incluidos en su caso los datos necesarios para la identificación personal. Esta obligación de información alcanza a cualquier administración pública así como cualquier centro, órgano o agencia dependiente de ellas y a cualquier otra entidad, pública o privada, cuya actividad tenga implicaciones en la identificación diagnóstico seguimiento o manejo de los casos COVID-19. El alcance de la medida es notabilísimo, por cuanto esa obligación de información es, en particular, de aplicación a todos los centros, servicios y establecimientos sanitarios y servicios sociales, tanto del sector público como privado, así como a los profesionales sanitarios que trabajan en ellos.

Por otra parte, y en relación con la detección precoz y notificación de supuestos de personas sospechosas de COVID-19, el artículo 24 señala que los servicios de salud de las comunidades autónomas y de Ceuta y Melilla deben garantizar que en todos los niveles de la asistencia, y de forma especial en la atención primaria de salud, se realice a todo caso sospechoso de COVID-19 una prueba diagnóstica por PCR, u otra técnica de diagnóstico molecular, tan pronto como sea posible desde el conocimiento de los síntomas y que toda la información derivada se debe transmitir en tiempo y forma, según se establezca por la autoridad sanitaria competente.

Asimismo (art.25) los laboratorios, públicos y privados, autorizados en España para la realización de pruebas diagnósticas para la detección de SARS-COV-2 mediante PCR u otras pruebas moleculares deberán remitir diariamente al Ministerio de Sanidad y a la autoridad sanitaria de la Comunidad Autónoma en la que se encuentren los datos de todas las pruebas realizadas a través del sistema de información establecido por la Administración respectiva. En fin se dispone (art. 26) que los establecimientos, medios de transporte o cualquier otro lugar, centro o entidad pública o privada en los que las autoridades sanitarias identifiquen la necesidad de realizar trazabilidad de contactos, tendrán la obligación de facilitar a las autoridades sanitarias la información de la que dispongan, o que le sea solicitada, relativa a la identificación y datos de contacto de las personas potencialmente afectadas.

Como vemos el Real Decreto-ley establece unas medidas que, si bien persiguen luchar contra la transmisión de la enfermedad, inciden muy notablemente en el derecho fundamental a la protección de datos personales.

Para garantizar la adecuación de los tratamientos de datos a que vengo refiriéndome, el propio Real Decreto-ley incluye una previsión expresa (art. 27) relativa a la necesidad de tener en todo caso presente lo que establece la legislación de protección de datos, en particular el RGPD y la ley Orgánica 3/2018, así como la ley 14/1986 de 25 de abril, General de Sanidad. En este sentido se tiene especialmente en cuenta la necesidad de cumplir y respetar los principios a que se refiere el artículo 5 del Reglamento y el deber de información a los interesados. No en vano el derecho a la protección de datos atribuye a los titulares de los datos un poder de disposición sobre los mismos de modo que puedan conocer quién trata sus datos, por qué y para qué. Por eso se exige informar a los interesados, aunque llama la atención que el artículo 27.1 tan solo se refiere al deber de información cuando los datos no se obtienen directamente del interesado, que es el supuesto previsto en el artículo 14 del RGPD, al que expresamente se remite el citado artículo 27.1. En efecto los destinatarios de los datos, por ejemplo las autoridades sanitarias, deberán informar en los términos del artículo 14 (si bien es cierto que el propio Real Decreto-ley se refiere a la posibilidad de excepcionar el deber de información si se dan los supuestos previstos en el apartado 5 del citado artículo 14). Pero pese a que tan solo se hace una referencia al artículo 14 lo cierto es que también es de plena aplicación el artículo 13 del RGPD, que regula la información que deberá facilitarse a los interesados cuando los datos personales se obtengan directamente de estos (por ejemplo en los casos a que se refiere el artículo 26), que estarían obligados a informar sobre los extremos a qué se refiere el citado artículo 13.

Por otro lado, se considera que el título habilitante para el tratamiento es la protección de intereses vitales de los afectados y de otras personas, tal como establece el artículo 9 2.c) del Reglamento, así como que el tratamiento es necesario por razones de interés público esencial en el ámbito específico de la salud pública, de acuerdo a lo que establece el artículo 9.2 g) del citado Reglamento. Por otra parte se advierte sobre la necesidad de implantar las medidas de seguridad preceptivas que resulten del correspondiente análisis de riesgo, teniendo en cuenta que los tratamientos afectan a categorías especiales de datos, como antes he señalado, y que dichos tratamientos serán realizados por Administraciones Públicas obligadas al cumplimiento del Esquema Nacional de Seguridad. Por último se regula el régimen de comunicación de datos a otros países, que en caso de que no sean Estados miembros de la Unión Europea, da lugar a una transferencia internacional. Dichas comunicaciones y/o transferencias se regirán por el Reglamento General de Protección de Datos, teniendo en cuenta además el Derecho europeo o internacional aplicable. En cualquier caso las transferencias deberán hacerse con todas las garantías que establece el Reglamento, es decir con pleno cumplimiento de lo previsto en sus artículos 44 y siguientes.

IV. TRANSPARENCIA Y PROTECCIÓN DE DATOS TRAS EL CORONAVIRUS. LA HORA DE LA SOCIEDAD DIGITAL Y EL PLENO RESTABLECIMIENTO DE LOS DERECHOS

En fin, una última consideración que no es necesario resaltar: cualquier medida adoptada para hacer frente a la crisis del coronavirus ha de cesar en cuanto la situación excepcional en la que se enmarca desaparezca. También esto encaja dentro de la normal aplicación de la Ley y el Derecho. Las sucesivas prórrogas del estado de alarma traen consigo, en lo que sea necesario, la ampliación de la vigencia de las medidas adoptadas en su aplicación, pero, como advierten con carácter general en relación con las medidas adoptadas con ocasión de los estados de alarma, excepción y sitio GARCIA DE ENTERRIA y Tomás Ramón FERNANDEZ, justificadas "precisamente por las circunstancias excepcionales que tratan de resolver, pierden todo sentido cuando estas circunstancias desaparecen. Restablecida la normalidad, no es necesario siquiera proceder a su derogación formal y expresa para que tal derogación se estime producida"[54].

Al recuperarse la normalidad fáctica volverá por tanto a restablecerse el pleno ejercicio de los derechos y entre ellos el derecho de acceso a la información pública (una vez restablecidos los plazos para resolver las solicitudes de acceso) y el de protección de datos. En relación con elsegundo habremos de estar especialmente atentos y cautelosos, y aquí los prestadores de servicios y sobre todo los poderes públicos deberán ser especialmente responsables, al objeto de garantizar que en efecto las limitaciones al derecho han quedado sin efecto y que por tanto, por ejemplo, ya no están siendo geolocalizados masivamente nuestros móviles. Porque mientras que la recuperación del resto de los derechos podrá y deberá ser evidente, la de la privacidad puede pasar desapercibida porque su violación pasa asimismo desapercibida. Esa es la gran diferencia entre el derecho a la privacidad y el resto de derechos: pueden estar vulnerando nuestra privacidad sin que para nada seamos conscientes de ello; lo seremos cuando se produzcan en su caso las consecuencias de la violación, pero no antes. Y será difícil que pueda demostrarse que ya no estamos sometidos a una vigilancia constante que por lo demás en cualquier caso es posible. Y que incluso en un estado de alarma puede ser hasta necesario para conseguir la finalidad requerida: acabar con la pandemia.

Se trata, en definitiva, de garantizar que cualquier medida que se adopte y que pueda afectar a la protección de datos no sitúe a este derecho en estado de alarma sino que permita acabar cuanto

---

54 *Curso de Derecho Administrativo*, Vol. I (2017), Cizur Menor: Thomson Reuters-Civitas, 18ª edición.

antes con el estado de alarma. Para lo cual, como ya vimos más atrás que ha advertido el Supervisor Europeo de Protección de Datos[55], tales medidas han de ser temporales, para finalidades determinadas, que impliquen el acceso limitado a los datos que sean imprescindibles y, muy importante, siendo conscientes de que volveremos a la normalidad. Lo que de nuevo me permite plantear mis dudas acerca de que, so pretexto no de recuperar la normalidad,sino de empezar una "Nueva Normalidad", puedan segur limitándose derechos hasta que el Gobierno lo decida, tal como permite el art. 2.3 del Real Decreto-ley 21/2020 al que más atrás ya me he referido.

En definitiva debemos recuperar la plena vigencia del derecho a la protección de datos y la plena efectividad de la transparencia y el acceso a la información. El estado de alarma y una de sus consecuencias fundamentalmente, el confinamiento al que todos nos hemos visto sometidos durante semanas, ha demostrado como decía que ya la sociedad digital es posible no sólo en el ámbito del mercado, el ocio y el entretenimiento si no en la práctica totalidad de las manifestaciones de nuestra vida cotidiana, incluida el trabajo. Pero para que la sociedad digital sea una realidad, derechos tales como la protección de datos y el acceso a la información son imprescindibles. Insisto una vez más en la necesidad de considerar de una vez por todas el derecho de acceso a la información como un derecho fundamental. Las personas tenemos derecho a saber, para de este modo poder exigir la rendición de cuentas de los servidores y poderes públicos. Pero además la sociedad digital solo será posible si se reconocen otros derechos, de entre los que merece especial atención el derecho de acceso a Internet. El artículo 81 de la Ley Orgánica 3/2018 señala que todos tienen derecho a acceder a Internet independientemente de su condición personal social económica o geográfica.

Como ya he dicho en algún otro lugar las consecuencias terribles derivadas de la pandemia habrían sido mucho mayores si

---

[55] *EU Digital Solidarity: a call for a pan-European approach against the pandemic*, citado más atrás.

el escenario no hubiese sido el de una sociedad digital que ha evolucionado en estos tres últimos meses mucho más que en años anteriores, pero que al mismo tiempo ha dejado ver las diferencias discriminatorias que pueden producirse entre quienes tienen acceso a Internet y quienes están privados del uso de la red. También deberá formularse como derecho fundamental el derecho a la conciliación, muy de la mano del teletrabajo. Este ya no será una simple anécdota propia de las empresas e instituciones más avanzadas tecnológicamente sino un derecho que para nada afecta a la calidad del trabajo, al rendimiento y a la productividad. Todas estas consideraciones nos permiten además concluir que si bien es cierto que la mayoría de las medidas excepcionales que se han tomado con ocasión del estado de alarma deben cesar, como ya he dicho más atrás, una vez que éste culmine, también lo es que ciertos derechos y ciertos tratamientos de datos deben pasar a ser absolutamente normales, asentarse y consolidarse en nuestra sociedad. Me refiero una vez más al teletrabajo pero también a la posibilidad de utilizar los recursos de la sociedad digital en el ámbito de la enseñanza, de la educación, de la salud. Las reglas y criterios sobre celebración de reuniones o de exámenes utilizando plataformas colaborativas son reglas que no se agotan con el estado de alarma sino que deben asumirse con total normalidad a partir de ahora.

En consecuencia se trata de recuperar la plena normalidad en el ejercicio de los derechos y reivindicar el reconocimiento de nuevos derechos que permitan el desarrollo de la sociedad digital sin que por ello deban sufrir merma alguna los derechos fundamentales.

COVID y Derecho público en Francia: un "estado de urgencia sanitario" bajo control judicial

ANA I. SANTAMARÍA DACAL
Letrada del Consejo de Estado
Profesora del IEP-Sciences Po Paris

«Nous sommes en guerre». Pese a esta contundente afirmación de clara resonancia churchilliana, repetida en varias ocasiones por el Presidente francés Emmanuel Macron en su alocución televisada del 16 de marzo de 2020, la adopción de las medidas necesarias para hacer frente a la crisis sanitaria de la Covid-19 no podía ampararse en la declaración de ninguno de los estados excepcionales previstos en la Constitución francesa: ciertamente, no en las disposiciones sobre el estado de guerra o el estado de sitio (artículos 35 y 36), pero tampoco en su conocido artículo 16, que confiere poderes excepcionales al Presidente de la República para hacer frente a aquellos casos en los que *"las instituciones de la República, la independencia de la nación, la integridad de su territorio o la ejecución de sus compromisos internacionales se encuentran amenazados de forma grave e inmediata y que el funcionamiento regular de los poderes públicos constitucionales está interrumpido"*, circunstancias estas que no concurrían en el presente caso.

Tras recurrir, en un primer momento, a las amplias facultades legalmente atribuidas al Ministro de Sanidad y a la teoría jurisprudencial de las circunstancias extraordinarias, el Gobierno optó por articular una solución legislativa *ad hoc* —el llamado "estado de urgencia sanitario"— para dar cobertura legal a las numerosas medidas excepcionales que el Gobierno francés debía adoptar en el marco de la crisis (I.), una actuación gubernamental que ha sido objeto de un intenso control parlamentario y jurisdiccional (II.)

I. UNA SOLUCIÓN LEGISLATIVA DE EMERGENCIA: EL "ESTADO DE URGENCIA" SANITARIO

Excluida la Constitución como base jurídica inmediata para la adopción de las medidas excepcionales y restrictivas de libertades que exige la lucha contra la pandemia, el Gobierno francés examinó la posibilidad de apoyarse en la Ley de 3 de abril de 1955, del estado de urgencia[1], aprobada en el contexto de la guerra de independencia de Argelia y recientemente aplicada en el contexto posterior a los atentados de noviembre de 2015 en París[2]. Sin embargo, el tipo de medidas extraordinarias previstas en dicha ley tiene como finalidad evitar problemas de seguridad y de orden públicos que en general no permitían responder a las necesidades del problema sanitario planteado por la Covid-19[3].

A) *El recurso temporal a las facultades del Ministro de Sanidad*

Aún quedaba, sin embargo, otro instrumento legislativo al que recurrir: las disposiciones introducidas en el Código de la Salud Pública tras los fallos e insuficiencias identificados durante la grave canícula del verano del año 2003. En la reforma operada mediante la ley de 5 de marzo de 2007, relativa a la preparación del sistema de salud para hacer frente a las amenazas sanitarias de gran alcance[4], por ejemplo, se creó un cuerpo de reservistas sanitarios que ha sido masivamente movilizado durante la crisis de

---

[1]   Loi n° 55-385 du 3 avril 1955 relative à l'état d'urgence.
[2]   Algunas de esas medidas antes limitadas al contexto de un estado de urgencia han pasado a formar parte del Derecho común tras la reforma operada por la ley de 30 de octubre de 2017 (loi n° 2017-1510 du 30 octobre 2017 renforçant la sécurité intérieure et la lutte contre le terrorisme).
[3]   El artículo 5, por ejemplo, permite prohibir la circulación de personas o vehículos «en lugares y horas» determinados, y con el mencionado objetivo de evitar problemas de seguridad y orden públicos, lo que está lejos de las medidas de confinamiento casi total de la población que debían adoptarse.
[4]   Loi n° 2007-294 du 5 mars 2007 relative à la préparation du système de santé à des menaces sanitaires de grande ampleur.

la Covid-19[5]. Por otra parte, en una ley de 2004 se introdujo un instrumento que iba a revelarse esencial en la gestión temprana de la crisis, esto es, la previsión del Código de la Salud Pública que autoriza al Ministro de Sanidad, *"en caso de amenaza sanitaria grave que exija la adopción de medidas de urgencia, particularmente en caso de amenaza de epidemia"*, para *"prescribir, en interés de la salud pública, cualquier medida proporcionada frente a los riesgos existentes y apropiada a las circunstancias de tiempo y de lugar para prevenir y limitar las consecuencias de las posibles amenazas a la salud de la población"*[6].

Dos aspectos llaman la atención de esta disposición legal, en la versión vigente durante las críticas dos primeras semanas del mes de marzo: por una parte, la amplia habilitación que realiza —*"cualquier medida proporcionada … y apropiada … para prevenir y limitar las consecuencias de las posibles amenazas a la salud de la población"*—; por otra parte, que el único miembro del Gobierno autorizado para adoptarlas era el Ministro de Sanidad.

De este modo, medidas que difícilmente pudieron estar en la mente del legislador de 2004 y que exceden ampliamente el ámbito de las competencias naturales de ese departamento fueron adoptadas los días 13, 14 y 15 de marzo de 2020 por orden del Ministro de Sanidad Olivier Verán[7]: el día 13 de marzo, la prohibición de todo tipo de aglomeración, reunión o manifestación de más de 100 personas en exteriores o interiores[8], así como la prohibición de la escala en Córcega y los puertos de ultramar de

---

5   Ya lo había sido puntualmente antes de 2020, con ocasión de otras crisis de menor gravedad y alcance.

6   Entonces el artículo L3110-1, redacción dada por la Loi n° 2004-806 du 9 août 2004 relative à la politique de santé publique; artículo L3131-1 tras la reforma de 2020.

7   Quien llevaba menos de un mes en el puesto, tras la dimisión de su predecesora para presentarse a las elecciones a la alcaldía de París en las elecciones municipales. La denominación oficial es "Ministre des solidarités et de la santé".

8   Por una orden del 9 de marzo ya se habían prohibido las reuniones de más de 1000 personas.

todo crucero u otro buque con más de 100 pasajeros;[9] y el 14 y 15 de marzo, la obligatoriedad de las medidas "barrera" de higiene y de distanciación social, el cierre al público de los establecimientos comerciales, culturales, de ocio y demás que reciben público, así como de las guarderías y otros establecimientos que acogen a niños, los colegios y los establecimientos de enseñanza superior, y la suspensión de concursos y exámenes[10].

B) Un Decreto de confinamiento de cuestionada base legal

El lunes 16 de marzo, sin embargo, las medidas de confinamiento anunciadas por el Presidente de la República en su discurso a la nación serían adoptadas, a propuesta de los Ministros de Sanidad y de Interior, mediante un Decreto del Primer Ministro[11].

Este Decreto invocaba en su preámbulo la urgencia, *"las circunstancias excepcionales derivadas de la epidemia de covid-19"*, el artículo 1 del Código civil —por aquello de la entrada en vigor inmediata—, y el antes reproducido artículo L. 3131-1 del Código de la Salud Pública; pero este, como ya se ha visto, no contenía habilitación alguna en favor del Primer Ministro, sino de su Ministro de Sanidad, lo que generó que algunos autores cuestionaran la base legal del Decreto.

---

[9]   Arrêté du ministre des solidarités et de la santé du 13 mars 2020 portant diverses mesures relatives à la lutte contre la propagation du virus covid-19. A título excepcional y derogatorio, se admitía el mantenimiento, previa autorización prefectoral, de aquellas reuniones o actividades que fusen "indispensables para la continuidad de la vida de la Nación".

[10]   Arrêté du 14 mars 2020 portant diverses mesures relatives à la lutte contre la propagation du virus covid-19, en el que también se adoptan distintas medidas relativas a las farmacias y a los productos farmacéuticos, las consultas médicas por medios telemáticos o la utilización de diversos recursos del Ejército para, por ejemplo, transportar y repartir pacientes con Covid-19 entre distintos establecimientos hospitalarios del territorio nacional. Corregido y completado mediante arrêté du 15 mars 2020.

[11]   Décret n° 2020-260 du 16 mars 2020 portant réglementation des déplacements dans le cadre de la lutte contre la propagation du virus covid-19.

El Consejo de Estado confirmaría días después que la base jurídica del citado Decreto podía situarse en las facultades generales de policía (en sentido jurídico-administrativo) del Primer Ministro y en la teoría jurisprudencial de las circunstancias excepcionales[12], si bien la existencia de una catástrofe sanitaria hacía útil articular un marco legal específico (*"un marco organizado y claro de intervención"*) para la adopción de las medidas de policía administrativa necesarias en tales hipótesis[13]. Se imponía, en definitiva, una intervención del legislador para reforzar la base legal de la actuación del Gobierno.

C) Una intervención parlamentaria "en caliente" para reforzar la base legal: el "estado de urgencia sanitario"

Así, el 18 de marzo, previo dictamen del Consejo de Estado[14], el Consejo de Ministros adoptó un proyecto de ley que fue votado en el Senado el día 19 siguiente y en la Asamblea Nacional el día 21; finalmente la Ley de urgencia para hacer frente a la epidemia de Covid-19 fue adoptada en comisión mixta paritaria el 22 de marzo y promulgada por el Presidente de la República el lunes 23 de marzo[15]. Había transcurrido, por tanto, exactamente una semana desde la aprobación del Decreto de confinamiento.

La Ley de 23 de marzo comprendía un amplio paquete de medidas de orden económico y disposiciones sobre el modo de proceder para una eventual organización de las interrumpidas elec-

---

[12] Cuyo origen se encuentra en dos sentencias clásicas: CE, 28 juin 1918, *Heyriès;* CE, 28 février 1919, *Dames Dol et Laurent.*

[13] Avis sur un projet de loi d'urgence pour faire face à l'épidémie de Covid-19, Conseil d'Etat, Commission permanente, séance du mercredi 18 mars 2020, N° 399873. Por el contrario, este texto no fue sometido a informe (no preceptivo) del Conseil Constitutionnel.

[14] Cfr. nota anterior.

[15] Loi n° 2020-290 du 23 mars 2020 d'urgence pour faire face à l'épidémie de covid-19 (en lo sucesivo, «Ley de 23 de marzo»).

ciones municipales[16]. Pero, sobre todo, en lo que aquí interesa, sirvió para fortalecer la base jurídica de las numerosas medidas que debía ir adoptando el Gobierno en la lucha contra la pandemia: para ello se modificó el Código de Salud Pública, introduciendo la nueva figura del "estado de urgencia sanitario"[17], que viene así a completar el estado de urgencia (general) de la Ley de 3 de abril de 1955 y las facultades del Ministro de Sanidad ante amenazas sanitarias del referido Código. Se crea, en definitiva, un marco legal *ad hoc* para la actuación en estados de emergencia sanitaria.

Quizá por su urgente tramitación, sin embargo, este nuevo dispositivo normativo no tiene vocación de perennidad. La propia ley indica que la regulación del estado de urgencia sanitario sólo es aplicable hasta el 1 de abril de 2021;[18] su articulación como un instrumento habilitador para otras situaciones que puedan producirse en el futuro requerirá, por tanto, una nueva —y previsiblemente más pausada— intervención parlamentaria.

El estado de urgencia sanitario se declara, dice la Ley, mediante decreto del Consejo de Ministros, a propuesta del Ministro de Sanidad, *"en caso de catástrofe sanitaria que ponga en peligro, por su naturaleza y su gravedad, la salud de la población"*, en todo o en parte del territorio nacional. El Decreto declara el estado de urgencia sanitario, en principio, por un mes, y toda prórroga debe autorizarse expresamente mediante ley.[19] Igualmente, la Ley de 23 de marzo precisa que tal declaración debe estar fundada en datos

---

[16] La primera vuelta se celebró, con una fuerte abstención, el domingo 15 de marzo (víspera del Decreto de confinamiento); la segunda vuelta hubiera debido celebrarse el 22 de marzo, la Ley del estado de urgencia sanitario suspendió su celebración, y entre las medidas del desconfinamiento se encuentra la decisión de posponerlas hasta el 28 de junio.

[17] Artículos 3131-12 y siguientes del Código de salud pública.

[18] Artículo 7.

[19] En el caso concreto de la crisis de la Covid-19, no obstante, el artículo 4 de la propia Ley de 23 de marzo de 2020 procedió directamente a esa declaración del estado de urgencia sanitario por un plazo de dos meses (esto es, hasta el 24 de mayo de 2020). Posteriormente, por ley de 11 de mayo, dicho plazo

científicos sobre la situación sanitaria, datos que deben hacerse públicos[20].

Es más, la primera consecuencia de la declaración del estado de urgencia sanitario es la obligatoria "reunión inmediata de un comité de científicos". De acuerdo con el artículo L. 3131-19 del Código de Salud Pública (en la redacción dada por la citada Ley de 23 de marzo de 2020), dicho comité está compuesto por: un presidente, que nombra el Presidente de la República; "dos personalidades cualificadas" que nombran, respectivamente, el Presidente de la Asamblea Nacional y el Presidente del Senado; y otras personalidades cualificadas nombradas por decreto. Su composición es, por tanto, plenamente pública, como también lo son los informes que el comité debe emitir periódicamente *"sobre el estado de la catástrofe sanitaria, los conocimientos científicos con ella relacionados y las medidas adecuadas para ponerle fin (...), así como sobre la duración de su aplicación"*: tales informes, dice la Ley, deben publicarse *"sin retraso"*. Su intervención es también preceptiva en caso de autorización de una prórroga por el Parlamento del estado de urgencia sanitario. El comité se disuelve al finalizar el estado de urgencia sanitario.

En el marco del estado de urgencia sanitario, la Ley autoriza al Primer Ministro a adoptar por decreto distintos tipos de medidas restrictivas de las libertades fundamentales, en resumen: ordenar el confinamiento de la población o medidas de cuarentena, practicar la incautación de bienes o servicios necesarios en la lucha contra la epidemia, prohibir determinadas aglomeraciones, ordenar el cierre provisional de una o varias categorías de establecimientos abiertos al público y de lugares de reunión, adoptar medidas temporales de control del precio de ciertos productos y medidas para permitir la puesta a disposición de los pacientes de medicamentos apropiados para la erradicación de la catástrofe

---

se prorrogó hasta el 10 de julio (loi n° 2020-546 du 11 mai 2020 prorogeant l'état d'urgence sanitaire et complétant ses dispositions).

[20] Artículo L. 3131-13 del Código de salud pública.

sanitaria[21]. La Ley habilita igualmente al Ministro de Sanidad y a los prefectos para la adopción de medidas en sus ámbitos de competencia.

El mismo día 23 de marzo, ya en el nuevo marco legal del estado de urgencia sanitario, se aprobó un decreto que recopilaba todas las medidas generales de acción frente a la Covid-19[22]. Con posterioridad, el Primer Ministro ha dictado alrededor de 90 decretos en el marco de las medidas anti-Covid (aunque buena parte de ellos son modificativos de otros anteriores), que se unen a las innumerables órdenes dictadas por los distintos ministros y a más de 55 *ordonnances* (decretos-leyes).

Para subrayar la excepcionalidad de la situación, la Ley precisa que todas estas medidas deben ser *"estrictamente proporcionadas a los riesgos sanitarios y apropiadas a las circunstancias de tiempo y de lugar"*, pero, sobre todo, confirma su control en vía parlamentaria, que viene a añadirse a un amplio e intenso control en vía jurisdiccional, como se verá a continuación.

II. UNA ACTUACIÓN GUBERNAMENTAL BAJO CONTROL PARLAMENTARIO Y JUDICIAL

A) *El control parlamentario*

Resulta evidente que el protagonismo institucional durante la pandemia ha correspondido con carácter general a los Gobiernos, y no tanto a los Parlamentos. Francia no es una excepción, y la Ley de 23 de marzo de 2020 es buena prueba de ello: sus preceptos garantizan una importante concentración de poder en manos del

---

[21]   Artículo L. 3131-15 Code de la santé publique. La Ley de 23 de marzo completa también la redacción del artículo L. 3136-1, del mismo Código, en cuanto al régimen sancionador.

[22]   Décret n° 2020-293 du 23 mars 2020 prescrivant les mesures générales nécessaires pour faire face à l'épidémie de covid-19 dans le cadre de l'état d'urgence sanitaire.

Gobierno, habilitando al primer Ministro, como se ha visto, para adoptar por decreto importantes medidas de limitación de las libertades fundamentales, con la estricta finalidad de proteger la salud pública; pero, además, la Ley contiene una amplia delegación legislativa en favor del Gobierno para regular por *ordonnance* en ámbitos habitualmente reservados a la ley ordinaria[23]. En ejecución de esa delegación, en los meses de marzo, abril y mayo el Gobierno francés dictó más de 55 *ordonnances* para hacer frente a la epidemia[24]

No han faltado, además, las críticas a una cierta marginación del poder legislativo durante la crisis, críticas en las que se subraya, entre otras cosas, la supuesta ausencia de base legal del Decreto de confinamiento de 16 de marzo y ciertas incidencias en la tramitación parlamentaria, tanto de la ley de 23 de marzo de 2020 (su adopción, por el procedimiento acelerado y sin intervención del Conseil Constitutionnel, en un plazo escaso de cinco días), como de la ley orgánica por la que se aprobó la suspensión de los plazos de tramitación de las cuestiones prioritarias de inconstitucionalidad[25]. En relación con esta última, se observa en efecto que, por la urgencia de la medida proyectada[26], no se respetó el plazo de quince días que, de acuerdo con el artículo 46.2 de la Constitución francesa, debe transcurrir entre el examen del texto de una ley orgánica ante cada una de las dos cámaras legislativas. En su preceptivo control de constitucionalidad del texto de la ley orgánica, sin embargo, el Conseil Constitutionnel afirmó que "las

---

[23]   La *ordonnance* es un instrumento semejante al Decreto-ley, que requiere igualmente una ulterior convalidación legislativa. Véase, por ejemplo, el artículo 11 de la Ley de 23 de marzo de 2020.

[24]   Una relación de esas *ordonnaces* puede consultarse en: *https://www.vie-publique.fr/dossier/273985-les-ordonnances-covid-19-mars-et-avril-2020-dossier*

[25]   Las llamadas QPC, questions prioritaires de constitutionnalité. Se trata de la loi organique nº 2020-365 du 30 mars 2020 d'urgence pour faire face à l'épidémie de covid-19.

[26]   La suspensión de los plazos era esencial para no generar una avalancha de QPCs ante el Consejo Constitucional, pues la ley prevé que toda QPC que no haya sido resuelta por la Cour de Cassation o el Conseil d'Etat en un plazo de tres meses debe transmitirse automáticamente al Conseil Constitutionnel.

circunstancias particulares del caso" impedían aquí apreciar una inconstitucionalidad por el señalado motivo[27].

Sentado lo anterior, no puede dejar aquí de recordarse que el Gobierno buscó un rápido respaldo legislativo a sus primeras decisiones, y que diputados y senadores consiguieron introducir en la regulación legal del estado de urgencia sanitario, vía enmiendas, un mecanismo específico de control parlamentario de las medidas adoptadas en ese contexto. Así, la Ley de 23 de marzo de 2020 prevé expresamente que *"la Asamblea nacional y el Senado son informados sin retraso de las medidas adoptadas por el Gobierno en el marco del estado de urgencia sanitario"*, pudiendo las Cámaras requerir toda información complementaria a efectos del control y la evaluación de dichas medidas[28]. Esta previsión especial se añade a los instrumentos tradicionales de control de la acción del Gobierno previstos en la Constitución y en los reglamentos de las cámaras, ampliamente utilizados durante la crisis sanitaria[29].

B) El control judicial

La justicia administrativa francesa no ha puesto, durante los meses de la pandemia, el cartel de "cerrado por Covid". Los tri-

---

[27] Conseil Constitutionnel, décision n° 2020-799 DC du 26 mars 2020. Más llamativo es lo que ocurrió con la ley de prórroga del estado de urgencia sanitario, cuya promulgación por el Presidente de la República —y su consiguiente entrada en vigor— se retrasó 24 horas al no haberse tenido en cuenta que la decisión del Conseil Constitutionnel podía retrasarse más allá del fin de semana: como consecuencia de ello, el desconfinamiento en Francia se inició con algunas horas de laguna legal.

[28] Artículo L. 3131-13 del Código de la Salud pública.

[29] Ambas cámaras han constituido sendas "misiones de información" sobre la gestión y las consecuencias en todos los ámbitos de la epidemia, a las que se añaden las sesiones de preguntas al Gobierno y, desde un punto de vista más técnico, el importante papel que desempeña la Oficina parlamentaria de evaluación de las opciones científicas y tecnológicas, que en este periodo ha publicado, por ejemplo, notas sobre los tratamientos de la Covid-19, vacunas y medios de diagnóstico.

bunales de lo contencioso-administrativo y el Consejo de Estado, que encabeza esta jurisdicción, se han pronunciado en numerosas ocasiones, controlando la actuación de los poderes públicos frente a la crisis en el marco de los *référés*[30]. A estos efectos, todo el orden de lo contencioso-administrativo se ha adaptado para asegurar, a pesar del confinamiento, la continuidad de su misión, organizando vistas a través de videoconferencia.

De esta forma, las medidas generales adoptadas en el contexto de la lucha sanitaria se han desplegado bajo un estricto control de la jurisdicción contenciosa *(1.)*, y numerosas decisiones judiciales han corregido o precisado ciertas medidas, con la finalidad de proteger a los más vulnerables *(2.)*. Incluso, en una de las últimas decisiones dictadas antes del cierre de estas páginas, el alto tribunal contencioso-administrativo hubo de pronunciarse sobre las decisiones de la Liga de Fútbol profesional en relación con la clausura anticipada de la competición francesa[31].

1. En primer lugar, la propia arquitectura de las medidas de lucha contra la Covid-19 ha sido objeto del control contencioso-administrativo

En los primeros días de la crisis sanitaria, un sindicato de médicos jóvenes solicitó al Conseil d' Etat, a través del procedimiento de *référé*, que requiriese al Gobierno para que este ordenase un **confinamiento más estricto**, con prohibición total de salir del lugar de confina-

---

[30] El del *référé* es un procedimiento, semejante al de los artículos 114 y siguientes de la Ley de la Jurisdicción Contencioso-Administrativa española, que permite solicitar un pronunciamiento judicial urgente ante una presunta violación grave de un derecho fundamental. Se traducirá como "auto" la decisión calificada *ordonnance du juge des référés*.

[31] Auto de 9 de junio de 2020, N° 440809, 440813, 440824, *Olympique Lyonnais, SASP Toulouse Football Club et SASP Amiens SC*. En resumen, el Conseil d'Etat confirma la decisión de finalización del campeonato y las modalidades de clasificación adoptadas, acordando por el contrario suspender la decisión de relegar a segunda división a los clubs de Amiens y de Toulouse.

miento salvo autorización expresa por motivos médicos, así como la interrupción de los transportes públicos y de todas las actividades profesionales no vitales. Aplicando un esquema clásico de control de proporcionalidad, el Conseil d' Etat, en un auto de 22 de marzo de 2020, recuerda que corresponde a las autoridades públicas adoptar todas las disposiciones necesarias para prevenir o limitar los efectos de la epidemia, y que esas disposiciones, en la medida en que pueden limitar el ejercicio de los derechos y libertades fundamentales (como la libertad de circulación, la de reunión o la de ejercicio de una profesión), deben ser necesarias, coherentes y proporcionadas al objetivo de protección de la salud pública que persiguen. Desestima por ello el Conseil d' Etat la solicitud de confinamiento total que le había sido planteada, argumentando que una medida de ese tipo podía tener consecuencias graves para la salud de la población, que el abastecimiento de productos de primera necesidad a domicilio para toda la población no es posible desde un punto de vista logístico y que el transporte público es esencial para el desplazamiento del personal sanitario y de las personas que trabajan en la producción y distribución de productos alimenticios, por ejemplo. Sentado lo anterior, no obstante, el Conseil d' Etat solicitó al Gobierno que reexaminase algunas de las medidas adoptadas, cuyo alcance le parecía ambiguo, demasiado amplio, o insuficientemente justificado: en particular, ordenó que, en el plazo de 48 horas, se precisase el alcance de la excepción al confinamiento por motivos de salud, estimándola imprecisa; que se reconsiderase el mantenimiento de la posibilidad de exceptuar el confinamiento para realizar "desplazamientos breves a proximidad del domicilio"; y, en fin, que evaluase los riesgos que podría tener para la salud pública el mantener abiertos los mercados al aire libre. Aun desestimando, por consiguiente, la petición de confinamiento total, el Conseil d' Etat ejerció su papel de control, ordenando al Gobierno que afinase las reglas del confinamiento y desarrollase su motivación, lo que de hecho el Primer ministro hizo con extrema rapidez tras esta decisión judicial[32].

---

[32] Auto de 22 de marzo de 2020, n° 439674, *Syndicat Jeunes Medecins*.

Un segundo asunto permitió al Conseil d' Etat controlar el alcance de una de las excepciones concretas al confinamiento. El contencioso nace en este caso de la interpretación que algunas autoridades públicas habían hecho del artículo 3 del decreto de 23 de marzo de 2020, entendiendo que este excluía la **posibilidad de efectuar en bicicleta los desplazamientos autorizados.** El Conseil d' Etat falló que correspondía al Gobierno poner fin a las contradicciones existentes en este punto entre distintas comunicaciones públicas, ordenándole indicar pública y expresamente, en un plazo de 24 horas, que la bicicleta podía utilizarse para los desplazamientos autorizados durante el confinamiento[33].

La **vertiente económica** de la lucha contra los efectos de la pandemia también ha dado lugar a algunas decisiones en vía contenciosa. El sindicato CGT solicitó al Conseil d' Etat que ordenase al gobierno que elaborase una lista de las empresas del sector metalúrgico "esenciales para la Nación", que tomase las medidas de protección necesarias para la protección de la salud de los trabajadores en esas industrias, y que ordenase el cierre de las empresas del sector no incluidas en dicha lista. Desestimando esta demanda, el Conseil d' Etat argumentó que la decisión del gobierno de cerrar únicamente las empresas que mantienen un contacto con el público era una medida suficiente para combatir la epidemia, y que estaba acompañada por la obligación de los empresarios de adoptar todas las medidas de higiene y de distanciación social necesarias[34].

La ya aludida cuestión de la **apertura de los mercados** fue también específicamente sometida al Conseil d' Etat. La *Fédération nationale des marchés de France* interesó en su recurso que se ordenase al gobierno la autorización de reapertura de los mercados de alimentos, cubiertos y al aire libre. El Conseil d' Etat desestimó

---

[33] Auto de 30 de abril de 2020, n.° 440179, *Fédération française des usagers de la bicyclette.*

[34] Auto de 18 de abril de 2020, n.° 440012, *Fédération des travailleurs de la métallurgie CGT.*

la demanda, juzgando que la prohibición venía justificada por la dificultad, e incluso la imposibilidad, de hacer respetar las reglas de seguridad sanitaria en los mismos, en particular las distancias mínimas entre las personas[35].

En el asunto *Commune de Sceaux*, la intervención del Conseil d' Etat sirvió para arbitrar entre la coherencia de las medidas a nivel nacional y la **competencia de las autoridades locales**. El alcalde de Sceaux, un municipio situado al sur de París, adoptó una ordenanza obligando al uso de la mascarilla para los desplazamientos dentro de su término municipal. Recurrida esta decisión por una asociación, el Conseil d' Etat entendió que el alcalde no podía imponer tal medida a nivel local, porque la competencia de la lucha contra la Covid-19 corresponde al Estado en el estado de urgencia sanitario creado por la Ley de 23 de marzo de 2020, y una decisión de ese tipo podía perjudicar la eficacia de las medidas de las autoridades sanitarias que, en aquel momento, habían decidido reservar todas las mascarillas quirúrgicas y FFP2 disponibles al personal sanitario y otros profesionales especialmente expuestos (su venta al público, en particular, estaba prohibida, y las mascarillas FFP2 en manos privadas, incautadas)[36].

Este asunto de la **protección del personal sanitario** fue también objeto de un recurso por el que un sindicato de médicos solicitó que se ordenase al Estado que adoptase todas las medidas necesarias para: suministrar mascarillas FFP2 y FFP3 a los profesionales sanitarios, requisando las industrias de producción; suministrar mascarillas quirúrgicas a los enfermos y a la población en general; suministrar a los profesionales sanitarios medios para realizar tests masivos; y suministrar y autorizar a los médicos para administrar a los pacientes con riesgo el tan conocido tratamiento a base de hidroxicloroquina. En un auto de 28 de marzo de 2020[37], el Conseil

---

[35]   Auto de 1 de abril de 2020, n.° 439762, *Fédération nationale des marchés de France*.

[36]   Auto de 17 de abril de 2020, n.° 440057, *Commune de Sceaux*.

[37]   Auto de 28 de marzo de 2020, n.° 439726, *SMAER*.

d' Etat desestimó todas estas demandas, tras un escrupuloso examen de las decisiones del gobierno en esta materia: sobre las mascarillas, analiza las medidas de incautación ya adoptadas, la evolución de los stocks y la política de distribución puesta en marcha; en relación con los tests, constata que su limitado número es el resultado de una insuficiente disponibilidad de los materiales; y, en fin, en cuanto a la hidroxicloroquina, subraya que su utilización no había sido reconocida como un tratamiento eficaz en estos casos y recuerda que el gobierno había permitido su prescripción en caso de decisión médica colegial. Ya hacia el fin del periodo de confinamiento, un nuevo recurso en este sentido permitió al Conseil d' Etat volver a examinar la procedencia de ordenar al Estado la adopción de medidas de incautación, compras masivas o apoyo a la producción para asegurar el suministro de mascarillas y materiales de protección a los profesionales sanitarios: en un auto de 22 de mayo de 2020[38], tras un nuevo estudio de la situación de los stocks, el Conseil d' Etat juzgó que no podía reprocharse al Estado una situación de carencia que implicase una violación grave y manifiestamente ilegal de una libertad fundamental.

Pero no todos los asuntos versaron sobre el derecho a la protección de la salud.

En un recurso planteado por la asociación *La quadrature du Net*, el Conseil d' Etat tuvo ocasión de recordar que las circunstancias excepcionales de la crisis no permitían excepcionar las reglas de la **protección de datos personales**. Así, mediante auto de 18 de mayo de 2020[39] se estimó la pretensión de dicha asociación de que se requiriese al prefecto de policía de París para que interrumpiese la vigilancia del cumplimiento de las medidas de confinamiento mediante drones. En la medida en que la utilización de los drones permite la identificación de las personas filmadas, dando lugar a un tratamiento de datos personales, el Conseil d'

---

[38]   Auto de 22 de mayo de 2020, n.° 440321, *Syndicat jeunes medecins*.
[39]   Auto de 18 de mayo de 2020, n.° 440442, 440445, *Association La quadrature du Net et Ligue des droits de l'homme*.

Etat recuerda que la utilización de esos dispositivos de vigilancia no podía hacerse sin el informe previo de la "CNIL", la autoridad encargada de la protección de datos en Francia, o bien hasta que los drones utilizados no estuviesen dotados de un dispositivo que impidiese la identificación de las personas filmadas.

Por otra parte, el inicio del desconfinamiento dio al Conseil d' Etat la ocasión de recordar su clásico papel de guardián de las libertades fundamentales, entre las que figura la **libertad de culto**. Varias asociaciones y particulares recurrieron la prohibición, en el contexto de las medidas de desescalada, de reapertura al público de los lugares de culto. Ejerciendo un clásico control de proporcionalidad[40], el Conseil d' Etat juzgó que el mismo objetivo podía lograrse con medidas menos estrictas que la prohibición, subrayando en particular que el mismo decreto de 11 de mayo que la incluye tolera las reuniones de menos de 10 personas en otros lugares abiertos al público. Por ello, se califica de desproporcionada la prohibición, ordenándose al gobierno que modifique el tenor del citado decreto en este punto, en un plazo de 8 días[41].

En esta misma línea, el Conseil d'Etat acordó la suspensión de la prohibición general y absoluta del **derecho de manifestación** a que podía dar lugar la prohibición de todo tipo de reuniones de más de 10 personas en los espacios públicos incluida entre las medidas para la organización del desconfinamiento. El Conseil d'Etat considera que una prohibición de manifestar no está justificada por la situación sanitaria actual, en la medida en que esa libertad puede ejercerse con respecto a las "medidas-barrera" como el uso de la mascarilla o la distanciación de un metro[42].

En fin, la propia **organización de la justicia** en tiempos de crisis fue objeto de control en esta vía contenciosa, a instancias del

---

[40] CE, 19 mai 1933, *Benjamin*.
[41] Autos de 18 de mayo de 2020, n.° 440361, 440336 y ss., *Association Civitas et autres*.
[42] Auto de 13 de junio de 2020, *M.A. et Ligue des Droits de l'Homme*, n.g 440846, 440856, 441015

Consejo general de la abogacía, el sindicato de los abogados de Francia y el sindicato de la magistratura. Todos ellos solicitaron al Conseil d' Etat que suspendiera varias reglas de adaptación del funcionamiento de los distintos órdenes jurisdiccionales durante el estado de urgencia sanitario adoptadas por el gobierno tras la ley de 23 de marzo. Contestaban, en particular, la posibilidad de las vistas por teleconferencia o la desestimación sin contradictorio de ciertas demandas urgentes. En sendos autos de 10 de abril de 2020, el Conseil d' Etat desestimó todas estas demandas[43].

2. La protección de los grupos especialmente vulnerables de la población también ha sido objeto de control contencioso

Así, el Conseil d' Etat se ha pronunciado en relación con la práctica de tests y la hospitalización de los mayores residentes en **residencias de la tercera edad** (que en Francia se califican con el acrónimo "EHPAD"). Por una parte, varias organizaciones sindicales del sector sanitario solicitaron al Conseil d' Etat que ordenase al gobierno la práctica de tests masivos, de forma sistemática y regular, a todos los residentes y el personal de los EHPAD, incluso cuando no tuvieran síntomas del virus. En un auto de 15 de abril de 2020[44], a la vista de la capacidad diaria de práctica de tests en Francia, dado que el Ministro de Sanidad había anunciado una campaña de pruebas sistemáticas del personal y los residentes de los EHPAD en los que se hubiese constatado algún caso de contaminación por el virus, y que ciertas entidades locales de zonas especialmente afectadas por la pandemia también habían anunciado que iban a practicar tests en todas las residencias de su ámbito de competencia, el Conseil d' Etat entiende que no ha existido una carencia que suponga una vulneración grave y manifiestamente ilegal de una libertad fundamental. Por otra

---

[43]   Autos de 10 de abril de 2020, n.° 439903 y n.°439883, 439892, *Syndicat des avocats de France et autres.*

[44]   Auto de 15 de abril de 2020, n.° 440002, *Union nationale des syndicats FO Santé privée et autres.*

parte, también en relación con los EHPAD, planteado un recurso en el que se solicitaba que se ordenase al gobierno la adopción de medidas generales para asegurar un acceso igualitario a los tratamientos hospitalarios para los residentes de los EHPAD con síntomas de Covid-19, el Conseil d' Etat concluyó que no había lugar a la demanda al no haber quedado acreditado que de forma general los hospitales rechazasen la admisión en sus servicios de los residentes en EHPAD[45].

La protección de las personas privadas de libertad también ha sido objeto de varios recursos. En los primeros días del confinamiento, varias asociaciones solicitaron al Conseil d' Etat que ordenase al gobierno el cierre de los **centros de retención administrativa** donde se encuentran detenidos los extranjeros en situación irregular en espera de su expulsión del territorio francés. La demanda fue desestimada, tras constatarse que sólo 152 personas se encontraban ingresadas en dichos centros (frente a una capacidad global para 1800 detenidos), que se habían adoptado medidas de lucha contra la epidemia y que el acceso a los servicios sanitarios estaba garantizado[46]. En el caso específico del centro de retención administrativa de Vincennes, el tribunal administrativo competente en primera instancia falló que procedía enviar a un centro sanitario a los extranjeros retenidos que diesen positivo en el test Covid pero, planteado recurso de apelación, el Conseil d' Etat anuló esa decisión de instancia a la vista de que la Administración había reorganizado los dos edificios que componen el centro haciéndolos funcionar de manera autónoma y separada, destinando uno de los dos edificios a la acogida de los extranjeros contaminados por el virus[47].

La situación en las **prisiones** fue también objeto de varios recursos en los que se solicitó al Conseil d' Etat que ordenase al Gobierno la adopción de medidas sanitarias adicionales para los penados.

---

45 Auto de 15 de abril de 2020, n.° 439910, *Association Coronavictimes et autres*.
46 Auto de 27 de marzo de 2020, n.° 439720, *Gisti*.
47 Auto de 7 de mayo de 2020, n.° 440255, *Association «Avocats pour la défense des droits des étrangers» et autres*.

En un primer caso, la demanda se desestimó al constatarse que las medidas adoptadas habían sido suficientes (consignas de respeto de los "gestos barrera", limpieza y aireado de los locales, organización de las duchas colectivas, confinamiento de los detenidos que presentaban síntomas)[48]. En otro caso, que afectaba a una prisión en la Martinique, el Conseil d' Etat requirió a la administración penitenciaria para que garantizase el suministro de mascarillas de protección a los detenidos en sus contactos con el exterior[49].

Otro asunto también planteado ante la jurisdicción contenciosa afectaba a los **peticionarios de asilo**. El recurso, interpuesto por una asociación de protección de los derechos humanos, fue estimado por el Conseil d' Etat, que requiró al Ministro del Interior a que, en un plazo de cinco días, restableciese el registro de las solicitudes de asilo, interrumpido desde el inicio del confinamiento, dando prioridad a las presentadas por personas especialmente vulnerables, y ordenando la reapertura de la plataforma de cita telefónica. Considera el Conseil d' Etat que, a pesar del confinamiento, es posible movilizar un mínimo de funcionarios suficiente para volver a abrir un número bastante de ventanillas y, en consecuencia, la falta de registro de las peticiones de asilo constituye una vulneración grave y manifiestamente ilegal del derecho de asilo[50].

Por último, la jurisdicción contenciosa tuvo también ocasión de pronunciarse en relación con la situación de las **personas en situación de precariedad**. Mediante un auto de 2 de abril de 2020[51], se desestimó la solicitud de que se procediese a la incautación de viviendas para alojar, durante la pandemia, a todas las personas sin hogar, tras constatarse que las capacidades de alojamiento

---

[48] Auto de 8 de abril de 2020, n.° 439827, *Section française de l'observatoire international des prisons*.

[49] Auto de 7 de mayo de 2020, n.° 440151, *Ordre des avocats du barreau de Martinique et autres*.

[50] Auto de 30 de abril de 2020, n.° 440250, 440253, *Ligue des droits de l'Homme et autres*.

[51] Auto de 2 de abril de 2020, n.° 439763, *Fédération nationale droit au logement*.

movilizadas por el Estado eran ya importantes y que la Administración continuaba esforzándose en aumentarlas a corto plazo, en particular mediante negociaciones con el sector hostelero. Otros recursos orientados a solicitar una mayor protección de los sin techo fueron igualmente desestimados, constatando el Conseil d' Etat que los prefectos ya habían recibido la orden de reforzar las medidas de protección de ese colectivo, en particular para garantizar la distribución de alimentos, y el acceso al agua, a las instalaciones sanitarias y a la higiene[52].

III. CONCLUSIÓN

El sistema constitucional francés, muy bien equipado para hacer frente a crisis relacionadas con la seguridad y el orden público, no disponía en marzo de 2020 de un marco legal *"organizado y claro"* —por emplear la expresión del Conseil d' Etat— de intervención frente a la Covid-19. El recurso inicial a las competencias del Ministro de Sanidad pronto se reveló insuficiente, como también la clásica jurisprudencia francesa sobre las circunstancias extraordinarias, en la que se fundó el Decreto de confinamiento. La aprobación de una base legal específica para la multitud de medidas que —como en casi todos los países del mundo— estaban por venir respondió, pues, a una necesidad constitucional real, pero la aprobación de la Ley de 23 de marzo de 2020 trae sin duda también causa del conocido gusto francés por los jardines ordenados, en cuadrícula y con perspectiva…

El instrumento legal improvisado —el llamado "estado de urgencia sanitario"— tiene la ventaja de haber sido creado ex profeso para la situación excepcional que aun hoy vivimos, la virtud de limitarse a autorizar las actuaciones excepcionales que sean indispensables para hacer frente a la misma, y el mérito de articular un protagonismo no totalmente descompensado de los tres poderes

---

[52] Auto de 9 de abril de 2020, n.° 439895, *Ligue des droits de l'Homme et autres*.

del Estado, pues la acción gubernamental —aunque claramente preponderante— ha sido en cierta medida controlada por un persistente control judicial y un control parlamentario ininterrumpido. Con todo, el "jardín a la francesa" presenta en este caso algunas huellas de la premura con que se plantó.

Notas sobre el ejercicio de las potestades normativas en tiempos de pandemia

JUAN ALFONSO SANTAMARÍA PASTOR
Catedrático de Derecho Administrativo

I. UNA EXPERIENCIA INQUIETANTE

Los meses de marzo, abril y mayo de 2020 pasarán a la historia del ejercicio de los poderes normativos como una etapa de extrema singularidad. En ella, la producción de normas por parte del Estado y de las comunidades autónomas (también, por muchos ayuntamientos) se ha focalizado de forma prácticamente total en afrontar los retos sanitarios causados por la extensión del Covid-19, y también las consecuencias económicas de las medidas adoptadas para contener la pandemia.

Este fenómeno ha adquirido, en términos de comparación temporal, caracteres extraordinarios por la abundancia, complejidad y peculiaridades de las normas que se han puesto en vigor; y, lo que es más importante, ha puesto de manifiesto crudamente muchas de las disfunciones que aquejan, desde siempre, a nuestra cultura de producción de normas, así como a nuestro sistema de Administraciones, y que se han mostrado con particular intensidad en este breve paréntesis. Desdichadamente, sobre estas cuestiones se tenderá a pasar página desde el mismo momento en que la crisis sanitaria se dé por superada, lo que aconseja preservarlas del olvido.

En términos generales, lo sucedido entre el martes 10 de marzo de 2020[1] y el día en que este trabajo se cierra (23 de mayo del

---

[1] Aunque el Real Decreto 463/2020, de declaración del estado de alarma, se publicó en el BOE del 14 de marzo, ya el día 10 el periódico oficial insertó la Orden PCM/205/2020, prohibiendo los vuelos directos desde Italia; el 11 se publicó el Real Decreto-ley 6/2020, de medidas urgentes en el ám-

mismo año, fecha de la quinta prórroga del estado de alarma) ofrece un panorama de muy escasa ejemplaridad, que ha dado lugar a censuras políticas muy acusadas provenientes de grupos sociales y de partidos de la oposición (aunque pocas de ellas han tomado como motivo las cuestiones de que aquí se trata). No deseo participar en ese debate: solo, sencillamente, levantar acta de los hechos, valorándolos desde una perspectiva jurídica.

No han faltado en este período, tampoco, análisis del estado de alarma desde una óptica predominantemente jurídica, que aparecieron en la red con una gran celeridad. La mayor parte son de carácter básicamente descriptivo y, salvo algunas reservas acerca de si las medidas adoptadas por el Real Decreto 463/2020 eran propias del estado de alarma o, mejor, del de excepción, se observa en ellos una acusada complacencia hacia todos los contenidos del Real Decreto. Comprendo esta actitud: estos análisis se realizaron en los momentos más agudos de la crisis, cuando el pánico se adueñó del país ante las cifras crecientes de contagiados y fallecidos, lo que explica que casi nadie se atreviera a poner en cuestión las draconianas medidas que las autoridades autonómicas y centrales estaban poniendo en marcha, por temor a ser tildados de irresponsabilidad.

Esos momentos de angustia ya han pasado, felizmente, y ello permite valorar las actuaciones públicas con mayor distancia y objetividad; con mayor espíritu crítico, por tanto. Esta colaboración pretende reseñar todas las cosas que se han hecho mal, que son muchas, y también hacerlo con absoluto respeto hacia las personas que se vieron en la necesidad de adoptar aquellas medidas, en la conciencia de que, si nos hubiera correspondido tomarlas, muy probablemente habríamos incurrido en idénticos errores.

---

bito económico y para la protección de la salud pública; el 12, la Orden PCM/216/2020, sobre prohibición de entrada de buques de pasaje; y el 13 de marzo, el segundo Real Decreto-ley (7/2020), de medidas urgentes para responder al impacto económico del COVID-19.

II. LOS DATOS

En el análisis que me propongo realizar se han tomado en cuenta exclusivamente las disposiciones dictadas por órganos de la Administración General del Estado. He prescindido deliberadamente de incluir las múltiples normas dictadas por distintas comunidades autónomas[2]: aparte de su dificultad, añadirlas al estudio desnaturalizaría las conclusiones que pueden obtenerse, ya que la actividad normativa de estas ha sido muy desigual.

En el período que hemos considerado se ha publicado en el Boletín Oficial del Estado un total de 158 disposiciones específicamente referidas a la pandemia o motivadas por esta: 13 Reales-Decretos-ley (desde el número 6 hasta el 18 de este año), 9 Reales Decretos, 107 Órdenes ministeriales y 29 Resoluciones o equivalentes de órganos departamentales inferiores[3]. Este elevado número (casi dos disposiciones por día) debe ser relativizado, ya que muchas de las Órdenes se limitan a modificar otras previamente dictadas, con la finalidad de adaptar su contenido a la evolución de la epidemia; pero en todo caso revela una actividad normativa frenética, de la que también es indicio la publicación sistemática de normas en los domingos, días en los que el diario oficial no suele salir a la luz[4].

---

[2]   Las tomadas en las fechas anteriores a la declaración del estado de alarma se encuentran puntualmente descritas en el trabajo de A. NOGUEIRA LÓPEZ, *Confinar el coronavirus. Entre el viejo derecho sectorial y el derecho de excepción*, en El Cronista del Estado Social y Democrático de Derecho n.º 86-87 (marzo-abril 2020), p. 22 ss.

[3]   La edición digital de El País del día 16 de mayo (*https://elpais.com/espana/2020-05-16/el-estado-de-alarma-un-bosque-de-209-normas-excepcionales.html?prm*) daba la cifra de 209 disposiciones, que es probablemente equivocada; probablemente, el autor del artículo —por lo demás, bien documentado— incluyó en su censo otras disposiciones generales publicadas en este período, pero que no guardan relación con el Covid-19. En todo caso, la discrepancia no es relevante.

[4]   Lo cual sólo ha dejado de producirse los días 5 y 26 de abril. Curiosamente, los lunes son los días en los que más frecuentemente no ha aparecido ninguna de las disposiciones que nos ocupan.

Esta distribución de rangos parece responder también a una suerte de reparto de cuestiones *ratione materiae*. El foco principal de los Reales-Decretos-ley parece haber sido atender a la resolución de las consecuencias económicas y sociales producidas por las medidas adoptadas para contener la epidemia (confinamiento de personas y suspensión de actividades económicas), mucho más que a la lucha contra esta; y los Reales Decretos han desempeñado un papel de mera creación del marco de medidas excepcionales de salud pública[5]. El desarrollo efectivo de estas medidas (que, para entendernos, llamaremos sanitarias) se ha efectuado a través de Órdenes ministeriales, lo que explica que su peso relativo sea abrumador; no sólo cuantitativa, sino también cualitativamente.

Resulta un tanto sorprendente, además, que siendo exclusivamente cuatro los ministros y ministras calificados por el artículo 4.2 del Real Decreto 463/2020 como "autoridades competentes delegadas" (de Defensa, Interior, Transportes, Movilidad y Agenda Urbana, y Sanidad), las Órdenes ministeriales a que nos referimos hayan sido dictadas también, por otros seis titulares de departamentos ministeriales[6], siendo así que el mismo artículo designaba al ministro de Sanidad como autoridad competente delegada en sus respectivas áreas de responsabilidad. Luego habré de volver sobre este punto.

---

[5]   De los nueve aprobados, siete de ellos son los que contienen las declaraciones del estado de alarma (Real Decreto 463/2020), de prórroga del mismo (Reales Decretos 476, 487, 492, 514 y 537) o de modificación del primero (Real Decreto 465/2020). Los dos restantes (Reales Decretos 507 y 508, sobre subvenciones agrícolas y ganaderas) son de importancia muy secundaria.

[6]   Aunque, ciertamente, con una producción cuantitativamente muy inferior: me refiero los ministros y ministras de Presidencia, Relaciones con las Cortes y Memoria Democrática (4 Órdenes), Hacienda (1 Orden), Justicia (2 Órdenes), Industria, Comercio y Turismo (1 Orden), Educación y Formación Profesional (2 Órdenes), e Inclusión, Seguridad Social y Migraciones (1 Orden). En contraste, el ministro del Interior dictó 14 Órdenes; el de Transportes, Movilidad y Agenda Urbana, 36; y el de Sanidad, 45; no ha aparecido ninguna Orden con la firma de la ministra de Defensa, pese a la capital tarea desempeñada por las Fuerzas Armadas en las labores de apoyo (solo una instrucción de 15 de marzo, en el BOE de la misma fecha).

III. EL ORIGEN DE LAS NORMAS Y LOS PROBLEMAS DE COMPETENCIA

A) La ausencia del poder legislativo

Huelga decir que las Cortes Generales han sido las grandes ausentes en todo este proceso, habiendo quedado limitadas al nada airoso papel de convalidación de los Reales Decretos-Ley y de autorización de las prórrogas del estado de alarma, además del rutinario ejercicio de la formulación de preguntas al Gobierno, cuyo eco social ha sido prácticamente inexistente. El confinamiento de la población y el aconsejable distanciamiento personal han sido, entre otras, las razones que han motivado una congelación prácticamente total de la actividad parlamentaria (por supuesto, de la legislativa), cuya imagen y prestigio no se han visto favorecidos, por cierto, con el deprimente espectáculo de un hemiciclo solo poblado por unos cuantos diputados y con un banco azul reducido al mínimo indispensable.

El estado de alarma ha supuesto, en definitiva, la asunción total de sus funciones por algunos miembros del Gobierno, algo que no deja de ser lamentable en un Estado democrático, por más que haya sido quizá explicable en términos operativos y, desde luego, perfectamente constitucional y ajustado a la filosofía de la Ley Orgánica 4/1981, de 1 de junio, de los estados de alarma, excepción y sitio (LOAES, en adelante), cuyo artículo 7 parece efectuar un apoderamiento global al Gobierno para la gestión del estado de alarma, sin más obligaciones que las meramente formales de informar al Congreso de los Diputados[7].

---

[7]   Artículo 8.1, una norma que, además de no mencionar al Senado, es perfectamente gratuita, porque la obligación del Gobierno de informar a las Cámaras sobre cualquier asunto y en cualquier momento deriva directamente de los artículos 109 a 111 de la Constitución. Si lo que se quería decir es que esta obligación rige también bajo la vigencia de un estado de alarma, hubiera sido preferible establecer, por ejemplo, un deber de comparecencia semanal para dar cuenta a los diputados de la evolución de la crisis sanitaria (en lugar de la documentación de que habla la disposición adicional 6.ª del

B) La figura de las "autoridades competentes delegadas"

a) Pese a sus más que escasas previsiones, la LOAES contiene algunos preceptos que obligan a poner en cuestión el diseño que el Real Decreto 463/2020 hizo de la "Autoridad competente". De acuerdo con el artículo 7 de la primera, dicha Autoridad es, inequívocamente, "el Gobierno", expresión que ha de entenderse hecha con el sentido que tiene en el artículo 98.1 de la Constitución: no es "Autoridad competente", pues, ninguno de los miembros del Gobierno en particular, incluido su Presidente. Así lo ratifica, de una parte, la alusión al Presidente de la comunidad autónoma cuando la declaración del estado de alarma afecte solo a todo o parte de su territorio (que, en contraste, está hecha a él, no a su Gobierno o Consejo de Gobierno); y, de otra, el mandato sucesivo (artículo 8.2) de que el Gobierno (del Estado) debe dar cuenta al Congreso de los Diputados "*de los decretos* que dicte durante la vigencia del estado de alarma en relación con éste".

Esto supuesto, debo manifestar serias reservas a la designación de algunos ministros como "autoridades competentes delegadas", figura que contradice lo que la Ley Orgánica parece imponer: que sea el Gobierno, colegiadamente, quien gestione el estado de alarma. Sin duda, se trata de una fórmula que tiende a la agilidad de actuación, pero que excluye del proceso de toma de decisiones a una parte sustancial de miembros del ejecutivo. El hecho, además, de que estas autoridades competentes delegadas no estén obligadas a una toma colegiada de decisiones propicia la descoordinación, de manera que las medidas adoptadas por cada una de ellas puedan ser contradictorias, y también difícilmente compati-

---

Real Decreto 463/2020, añadida por el Real Decreto de prórroga 476/2020, una documentación de nula utilidad si se tiene en cuenta que una altísima proporción de diputados no puede acudir al Congreso por hallarse confinados en sus domicilios). Sustituir esta información por una comparecencia en la televisión en *prime time*, y luego ante los medios, puede ser aconsejable, pero no deja de suponer una marginación de los legítimos representantes de los ciudadanos.

bles con los criterios de política sectorial que mantenga cada uno de los ministros y ministras que no gozan de esta calificación.

b) Este esquema organizativo ha sufrido cambios, de una parte, y experimentado incumplimientos, de otra.

Los cambios se han producido con el Real Decreto 537/2020, de 22 de mayo, de quinta prórroga del estado de alarma, cuyo artículo 6 redujo el número de autoridades competentes delegadas a un solo ministro —el de Sanidad—, perdiendo esta condición la ministra de Defensa, el ministro del Interior y el ministro de Transportes, Movilidad y Agenda Urbana. El artículo añade un par de matices ("bajo la superior dirección del Presidente del Gobierno, y con arreglo al principio de cooperación con las comunidades autónomas") que carecen de todo significado jurídico, por su obviedad: nadie pudo suponer que el Real Decreto 463/2020 suprimiese los poderes de dirección del presidente del Gobierno, ni que suspendiera el principio constitucional de cooperación interterritorial.

Y los incumplimientos. En primer lugar, el nombramiento de cuatro ministros y ministras como autoridades competentes delegadas que efectuó el Real Decreto 463/2020 supuso el desapoderamiento de los restantes miembros del Gobierno para dictar cualquier tipo de medida relativa a la pandemia y sus consecuencias, atribuyendo esta competencia al ministro de Sanidad[8]. Y siendo esto así, no se explica jurídicamente que en este período dictaran Órdenes en la materia, hasta en veintinueve ocasiones, los ministros y ministras de Presidencia, Relaciones con las Cortes y Memoria Democrática, Justicia, Hacienda, Industria, Comercio y Turismo, Educación y Formación Profesional, e Inclusión, Seguridad Social y Migraciones.

Y en segundo lugar, el incumplimiento respecto de la emisión de "resoluciones, disposiciones e instrucciones interpretativas",

---

8   "Asimismo, en las áreas de responsabilidad que no recaigan en la competencia de alguno de los Ministros indicados en los párrafos a), b) o c), será autoridad competente delegada el Ministro de Sanidad".

que el mismo artículo 4.2 del Real Decreto 463/2020 atribuye en exclusiva a las autoridades competentes delegadas; tampoco tiene explicación que dichas resoluciones fueran dictadas, en algunos casos, por órganos inferiores a los ministros/autoridades competentes delegadas, y, en otros, por órganos infraministeriales de los restantes departamentos. Todo ello arroja la impresión de que la concentración de poderes que intentó el tan citado Real Decreto 463/2020 fue bien pronto olvidada.

C) ¿Órdenes ministeriales?

El empleo de la institución de las "autoridades competentes delegadas" conlleva una consecuencia jurídica bastante más seria. El artículo 4.3 del Real Decreto 463/2020 dispone:

> "Los Ministros designados como autoridades competentes delegadas en este real decreto quedan habilitados para dictar las órdenes, resoluciones, disposiciones e instrucciones interpretativas que, en la esfera específica de su actuación, sean necesarios para garantizar la prestación de todos los servicios, ordinarios o extraordinarios, en orden a la protección de personas, bienes y lugares, mediante la adopción de cualquiera de las medidas previstas en el artículo once de la Ley Orgánica 4/1981, de 1 de junio".

Tout court, que las medidas que hayan de adoptarse para la gestión de la pandemia adoptarán la forma y tendrán el rango de Órdenes ministeriales (o menos).

Ello parece nuevamente incompatible con el artículo 8.2 de la Ley Orgánica, que, al mencionar las normas que hayan de dictarse para atender a las necesidades de un estado de alarma, solo habla de "decretos" (en concordancia con la atribución al Gobierno de la calidad de "Autoridad competente"). Este término no puede interpretarse laxamente, como una referencia genérica a cualquier norma reglamentaria: en un estado excepcional, las previsiones de las leyes deben interpretarse en el sentido más estricto que quepa.

Y no pueden interpretarse así por dos razones adicionales. Primera, porque la decisión de gobernar la pandemia por Orden ministerial entraña que, aplicando literalmente el mismo artículo

8.2, el Gobierno se autoexime así de la obligación de dar cuenta al Congreso de las Órdenes ministeriales —y demás— que se dicten (como efectivamente ha sucedido); en una interpretación literal de la LOAES, al parlamento ha de dársele cuenta de los decretos, no de las Órdenes. Y segunda, porque si estas Órdenes ministeriales pueden imponer limitaciones de derechos fundamentales (como se deduce de los artículos 7 y siguientes del Real Decreto 463/2020; luego volveré sobre ello), el resultado es que esta limitación de derechos *de todos los ciudadanos* puede ser adoptada e impuesta *por un único ciudadano/a,* algo escasamente concebible en un Estado democrático, por honorable, moderado y respetuoso que este ciudadano sea. El que tales decisiones puedan ser o hayan de ser, en la realidad, confirmadas por otros singulares miembros del ejecutivo no altera esta conclusión: el estado de alarma sólo puede ser gestionado jurídicamente por el Gobierno en su conjunto; entre otras razones, porque es el único órgano al que es exigible responsabilidad política, artículo 108 de la Constitución.

Podría objetarse con cierto fundamento que la exigencia de la actuación del Gobierno (de todo el Gobierno) para la adopción de las medidas reglamentarias de que aquí se trata sería excesiva y retardataria. Pero este argumento no sería de recibo, porque tal exigencia no supondría la asistencia diaria de todos los ministros y ministras a la Moncloa: un día antes de la declaración del estado de alarma, el Real Decreto-ley 7/2020 introdujo una nueva disposición adicional tercera en la Ley del Gobierno, que autorizaba a éste a celebrar sesiones por medios electrónicos; las cuales, si efectivamente han tenido lugar los martes, entre otros días, no parece imposible que hubieran podido repetirse cuantas ocasiones hubiera sido necesario (como los profesionales hemos venido haciendo sin dificultad alguna durante el período de confinamiento). Otra cosa es, como ha sugerido algún analista, que lo que se pretendiera es excluir de la gestión de la crisis a uno de los grupos políticos que integran el Gobierno. Ignoro si tal ha sido el motivo de la creación de la figura de las autoridades competentes delegadas y, por tanto, no lo considero, aparte de que ello carecería de toda relevancia jurídica.

D) El título habilitante de las autoridades competentes

a) Una cuestión que parece haber preocupado a los autores del Real Decreto 463/2020 es la relativa al título jurídico que autorizaría a las llamadas autoridades competentes delegadas (algunos ministros) para dictar las normas que la LOAES confía al Gobierno, como hemos visto. El concepto que parece inicialmente elegido fue el de delegación, como indica el nombre atribuido a estas autoridades: estos ministros ejercerían potestades delegadas por el Gobierno. Se hizo así, posiblemente, sin reparar en que el artículo 9.2.b) de la Ley 40/2015, de Régimen Jurídico de las Administraciones Públicas prohíbe terminantemente las delegaciones de potestad normativa, y olvidando también que el artículo 20 de la Ley del Gobierno sólo permite a éste delegar competencias en las Comisiones Delegadas, no en ministros concretos[9].

La redacción final que el Real Decreto 463/2020 recibió parece sugerir, no obstante, que algún jurista advirtió la existencia de esta prohibición, y que trató de sortearla con la fórmula empleada por el artículo 4.3, según la cual dichos ministros quedaban "*habilitados* para dictar las órdenes, resoluciones, disposiciones e instrucciones interpretativas que, en la esfera específica de su actuación, sean necesarios para garantizar…" etc. Supuesto que el Real Decreto 463/2020 posee rango de ley[10], se hizo uso de la fórmula que es habitual encontrar en las disposiciones finales de

---

[9]   Omite estas prohibiciones V. ÁLVAREZ GARCÍA, El coronavirus (Covid-19): respuestas jurídicas frente a una situación de emergencia sanitaria, en El Cronista del Estado Social y Democrático de Derecho n.º 86-87, cit., para quien "El hecho de que el Gobierno tenga atribuida esta competencia legalmente no significa que no pueda delegarla" (p. 12). No me parece una justificación suficiente.

[10] Así lo declaró, indirectamente, la STC 83/2016 a propósito de la declaración del estado de alarma que realizó el Real Decreto 1673/2010, de 4 de diciembre, confirmando diversos Autos de la Sala de lo contencioso-administrativo del Tribunal Supremo (AATS de 30 de mayo de 2011, Rec. 152/2011, y de 28 de noviembre de 2011, Rec. 180/2011, entre otros). Esta doctrina ha sido confirmada, en relación con el Real Decreto 463/2020, por el ATS de 4 de mayo de 2020, Rec. 99/2020).

cualesquiera leyes[11], autorizando para el desarrollo y ejecución de sus preceptos. No estaríamos, por tanto, ante una delegación, sino ante una típica habilitación normativa ley-reglamento ministerial, de empleo absolutamente común y permitida por la jurisprudencia constitucional (STC 135/1992).

Este inteligente giro no era suficiente, sin embargo, para eludir las exigencias que la tradicional doctrina constitucional ha impuesto al empleo de habilitaciones reglamentarias en materias reservadas a la ley, las cuales han de tener carácter concreto y específico, producirse "en términos de subordinación, desarrollo y complementariedad", y sin que en ningún caso quepa la deslegalización de la materia o su entrega en bloque a la potestad reglamentaria (entre otras muchas, SSTC 37/1981, 6/1983, 79/1985, 60/1986, 19/1987, 99/1987 y 185/1995). Pocas dudas pueden caber de que las medidas a que se alude en el artículo 7 del Real Decreto 463/2020 (y que son las que habrían de regular las Órdenes de las autoridades competentes delegadas) afectan a derechos fundamentales; que la habilitación que su artículo 4.2 establece es abierta y universal, por así decir, en absoluto limitada o circunscrita; y que, por tanto, en condiciones normales, tal habilitación debería ser declarada nula por la jurisdicción constitucional, así como las Órdenes que se dictaron en uso de esta delegación/habilitación, por falta de competencia de sus firmantes.

b) Hago todas estas consideraciones, por supuesto, sin afán acusatorio alguno. Las hago constar con plena conciencia de su posible falta de consecuencias prácticas: cuando un tribunal se encuentre en condiciones de dictar sentencia sobre estas cuestiones, todas estas normas habrán perdido su vigor y se hallarán, más

---

[11]   Así, en la última norma legal dictada antes de la declaración del estado de alarma, el Real Decreto-ley 7/2020, de 12 de marzo, cuya disposición final segunda establece que *"se habilita* al Gobierno y a las personas titulares de los departamentos ministeriales, en el ámbito de sus competencias, a dictar cuantas disposiciones sean necesarias para el desarrollo y ejecución de lo dispuesto en este Real Decreto-ley". La misma fórmula, en todas las disposiciones con rango de ley dictadas en los últimos años".

aún, completamente olvidadas; pero quizá puedan ser útiles en el futuro si esta situación de anormalidad se repitiera y quisieran hacerse las cosas un poco más limpiamente en el terreno jurídico, sin dudas metafísicas acerca de la naturaleza del título habilitante de las autoridades competentes delegadas.

Porque estas dudas han existido, como lo prueba una curiosa incidencia que no me resisto a silenciar. El domingo 15 de marzo de 2020, segundo día del estado de alarma, el Boletín Oficial del Estado publicó las nueve primeras Órdenes, tres de cada uno de los ministros del Interior, de Transportes, Movilidad y Agenda Urbana, y de Sanidad. Estas últimas insertaban un curioso precepto (¿) que decía que "contra la presente orden, que pone fin a la vía administrativa, se podrá interponer recurso contencioso-administrativo en el plazo de dos meses a partir del día siguiente al de su publicación *ante la Sala de lo Contencioso-Administrativo de la Audiencia Nacional,* de conformidad con lo dispuesto en el artículo 11 de la Ley 29/1998, de 13 de julio, reguladora de la Jurisdicción Contencioso-Administrativa"; las de los Ministerios del Interior y de Transportes no hacían alusión alguna al régimen de recursos.

Esta mención era anómala, aunque fuera incorrecta en su determinación. Era anómala porque las normas reglamentarias carecen en su publicación de pie de recursos; pero la mención del órgano jurisdiccional parecía acertada, pue, como sabe cualquier juez y cualquier abogado, la Sala de la Audiencia Nacional es la competente para conocer de los recursos contra los actos de los ministros.

Desde esa fecha, estas disparidades en la indicación de los recursos procedentes se han mantenido, bien que de forma un tanto errática: las Órdenes de los Ministerios del Interior y de Transportes se han publicado sin pie alguno de recursos, y lo mismo ha sucedido con las dictadas por los restantes Ministerios (salvo la Orden ICT/343/2020, de 6 de abril, que señala también como órgano competente Sala de la Audiencia Nacional). Y las del Ministerio de Sanidad dieron un singular giro a partir de la Orden SND/290/2020 (BOE del 6 de abril), sustituyendo el órgano jurisdiccional competente por la Sala de lo Contencioso-Administrativo del Tribunal Supremo[12]. Este giro solo se justifica en la suposición de que las Órdenes dictadas al amparo del Real Decreto 463/2020 ejercerían potestades *delegadas* del Gobierno (no *habilitadas* por él): las resoluciones dictadas por delegación se consideran dictadas por el órgano delegante (artículo 9.4 de la Ley 40/2015), correspondiendo al Tribunal Supremo la competencia para enjuiciar las normas dictadas por el Gobierno.

¿Cuál es, en definitiva, la solución correcta? Es difícil pronosticar cuál sería la decisión que la Sala Tercera adoptará si, como es previsible, alguna de las Órdenes se impugnara directamente ante ella. Pero, desde una perspectiva neutral, entiendo que la competencia de dicha Sala Tercera, en vía de recurso directo, es insostenible. Por las razones que antes señalé, las Órdenes dictadas al amparo de la previsión del artículo 4.2 del Real Decreto 463/2020 no pueden considerarse jurídicamente como ejercicio de potestades delegadas del Gobierno: lo prohíben la Ley 40/2015 y la Ley del Gobierno. Las Órdenes referidas son disposiciones de rango pura y simplemente ministerial, dictadas en ejecución y desarrollo del Real Decreto y en virtud de la habilitación que este confiere, por lo que su enjuiciamiento corresponde a la Sala de lo Contencioso-Administrativo de la Audiencia Nacional.

No obstante, el antes mencionado ATS de 4 de mayo de 2020 (Rec. 99/2020) parece apuntar en sentido contrario. En el recurso se impugnaba tanto el Real Decreto 463/2020 (y alguna de sus prórrogas) como la Orden SND/370/2020, de 25 de abril, sobre las condiciones en las que deben desarrollarse los desplazamientos por parte de la población infantil durante la situación de crisis sanitaria ocasionada por el Covid-19; y el Auto inadmite el recurso en lo que se refiere al Real Decreto 463/2020, por falta de

---

[12] Aunque, incomprensiblemente, algunas otras del mismo Ministerio carecen del indicado pie de recursos: así sucedió con las publicadas en los Boletines de 19 y 29 de marzo y 1 de abril. Y menos explicable aún es que, de las Órdenes de Sanidad publicadas en los Boletines de 22 de marzo, 12 de abril, unas aparecieran con pie y otras sin él.

jurisdicción, pero lo admite respecto de la Orden, aunque sin indicar las razones por las que la Sala se considera competente. Esta
decisión se adopta a los efectos de desestimar la medida cautelar
urgente pedida por el demandante, por lo que no cabe desechar
la hipótesis de que la Sala Tercera se declare posteriormente in-
competente y remita el recurso contra la Orden a la Audiencia
Nacional; aunque, para ser sinceros, me parece poco probable.

IV. EL PROCEDIMIENTO

Las Órdenes publicadas en el Boletín Oficial del Estado, en
este período, no arrojan muchas pistas sobre el procedimiento
seguido para su elaboración. Sobre ello pueden hacerse solo algunas acotaciones marginales.

1. En primer lugar, todos los indicios permiten suponer fun-
dadamente que el flamante procedimiento hoy establecido en el
artículo 26 de la Ley del Gobierno ha sido omitido en bloque en
la mayoría de las Órdenes dictadas en aplicación del Real Decreto
463/2020, si no en su totalidad.

En esta forma de actuar se echan de menos, de una parte, el
previo informe del Consejo de Estado y, de otra, algún tipo de
audiencia a representantes de los colectivos directamente afectados por las medidas: el primero parece inexcusable, dado que las
Órdenes ministeriales son, con toda evidencia, reglamentos ejecutivos de una norma con rango de ley; y el segundo, aparte de
hallarse previsto en la Ley del Gobierno, hubiera sido muy conveniente, ya que quizá habría evitado que las Órdenes apresura-
damente aprobadas tuvieran que ser rectificadas a los pocos días,
una vez que las quejas y sugerencias de los sectores respectivos
llegaran al Gobierno.

Sin duda, se alegará que esta omisión se justifica en elementales razones de eficacia: la adopción de medidas de urgencia sanitaria extrema parece incompatible con la observancia puntual de un
procedimiento que, tras su reforma en 2015, se caracteriza por una

considerable complejidad y morosidad. Pero esta invocación no sería aceptable en la forma y los tiempos en que las normas se han producido: por referirnos solo a las limitaciones a la circulación de las personas y al cierre de los establecimientos abiertos al público, las Órdenes que los regularon cumplidamente son de fecha 30 de abril y 3 de mayo de 2020 (Órdenes SND/380/2020 y SND/388/2020); quiero pensar que los cuarenta y seis días naturales transcurridos desde el 14 de marzo son un plazo más que suficiente para obtener un dictamen del Consejo de Estado en trámite de urgencia (quince días) y para realizar una consulta, por plazo de cinco o diez días (no hacen falta más) a las representaciones de los afectados.

El artículo 27 de la Ley del Gobierno prevé, además, un procedimiento simplificado para la tramitación urgente de iniciativas normativas cuando, entre otros casos "concurran otras circunstancias extraordinarias", procedimiento cuya observancia hubiera sido posible en el plazo que antes se mencionó, pero que también parece haber sido omitido sin que tengamos noticia de explicaciones de ningún tipo.

Y, si, a pesar de todo, se hubiera estimado que ninguno de estos procedimientos era conveniente o "posible", lo que quizá debería haberse hecho es incluir en el Real Decreto 463/2020 una norma suspendiendo la aplicación a estas normas del procedimiento hoy regulado en los artículos 26 y 27 de la Ley del Gobierno; no, actuar como si estas disposiciones no existieran.

2. El evidente apresuramiento con el que todas estas normas han sido elaboradas y aprobadas ha dado lugar a irregularidades en su publicación. Advertiré solo dos.

Primera, que una buena parte de las Órdenes que aquí se han considerado lleva la misma fecha que la del Boletín en el que se insertaron[13]; lo que es físicamente imposible, si se tiene en cuenta que el Boletín Oficial de cada día se cuelga en la red a las 00:00 horas.

---

[13]   Véanse, entre otras muchas, la Orden SND/370/2020, de 25 de abril; las Órdenes SND/386, 387 y 388/2020, de 3 de mayo; la Orden TMA/384/2020, de 3 de mayo; la Orden SND/399/2020, de 9 de mayo; la Orden

Y segunda, que existen documentos que, pese a su importancia capital, no han sido insertados en el diario oficial: me refiero, por ejemplo, al documento en el que figura la descripción de las fases de desescalada[14].

3. Y la misma precipitación, unida a la falta de consultas previas, ha llevado a la necesidad de aprobar y publicar modificaciones —parciales y reiteradas— de Órdenes aprobadas pocos días antes; modificaciones cuya extraordinaria cantidad hace sumamente difícil tener noticia puntual del régimen jurídico aplicable. No niego la conveniencia de tales modificaciones, pero entiendo que la seguridad jurídica hubiera aconsejado que las Órdenes de modificación sustituyeran en su totalidad, y derogaran (lo que no han hecho en muchos casos), aquellas otras que se pretende modificar. En la actualidad, determinar qué está vigente en un determinado sector exige una labor de reconstrucción jurídica que consume inútilmente muchas horas de trabajo de los asesores de los particulares y empresas, y que da lugar a incumplimientos tan frecuentes como involuntarios.

Idéntico problema ha afectado a los Reales Decretos-ley, como acto seguido advertiremos.

V. EL CONTENIDO

A) *Los Reales Decretos ley y las Órdenes ministeriales*

El contenido de los tres bloques de normas dictadas en el período de alarma (Reales Decretos-leyes, Reales Decretos y Órdenes ministeriales y resoluciones dictadas en ejecución de estos últimos) merece una atención muy distinta. Habré de dejar a un lado

---

SND/414/2020, de 16 de mayo; la Orden TMA 415/2020, de 17 de mayo; y las Órdenes SND/439, 440 y 441/2020, de 23 de mayo.

[14] Que solo figura en la web del Ministerio de Sanidad, en la versión que debemos suponer más completa: https://www.mscbs.gob.es/profesionales/saludPublica/ccayes/alertasActual/nCov-China/planDesescalada.htm.

el conjunto de disposiciones con forma de resolución, instrucción o similar, por su muy inferior relevancia en términos comparativos. El mayor interés se centra en los Reales Decretos que declararon y prorrogaron el estado de alarma, a los que me referiré en los epígrafes siguientes, limitándome ahora a dar cuenta de algunos aspectos de importancia del conjunto de los Reales Decretos-ley y Órdenes ministeriales.

a) Los trece Reales Decretos-ley dictados en el período que hemos considerado (10 de marzo-23 de mayo de 2020) poseen un contenido singularmente extenso (su texto suma, en total, 334 páginas del Boletín Oficial del Estado) y abarcan un amplísimo y heterogéneo conjunto de materias; algunas de ellas son objeto de distintas colaboraciones a este libro, por lo que no se intentará aquí exponerlas. Nos limitaremos, en su lugar, a dejar constancia de algunos aspectos comunes a todo este conjunto de normas, que tampoco destacan por su ejemplaridad y corrección jurídica.

1) El primero de ellos, su seria inestabilidad. Las disposiciones contenidas en cada uno de los Reales Decretos-ley han sido objeto de modificación por los sucesivos; modificaciones que han sido tan abundantes como profundas, y conviene recordarlas:

- el Real Decreto-ley 6/2020 fue modificado por el Real Decreto-ley 13/2020;

- el Real Decreto-ley 7/2020 fue modificado por los Reales Decretos-ley 8/2020, 13/2020 y 15/2020;

- el Real Decreto-ley 8/2020 fue modificado por los Reales Decretos-ley 9/2020, 11/2020, 13/2020, 15/2020, 17/2020 y 18/2020 (seis modificaciones en menos de dos meses, un récord digno de figurar en el Guinness);

- el Real Decreto-ley 9/2020 fue modificado por los Reales Decretos-ley 15/2020 y 18/2020;

- el Real Decreto-ley 11/2020 fue modificado por los Reales Decretos-ley 13/2020, 15/2020 y 16/2020; y

- el Real Decreto-ley 15/2020 fue modificado por los Reales Decretos-ley 16/2020 y 17/2020.

Si tenemos en cuenta que algunas de estas modificaciones se refieren a artículos o preceptos que ya habían sido previamente reformados por otros Reales Decretos-ley de esta misma etapa, el panorama que se ofrece a quien pretenda tener una noticia puntual de la normativa vigente, en alguna materia, es sencillamente desalentador. No ponemos en cuestión la procedencia de ninguna de estas modificaciones: como tantas otras medidas adoptadas para hacer frente a la pandemia, las medidas contenidas en cada Real Decreto-ley hubieron de ser diseñadas con precipitación; pero la excusa no resuelve el problema de accesibilidad y seguridad jurídica que estas frenéticas modificaciones plantean a sus destinatarios, por no hablar de los funcionarios que habrían de aplicarlos.

2) El segundo, su marginalidad. Aunque ello no constituya un reproche, conviene advertir a quien se ose acercarse a este extenso *corpus* normativo que estos Reales Decretos-ley no tratan de establecer medidas dirigidas a combatir al Covid-19, sino solo (salvo alguna excepción singular) intentar restañar algunas de las fortísimas y negativas consecuencias económicas que han generado, exclusivamente, las medidas de limitación de movimientos y de suspensión de todo tipo de actividades económicas que impusieron los artículos 7, 9, 10 y 14 del Real Decreto 463/2020 y desarrollaron minuciosamente diversas Órdenes ministeriales.

En las fechas en que estas páginas se escriben, tales consecuencias se han materializado ya en una reducción muy fuerte del PIB y en un incremento no menos intenso del desempleo, aunque los economistas dicen que lo peor está aún por venir. Si ello fuera cierto, lo que nadie desea, me temo que estaremos discutiendo durante años si las medidas que han causado estos daños eran necesarias o proporcionadas.

3) Y el tercero, la indeseable aparición, en algunos de los Reales Decretos-ley, de regulaciones extravagantes. Éstas son, a su vez, de dos tipos: primero, las que solo guardan una relación indirecta con la lucha contra la pandemia, tratando de atender las necesidades de colectivos desfavorecidos (así, en materia de despidos,

arrendamientos, desahucios y deudas hipotecarias, entre otras) y que forman parte del programa político de los partidos que integran el Gobierno; y segundo, regulaciones que carecen de toda relación con la situación de crisis sanitaria y que se han introducido subrepticiamente en el articulado de los Reales Decretos-ley en la más clásica tradición de la normativa ómnibus, desgraciadamente santificada por la doctrina del Tribunal Constitucional[15].

No puedo ocultar mi completa discrepancia con el hecho de que todas estas modificaciones se hayan efectuado en el marco de normas legales dictadas para afrontar una situación epidémica tan grave como la que España ha sufrido. Aparte de que algunas de ellas (me refiero ahora a las del segundo tipo) pueden pasar desapercibidas para la comunidad jurídica al insertarse en normas de tamaño desmesurado (especialmente, los Reales Decretos-ley 8, 11 y 15/2020), su inclusión podría perseguir un intento de apropiarse de la urgencia que el artículo 86 de la Constitución

---

[15] Y, por razones de ejemplaridad, conviene dejar constancia forma de las más importantes: 1) modificación de la Ley 11/2002, del Centro Nacional de Inteligencia (disposición final segunda del Real Decreto-ley 8/2020); 2) regulación de la publicidad de los juegos de azar (artículo 37 del Real Decreto-ley 11/2020); 3) creación de la Fundación España Deporte Global, F.S.P. (artículo 26 del Real Decreto-ley 15/2020); 4) régimen de clases pasivas (disposición final primera del Real Decreto-ley 15/2020); 5) derechos de explotación de contenidos audiovisuales de las competiciones de fútbol profesional (disposición final quinta del Real Decreto-ley 15/2020); y 6) modificaciones diversas de la Ley 9/2017, de Contratos del Sector Público (disposición final séptima del Real Decreto-ley 15/2020, disposición final tercera del Real Decreto-ley 16/2020, y artículo 4 y disposición final octava del Real Decreto-ley 17/2020). Hago exclusión de las modificaciones introducidas en esta última Ley por el artículo 34 del Real Decreto-ley 8/2020, que sí tiene conexión directa con la declaración del estado de alarma.
Y aún añadiremos la sorprendente modificación que el Real Decreto-ley 6/2020 hizo del artículo 4 de la Ley Orgánica (¡!) 3/1986, de 14 de abril, para lo que no encuentro justificación jurídica alguna. La que sugiere V. ÁLVAREZ GARCÍA ("parece jurídicamente posible este cambio en la medida en que hay, en su caso, una afectación menor al derecho de propiedad de un número limitado de productos, que son indispensables para una mejor lucha para la crisis sanitaria": op. cit., p. 14) no me parece nada convincente.

exige, y que nadie podría negar a las medidas dirigidas a atender las consecuencias del estado de alarma: sin entrar en si tal urgencia concurre o no en cada caso (yo no la veo por ningún lado y en ningún caso), su mera presencia en las normas propias del estado de alarma me parece abiertamente reprochable. A lo cual habría de añadirse el que su inclusión en estos Reales Decretos-ley constituye un ilegítimo desincentivo para que cualquier fuerza política ose impugnar estas normas extravagantes: la opinión pública sería incapaz de distinguirlas de las dirigidas a combatir la pandemia.

b) No es posible aportar ninguna valoración jurídica, en esta contribución, de las ciento siete Órdenes ministeriales dictadas para el desarrollo de las medidas excepcionales establecidas en los artículos 7 y siguientes del Real Decreto 463/2020. Sería imposible proporcionar siquiera una idea aproximada de su contenido, por lo que se omitirá a omitir toda referencia a ellas.

Sólo quisiera dejar constancia del estremecimiento que produce la lectura de las Órdenes que tienen por objeto la limitación de la libertad de movimientos de los ciudadanos, cuya minuciosidad linda con lo enfermizo y que hace que se asemejen a los reglamentos internos de un establecimiento penitenciario o a las páginas de una novela distópica. Los azares de la vida impusieron al autor de estas páginas soportar la práctica totalidad del régimen franquista, y su memoria no alcanza a recordar, de aquel período, disposiciones tan absurdamente constrictivas como las contenidas, por ejemplo, en los artículos 2.1 y 3.1 de la Orden SND/370/2020, de 25 de abril, entre otros.

B) Los Reales Decretos de declaración del estado de alarma: la limitación de derechos fundamentales

En el período de vigencia del estado de alarma se difundió en los medios de comunicación una censura al Real Decreto 463/2020, al que se imputaba haber establecido no un estado de alarma, sino de excepción, segunda de las modalidades previstas en el artículo 116 de la Constitución y en la LOAES; todo ello basado en la afirmación de haber procedido a la limitación de derechos reconocidos en el Título I de la Constitución.

Aunque defectuosamente expresada, como crítica política que es, la censura tiene, a mi juicio, un fundamento jurídico bastante claro, porque, aun sin aplicar un criterio especialmente riguroso, las medidas que imponen los artículos 7 y siguientes del Real Decreto van mucho más allá de las autorizadas por la LOAES[16]. De esta afirmación han de excluirse las medidas previstas en los artículos 8 y 13 del Real Decreto, que reproducen casi literalmente los apartados b), c) y e) del artículo 11 de la Ley Orgánica y que, en consecuencia, no son susceptibles de ningún tipo de censura; el que, además, ninguna de estas medidas haya sido puesta en práctica, es un doble motivo de elogio.

Algo muy distinto ha de decirse del resto.

a) Una de las más importantes decisiones plasmadas en el Real Decreto 463/2020 se contiene en su artículo 7.1, según el cual

> "las personas únicamente podrán circular por las vías o espacios de uso público para la realización de las siguientes actividades [*se omiten*], que deberán realizarse individualmente, salvo que se acompañe a personas con discapacidad, menores, mayores, o por otra causa justificada";

a ello se suman la prohibición de empleo de vehículos particulares, salvo para las actividades mencionadas en el apartado 1, o para el repostaje en gasolineras o estaciones de servicio (artículo 7.3), y las limitaciones en materia de transportes reguladas en el artículo 14. Hablamos, como es notorio, del confinamiento de toda la población.

Esta medida y las prohibiciones correlativas de circulación que conlleva (con las excepciones bien conocidas de todos), suponen

---

[16] Dejo a un lado la autorización para practicar requisas temporales de bienes y de imponer prestaciones personales obligatorias, que prevé el artículo 8 del Real Decreto 463/2020. Esta norma reproduce de forma casi literal lo dispuesto en el artículo 11.b) de la LOAES, por lo que no es susceptible de ningún tipo de censura.

una suspensión temporal prácticamente total de la libertad para circular libremente por el territorio nacional que consagra el artículo 19 de la Constitución; y no se encuentra autorizada por la LOAES, cuyo artículo 11.a) solo autoriza a "*limitar* la circulación o permanencia de personas o vehículos en horas y lugares *determinados*, o condicionarlas al cumplimiento de ciertos requisitos". La prohibición de circulación solo se admite para "horas y lugares *determinados*" o concretos, no para *todas* las horas y para *todos* los lugares de uso público, que es lo que el Real Decreto 463/2020 establece. Y limitar es *restringir* parcial y excepcionalmente, *no prohibir todo*, salvo excepciones; como tampoco es lo mismo que un médico te aconseje no ingerir los alimentos A, B y C, que el que te prohíba tomar ningún alimento, salvo los A, B y C. Dicho con todo respeto, me parece incomprensible que esta conclusión haya podido ser puesta en duda[17] cuando las Órdenes imponían unas estrechísimas franjas horarias en las que se nos autorizaba a las ciudadanos a salir de nuestros domicilios, y, más aún, al establecer un auténtico y completo toque de queda entre las 23:00 y las 6:00 horas, como preveía, sin decirlo, el artículo 5 de la Orden SND/380/2020.

Como ya han señalado diversos autores, la medida que prevé el artículo 7.1 del Real Decreto 463/2020 corresponde justamente al estado de excepción, no al de alarma. El artículo 20 de la LOAES dispone que "cuando la autorización del Congreso comprenda la suspensión del artículo 19 de la Constitución, la autoridad gubernativa podrá *prohibir la circulación* de personas y vehículos en las horas y lugares que se determine". Parece evidente, y es lamenta-

---

[17] Con excepciones: vid. M. A. PRESNO LINERA, *Breves y provisionales consideraciones sobre el alcance del estado de alarma que se va a decretar*, https://presno-linera.wordpress.com/2020/03/14/breves-y-provisionales-consideraciones-sobre-el-alcance-del-estado-de-alarma-que-se-va-a-decretar/; J. M. ALEGRE ÁVILA y A. SÁNCHEZ LAMELAS, *Nota en relación a la crisis sanitaria generada por la actual emergencia vírica*, http://www.aepda.es/ AEPDAEntrada-2741-Nota-en-relacion-a-la-crisis-sanitaria-generada-por-la-actual-emergencia-virica.aspx; y F. J. DÍAZ REVORIO, *Cosas de juristas*, https://javierdiazrevorio.com/cosas-de-juristas/.

ble constatarlo, que el Real Decreto 463/2020 incluyó potestades características del estado de excepción, como lo confirma el que, de hecho, las fuerzas y cuerpos de seguridad han procedido a aplicar los métodos que prevé el propio artículo 20.1 de la LOAES para dicho estado de excepción: "exigir a quienes se desplacen de un lugar a otro que acrediten su identidad, señalándoles el itinerario a seguir".

El confinamiento tampoco puede hallar fundamento en la legislación sanitaria: el artículo 12.1 de la LOAES permite adoptar, en los supuestos de crisis sanitarias, también las medidas "establecidas en las normas para la lucha contra las enfermedades infecciosas", que se prevén en la Ley Orgánica 3/1986, de 14 de abril. Pero ninguno de los preceptos de esta breve Ley autoriza ningún tipo de confinamiento general de la población: *únicamente* autoriza el reconocimiento, tratamiento hospitalización o control *de los enfermos, de quienes presenten síntomas de contagio y de las personas que estén o hayan estado en contacto con ellos*; en ningún caso de todos los ciudadanos, indiscriminadamente.

b) No tiene el menor amparo en la LOAES la suspensión de todas las actividades educativas presenciales (artículo 9.1), cuya incidencia en el derecho recogido en el artículo 27 de la Constitución no parece necesario razonar. Fuera o no aconsejable esta medida, la LOAES la silencia por completo; y no parece pueda salvar esta contradicción la permisión de la enseñanza *on line* (apartado 2: una autorización bastante obvia), que no es accesible a una parte nada despreciable de familias españolas; según los datos que proporciona el Instituto Nacional de Estadística, cerca del 10% de los hogares españoles carecen de conexión a internet.

c) Lo mismo ha de decirse del cierre total al público de los locales y establecimientos comerciales minoristas, de las actividades de hostelería y restauración, así como de los museos, archivos, bibliotecas, monumentos y locales de espectáculos públicos establecido en el artículo 10 del Real Decreto (con las excepciones respecto de los comercios que su apartado 1 prevé). Parece también innecesario argumentar que esta gravísima medida incide frontalmente en la libertad constitucional de empresa (artículo 38 de la Constitución); y no resulta explicable que esta suspensión de actividades se extendiera, por Orden ministerial, a todos los locales y establecimientos industriales y de servicios, que ni el artículo 10 ni ningún otro del Real Decreto 463/2020 mencionaban en absoluto.

d) Las llamadas "medidas de contención en relación con los lugares de culto y con las ceremonias civiles y religiosas" (artículo 11 del Real Decreto 463/2020) se refieren a los límites impuestos a la asistencia a los lugares de culto y a la celebración de ceremonias civiles y religiosas. Es igualmente superfluo advertir que estas medidas limitativas inciden frontalmente en (e impiden el ejercicio de) la libertad religiosa y de culto prevista en el artículo 16.1 de la Constitución, libertad que comprende el derecho a practicar actos de culto y recibir asistencia religiosa de la propia confesión, a conmemorar sus festividades, a celebrar sus ritos matrimoniales y a reunirse o manifestarse públicamente con fines religiosos (artículo 2.1, letras b y d de la Ley Orgánica 7/1980, de 5 de julio, de libertad religiosa).

Sin perjuicio de la posible conveniencia médica de estas medidas limitativas, el Real Decreto 463/2020 parece olvidar que el artículo 16.1 de la Constitución *prohíbe* taxativamente imponer al ejercicio de esta libertad más limitaciones que las necesarias "para el mantenimiento del orden público protegido por la ley"; y no parece fácil justificar que el cuidado de la salud forme parte del concepto de "orden público", noción que, en el texto constitucional, parece restringirse a la tranquilidad perturbada por actividades violentas o disturbios callejeros (cfr. artículo 21.2).

Aparte de ello, suscita serias dudas el hecho de que la asistencia a los lugares de culto y a las ceremonias se sujetara por este artículo 11 al establecimiento (por Orden, se entiende) de "medidas organizativas consistentes en evitar aglomeraciones de personas, en función de las dimensiones y características de los lugares"; y que estas condiciones, previstas el *14 de marzo* de 2020, no se establecieran hasta la publicación de la Orden SND/399/2020, de *9 de mayo*, de modo que toda actividad de culto y ceremonial se halló completamente suspendida (salvo los inevitables incumplimientos) durante cerca de dos meses.

Estuvieran o no justificadas en las necesidades médicas de frenar el proceso de contagio, lo cierto, en el terreno estrictamente jurídico, es que toda la panoplia de medidas implantadas por el Real Decreto 463/2020 (salvo las previstas en sus artículos 8 y 13, que antes mencionamos) carecieron de amparo alguno en el marco definido por la Ley Orgánica.

C) ¿Sanciones?

Un sistema tan severo de limitaciones como el que prevé el artículo 7 del Real Decreto 463/2020 debería haber tenido el respaldo de un régimen adecuado de sanciones administrativas, que garantizaran la eficacia coactiva de aquellas limitaciones y permitiera reprimir los incumplimientos de las normas dictadas para concretarlas y especificarlas.

No ha sucedido así. El artículo 10.1 de la LOAES abordó la cuestión con una definición confusa y una remisión de alcance incierto: "El *incumplimiento o la resistencia a las órdenes* de la Autoridad competente en el estado de alarma será sancionado con arreglo a lo dispuesto *en las leyes*". Hubiera sido esperable que el Real Decreto 463/2020 precisara algo más la infracción a que se refería, y que identificara a qué leyes aludía la LOAES, pero no lo hizo. Sin duda también por precipitación, su artículo 20 reprodujo el artículo 10 de la LOAES, en una perfecta remisión circular: "El incumplimiento o la resistencia a las órdenes de las autoridades competentes en el estado de alarma será sancionado con arreglo a las leyes, en los términos establecidos en el artículo diez de la Ley Orgánica 4/1981, de 1 de junio"[18].

---

[18] Así lo ha advertido T. CANO CAMPOS, *Estado de alarma, sanciones administrativas y desobediencia a la autoridad*, en *https://seguridadpublicasite.wordpress. com/2020/05/08/estado-de-alarma-sanciones-administrativas-y-desobediencia-a-la-autoridad/*.

En estas condiciones, tras la aprobación de las Órdenes de desarrollo de las limitaciones a la circulación y a la apertura de establecimientos (artículo 7 y 10 del Real Decreto 463/2020), los miembros de las fuerzas y cuerpos de seguridad, y los tres niveles de Administraciones, comenzaron a formular denuncias y a iniciar expedientes sancionadores contra las personas que incumplían las restricciones establecidas por dichas Órdenes (entre otras conductas más graves, aunque excepcionales, que no es necesario recordar aquí). Así se ha hecho entendiendo que tales incumplimientos se hallaban tipificados como infracción grave en el artículo 36.6 de la Ley Orgánica 4/2015, de 30 de marzo, de protección de la seguridad ciudadana ("La desobediencia o la resistencia a la autoridad o a sus agentes en el ejercicio de sus funciones, cuando no sean constitutivas de delito, así como la negativa a identificarse a requerimiento de la autoridad o de sus agentes o la alegación de datos falsos o inexactos en los procesos de identificación") sancionable con multa de cuantía comprendida entre 601 y 30.000 euros (artículo 39.1).

Esta pretensión carece del menor fundamento. El artículo 36.6 no sanciona la mera inobservancia de las normas administrativas (las del estado de alarma o cualesquiera otras), sino "la desobediencia o resistencia a la autoridad": esto es, a la conducta de quien, tras incurrir en tal inobservancia y ser requerido para su rectificación por un agente de la autoridad, negándose formalmente a ello o ejerciendo violencia física o verbal. Con un ejemplo inteligible para cualquiera, no es sancionable pasear por la vía pública fuera de la franja horaria que corresponde a la edad del viandante, sino negarse taxativamente a hacerlo cuando un policía le intime a retirarse. La desobediencia que la Ley Orgánica 4/2015 sanciona no se refiere a las obligaciones o prohibiciones impuestas por las normas, sino a las órdenes concretas de la autoridad[19].

---

[19] Tal es el tajante parecer que la Abogacía General del Estado manifestó en su informe de 2 de abril de 2020 ("dicha infracción concurrirá cuando, habiendo incumplido el particular las limitaciones del estado de alarma, sea

Todo ello arroja el paradójico resultado de que el mero incumplimiento de cualquiera de las innumerables obligaciones o prohibiciones establecidas por las Órdenes de que trata este trabajo no es sancionable, salvo desobediencia o resistencia a una intimación expresa; una consecuencia sorprendente que los sucesivos Reales Decretos de prórroga del estado de alarma no se han molestado en corregir. Y, en tales condiciones, debemos preguntarnos si no hubiera sido preferible prescindir de mandatos inútiles y convertir aquellas obligaciones y prohibiciones en meros consejos.

D) El problema de las competencias autonómicas

Una grave dificultad que suscitaba la declaración del estado de alarma, con el contenido que se dio al Real Decreto 463/2020 y que acabamos de examinar, radicaba —como se ha dicho en numerosas ocasiones— en que las materias sobre las que iban a incidir los diferentes tipos de medidas forman parte, desde hace tiempo, del ámbito competencial de las comunidades autónomas (y también, aunque en menor medida, de las entidades locales): me refiero al control de la circulación por vías públicas, a los servicios de salud, a la enseñanza y al control de los establecimientos comerciales, materias sobre las que el Estado ostenta escasas competencias, que en ocasiones son puramente marginales.

---

requerido para su cumplimiento por un agente de la autoridad y el particular desatienda dicho requerimiento": en Https://seguridadpublicasite. files.wordpress.com/2020/04/consulta-abogacc3ada-del-estado.pdf), parecer compartido por toda la doctrina: vid. T. CANO CAMPOS, op. cit.; C. MARTÍN FERNÁNDEZ, *¿Es posible sancionar en virtud de la Ley de Seguridad Ciudadana a quienes incumplen las limitaciones de circulación durante el estado de alarma?*, en https://seguridadpublicasite.wordpress.com/2020/04/25/ es-posible-sancionar-en-virtud-de-la-ley-de-seguridad-ciudadana-a-quienes-incumplen-las-limitaciones-de-circulacion-durante-el-estado-de-alarma/; y A. PASCUAL MORCILLO, *Covid-19, confinamiento y multas: ¿qué es desobediencia?*, en https://banoleon.com/es/blog/covid-19-confinamiento-y-multas-que-es-desobediencia/.

No cabe duda de que la actuación pública eficaz contra una pandemia —un fenómeno que, como todos los de la naturaleza, desconoce olímpicamente las fronteras— exige *un mando rigurosamente centralizado,* y así lo establece el artículo 9.1 de la LOAES:

> "Por la declaración del estado de alarma todas las Autoridades civiles de la Administración Pública del territorio afectado por la declaración, los integrantes de los Cuerpos de Policía de las Comunidades Autónomas y de las Corporaciones Locales, y los demás funcionarios y trabajadores al servicio de las mismas, quedarán *bajo las órdenes directas* de la Autoridad competente en cuanto sea necesaria para la protección de personas, bienes y lugares, pudiendo imponerles servicios extraordinarios por su duración o por su naturaleza".

Y no solo eso. El artículo 10 no es menos terminante:

> "1. El incumplimiento o la resistencia a las órdenes de la Autoridad competente en el estado de alarma será sancionado con arreglo a lo dispuesto en las leyes.
> 2. Si estos actos fuesen cometidos por funcionarios, las Autoridades *podrán suspenderlos de inmediato* en el ejercicio de sus cargos, pasando, en su caso, el tanto de culpa al juez, y se notificará al superior jerárquico, a los efectos del oportuno expediente disciplinario.
> 3. Si fuesen cometidos por Autoridades, las facultades de éstas que fuesen necesarias para el cumplimiento de las medidas acordadas en ejecución de la declaración de estado de alarma *podrán ser asumidas* por la Autoridad competente durante su vigencia".

Lo que estos preceptos vienen a establecer, dicho sin eufemismo alguno, es una suspensión temporal de las relaciones funcionales propias del sistema autonómico, que supone que todas las autoridades y empleados públicos de las comunidades autónomas y entidades locales quedan sujetas al *poder jerárquico* de los órganos del Gobierno y de la Administración General del Estado, de los cuales pueden recibir órdenes inapelables sin la intermediación de los mandos políticos de la comunidad o del ayuntamiento, y que deben ser cumplidas sin el previo asentimiento de dichos mandos.

Decir esto era fácil en 1981, pero no hoy. Tras cuatro décadas de funcionamiento de un sistema en el que el Estado prácticamente ha desaparecido del territorio y en que las autoridades autonómicas y locales no han recibido una sola orden de los órganos del Estado —una orden de verdad—, era previsible que el sistema aplicado por el Real Decreto 463/2020 generase una tendencia a la indisciplina y a la actuación unilateral. Las manifestaciones de ésta (las que han tenido acceso a los medios: probablemente, han sido muchas más) han tenido muchas veces un carácter formal: aprobación de normas propias, en paralelo con las dictadas por las autoridades competentes delegadas[20], o toma unilateral de medidas preventivas, parcialmente discrepantes de las adoptadas por el Estado (principalmente, en la adquisición y distribución de material sanitario y en la realización de test de detección de la enfermedad); y no han sido menos importantes las manifestaciones informales de indisciplina, como las discrepancias y las quejas sistemáticas publicitadas a los medios, tuvieran o no fundamento.

El Estado ha sido incapaz de neutralizar estas resistencias. Totalmente deshabituado a ejercer mando real sobre las autoridades territoriales, se ha visto obligado a acudir a procedimientos de persuasión y consenso: no solo por el talante personal de alguno de los gobernantes, sino también por la insuficiencia de efectivos funcionariales del Ministerio de Sanidad para transmitir las órdenes y fiscalizar su cumplimiento. Ni siquiera ha sido capaz de imponer realmente a las comunidades autónomas un sistema de información, directa y fiable, de las cifras de contagiados, hospitalizados en diferentes niveles y fallecidos, cifras que han tenido que pasar por el filtro de las autoridades autonómicas correspondientes y ser sometidas, por tanto, a varias operaciones de maquillaje. Tras dos meses de forcejeos estériles, la solución final parece haber consistido en la entrega a las comunidades autónomas de los poderes principales para llevar a cabo el proceso de desescalada: lo que la Orden SND/387/2020, de 3 de mayo, ha dado en llamar cogobernanza.

---

[20]   Véanse, por ejemplo, las publicadas en el diario oficial del Estado los días 9, 21, 22, 28 y 30 de abril, y de 4, 14 y 23 de mayo. Téngase en cuenta que algunas de las comunidades autónomas no hacen uso de la publicación oficial del Estado.

Por duro que resulte reconocerlo, la experiencia de los meses de estado de alarma ha puesto de manifiesto las absolutas debilidades del sistema autonómico para afrontar situaciones de crisis global: debilidades achacables no tanto al régimen constitucional y estatutario (que también) cuanto a la actitud de las autoridades autonómicas, muchas de las cuales carecen del menor grado de lealtad institucional y, lo que es igual de grave, de disponibilidad psicológica a asumir una posición formalmente subordinada al Estado cuando las circunstancias lo hacen indispensable. El éxito de la actuación pública contra la pandemia —si es que de tal cosa puede hablarse— se debe principalmente al comportamiento heroico de los servicios de salud y a la ejemplar disciplina mostrada por una altísima proporción de ciudadanos; no a la coordinación de sus Administraciones.

Hace unos días, un médico amigo me decía que este estado de cosas se le asemejaba a una intervención quirúrgica en la que los médicos de apoyo, los anestesiólogos, las enfermeras y los celadores no hacen más que discutir y cuestionar al cirujano principal mientras actúa; el único que se porta bien es el paciente. Y añadía: por más estruendo que ha generado, la epidemia del Covid-19 ha sido una incidencia comparativamente leve en términos históricos, que ha causado muchos menos fallecimientos que algunas gripes invernales; y, que, si se hubiese tratado de una dolencia mucho más grave, de cólera o peste, la descoordinación habría propiciado centenares de miles de muertes, no muchos menos de los que se llevó por delante la pandemia de 1348.

VI. ENSEÑANZAS

Como decíamos al comienzo, el análisis del conjunto de disposiciones dictadas durante el periodo que hemos considerado para hacer frente a la epidemia de Covid-19 ofrece resultados seriamente criticables. Esta conclusión se refiere exclusivamente a los aspectos jurídicos y organizativos de la forma en que las autoridades han afrontado el problema, y no esconde ninguna censura política a un concreto Gobierno (que también podría hacerse, desde luego), porque creo que los resultados de esta política no hubieran sido muy distintos —insisto: en el terreno jurídico— con un Gobierno distinto, del mismo o diferente signo político. El que se haya actuado con notoria torpeza se debe, en parte, a razones estructurales, que conviene recordar sintéticamente, por si en el futuro pudieran ser útiles.

1. La LOAES es un instrumento inadecuado para hacer frente a crisis sanitarias globales; como lo es, igualmente, el artículo 116 de la Constitución. Los problemas que subyacen a dicha Ley son los típicos de nuestra lamentable tradición decimonónica de levantamientos militares y asonadas populares, no los desastres naturales, cada uno de los cuales exige un tratamiento diferente: una perturbación grave del orden público exige medidas muy distintas a una epidemia; y una y otra han de ser previstas y tratadas también de modo diverso a catástrofes de posible acaecimiento, como fenómenos sísmicos o volcánicos, accidentes nucleares tipo Chernóbil o fallos generales de los sistemas de sustento vital (p. ej., del suministro de electricidad). Las actuaciones que habilita el artículo 11 de la LOAES pueden ser útiles en algunos casos; pero son claramente insuficientes para los supuestos que acabo de mencionar.

2. Una de las principales deficiencias de la LOAES se encuentra en la concentración de todos los poderes en el Gobierno. Que una situación de crisis aguda y general requiere un mando único, que haga completa excepción del reparto de competencias entre distintas Administraciones, es a mi juicio incuestionable; pero es disparatado encomendar este mando a un órgano colegiado de composición numerosa (y que, además, puede albergar a personas de distinta orientación política, como hoy sucede), como lo es, también, la previsión de otorgar dicho mando al presidente de una comunidad autónoma, como dice su artículo 7: la difusión de los virus desconoce los límites de las Administraciones territoriales.

La fórmula de las autoridades competentes delegadas que improvisó el Real Decreto 463/2020 era ilegal, pero apuntaba a una línea acertada: una crisis como la que el país ha sufrido solo puede afrontarse con un directorio muy reducido de personas de no muy distinto signo político (una verdadera Comisión Delegada del Gobierno), siempre que actúe en riguroso contacto y coordinación y se apoye en un equipo ejecutivo capaz de dialogar y controlar a las autoridades territoriales de nivel inferior (y, naturalmente, en un auténtico equipo de asesores médicos).

3. El vehículo jurídico para actuar no puede consistir en la aprobación desordenada de Órdenes ministeriales con las que cada ministro o ministra dispara a todo lo que se mueve, con el afán de no ser acusados de inacción, sino en Decretos elaborados y suscritos conjuntamente por todos los miembros del directorio que antes mencioné; Decretos cuyo alcance y valor jurídico deben hallarse perfectamente precisados, ser excluidos de la aplicación del procedimiento ordinario de elaboración e inmediatamente sometidos a la ratificación del Congreso (no a su mera información). Y no sería tampoco ocioso el establecimiento de un sistema sumarísimo de control judicial, en el seno del Tribunal Supremo, que permitiera prevenir y corregir, en plazos muy breves, los abusos que pudieran cometerse.

4. Y, por último: no diré nada sobre las medidas que deberían adoptarse en cada una de estas situaciones, porque es evidente que carezco de cualquier tipo de competencia profesional sobre ello. Pero no se precisa más que algo de sentido común para precisar qué medidas deben considerarse inútiles y/o desaconsejables, a la luz de la experiencia de estas semanas.

Lo es, a todas luces, la de limitación de cualesquiera derechos fundamentales. Salvo el derecho de libertad personal, que sólo tendría que ser racionalmente limitado por el deber que se imponga, a quienes se encuentren contagiados, y sólo a estos, a someterse a medidas de aislamiento, ninguna otra limitación impuesta a cualquier otro de los derechos enumerados en el Título I de la Constitución tiene la menor utilidad para hacer frente a una pandemia. En especial, la supresión radical de la libertad de circulación mediante el confinamiento de todos los ciudadanos ha sido una medida brutal, de eficacia harto cuestionable cuando el contagio de la población ya ha tenido lugar y éste se continúa produciendo en el seno de los domicilios privados o residencias de la tercera edad; y algo semejante cabe decir de la de suspensión de toda actividad económica, que no tiene más efecto que canjear una eventual disminución inmediata del nivel de contagio por una situación de hambre y desempleo a medio plazo.

Derecho administrativo sancionador, estado de alarma y COVID-19

JOAN MANUEL TRAYTER JIMÉNEZ
Catedrático de Derecho Administrativo
Universidad de Girona

I. PLANTEAMIENTO

La imposición de un mal a un administrado, como consecuencia de una conducta ilegal, constituye una sanción administrativa. La más típica es la multa. Ésta sólo puede imponerse una vez respetados una serie de principios sustantivos y procedimentales que son una garantía de la ciudadanía y que derivan del derecho punitivo del Estado. Es, sin duda, la potestad más gravosa que se atribuye a la Administración en un Estado de Derecho. Por ello, nuestro ordenamiento jurídico, como ocurre en los ordenamientos jurídicos de nuestro entorno, la ha adornado de un cúmulo de garantías. Sin ellas, la decisión administrativa resulta contraria a derecho.

En las siguientes páginas examinaremos la normativa dictada durante la declaración del estado de alarma, cuyo cumplimiento se ha impuesto mediante la remisión a infracciones y sanciones, fruto de un procedimiento administrativo, remisión que ya avanzamos no es lo clara que un Estado de Derecho reclama.

La declaración del estado de alarma ha provocado, en esencia, una restricción, limitación o incluso simple supresión de ciertos derechos entre lo que destaca la libertad de circulación de las personas (art. 19 CE)[1] ; limitación o supresión que si ha sido

---

[1]	En general, con la declaración del estado de alarma, se ha limitado cuando no suprimido la libertad en sentido amplio. No podemos olvidar que, en el Estado de Derecho, la libertad no es solo un derecho fundamental; sino un valor superior del ordenamiento jurídico (art. 1.1 CE).

(presuntamente) infringida, pondrá en marcha las potestades punitivas del Estado y, en concreto, la potestad sancionadora de la Administración.

De acuerdo con los datos facilitados por el Ministerio del Interior, desde la declaración del estado de alarma, el 14 de marzo de 2020 y hasta el 23 de mayo de 2020, por incumplimiento de las medidas recogidas en el Real Decreto que declara el estado de alarma se han producido 8.547 detenciones y 1.044.717 propuestas de sanción[2].

II. CARACTERÍSTICAS GENERALES DE LA NORMATIVA SANCIONADORA DURANTE EL ESTADO DE ALARMA

En desarrollo del art. 116.2 CE fue dictada a Ley Orgánica 4/1981, de 1 de junio, reguladora del estado de alarma, excepción y sitio. Respecto al estado de alarma, el capítulo II, arts. 4 a 12 de la Ley, habilita al Gobierno a declararlo, en todo o en parte del territorio, mediante Decreto del Consejo de Ministros, en el que se determinará el ámbito territorial, la duración y los efectos, que no podrán exceder de quince días. Sólo podrá prorrogarse con autorización del Congreso de los Diputados que establecerá el alcance y condiciones durante la prórroga[3].

---

[2]   http://www.interior.gob.es/prensa/noticias/-/asset_publisher/GHU8Ap6ztgsg/content/id/11918219. Última consulta 28.05.2020

[3]   La declaración del estado de alarma se produjo por el Real Decreto 463/2020, de 14 de marzo y, con posterioridad, se adoptaron diversas prórrogas. El Real Decreto 476/2020, de 27 de marzo, prorrogó el estado de alarma hasta el 12 de abril; el Real Decreto 487/2020, de 10 de abril, lo prorrogó hasta el 26 de abril; el Real Decreto 492/2020, de 24 de abril, lo prorrogó hasta el 10 de mayo; el Real Decreto 514/2020, de 8 de mayo, lo prorrogó hasta 24 de mayo; el Real Decreto 537/2020, de 22 de mayo, lo prorrogó hasta el 7 de junio; y el Real Decreto 555/2020, de 5 de junio, lo prorrogó hasta el 21 de junio.

La declaración del estado de alarma podrá realizarse cuando se produzcan alteraciones graves de la normalidad, provocadas por: "crisis sanitarias, tales como epidemias (…) ", (art. 4.b) Ley 4/1981).

Las medidas que la ley permite adoptar en el estado de alarma, de conformidad con el art. 11 Ley 4/1981, son:

> "*a) Limitar la circulación o permanencia de personas o vehículos en horas y lugares determinados, o condicionarlas al cumplimiento de ciertos requisitos.*
>
> *b) Practicar requisas temporales de todo tipo de bienes e imponer prestaciones personales obligatorias.*
>
> *c) Intervenir y ocupar transitoriamente industrias, fábricas, talleres, explotaciones o locales de cualquier naturaleza, con excepción de domicilios privados, dando cuenta de ello a los Ministerios interesados.*
>
> *d) Limitar o racionar el uso de servicios o el consumo de artículos de primera necesidad.*
>
> *e) Impartir las órdenes necesarias para asegurar el abastecimiento de los mercados y el funcionamiento de los servicios de los centros de producción afectados por el apartado d) del artículo cuarto".*

La Ley prevé la constitución de un mando único, que variará según la naturaleza, alcance y ámbito territorial del estado de alarma.

El incumplimiento o la resistencia a las órdenes de esa autoridad competente será sancionado con arreglo a lo previsto en las leyes. Si esos actos son cometidos por funcionarios, las autoridades podrán suspenderles de inmediato en el ejercicio de sus cargos, pasando, en su caso, el tanto de culpa al juez y notificándolo al superior jerárquico a los efectos del oportuno expediente disciplinario.

Al amparo del art. 4 apartados b) (epidemias) y d) (supuestos de desabastecimiento), fue dictado el Real Decreto 463/2020, de 14 de marzo, por el que se declara el estado de alarma para la gestión de la situación de crisis sanitaria ocasionada por el COVID-19.

Su artículo 7 (limitación de la libertad de circulación de las personas), en su redacción originaria[4], preveía:

---

4   El precepto citado ha sido objeto de sucesivas modificaciones desde la aprobación del Real Decreto 463/2020. Sólo tres días después de entrar en vigor, se añadió el inciso de que la circulación por vías o espacios de uso público para las actividades permitidas se debía realizar individualmente, salvo que

"1. Durante la vigencia del estado de alarma las personas únicamente podrán circular por las vías de uso público para la realización de las siguientes actividades:

a) Adquisición de alimentos, productos farmacéuticos y de primera necesidad.

b) Asistencia a centros, servicios y establecimientos sanitarios.

c) Desplazamiento al lugar de trabajo para efectuar su prestación laboral, profesional o empresarial.

d) Retorno al lugar de residencia habitual.

e) Asistencia y cuidado a mayores, menores, dependientes, personas con discapacidad o personas especialmente vulnerables.

f) Desplazamiento a entidades financieras y de seguros.

g) Por causa de fuerza mayor o situación de necesidad.

h) Cualquier otra actividad de análoga naturaleza que habrá de hacerse individualmente, salvo que se acompañe a personas con discapacidad o por otra causa justificada.

2. Igualmente, se permitirá la circulación de vehículos particulares por las vías de uso público para la realización de las actividades referidas en el apartado anterior o para el repostaje en gasolineras o estaciones de servicio.

3. En todo caso, en cualquier desplazamiento deberán respetarse las recomendaciones y obligaciones dictadas por las autoridades sanitarias.

4. El Ministro del Interior podrá acordar el cierre a la circulación de carreteras o tramos de ellas por razones de salud pública, seguridad o fluidez del tráfico o la restricción en ellas del acceso de determinados vehículos por los mismos motivos.

Cuando las medidas a las que se refieren los párrafos anteriores se adopten de oficio se informará previamente a las administraciones autonómicas que ejercen competencias de ejecución de la legislación del Estado en materia de tráfico, circulación de vehículos y seguridad vial.

Las autoridades estatales, autonómicas y locales competentes en materia de tráfico, circulación de vehículos y seguridad vial garantizarán la divulgación entre la población de las medidas que puedan afectar al tráfico rodado".

---

se acompañe a personas con discapacidad, menores, mayores, o por otra causa justificada (Real Decreto 465/2020, de 17 de marzo). Prácticamente un mes y medio después de la declaración del estado de alarma, a las causas justificadas para circular por las vías y espacios públicos, se añadió la prestación de servicios y también se permitió que los menos de 14 años pudieran acompañar a un adulto responsable de su cuidado cuando se realizara alguna de las actividades previstas en el apartado 1 del artículo 7 (Real Decreto 492/2020, de 24 de abril). Finalmente, la última modificación de este precepto, añadió un apartado 1 bis, que habilita a que, durante la vigencia del estado de alarma, se desenvuelvan y realizan las actuaciones electorales precisas para el desarrollo de elecciones convocadas a Parlamentos de comunidades autónomas (Real Decreto 514/2020, de 8 de mayo).

Asimismo, se prevén una serie de medidas excepcionales cuyo denominado común es la afectación (limitación o supresión) de derechos.

Así, por ejemplo, la suspensión de la apertura al público de locales y establecimientos minoristas, la apertura al público de museos, archivos, bibliotecas, monumentos, así como locales y establecimientos en los que se desarrollen espectáculos públicos, actividades deportivas y de ocio. También las actividades de hostelería y restauración. Todo ello restringiendo el principio general de liberad que preside el estado de Derecho (art. 1 CE); el art. 38 CE, que establece la libertad económica y de comercio.

También se adoptan medidas en relación a la libertad religiosa (art. 16 CE), condicionando la asistencia a los lugares de culto y a las ceremonias civiles y religiosas, incluidas las fúnebres, a que se adopten medidas organizativas (distancia de, al menos, un metro, entre otras).

También se permite intervenir y ocupar transitoriamente industrias, fábricas, talleres, explotaciones o locales de cualquier naturaleza, incluidos los centros, servicios y establecimientos sanitarios de titularidad privada, así como aquellos que desarrollan su actividad en el sector farmacéutico; medidas que afectan de lleno a los arts. 33 y 38 CE.

Se suspende también la actividad educativa presencial, en todos los centros, etapas y ciclos, grados, cursos y niveles, incluida la enseñanza universitaria, restringiendo así el art. 27 CE.

La restricción de derechos fundamentales, directa o indirectamente, ha excedido, a nuestro juicio, de los límites del estado de alarma, incidiendo en los derechos citados y algunos más, derivados del derecho de reunión y manifestación, art. 21 CE (Auto TC de 30 de abril de 2020)[5] ; del art. 24.1 CE, al prácticamente

---

[5]   La comunicación de las celebraciones del 1 de mayo y sus consiguientes manifestaciones fueron finalmente prohibidas. Así, STSJ Navarra 9/2020, de 30 de abril; STSJ Galicia 136/2020, de 28 de abril; STSJ Cataluña 1223/2020,

clausurar la actividad judicial excepto en algunas cuestiones[6]; el art. 33 de la Constitución, permitiendo el empadronamiento en viviendas vacías sin título habilitante[7]; el art. 14 CE, prohibiendo por razón de la edad salir a la calle a los niños o excluyendo a los mayores de su inclusión en la UCI, atentando así contra el art. 43 CE[8]; vetando preguntas de los periodistas, que debían pasar por

de 24 de abril. La única estimatoria, la STS Aragón 151/2020, de 29 de abril. Esta resolución, impecable jurídicamente, anula la resolución de la subdelegación del Gobierno en Aragón prohibiendo una manifestación, pues considera que el art. 7 del Real Decreto del estado de alarma no afecta, porque no puede, al derecho de reunión y manifestación reconocido por el art. 21 CE. Finalmente, los tribunales cambiaron parcialmente de doctrina, permitiendo otras manifestaciones en coche y en horarios puntuales.

6 En este sentido, la Disposición adicional segunda del Real Decreto Ley 6/2020, que adopta determinadas medidas urgentes en el ámbito económico y para la protección de la salud pública suspende los plazos procesales e interrumpe los plazos previstos en las leyes procesales para todos los órganos jurisdiccionales, a excepción de ciertos procedimientos penales (habeas corpus, servicios de guardia, actuaciones con el detenido, órdenes de protección, actuaciones urgentes de vigilancia penitenciaria y medidas cautelares en materia de violencia sobre la mujer o menores); y ciertos procedimientos concretos, como es el caso de los procedimientos para la protección de derechos fundamentales, los procedimientos de conflicto colectivo, la autorización judicial para el internamiento no voluntario por razón de trastorno psíquico y medidas de protección de los menores.

7 Resolución de 29 de abril de 2020, de la subsecretaría, por la que se publica la resolución de 17 de febrero de 2020 de Presidencia del Instituto Nacional de Estadística y de la Dirección general de Cooperación Autonómica y Local por la que se dictan instrucciones técnicas a los ayuntamientos sobre la gestión del Padrón municipal (arts. 2.3 y 3.3). Ligada a al anterior, la Resolución del ministerio de Trabajo de 1 de mayo de 2020, sobre subsidio excepcional por desempleo.
Asimismo, vid también la Orden TMA/336/2020, de 9 de abril, por la que se incorpora, sustituye y modifican sendos programas de ayuda del Plan Estatal de Vivienda 2018-2021, en cumplimiento de lo dispuesto en los artículos 10, 11 y 12 del Real Decreto-ley 11/2020, de 31 de marzo, por el que se adoptan medidas urgentes complementarias en el ámbito social y económico para hacer frente al COVID-19.

8 Esta práctica se declaró prohibida en el Informe del Ministerio de Sanidad sobre los aspectos éticos en situaciones de pandemia: El SARS-CoV-2, de 2 de abril de 2020. https://semicyuc.org/wp-content/uploads/2020/04/

un filtro, restringiendo el derecho de información reconocido en el art. 20 CE[9]; suspendiendo el portal de la transparencia para evitar la publicidad de empresas y cuantías de los contratos, hecho que pugna con el artículo 105 CE[10]; clausurando el Parlamento, alegando la imposibilidad de hacer plenos virtuales pues el reglamento no lo permitía y privando durante días de la función de

---

Informe-del-Ministerio-de-Sanidad-sobre-los-aspectos-%C3%A9ticos-en-situaciones-de-pandemia.-El-SARS-CoV-2-02.04.2020.pdf. Última consulta 28.05.2020.

[9] La polémica vino porque, durante las primeras semanas del estado de alarma, el Ejecutivo puso en marcha un sistema para organizar las ruedas de prensa a las que los periodistas no podían asistir presencialmente. Los periodistas enviaban sus preguntas a un chat de WhatsApp, lo que permitía que el Gobierno las conociera con anterioridad, provocando, según denunciaron diversos medios de comunicación, una censura. El 5 de abril de 2020 la Secretaría de Estado de Comunicación rectificó, realizando una propuesta a los medios de comunicación para implantar un sistema de preguntas en directo de carácter mixto: preguntas dirigidas por los periodistas que cubren de manera habitual la información de la Moncloa (cuestiones que habrán de ser pactadas entre ellos) y las demás preguntas lanzadas también en directo por los restantes medios. La carta del Secretario de Estado de Comunicación dirigida a los medios puede consultarse en: https://www.ecestaticos.com/file/77e0998987846d6971688234cc69 2c94/1586103193-cartasec_gruposmedios_preguntas.pdf

[10] Desde la declaración del estado de alarma, el 14 de marzo de 2020, el Portal de la Transparencia permaneció inactivo, del mismo modo que también quedaron paralizadas todas las solicitudes de acceso a la información pública realizadas al amparo de la Ley 19/2013, de 9 de diciembre, de transparencia, acceso a la información pública y buen gobierno. Esta suspensión se amparó en la Disposición adicional tercera del Real Decreto 463/2020, que suspende los plazos administrativos, a excepción de determinados procedimientos entre los que no se incluyen aquellos regulados por la legislación de transparencia; suspensión levantada el 1 de junio de 2020 en virtud del Real Decreto 537/2020, de 22 de mayo.
Esta paralización también afectó a divulgación del derecho vigente efectuada a través del mismo Portal, obligando a que las diversas normas aprobadas durante el estado de alarma (centenares) se tuvieran que consultar directamente en el BOE, incumpliendo así las reglas de publicidad activa sobre la potestad normativa. ARAGUÀS GALCERÀ, I., *La transparencia en el ejercicio de la potestad reglamentaria*, Atelier, Barcelona, 2016.

control del poder legislativo al ejecutivo; atentados contra los valores y principios del Estado de Derecho (art. 1 CE), prorrogado hasta seis veces el estado de alarma[11], fomentando la inseguridad jurídica (art. 9.3 CE) por la avalancha de normas, rectificaciones y contradicciones[12], cuya infracción, obviamente, podría constituir un ilícito sancionable administrativamente.

Mención aparte merece la clausura del Tribunal Constitucional, alegando el posible hackeo de sus deliberaciones. Ese cierre, que de facto duró varias semanas, (se anunció el 16 de marzo y

---

[11]   Real Decreto 476/2020, de 27 de marzo, que prorrogó el estado de alarma hasta el 12 de abril; Real Decreto 487/2020, de 10 de abril, que lo prorrogó hasta el 26 de abril; Real Decreto 492/2020, de 24 de abril, que lo prorrogó hasta el 10 de mayo; Real Decreto 514/2020, de 8 de mayo, que lo prorrogó hasta 24 de mayo; Real Decreto 537/2020, de 22 de abril, que lo prorrogó hasta el 7 de junio; y Real Decreto 555/2020, de 5 de junio, que lo prorrogó, por sexta y última vez, hasta el 21 de junio de 2020.
A nuestro juicio, estas prórrogas vulneran la Ley, por cuanto el art. 6 de la Ley Orgánica 4/1981 establece que la declaración del estado de alarma "no podrá exceder de 15 días". "Sólo se podrá prorrogar con autorización expresa del Congreso de los diputados, que en este caso podrán establecer el alcance y las condiciones vigentes durante la prórroga". De este precepto se deriva: a) Que sólo se puede prorrogar una vez. El artículo 6 habla de prórroga en singular; b) Es evidente que la duración de una prórroga no puede superar la duración principal del estado de alarma (sería como un partido de futbol en el que la prórroga durase más que el partido mismo).

[12]   En este sentido, durante días asistimos a declaraciones contradictorias por parte de los Ministerios de Sanidad y de Industria en relación a si las rebajas estarían permitidas. Finalmente, el tema quedó resuelto formalmente por la Orden SND/414/2020, de 16 de mayo, para la flexibilización de determinadas restricciones de ámbito nacional establecidas tras la declaración del estado de alarma en aplicación de la fase 2 del Plan para la transición hacia una nueva normalidad, que en su Disposición adicional tercera prevé: *"Las acciones comerciales o de promoción que lleven a cabo los establecimientos comerciales deberán estar acompañadas de medidas destinadas a asegurar que no se generen aglomeraciones que impidan el mantenimiento de la distancia de seguridad, el cumplimiento de los límites de aforo, o que comprometan el resto de medidas establecidas en esta orden, debiendo adoptar las medidas adecuadas para evitarlas, incluyendo el cese inmediato de las mencionadas acciones comerciales o de promoción si resultara necesario"*.

duró hasta el día 16 de junio de 2020) es un hecho insólito pues, además, es la institución que tenía el monopolio del control de la constitucionalidad del Real Decreto por el que se declara el estado de alarma, tal y como señaló el Tribunal Supremo (auto de 4 de mayo de 2020), siguiendo la doctrina del propio TC (STC 83/2016, de 28 de abril).

También ha destacado el nulo rigor normativo en la prohibición de conductas, haciéndose estas por orden ministerial, instrucciones o circulares, guías de buenas prácticas y prohibiciones lanzadas por Twitter[13]. Asimismo, se han dictado Bandos restringiendo horarios, prohibiendo dar paseos, salir del municipio[14]; o incluso la Guardia Civil ha hecho listas de productos

---

13   Asimismo, debemos referirnos a la "Guía de Buenas Prácticas en las salidas de la población infantil durante el estado de alarma", realizada conjuntamente por el Ministerio de Sanidad, la Vicepresidencia segunda del Gobierno y el Ministerio de derechos sociales y Agenda 2030, para ordenar la salida de los menores, permitida a partir del 26 de abril de 2020. Entre otras cuestiones, la guía señalaba que: *"Solo ocasionalmente se podrá hablar con terceros, pero siempre manteniendo la distancia de aproximadamente dos metros. La comunicación debe ser breve"*.

14   Así, el Bando de la Alcaldesa de Benajoán, en Málaga (1.4000 habitantes), que prohibía ir a comprar a una gran superficie en el pueblo vecino. Además, restringía los horarios de los negocios locales y sólo podían abrir entre 7h y 15h. También evitaba comprar un producto cada vez y así hacer diez paseos al día.

En Herrera del Duque (Badajoz, 3.500 habitantes), el Alcalde Saturnino impidió compras de menos de 30 euros. "Si son 25 no lo vamos a denunciar", dice Saturnino.

En Olivares (Sevilla, 9.394 habitantes), el Alcalde, Isidro, impuso a los dueños de mascotas un estricto horario para los paseos. El bando limita las salidas entre las 7:00h y las 11:00h.; las 14:00h. y las 16:00h.; y las 20 y las 23:00h. Fuera de ese horario la multa es de 650 euros.

En Navajas (Castellón, 716 habitantes), se ordena que retornen a los domicilios habituales lo que están en segundas residencias.

Todos ellos olvidan que el Bando no es una norma jurídica. Son meros recordatorios, recomendaciones que hacen los alcaldes pero sin innovar el ordenamiento jurídico, y mucho menos le está permitido al Bando prohibir conductas, limitar derechos fundamentales y tipificar infracciones y sanciones (así, art. 21.1 e) Ley 7/1985, de 2 de abril, reguladora de

que se podían comprar y justificaban la salida del domicilio y otros que no, incoando el correspondiente expediente en este último caso[15]. Todo un cúmulo de despropósitos que tuvo que ser parcialmente corregido por una Instrucción de la Secretaría de Estado de Interior, pero que denota la actitud de ciertos gobernantes hacia el poder represivo contra el ciudadano y el desconocimiento de las más elementales reglas jurídicas del Derecho punitivo del Estado[16].

---

las Bases de Régimen Local). Por ello, no han de seguir procedimiento de elaboración ni aprobación alguno. La Secretaría de Estado del ministerio del interior debió dictar una circular recordando la ilegalidad de esos bandos.

[15] Tal y como publicó el diario Las Provincias (3-4-2020), la Guardia Civil, de manera absolutamente ilegal, hizo pública una lista donde se detallaba cuáles eran los productos alimentarios de primera necesidad que justificaban salir a la calle y cuáles no, así como los servicios que se consideraban esenciales. En caso de contravenir la lista, se multaba al ciudadano. Así, el alimento o servicio que no estaba en la lista, no habilitaba a circular por la calle. La lista incluía a) Productos alimenticios y alimentarios (ej. carnes frescas, aves de corral de caza silvestre, conejo doméstico, de caza y de granja, derivados cárnicos, etc.); b) Productos no alimenticios (medicamentos, productos de perfumería, herramientas, cuchillería, vivienda); c) Servicios: agua, gas, electricidad, calefacción, servicio médico, hospitalario, farmacéutico, veterinario. En base a esa lista, se sancionó a los que llevaban en la cesta de la compra cacao o pinta uñas. También a quien salió con el pan, supuestamente del día anterior, o periódicos que no eran del día.

[16] Así, por ejemplo, la Orden SND/422/2020, de 19 de mayo, por la que se regulan la condiciones para el uso obligatorio de mascarilla durante la situación de crisis sanitaria ocasionada por el COVID-19. La citada norma: a) No concreta qué tipo de mascarilla debe llevarse; b) Incluye excepciones a la regla general como "el desarrollo de las actividades en las que, por la propia naturaleza de estas, resulte incompatible el uso de mascarilla" (art.2.2c), debiendo clarificarse por el Ministerio que eran las persona que hacían deporte; c) No incluir, porque no lo puede hacer por el rango de la norma, un listado de infracciones y sanciones y, por tanto, se acabará aplicando la infracción de desobediencia a la autoridad del art. 36.6 de la Ley de Seguridad Ciudadana, vulnerando las reglas de la tipicidad (art. 25.1 CE).

Esas limitaciones, restricciones o puramente supresión de la vigencia de los derechos fundamentales[17], han de ser cumplidas por los ciudadanos so pena de la imposición del régimen sancionador al que el Real Decreto 463/2020 (art. 20) se remite, pero del que carece. Así, se declara que:

> *"El incumplimiento o la resistencia a las órdenes de las autoridades competentes en el estado de alarma será sancionado con arreglo a las leyes, en los términos establecidos en el artículo diez de la Ley Orgánica 4/1981, de 1 de junio".*

El art. 10 de la Ley Orgánica 4/1981, de 1 de julio, dice:

> *"Uno. El incumplimiento o la resistencia a las órdenes de la Autoridad competente en el estado de alarma será sancionado con arreglo a lo dispuesto en las leyes.*
>
> *Dos. Si estos actos fuesen cometidos por funcionarios, las Autoridades podrán suspenderlos de inmediato en el ejercicio de sus cargos, pasando, en su caso, el tanto de culpa al juez, y se notificará al superior jerárquico, a los efectos del oportuno expediente disciplinario.*
>
> *Tres. Si fuesen cometidos por Autoridades, las facultades de éstas que fuesen necesarias para el cumplimiento de las medidas acordadas en ejecución de la declaración de estado de alarma podrán ser asumidas por la Autoridad competente durante su vigencia".*

Para todo ello, se declara el mando único en el Gobierno del Estado y, en concreto, bajo la superior dirección del Presidente del Gobierno, son autoridades competentes delegadas en sus respectivas áreas, la ministra de Defensa, el ministro del Interior, el

---

17 También se imponen en el RD 463/2020, de 14 de marzo, requisas temporales y prestaciones personales y obligatorias (art. 8) en la línea que habilita el art. 11 de la Ley Orgánica 4/1981, de 1 de junio, de los estados de alarma, excepción y sitio.
En esta línea, también se establecieron unos horarios y condiciones para practicar deporte no profesional al aire libre (Orden SND 380/2020, de 30 de abril); se estableció la obligatoriedad el uso de mascarillas en el transporte público (Art. 1 Orden SND/384/2020, de 3 de mayo); se establecieron unas condiciones para la ocupación de vehículos en el transporte terrestre (art. 2 Orden SND/384/2020, de 3 de mayo); o se estableció una cuarentena obligatoria de 14 días a la llegada a España para las personas procedentes de otros países (Orden SND/403/2020, de 11 de mayo).

ministro de Transportes, Movilidad y Agenda Urbana y el ministro de Sanidad.

Los problemas jurídicos que se plantean con esa parca regulación son varios, y los iremos viendo a lo largo del presente estudio. En primer lugar, la ausencia de una normativa específica de infracciones y sanciones durante el estado de alarma y la consiguiente remisión a una normativa general que dificulta saber cuál es la ley aplicable para reprimir los ilícitos y sus consiguientes sanciones. En segundo término, la concreción del ilícito de desobediencia a la autoridad, que ha sido el más aplicado durante el estado de alarma. En tercer término, las autoridades competentes para la incoación, tramitación y resolución de los expedientes, al declarar, con el estado de alarma, el mando único en el Gobierno, en distintos ministros.

Esta circunstancia, plantea la cuestión del papel del mando único, de las funciones de las distintas policías sometidas a ese mando único y del mantenimiento de las competencias autonómicas y locales en la incoación, instrucción y resolución de los expedientes sancionadores.

III. PRINCIPIOS Y REGLAS DE LA POTESTAD SANCIONADORA DE LA ADMINISTRACIÓN

Desde la promulgación del Texto Constitucional y la equiparación, con matices, de las reglas y principios del derecho punitivo del Estado (penal y derecho administrativo sancionador) se superaron aquél cúmulo de técnicas toscas, arcaicas y prebeccarianas que denunció GARCÍA DE ENTERRÍA y la práctica unanimidad de la doctrina[18]. Las primeras sentencias del TC sirvieron para regenerar el mundo de lo sancionatorio-administrativo, dotándolo de las aplicaciones y garantías jurídicas que derivan del art. 25 CE

---

[18]   GARCÍA DE ENTERRÍA, E., "El problema jurídico de las sanciones administrativas", *REDA* núm. 10, 1976.

(principios sustantivos, STC 2/1981, de 30 de enero) y procedimentales, destilados de una interpretación finalista del art. 24 CE, de aplicación, a priori, al ámbito del proceso judicial, pero que por la aflicción y gravedad del poder punitivo del Estado en manos de la Administración, también resulta de aplicación, con las debidas adaptaciones (STC 18/1981, de 18 de junio).

Esos principios han sido incorporados a los arts. 25 a 31 de la Ley 40/2015, de 1 de octubre, de Régimen Jurídico del sector Público (LRJSP), y resultan de aplicación a todos los ámbito en los que la Administración pone en marcha sus potestades punitivas. Veremos luego si, en el caso de las sanciones impuestas en el estado de alarma, esas reglas y principios se han respetado, teniendo en cuenta que el punto de partida es este, y que las excepciones y matizaciones han de estar debidamente justificadas.

Así, entre los principios que la Administración debe respetar, destacamos:

a) El principio de legalidad y reserva de ley, según el cual la potestad sancionadora de la Administración se ejercerá cuando haya sido expresamente reconocida por una norma con rango de ley (así, art. 25.1 CE y 25.1 LRJSP). La tipificación de infracciones y sanciones ha de estar prevista en la Ley, quedando vedada una tipificación *ex novo* vía reglamentaria. El reglamento puede únicamente incorporar cuestiones puntuales o de detalle, pero no crear nuevas infracciones y recoger nuevas sanciones, pues ello sería contrario al art. 25.1 CE (así, STC 42/1987, de 7 de abril).

b) Principio de tipicidad. Derivado también del artículo 25.1 CE, implica que sólo constituyen infracciones administrativas las vulneraciones del ordenamiento jurídico previstas como tales infracciones (en este sentido, art. 27.1 LRJSP). Asimismo, únicamente por la comisión de infracciones administrativas podrán imponerse sanciones que, en todo caso, estarán delimitadas por la Ley (art. 27.2 LRJSP). Las infracciones administrativas se clasificarán por la ley en muy graves, graves y leves, vinculando las mismas a sus correspondientes sanciones.

Por tanto, el principio de tipicidad es un mandato al legislador para que desarrolle con detalle y cuidado cada una de las conductas ilícitas y sus correspondientes castigo; es también un mandato a la Administración para que aplique estrictamente los requisitos establecidos por ley para incardinar el comportamiento en uno de los ilícitos e impongan los castigos que prevé la ley, no otros, teniendo en cuenta, además, que "las normas definidoras de infracciones y sanciones no serán susceptibles de aplicación analógica (art. 27.4 LRJSP) pues, no olvidemos que, en el Estado de Derecho, todo lo que no está expresamente prohibido está permitido, como expresión máxima y elemental del principio general de libertad y valor superior que preside el ordenamiento jurídico (art. 1 CE).

Respecto a ambas cuestiones (reserva de ley y principio de tipicidad), los problemas que se han producido durante la vigencia del estado de alarma, y que posteriormente analizaremos, parten de la indeterminación de las previsiones del Real Decreto 463/2020, de 14 de marzo, a saber: a) Cuál es la Ley aplicable para reprimir las conductas contrarias al estado de alarma; b) Es correcto tipificar como "desobediencia a la autoridad", el incumplimiento de la normativa del estado de alarma y no la desobediencia a las órdenes, mandatos o prohibiciones de la policía; c) La tipificación en listas de la Guardia civil de las conductas prohibidas o permitidas, la dicción de códigos de buenas prácticas que interpretaban la ingente cantidad de normas dictadas durante el estado de alarma o, por fin, la tipificación por órdenes ministeriales de conductas prohibidas y permitidas durante la vigencia del estado de alarma y sus distintas prórrogas; d) La amplitud de la sanción por la comisión del hecho presuntamente ilícito (así, por ejemplo, la desobediencia o resistencia a la autoridad o sus agentes, falta grave tipificada en el art. 36.6 de la Ley Orgánica 4/2015, de 30 de marzo, de Protección de la Seguridad Ciudadana —LSC— a la que corresponde la sanción de 600 a 30.000 euros).

c) Principio de irretroactividad, según el cual serán de aplicación las disposiciones sancionadoras vigentes en el momento de producirse los hechos que constituyen infracción administrativa; pudiendo tener efecto retroactivo las disposiciones sancionadoras cuando favorezcan al presunto infractor o al infractor, tanto en lo referido a la tipificación de la infracción como a la sanción y a sus plazos de prescripción, todo ello derivado también del art. 25.1 CE (art. 26 LRJSP).

d) Principio de proporcionalidad. Derivado del art. 25.1 CE, contiene un doble mandato: en primer lugar, al legislador para que, al tipificar infracciones y sus correspondientes sanciones, tenga en cuenta ese principio que exige una adecuación entre la gravedad del hecho acaecido y su correspondiente sanción. Por otro lado, es un mandato a la Administración para que, entre las diversas infracciones y sus correspondientes sanciones, aplique la menos restrictiva de la libertad individual. En este sentido, el art. 29 LRJSP dice:

"1. Las sanciones administrativas, sean o no de naturaleza pecuniaria, en ningún caso podrán implicar, directa o subsidiariamente, privación de libertad.

2. El establecimiento de sanciones pecuniarias deberá prever que la comisión de las infracciones tipificadas no resulte más beneficioso para el infractor que el cumplimiento de las normas infringidas.

3. En la determinación normativa del régimen sancionador, así como en la imposición de sanciones por las Administraciones Públicas se deberá observar la debida idoneidad y necesidad de la sanción a imponer y su adecuación a la gravedad del hecho constitutivo de la infracción. La graduación de la sanción considerará especialmente los siguientes criterios:

a) El grado de culpabilidad o la existencia de intencionalidad.

b) La continuidad o persistencia en la conducta infractora.

c) La naturaleza de los perjuicios causados.

d) La reincidencia, por comisión en el término de un año de más de una infracción de la misma naturaleza cuando así haya sido declarado por resolución firme en vía administrativa.

4. Cuando lo justifique la debida adecuación entre la sanción que deba aplicarse con la gravedad del hecho constitutivo de la infracción y las cir-

cunstancias concurrentes, el órgano competente para resolver podrá impo-
ner la sanción en el grado inferior.
 5. Cuando de la comisión de una infracción derive necesariamente la
comisión de otra u otras, se deberá imponer únicamente la sanción corres-
pondiente a la infracción más grave cometida.
 6. Será sancionable, como infracción continuada, la realización de una
pluralidad de acciones u omisiones que infrinjan el mismo o semejantes pre-
ceptos administrativos, en ejecución de un plan preconcebido o aprovechan-
do idéntica ocasión".

Los problemas jurídicos que se han planteado también durante el estado de alarma han derivado de la amplitud de los términos en que está recogida la tipificación de infracciones y sanciones y la indeterminación de las cuantías de las multas por la comisión del hecho presuntamente ilícito.

e) Prescripción de infracciones y sanciones, que dependerán de la concreta ley aplicable.

El plazo de prescripción de las infracciones comenzará a contar desde el día en que la infracción se hubiera cometido. El plazo de prescripción de la sanción comenzará a contarse desde el día siguiente a aquél en que sea ejecutiva la resolución por la que se impone la sanción.

Como veremos, derivado de le estado de alarma, dos dudas se han planteado, a saber: a) Según la legislación aplicable (Ley de Seguridad Ciudadana o Ley General de Sanidad) los plazos de prescripción de infracciones y sanciones son distintos; b) Si, con la finalización del estado de alarma, los expedientes decaen, al decaer las normas excepcionales que regulan el estado de alarma.

f) Concurrencia de sanciones. El principio *non bis in idem.*

Derivado también del art. 25.1 CE, el principio *non bis in idem* impide la doble sanción (penal y administrativa) cuando exista identidad de sujeto, hecho y fundamento (STC 2/1981, de 30 de enero, art. 31 LRJSP). Es el denominado *non bis in idem* material.

Por otro lado, en caso que un hecho pueda ser constitutivo de infracción administrativa y delito, debe paralizarse el procedimiento administrativo y ponerlo en conocimiento del Ministerio Fiscal o el juez penal, pues existe una prevalencia de la actuación de la jurisdicción penal sobre la administrativa. En este sentido, el procedimiento administrativo sancionador deberá paralizarse y la declaración del juez penal vincula a la Administración en dos sentidos: a) Si declara que los hechos no han existido; b) El expedientado no ha participado en los mismos, esa declaración no puede ser contravenida por la administración, so pena de vulnerar el principio de *non bis in idem* procesal (STC 77/1983, de 3 de octubre).

Como veremos, los problemas jurídicos que se han planteado durante el estado de alarma, han derivado de la tipificación en vía administrativa de la desobediencia a la autoridad; tipificación que también se encuentra en el Código Penal. El principio de mención impedirá la doble sanción por la comisión de un único hecho y la prevalencia de la jurisdicción penal sobre la actuación administrativa.

Puede ocurrir que distintas normas sancionadoras administrativas prevean diferentes infracciones por la comisión de un mismo hecho. Deberá entonces aplicarse la teoría del concurso de ilícitos para solventar el problema, no pudiendo sancionarse dos veces de manera independiente (por ejemplo, si el hecho está tipificado como ilícito por la legislación de seguridad ciudadana y por la legislación sanitaria).

g) Igualmente debe concurrir el requisito subjetivo de la culpabilidad en sus distintos grados: culpa o negligencia, dolo o intención. En el derecho administrativo sancionador no cabe castigar simplemente por el hecho objetivo de la comisión de una presunta infracción (así, STC 76/1990, de 26 de abril). Debe concurrir, como en el ámbito penal, dolo o culpa, es decir, el elemento subjetivo de la culpabilidad del expedientado y el elemento de la personalidad de las

sanciones. En caso contrario, el autor de hecho presuntamente ilícito no podrá ser sancionado. Incluso, ciertos ilícitos administrativos, como veremos con la desobediencia a
la autoridad, solo pueden ser cometidos por dolo, es decir,
con intención o mala fe, no por negligencia.

h) Respeto al procedimiento administrativo sancionador,
los derechos y garantías que derivan del art. 24 CE son
aplicables al mismo, debido a una interpretación finalista
de este precepto que hizo el TC (STC 18/1981, de 18 de
junio).

Los trámites del procedimiento derivan de la Ley específica de aplicación y de las previsiones de la Ley 39/2015,
de 1 de octubre, de Procedimiento Administrativo Común
(LPAC).

Durante el estado de alarma, diversas cuestiones se han
planteado respecto a los procedimientos sancionadores, a
saber: a) El contenido de los atestados que pueden realizar las distintas policías y que constituye la "*notitia criminis*"
para la instrucción del procedimiento; b) Cuál es la normativa de aplicación y, por tanto, los concretos trámites del
procedimiento, esto es, la Ley de Seguridad ciudadana, la
legislación sanitaria o las leyes de protección civil; c) También existen dudas derivadas del mando único instaurado
durante el estado de alarma y las competencias, instructoras
y sancionadoras, de las distintas administraciones públicas
Así, la duda es si el mando único en favor del Presidente
del Gobierno, el Gobierno del Estado y los ministros de
defensa, interior, transportes y sanidad, altera las reglas de
competencia en la incoación, instrucción y resolución que,
según las leyes aplicables y ante el silencio de la normativa
del estado de alarma, poseen las Comunidades Autónomas
e, incluso, los entes locales.

IV. LA DESOBEDIENCIA A LA AUTORIDAD. LA POSIBLE LEGISLACIÓN APLICABLE DURANTE EL COVID (LEY 4/2015, DE 30 DE MARZO, DE PROTECCIÓN DE LA SEGURIDAD CIUDADANA; LEY 17/2015, DE 9 DE JULIO, DEL SISTEMA NACIONAL DE PROTECCIÓN CIVIL; LEY 33/2011, DE 4 DE OCTUBRE, GENERAL DE SALUD PÚBLICA). LAS ORDENANZAS LOCALES

A) *La ausencia de una legislación sancionadora específica durante el estado de alarma*

Uno de los problemas que se plantea con la declaración del estado de alarma es, como hemos dicho, el de la normativa sancionadora aplicable ante el incumplimiento de la propia legislación del estado de alarma y de las órdenes, mandatos y prohibiciones que rigen durante este período excepcional.

El art. 20 del Real Decreto 463/2020, respecto al régimen sancionador, dice:

> *"El incumplimiento o la resistencia a las órdenes de las autoridades competentes en el estado de alarma será sancionado con arreglo a las leyes, en los términos establecidos en el artículo diez de la Ley Orgánica 4/1981, de 1 de junio".*

Por su parte, el art. 10 de la Ley Orgánica 4/1981, de 1 de junio, de los estados de alarma, excepción y sitio, prevé que:

> *"El incumplimiento o la resistencia a las órdenes de la Autoridad competente en el estado de alarma será sancionado con arreglo a lo dispuesto en las leyes".*

Esta remisión a "las leyes" plantea un primer problema a la hora de reprimir las conductas presuntamente ilícitas y aplicar sus correspondientes sanciones. Se trata de una cuestión que afecta a la tipificación de infracciones y sanciones, a los órganos competentes para incoar y tramitar los procedimientos y sancionar, a las Administraciones implicadas en la represión de las conductas contrarias al estado de alarma y a los plazos de prescripción de infracciones y sanciones, entre otras cuestiones.

El tema más importante, como veremos, es el que deriva del principio de legalidad (pues se desconoce cuál es la normativa sancionadora aplicable) y del principio de tipicidad de infracciones y sanciones, pues una vez determinada la ley aplicable, se deberá realizar la calificación jurídica de los hechos denunciados y la incardinación de los mismos en la conducta tipificada como infracción y sus correspondientes sanciones.

La legislación del estado de alarma no prevé un sistema sancionador por el incumplimiento de las normas dictadas a su amparo; circunstancia que plantea cuál es la normativa aplicable en materia sancionadora y como las autoridades reprimen el incumplimiento de esa normativa y las órdenes, mandatos y prohibiciones dictadas a su amparo por las autoridades y las fuerzas y cuerpos de seguridad.

Así, las restricciones a la de circulación[19], la suspensión de la apertura al público de locales y establecimientos minoristas, la

---

[19] En Francia, las sanciones impuestas por no respetar el confinamiento durante "l'état d'urgence sanitaire" han sido de 135 euros y se podían agravar en caso de reincidencia, de acuerdo con el *Decret n1 2020-37, de 28 de mars 2020 relatif a la forfaitisation de la contravention de la 5e classe réprimant la violation des mesures édictées en cas de menace sanitaire grave et déclaration de l'état d'urgence sanitaire*, entre 200 y 450 euros. Si, en 30 días, 1 reincidencia es de cuatro vulneraciones del estado de emergencia, la multa puede llegar a 3.750 euros o a trabajos de interés general y penas de cárcel de seis meses.

Hay que destacar también que el *Conseil Constitutionnel*, en la *Décision* n°2020-799 de 26 de marzo, declaró conforme a la Constitución la Ley Orgánica de urgencia para hacer frente al COVID por vía de un recurso previo. En cambio, por *Décision* n°202080, de 11 de marzo, consideró que estar confinado más de 12 horas al día, de acuerdo con la Ley que prorrogaba el estado de emergencia sanitaria, iba en contra de la Constitución y del principio de proporcionalidad.

En cambio, el *Conseil d'État* en urgencia (*référé*) ordenó el cese inmediato de la vigilancia por drones del respeto a las reglas sanitarias ordenado por la prefectura de la policía de parís, al considerarlo tratamiento de datos personales que vulnera la ley de informática y de libertades (*Ordonannce du Conséil d'État du 18 mars 2020*). Igualmente, el Consejo de Estado, anula la decisión del gobierno prohibiendo el uso de la bicicleta, al considerarlo un atentado a la liberad individual (Ordonnance du Conséil d'État du 30 avril

prohibición de trabajos que no sean esenciales, la prohibición de baño en las playas o la obligatoriedad del uso de mascarillas en espacios públicos y comercios son normas que no tienen un sistema sancionador específico[20].

2020) o a l'arrête del alcalde de Sceaux imponiendo el uso de mascarillas "cubriendo la boca y la nariz" para los desplazamientos en el municipio, pues los ayuntamientos no tienen competencias para dictar medidas suplementarias al Gobierno restrictivas de la libertad individual y la imposición de una determinada mascarilla puede producir confusión en la población (*Conséil d'État, Ordonnance du 17 avril 2020*). También son importantes las Ordenanzas de 20 de abril de 2020, ordenando la protección con mascarillas y gel hidroalcohólico a los abogados en el ejercicio de sus funciones o la negativa al cierre de empresas de la metalúrgica solicitada por un sindicato, al ser esenciales para la Nación (*Ordonnance Conséil d'État du 13 avril 2020*).

En Italia, es el Decreto dei Consiglio dei Ministri de 25 de marzo de 2020 n° 19 el que unificó las sanciones por incumplimiento de las medidas de confinamiento y cuarentena. Hasta entonces, eran los decretos regionales los que tipificaban infracciones y sanciones. A partir de esa norma, las sanciones son de 400 a 3000 euros, e incluso el cierre de la actividad comercial durante 30 días a los comercios que no respeten la normativa del COVID.

Como anécdota, destaca la denuncia de los carabineros a una señora en la región de Centocella (Roma) por 400 euros al violar el confinamiento por sacar a pasear a su tortuga para que le diese aire fresco, argumento que no convenció a la patrulla.

En Alemania, no se ha impuesto el confinamiento a la población, sino restricciones (pro ejemplo, respetar medidas de higiene y distanciamiento social al hacer deporte. Desde el 27 de abril, se decretó la obligación de llevar mascarillas en comercios, transporte público y trenes de larga distancia, excepto a los niños menores de seis años. Se prevén multas que imponen los Estados, pero en Berlín o Brandenburgo, por ejemplo, se acude a la pedagogía.

El Tribunal Federal Alemán avala el derecho de reunión y manifestación durante el COVID, al declarar contrario a la Constitución la prohibición de manifestación de un grupo en el Land de Hesse y el condado de Giessen, cuya manifestación fue prohibida. Eran treinta personas, que iban a colocarse en unas marcas de 1,5 metros de distancia, que es lo que exige el TC alemán. El lema de la manifestación era "Fortalecer la salud en lugar de debilitar los derechos fundamentales. Protección contra el virus, no contra las personas".

[20]   Así, el Real Decreto Ley 10/2020, de 29 de marzo, por el que se regula el permiso retribuido recuperable para las personas trabajadoras por cuenta

Esa normativa, que se ha ido dictando durante el estado de alarma y que han restringido la libertad y los derechos de los ciudadanos, se debe hacer cumplir mediante un sistema sancionador que no queda claro, por lo que tampoco quedan claras las autoridades competentes para la instrucción y resolución de los expedientes sancionadores, como veremos posteriormente. Al no existir una normativa sancionadora específica, tendremos que examinar cuál es la legislación aplicable para reprimir las conductas contrarias al acervo normativo del estado de alarma. Y las posibilidades, a priori, además de las ordenanzas locales, son tres: la Ley Orgánica 4/2015, de 30 de marzo, de Protección de la Seguridad Ciudadana (LSC); la Ley 17/2015, de 9 de julio, sobre el Sistema Nacional de Protección Civil (LPC); y la Ley 33/2011, de 4 de octubre, General de Salud Pública (LGSP).

No parece de recibo, en un Estado de Derecho, este tipo de inconcreciones que, entre otros temas, volatilizan el principio de seguridad jurídica (art. 9.3 CE).

Al final, como seguidamente veremos, esa deficiente técnica jurídica ha provocado la aplicación generalizada de la falta grave de desobediencia a la autoridad o sus agentes recogida en el art. 36.6 LSC, haciendo una interpretación que pugna con la literalidad del precepto, con la jurisprudencia dictada a su amparo y con la propia interpretación y aplicación que había hecho hasta ahora el propio ministerio del Interior, pro-

---

ajena que no prestan servicios esenciales con el fin de reducir la movilidad de la población en el contexto de la lucha contra el COVID-19.

Sobre el uso de mascarilla obligatoria, la Orden SND 422/2020, de 19 de mayo, por la que se regulan las condiciones para el uso obligatorio de mascarilla durante la situación de crisis sanitaria ocasionada por el COVID-19; normativa ciertamente criticable, como ya hemos señalado anteriormente.

Sobre el baño en las playas, véase el documento recomendaciones para la apertura de playas y zonas de baño tras la crisis del COVID-19, del ministerio de Sanidad, de fecha 23 de mayo de 2020.

vocando seguramente la nulidad de muchas de las sanciones así impuestas.

B) La desobediencia a la autoridad: La Ley 4/2015, de 30 de marzo, de Protección de la Seguridad Ciudadana

1. Planteamiento

El incumplimiento de las limitaciones impuestas por el estado de alarma y, en particular, las previstas en el art. 7 del Real Decreto 463/2020, que restringe la libertad de circulación para todo el territorio del Estado (con diversa intensidad, según las versiones y prórrogas), podrían ser reprimidas por aplicación de la Ley Orgánica 4/2015, de 30 de marzo, de Protección de la Seguridad Ciudadana (LSC).

La aplicación de esta Ley deriva de su propio ámbito de aplicación, que va referido a la seguridad ciudadana, entendida como actividad dirigida a la protección de las personas y al mantenimiento de la tranquilidad de los ciudadanos y que engloba un conjunto plural y diversificado de actuaciones dirigidas a conseguir esos fines.

Entre estos últimos destaca la preservación de la seguridad y la convivencia ciudadanas; la pacífica utilización de vías y demás bienes demaniales y, en general, los espacios destinados al uso y disfrute públicos (art. 3 LSC).

Al proyectar su actuación sobre el espacio público, y para garantizar esos fines, se incluyen un conjunto de infracciones y sanciones administrativas que pueden ser impuestas por las autoridades, de acuerdo con el art. 32 de la propia Ley.

Para nosotros, la Ley de Seguridad Ciudadana, aunque estamos ante una pandemia, y no un problema de orden público, de seguridad ni de convivencia ciudadana, a priori, podría resultar de aplicación. Nos encontramos ante actuaciones que, en el plano teórico, se cometerían en el espacio público o podrían afectar a bienes de titularidad pública, y en los que pueden ser competentes las distintas Administraciones Públicas (estatal, autonómica o local), y cuyas competencias pueden ser vulneradas o atacadas[21].

---

[21]   Así, respecto a los órganos competentes para aplicar esas sanciones, el art. 32 LSC dice:

"*1. Son órganos competentes en el ámbito de la Administración General del Estado:*
a) El Ministro del Interior, para la sanción de las infracciones muy graves en grado máximo.
b) El Secretario de Estado de Seguridad, para la sanción de infracciones muy graves en grado medio y en grado mínimo.
c) Los Delegados del Gobierno en las comunidades autónomas y en las Ciudades de Ceuta y Melilla, para la sanción de las infracciones graves y leves.
2. Serán competentes para imponer las sanciones tipificadas en esta Ley las autoridades correspondientes de la Comunidad Autónoma en el ámbito de sus competencias en materia de seguridad ciudadana.
3. Los alcaldes podrán imponer las sanciones y adoptar las medidas previstas en esta Ley cuando las infracciones se cometieran en espacios públicos municipales o afecten a bienes de titularidad local, siempre que ostenten competencia sobre la materia de acuerdo con la legislación específica.
En los términos del artículo 41, las ordenanzas municipales podrán introducir especificaciones o graduaciones en el cuadro de las infracciones y sanciones tipificadas en esta Ley".

Por su parte, la Orden del Ministerio del Interior 226/2020, de 15 de marzo, ha establecido criterios comunes de actuación, al amparo de lo dispuesto en el art. 9.1 de la LSC, para los cuerpos y fuerzas de seguridad y las empresas de seguridad privada. Todos los cuerpos de policía (Fuerzas y cuerpos de Seguridad del Estado, las policías autonómicas, las policías locales), así como el personal y empresas de seguridad privada, quedan habilitados para la implantación y cumplimiento de las medidas previstas en el Real Decreto 463/2020, de 14 de marzo.

En este sentido, y como veremos, los diferentes agentes de la autoridad citados quedan habilitados para formular denuncias por los incumplimientos de las limitaciones y restricciones del estado de alarma.

Así, Orden del Ministerio del Interior 226/2020, de 15 de marzo, e Informe de la Abogacía del Estado de 2 de abril de 2020 relativo a la consulta sobre tipificación y competencia administrativa para tramitar y resolver procedimientos sancionadores por incumplimiento de los límites impuestos durante el estado de alarma habilita a las diferentes policías (fuerzas y cuerpos de seguridad del estado, policías autonómicas y locales) a formular denuncias por los incumplimientos de las limitaciones y restricciones durante el estado de alarma.

2. Infracciones y sanciones previstas en la Ley de Seguridad Ciudadana aplicables al estado de alarma: La desobediencia o resistencia a la autoridad. Requisitos

En aplicación de la Ley de Seguridad Ciudadana, ha surgido la duda de si las personas que incumplían las restricciones a la libertad de movimientos "en las vías o espacios de uso público" (art. 7.1. Real Decreto 463/2020)[22] podrán cometer la infracción tipificada como falta grave en el art. 36.6 LSC, que tipifica: "*La desobediencia o la resistencia a la autoridad o a sus agentes en el ejercicio de sus funciones, cuando no sean constitutivas de delito, así como la negativa a identificarse a requerimiento de la autoridad o de sus agentes o la alegación de datos falsos o inexactos en los procesos de identificación*" y cuya sanción puede corresponder la multa de 601 a 30.000 euros, dependiendo, como veremos, de si se entiende que se ha cometido en grado máximo o mínimo (art. 33.2 LSC). A priori, ya avanzamos que el abanico de la cuantía de la sanción nos parece absolutamente abierto y no se ajustaría a las exigencias del principio de tipicidad.

Sin embargo, la cuestión esencial es saber, si se aplica esa infracción, como se da cumplimiento a las exigencias del principio de tipicidad.

Una interpretación plasmada en la "Comunicación del Ministerio del Interior a los delegados del gobierno sobre incoación de procedimientos sancionadores por presunta infracción del artículo 36.6 de la Ley Orgánica 4/2015, de 30 de marzo, de protección de la seguridad ciudadana, y criterios para las propuestas de sanción", de 14 de abril de 2020 (no publicada) establece, en síntesis, que cuando un ciudadano incumple las restricciones a la libertad de circulación que establece el art. 7 del RD 463/2010, de 14 de marzo (y recogidas también en la Orden INT 226/2020, de 15

---

[22] De ese redactado no se entiende tampoco como se han levantado atestados y se han prohibido la libertad de movimientos en espacios comunitarios de las comunidades de vecinos.

de marzo), tal incumplimiento debe considerarse desobediencia a las órdenes dictadas por el Gobierno, como autoridad competente en el estado de alarma; órdenes que gozarían —según esa comunicación, que parece más una instrucción o circular del Ministerio del Interior a los Delegados del gobierno como autoridades competentes en el estado de alarma— "de valor de ley" (STC 83/2016, de 28 de abril) y constituyen mandatos directos dirigidos a la ciudadanía, que han tenido una amplia difusión, además de su publicación en el Boletín Oficial del Estado y, por tanto, su inobservancia puede subsumirse en el tipo infractor de desobediencia a la autoridad del art. 36.6 de la Ley Orgánica 4/2015, de 30 de marzo, de protección de la seguridad ciudadana[23].

---

[23]   En concreto, la citada circular dice:

"*El artículo 20 del Real Decreto 463/2020, de 14 de marzo, por el que se declara el estado de alarma para la gestión de la situación de crisis sanitaria ocasionada por el COVID-19, remite la sanción de los incumplimientos de las órdenes de las autoridades competentes durante el estado de alarma a lo dispuesto en las leyes, en los mismos términos que la Ley Orgánica 4/1981, de 1 de junio, de los estados de alarma, excepción y sitio.*

Se ha constatado que uno de los incumplimientos más frecuentes que se están produciendo y denunciando por los agentes de la autoridad es el de las medidas limitativas de la libertad de circulación que ha establecido el artículo 7 del Real Decreto 463/2020, de 14 de marzo y recogidas también en el artículo 4 de la Orden INT/226/2020, de 15 de marzo. Tal incumplimiento debe considerarse desobediencia a las órdenes dictadas por el Gobierno, como autoridad competente en el estado de alarma; órdenes que gozan de valor de ley (STC 83/2016) y constituyen mandatos directos dirigidos a la ciudadanía que han tenido una amplia difusión, además de su publicación en el Boletín Oficial del Estado, y, por tanto, su inobservancia pueda subsumirse en el tipo infractor de la desobediencia a la autoridad del artículo 36.6 de la Ley Orgánica 4/2015, de 30 de marzo, de protección de la seguridad ciudadana.

La Ley Orgánica 4/2015, de 30 de marzo, en su artículo 5, asigna al Ministerio del Interior la responsabilidad de la dirección de la política general en materia de seguridad ciudadana, y considera, entre otras, como autoridades competentes a tal fin, al titular de este Ministerio, así como a los Delegados del Gobierno. A su vez, el Real Decreto 952/2018, de 27 de julio, por el que se desarrolla la estructura orgánica básica del Ministerio del Interior, atribuye a este Departamento la ejecución de la política del Gobierno en materia de seguridad ciudadana.

Teniendo en cuenta las circunstancias mencionadas, de conformidad con las atribuciones que funcionalmente corresponden a este Ministerio en relación con los Delega-

Por tanto, según esta comunicación, si por ejemplo una persona está fuera de casa haciendo deporte, actividad prohibida, y la policía lo para, su conducta ya sería la de desobediencia porque se entiende que es desobediencia al Gobierno, independientemente que el ciudadano, ante la advertencia de la policía, vuelva a casa inmediatamente. La desobediencia sería a las órdenes del Gobierno, plasmadas en la normativa del estado de alarma, no a las órdenes de la policía y, por tanto, la infracción grave del art. 36.6 LSC ya se cometería al incumplir las limitaciones o restricciones (la "inobservancia" dice la comunicación en una incorrecta técnica jurídica) del Real Decreto del estado de alarma.

Sin embargo, otra interpretación de la Abogacía General del Estado, ésta con valor consultivo para el propio ministerio, y evacuada ante los criterios discrepantes de las distintas abogacías del

---

dos del Gobierno en materia de seguridad ciudadana, de acuerdo con los preceptos mencionados y lo dispuesto en el artículo 72.3 de la Ley 40/2015, de 1 de octubre, de Régimen Jurídico del Sector Público, y asimismo al amparo de la facultad de dictar instrucciones para el cumplimiento del Real Decreto 463/2020, de 14 de marzo, como autoridad competente delegada, se considera oportuno poner a disposición de las Delegaciones del Gobierno un modelo de resolución de incoación de los procedimientos sancionadores por la presunta comisión de la infracción de desobediencia a la autoridad del artículo 36.6 de la Ley Orgánica 4/2015, de 30 de marzo, que se adjunta como Documento I.

Asimismo se ha elaborado, y se adjunta como Documento II, una fundamentación jurídica para su posible incorporación a las propuestas de resolución de los procedimientos, adaptándola a las circunstancias de cada caso concreto.

Por último, como Documento III también se adjuntan, como indicaciones de carácter meramente orientativo para los órganos instructores de los expedientes sancionadores y para conocimiento de los agentes de la autoridad, unos criterios para la recogida de los hechos denunciados en los boletines de denuncias y la posterior graduación de las propuestas de sanción. No obstante, los órganos instructores de cada expediente deberán, en virtud del artículo 33 de la Ley Orgánica 4/2015, de 30 de marzo, realizar las labores de graduación de la infracción y propuesta de sanción en cada caso teniendo en cuenta las circunstancias concurrentes que hayan sido reseñadas en los boletines de denuncia.

La utilización, con las necesarias adaptaciones, en su caso, de estos documentos puede redundar en beneficio de la unidad de criterio en el ejercicio de la potestad sancionadora, así como facilitar la tramitación de los correspondientes procedimientos administrativos".

Estado, emitida en fecha 2 de abril de 2020 y la consulta efectuada sobre la tipificación y competencia administrativa para tramitar y resolver procedimientos sancionadores, consideró que: "la infracción del art. 36.6 (…) sanciona algo más que el genérico incumplimiento del ordenamiento jurídico. La contravención de las normas vigentes conlleva (…) unas determinadas consecuencias jurídicas (…) pero no toda contravención de la normativa vigente implica una infracción por desobediencia. El art. 36.6 de la Ley Orgánica 4/2015 tipifica una infracción administrativa derivada no de la mera contravención de una norma jurídica (conducta que, como se ha indicado, es reprobable y conlleva unas consecuencias jurídicas propias en Derecho), sino del desconocimiento del principio de autoridad, que entraña un reproche o desvalor adicional. Cuando quien actúa investido legalmente de la condición de autoridad no es obedecido por un particular, esa conducta merece un reproche adicional al que conlleva el previo incumplimiento de la normativa vigente. Por lo expuesto, la infracción de desobediencia precisa necesariamente de un requerimiento expreso e individualizado por parte del agente de la autoridad, que no resulte atendido por el destinatario de dicho requerimiento".

Por todo lo anterior, la Abogacía General del Estado concluye que: "Así las cosas, el mero incumplimiento de las limitaciones o restricciones impuestas durante el estado de alarma no puede ser calificado automáticamente como infracción de desobediencia del artículo 36.6 de la Ley Orgánica 4/2015. Dicha infracción concurrirá cuando, habiendo incumplido el particular las limitaciones del estado de alarma, sea requerido para su cumplimiento por un agente de la autoridad, y el particular desatienda dicho requerimiento".

En consecuencia, y siguiendo el ejemplo inicial, el ciudadano que se halle haciendo deporte en la vía pública, si la policía le ordena volver a casa y cumple esa orden, no estaría desobedeciendo a la autoridad y, por tanto, su conducta no podría incardinarse en la infracción grave del art. 36.6 LSC.

La inicial comunicación de 14 de abril de 2020 del Ministerio del Interior constituye en realidad una instrucción u orden de servicio, que dirigen los superiores jerárquicos (ministro del interior) a sus órganos jerárquicamente dependientes (delegados del gobierno), para que todos los órganos que de ellos dependen (fuerzas y cuerpos de seguridad que son los encargados de hacer cumplir la LSC) interpreten la Ley de esa forma.

Lo que ocurre es que esa interpretación es contraria al propio artículo 36.6 LSC y, por consiguiente, las sanciones que se impongan con esos criterios, serán nulas de pleno derecho, al infringir el principio de tipicidad.

Como resulta evidente, para que se cometa la falta de desobediencia o resistencia a la autoridad o sus agentes en el ejercicio de sus funciones por la ciudadanía, se requiere una negativa abierta y clara a cumplir las órdenes, mandatos o prohibiciones de los agentes de la policía en el ejercicio de sus funciones. Como veremos, la interpretación que consiste en decir que el incumplimiento de la normativa dictada en el estado de alarma es una desobediencia o resistencia a la autoridad, y ya puede ser sancionado con una multa de 600 a 30.000 euros, es contraria a una interpretación histórica, a la propia literalidad de la norma, a la jurisprudencia y a la interpretación hecha hasta ahora por el propio ministerio del Interior. Así:

a) Por un lado, el precepto proviene de la Ley de Seguridad Ciudadana de 1992, que calificaba como falta leve (art. 26.h) "desobedecer los mandamientos de la autoridad o sus agentes, dictados en directa aplicación de lo dispuesto en la presente ley cuando no constituya infracción penal". Esas previsiones, pasaron con más o menos matices al actual art. 36.6 LSC 2015 y también lo hizo la interpretación jurisprudencial realizada a su cobijo, que exige que la persona haga "caso omiso" a las indicaciones de un agente de la autoridad, y no simplemente la actitud desconsiderada, "pues se trata de una persecución del denunciado, quien no atendió a las voces de alto, tal y como consta en la denuncia" (STSJ

Andalucía, Sevilla, 24 de noviembre 1999, RCA 2788/1996, Ponente: Rafael Pérez Nieto) o desobedezca de manera consciente la orden de la policía como es "la inmovilización del ciclomotor por impericia del conductor, carecer de casco de protección, sistema de frenado, llevándose la moto mientras esperaba al servicio de grúa para ser ingresado en el depósito de vehículos, comprobando los operarios que había desaparecido" (STJ Cataluña núm. 631/2001, de 21 de mayo, RCA 3425/1996, Ponente: Joaquín José Ortiz Blasco).

Se requería y se requiere pues una desobediencia clara y manifiesta a las órdenes o mandamientos de los agentes de la autoridad, hechos de forma consciente y con ánimo de incumplirlos, debiendo la Administración sancionadora probar que, efectivamente, esa desobediencia se ha producido (STSJ Canarias, Las Palmas núm. 1239/1997, de 12 de diciembre, RCA 2571/1995, Ponente: Francisco José Gómez Cáceres) pues, en caso contrario, rige el principio de presunción de inocencia, art. 24.2 CE y la infracción no se ha cometido[24].

En cambio, no queda incardinado el supuesto de hecho en el mencionado ilícito si la desobediencia no es clara y evidente, la orden o el mandato no es explícito y se producen hechos que, aunque reprobables ("como la profusión de palabras malsonantes", "gritos en la vía pública" o "burlas

---

[24] Con parecida y unánime doctrina, STSJ Galicia 361/2013, de 30 de abril (RCA 619/2010, Ponente: Julio César Díaz Casales), considera probada la desobediencia, por incumplir la orden de la policía, entorpeciendo la labor en una manifestación haciéndose pasar por fotógrafo acreditado y colocándose con periodistas acreditados, que todos ellos cumplieron con los mandatos de la policía, en la manifestación Galicia Bilingüe; STSJ País Vasco 757/2003, de 21 de diciembre (RCA 1910/2002, Ponente: Juan Carlos Da Silva Ochoa), concentración de personas que, desobedeciendo conscientemente la orden de la policía, impidieron el paso de uno de los grupos que ensayaban el Alarde.

durante la identificación"), no pueden incardinarse en dicha falta. Es la Administración a la que corresponde probar la desobediencia, debiendo aplicarse en caso contrario el art. 24 CE (presunción de inocencia) y anularse la sanción por falta de tipicidad (art. 25.1 CE) e infracción de la seguridad jurídica (art. 9.3 CE)[25].

Queda claro pues que la negativa a cumplir la orden o el mandato ha de ser expresa, por acción u omisión, que la orden ha de ser una orden legítima y que la oposición ha de ser también clara, utilizando la posición corporal o incluso la fuerza física y, por tanto, debe concurrir el elemento volitivo (dolo) y no el simple descuido o negligencia (culpa)[26].

Por tanto, la interpretación histórica es la que desmiente que basta para la comisión de esa infracción el incumplimiento de una norma, aunque ésta sea dictada por el gobierno. Ese incumplimiento de la norma siempre concurrirá cuando se ponga en marcha la potestad punitiva del Estado, pero nada tiene que ver con la infracción de desobediencia a los requerimientos o mandatos de la autoridad o sus agentes.

b) En segundo lugar, ésta, la solución anterior, había sido también la interpretación de la Secretaría de Estado de Seguridad del propio Ministerio del Interior en la Instrucción

---

25   Así, la STSJ Cataluña 394/1997, de 14 de marzo (RCA 1443/1994, Ponente: Santiago Andrés Milans del Bosch Jordan de Urries) y la STJ Cataluña 1021/1998, de 14 de octubre (RCA 724/1995, Ponente: Joaquín Vives de la Cortada Ferrer-Calbetó), consideran que no existe infracción de desobediencia en las burlas que profirieron el sancionado y un grupo de personas durante su identificación, identificación provocada por el aviso de los vecinos que se estaban profiriendo en la calle chillidos y voces altisonantes. No se produce el ilícito de referencia por cuanto únicamente queda acreditada una falta de respeto y una infracción por causar desórdenes en la vía pública.

26   Así, véase STJ País Vasco 757/2003, de 23 de diciembre, RCA 1910/2002, Ponente: Juan Carlos Da Silva Ochoa, ya citada, en donde se utiliza la fuerza para impedir el paso de un grupo y para desobedecer la orden de la Ertzaina.

13/2018, de 17 de octubre, sobre determinadas cuestiones en relación con la Ley Orgánica 4/2015, de 30 de marzo, de Protección de la Seguridad Ciudadana[27]. En ella, se reconoce expresamente que:

> "*1.- Los conceptos de desobediencia y de resistencia a la autoridad o a sus agente en el ejercicio de sus funciones, cuando no sean constitutivas de delito, deben ser interpretados conforme a la jurisprudencia existente al efecto, que, con carácter resumido, los definen como una acción u omisión que constituya un negativa implícita o expresa a cumplir una orden legítima, usando oposición corporal o fuerza física ante el desarrollo de las competencias de la autoridad o sus agentes.*
>
> *2.- Por tanto, debe entenderse que una leve o primera negativa al cumplimiento de las órdenes o instrucciones dadas por los agentes no puede constituir una infracción del artículo 36.6, si no se trata de una conducta que finalmente quiebre la acción u omisión ordenada por los agentes actuantes o les impida el desarrollo de sus funciones*".

c) La propia jurisprudencia dictada a la luz del art. 36.6 LSC de 2015, exige los requisitos señalados para que nos encontremos ante una falta grave de desobediencia, es decir, que la orden sea clara, que ésta sea incumplida de forma evidente, incluso en ocasiones con la utilización de la fuerza y, por tanto, que concurra dolo, no mera negligencia (Sentencia del Juzgado Contencioso Administrativo de Vitoria 85/2019, de 11 de abril, Recurso 296/2008, Ponente: Rosa Esperanza Sánchez Ruiz-Tello), que anula la sanción por cuanto no se comprueba dolo en el incumplimiento de la orden de no pasar el cordón judicial, por cuanto hubo una avalancha de gente.

d) La jurisdicción penal, en sus resoluciones, considera como veremos seguidamente, que la única diferencia entre la infracción de desobediencia a la autoridad del art.

---

[27] Instrucción 13/2018,de 17 de octubre, de la Secretaría de Estado de Seguridad sobre la práctica de los registros corporales externos, la interpretación de determinadas infracciones y cuestiones procedimentales en relación con la Ley Orgánica 4/2015, de 30 de octubre, de Protección de la Seguridad Ciudadana.

36.6 LSC y el delito de desobediencia previsto en el art. 556.1 CP es la gravedad de la acción, debiendo exigirse, en ambas, la existencia de un mandato expreso, concreto y determinado, de hacer o no hacer una conducta; que la orden revista todas las formalidades legales; que la restricción sea clara y evidente y, por tanto, concurra dolo y, por ende, "frente al mandato persistente y reiterado se alce el obligado a acatarlo y cumplirlo en una oposición tenaz, contumaz y rebelde" (Auto Juzgado de Primera Instancia e Instrucción de Ribeira, A Coruña, Caso COVID-19, de 30 de abril de 2020, Recurso: 222/2020, Ponente: Elena Garcia Díez).

En consecuencia, resulta contrario a derecho, el contenido de la Comunicación del Ministro del Interior de 14 de abril de 2020, entendiendo que el mero incumplimiento de la normativa del estado de alarma es una infracción grave de desobediencia. Esa es una interpretación que pugna con el principio de tipicidad (art. 25.1 CE) y socaba los derechos de los ciudadanos y los criterios sobre los que se sustenta el sistema sancionador administrativo.

Por último, y en otro orden de cosas, tampoco las sanciones previstas por la comisión de ese ilícito respetarían los principios de proporcionalidad en la ley y tipicidad, al prever una multa de 600 euros a 30.000 euros (art. 39.1 LSC). La Ley aclara que los tramos correspondientes a los grados máximo, medio y mínimo de las multas previstas por la comisión de infracciones graves será: al grado mínimo corresponderá la multa de 601 a 10.400 euros; el grado medio, de 10.401 a 20.200 euros; y el grado máximo de 20.201 a 30.000 euros[28].

---

[28] Pudiendo llevar aparejada alguna sanción accesoria (art. 39.2 LSC). La sanción prescribirá a los daos años; mismo plazo de prescripción previsto para la infracción (art. 38.2 LSC).

La aplicación de esos grados dependerá del atestado y su redacción, y deberá observarse el principio de proporcionalidad[29], atendiendo a las siguientes reglas:

1) La comisión de una infracción será castigada con la multa en grado mínimo.

2) Se castigará con una multa en grado medio cuando se acredite la concurrencia de, al menos, una de las siguientes circunstancias:

> *"a) La reincidencia, por la comisión en el término de dos años de más de una infracción de la misma naturaleza, cuando así haya sido declarado por resolución firme en vía administrativa.*
>
> *b) La realización de los hechos interviniendo violencia, amenaza o intimidación.*
>
> *c) La ejecución de los hechos usando cualquier tipo de prenda u objeto que cubra el rostro, impidiendo o dificultando la identificación*

---

[29] La Comunicación del Ministro del Interior de 14 de abril de 2020, ya citada, establece, entre otras cuestiones, como los agentes de la autoridad debían redactar los atestados y cómo debían interpretarse los criterios legales citados. Es una clara extralimitación de lo que significa el ordenamiento jurídico en un Estado de Derecho, se prevé la aplicación del grado mínimo de la sanción si la actividad del denunciado es de "aceptación resignada de la denuncia". En cambio, deberá reflejarse en el atestado si el denunciante ha reaccionado con menosprecio, jactancia o mala educación o si ha llegado a y todas las frases o expresiones que haya proferido insultos o amenazas. En este aspecto, la comunicación dice que: "resulta trascendental que los boletines de denuncia reflejen lo más precisamente posible los hechos objeto de denuncia y las circunstancias concurrentes en cada caso, a fin de que las mismas sean tenidas en cuenta por el instructor del expediente sancionador. A fin de facilitar la labor de los agentes de la autoridad y homogeneizar criterios para la graduación de las propuestas de sanción (…) se procede a enumerar hechos y circunstancias que se corresponden con la casuística más común y criterios de seguridad según los mismos". En relación a la actitud del denunciado hacia los agentes, la Comunicación establece que: "la actitud de aceptación resignada de la denuncia no exigirá el reflejo de ninguna circunstancia especial. Por el contrario, sí se consignará si el infractor ha reaccionado con menosprecio, jactancia o mala educación o si ha llegado a y todas las frases o expresiones que haya proferido insultos o amenazas contra hacia los agentes por si se deduce intimidación o amenazas (en ambos casos que no constituyan infracción penal)".

d) Que en la comisión de la infracción se utilice a menores de edad, personas con discapacidad necesitadas de especial protección o en situación de vulnerabilidad".

3) En cada grado, para la individualización de la multa se tendrán en cuenta los siguientes criterios:

"a) La entidad del riesgo producido para la seguridad ciudadana o la salud pública.
b) La cuantía del perjuicio causado.
c) La trascendencia del perjuicio para la prevención, mantenimiento o restablecimiento de la seguridad ciudadana.
d) La alteración ocasionada en el funcionamiento de los servicios públicos o en el abastecimiento a la población de bienes y servicios.
e) El grado de culpabilidad.
f) El beneficio económico obtenido como consecuencia de la comisión de la infracción.
g) La capacidad económica del infractor".

4) Las infracciones sólo se sancionarán con multa en grado máximo cuando los hechos revistan especial gravedad y así se justifique teniendo en cuenta el número y la entidad de las circunstancias concurrentes y los criterios previstos en este apartado.

Las reglas expuestas abocarán, sin duda, a la anulación de la mayoría de sanciones impuestas, circunstancia que hace más necesario que nunca establecer en una ley el sistema sancionador durante el estado de alarma, que contenga reglas claras, modernas y proporcionadas.

3. El delito de desobediencia de la ciudadanía a la autoridad o sus agentes

También han sido detenidas durante el estado de alarma más de 8.000 personas, muchas de ellas acusadas de la comisión del delito de desobediencia a la autoridad o sus agentes, tipificado en el artículo 556.1 CP.

El mismo señala que serán castigados con la pena de prisión de tres meses a un año o multa de seis a dieciocho meses los que "resistieren o desobedecieren gravemente a la autoridad o a sus agentes en el ejercicio de sus funciones, o al personal de seguridad privada, debidamente identificado, que desarrolle actividades de seguridad privada en cooperación y bajo el mando de las Fuerzas y Cuerpos de Seguridad"[30].

Aquí se deberían estar persiguiendo, a nuestro juicio, comportamientos más graves que aquellos en los que resultaría de aplicación la Ley de Seguridad Ciudadana. No olvidemos que, por aplicación del principio *non bis in idem* (STC 2/1981, de 30 de enero y art. 31 LRJSP) queda vedada la doble sanción penal y administrativa por la comisión del mismo hecho, cuando existe la triple identidad de sujeto, hecho y fundamento, y además los procedimientos sancionadores deben paralizarse hasta que el juez penal resuelva, vinculando el relato fáctico que éste haga a las autoridades administrativas (STC 77/1983, de 3 de octubre).

Pues bien, las características y requisitos de tipicidad que deben concurrir en este delito son las siguientes:

a) Existencia, a nuestro juicio, de una distinción cualitativa entre el ilícito penal y el administrativo. Aquí, en vía penal, las conductas perseguibles han de adquirir especial gravedad. Tanto el hecho en sí mismo considerado como la actuación de la persona o personas involucradas ha de ser particularmente intensa. Así, la jurisprudencia ha considerado como delito de desobediencia negarse a someterse a las pruebas de alcoholemia al ser requerido de forma clara y expresa por la policía, circulando a excesiva velocidad y con síntomas de haber ingerido alcohol[31]; o hacer caso omiso de las

---

[30]   Con la eliminación de las faltas en el Código Penal, en 2015, la falta de respeto y consideración a la autoridad ha pasado a ser delito leve (art. 556.2 CP).

[31]   STS 2173/2002, de 19 de diciembre (N° Recurso: 2808/2001, Ponente: Eduardo Moner Muñoz); STS 156/1019, de 26 de marzo (N° Recurso: 359/2018, Ponente: Francisco Monterde Ferrer).

múltiples órdenes de paralización de la obras de transformación de la finca que se estaban llevando a cabo en suelo no urbanizable especialmente protegido[32]; o el lanzamiento de patadas para eludir una detención, necesitando de cuatro agentes para reducir al acusado[33].

b) Se trata de un incumplimiento de una orden clara y directa dictada por la autoridad o sus agentes en el ejercicio e sus funciones, imponiendo al particular una conducta activa o pasiva. Esa orden o ese requerimiento previo incumplido, además de claro, ha de ser hecho con las formalidades legales, aunque no hace falta que se le aperciba que puede incurrir en delito de desobediencia en caso de incumplimiento"[34].

En este sentido, no deben quedar dudas de la orden o requerimiento incumplido. Su conocimiento ha de ser real y positivo por el obligado, voluntario e intencionado[35].

---

[32] STS 54/2012, de 7 de febrero (N° Recurso: 2624/2010, Ponente: Diego Antonio Ramos Gancedo).

[33] STS 117/2017, de 23 de febrero (N° Recurso: 10451/2016, Ponente: Andrés Palomo del Arco).

[34] STS 1219/2004, de 10 de diciembre (Nª Recurso: 116/2003, Ponente: Juan Saavedra Ruiz), con cita de las SSTS 821 y 1615 del año 2003.
En este sentido, la SAP Barcelona 790/2005, de 1 de julio (Recurso de apelación 138/2005, Ponente: Jesús María Barrientos Pacho) recoge un delito de desobediencia grave a la autoridad o sus agentes por desoír la orden policial de detener el vehículo emitida a corta distancia por el coche policial con señales luminosos y la sirena sonora encendida, tras una persecución motivada por una infracción de tráfico, viendo los agentes obligados a cruzarse delante del vehículo del acusado para obligarle a detenerse. Como señala la Sentencia: "Para que la desobediencia a agentes de la autoridad sea constitutiva de delito, será preciso, además de que la orden proceda de agentes de la autoridad que se encuentren en el desempeño de sus funciones, que sea grave, entidad ésta de la desobediencia que va a depender de la importancia de la orden o mandato desobedecido, de la trascendencia de la conducta de su destinatario en orden al principio de autoridad, de los efectos producidos y de las características que hayan rodeado el hecho".

[35] Así, SAP Barcelona 490/2016, de 28 de junio (Recurso de apelación 96/2016, Ponente: José Antonio Lagares Morillo).

c) La negativa del particular a cumplir la orden, el mandato o la prohibición ha de ser también clara, una oposición voluntaria, obstinada y contumaz la misma, que revele el propósito de desconocer deliberadamente la decisión de la autoridad[36]. Ha de existir, por tanto, dolo, siendo un delito que no puede cometerse por simple culpa o negligencia. El autor del delito ha de tener la voluntad de desobedecer.

d) El bien jurídico protegido sería el papel del Estado social de Derecho en el ejercicio de sus funciones de control, para garantizar la protección de otros bienes jurídicos, especialmente los básicos para la seguridad de las personas, como la vida, la libertad y la salud. En consecuencia, no se trata de proteger, pura y simplemente, el principio de autoridad asociado a formas estatales no democráticas; sino un bien jurídico de control que está al servicio de otros bienes jurídicos básicos como los señalados[37].

En consecuencia, resulta inconcebible para el derecho penal— y para el Derecho administrativo— que el incumplimiento de una ley, de un bloque normativo, o de cualquiera de los centenares de normas que se han dictado durante el estado de alarma, sea ya directamente una infracción de desobediencia a la autoridad o sus agentes y merezca un reproche penal. A nadie, excepto a las autoridades administrativas del Ministerio del Interior, se les habría ocurrido semejante interpretación, que contraviene todas las garantías jurídicas que adornan este delito, pugnando frontalmente con el elemento subjetivo del ilícito, el bien jurídico protegido y, en definitiva, con el elemento típico. Un auténtico despropósito.

---

[36] STS 1219/2004, de 10 de diciembre, ya citada. En el sentido apuntado en el texto, STS 865/2015, de 14 de enero (Nº Recurso: 1167/2014, Ponente: Ana María Ferrer Garcia) y STS 800/2014, de 12 de noviembre (Nº Recurso: 2374/2013, Ponente: Candido Conde-Pumpido Touron), entre otras.

[37] SAP Girona 176/2002, de 15 de abril (Recurso de apelación: 1122/2001, Ponente: Javier Marca Matute).

C) El sistema sancionador de protección civil. Su no aplicación en la actual crisis del COVID-19

También a nivel teórico podría resultar de aplicación el sistema de protección civil y, en concreto, el régimen sancionador previsto en la Ley 17/2015, de 9 de julio, del Sistema Nacional de Protección Civil (Título VI, arts. 43 a 50 y disposición adicional novena sobre competencia sancionadora en el ámbito municipal), así como la legislación de las Comunidades Autónomas, que configura un haz de competencias propias, incluyendo un sistema propio de protección civil.

Pues, en esta materia, la competencia estatal deriva del art. 149.1.29 CE, y está integrada en la seguridad pública, con la finalidad de responder a las emergencias en las que concurre un interés nacional, y también, dice el TC, salvaguardando una coordinación de los distintos servicios y recursos de protección civil integrándolos en un diseño o modelo único.

Así, la protección civil, como instrumento de la política de seguridad pública es, según el art. 1 de la Ley estatal, el servicio público que protege a las personas y bienes garantizando una respuesta adecuada ante los distintos tipos de emergencias y catástrofes ocasionadas por causas naturales o derivados de la acción humana, sea ésta accidental o intencionada.

El art. 2.5 de la Ley define la emergencia de protección civil como: "*Situación de riesgo colectivo sobrevenida por un evento que pone en peligro inminente a personas o bienes y exige una gestión rápida por parte de los poderes públicos para atenderlas y mitigar los daños y tratar de evitar que se convierta en una catástrofe. Se corresponde con otras denominaciones como emergencia extraordinaria, por contraposición a emergencia ordinaria que no tiene afectación colectiva*".

La aplicación de esta norma requiere la previa declaración formal de zona afectada gravemente por una emergencia de protección civil (art. 23 LPC), con acuerdo el Consejo de Ministros, a propuesta de los ministros de Hacienda, Administraciones Públicas y el de Interior y, en su caso, de los titulares de los ministerios concernidos, delimitando el área afectada. En las Comunidades Autónomas, dicha declaración es por acuerdo del Gobierno de la Comunidad.

Para una declaración de emergencia de todo el territorio del Estado, debe accionarse el procedimiento de emergencia de interés nacional. La emergencia de interés nacional es aquella que, o bien requiere para la protección de personas y bienes la aplicación de la Ley Orgánica 4/1981, de 1 de junio, reguladora de los estados de alarma, excepción y sitio; aquella en la que resulta necesario coordinar diversas Administraciones porque afecta a distintas Comunidades Autónomas; o la que, por sus dimensiones, requiere una coordinación estatal. En estos casos, la declaración de emergencia de interés nacional corresponde al Ministerio del interior, bien por propia iniciativa o mediante solicitud de las Comunidades Autónomas o los Delegados de gobierno en las mismas.

En este supuesto, el Ministerio del Interior asumirá la dirección de la situación, es decir, la ordenación y coordinación de todas las actuaciones, y la gestión de todos los recursos estatales, autonómicos y locales del ámbito territorial afectado, sin perjuicio de lo dispuesto en la ley para los estados de alarma, excepción y sitio, y en la normativa de seguridad social (arts. 28, 29 y 30 LPC).

Como resultado de los preceptos anteriores, la declaración de emergencia de protección civil o la emergencia de interés nacional, han de seguir los procedimientos previstos en la Ley y hacerse expresamente, situación que podría convivir con la declaración del estado de alarma previsto en la Ley Orgánica 4/1981.

Ahora bien, en el caso que nos ocupa, dos cuestiones impedirían poner en marcha el régimen sancionador que prevé la propia Ley de Protección Civil (Título VI, arts. 43 a 50), pues no se ha hecho la declaración expresa de zona afectada gravemente por una emergencia de protección civil por el Gobierno ni una declaración de emergencia de interés nacional por el Ministerio del Interior. Esta última, aunque sería compatible con la declaración del estado de alarma, debería tener su fundamento en una cuestión de orden público, y no en razones sanitarias como una pandemia, que es ante lo que nos encontramos.

En este sentido, si se hubiese declarado alguna situación de emergencia, las infracciones que podrían ser aplicadas ante el incumplimiento de las normas de protección civil, serían las infracciones muy graves del art. 45.3.a) —*"El incumplimiento de las obligaciones derivadas de los planes de protección civil, cuando suponga una especial peligrosidad o trascendencia para la seguridad de las personas o los bienes"*— y b) —*"En las emergencias declaradas, el incumplimiento de las órdenes, prohibiciones, instrucciones o requerimientos efectuados por los titulares de los órganos competentes o los miembros de los servicios de intervención y asistencia, así como de los deberes de colaboración a los servicios de vigilancia y protección de las empresas públicas o privadas, cuando suponga una especial peligrosidad o trascendencia para la seguridad de las personas o los bienes"*; o las infracciones graves recogidas en el art. 45.4.a)— *"El incumplimiento de las obligaciones derivadas de los planes de protección civil, cuando no suponga una especial peligrosidad o trascendencia para la seguridad de las personas o los bienes"*— y b)— *"En las emergencias declaradas, el incumplimiento de las órdenes, prohibiciones, instrucciones o requerimientos efectuados por los titulares de los órganos competentes o los miembros de los servicios de intervención y asistencia, así como de los deberes de colaboración a los servicios de vigilancia y protección de las empresas públicas o privadas, cuando no suponga una especial peligrosidad o trascendencia para la seguridad de las personas o los bienes"*. A las infracciones citadas les corresponderían las sanciones previstas en el art 46 LPC.

Insistimos, en el presente caso, no ha sido declarada, formalmente, la situación de emergencia; cuestión que imposibilita la aplicación de este cuadro de infracciones y sanciones. La declaración del estado de alarma comporta un régimen jurídico más específico e intenso, y tiene una incidencia mayor en los derechos y libertades de los ciudadanos. Sin embargo, de la Ley de Protección Civil se deriva que podría ser también compatible la declaración de estado de alarma y la de emergencia de interés nacional (art. 28.1 LPC); cuestión que requiere un procedimiento y una declaración expresa y que, sin embargo, no se ha hecho. Por tanto, no resulta de aplicación el sistema sancionador por incumplimiento del citado bloque normativo.

D) El sistema sancionador de la legislación sanitaria

La infracción del acervo normativo, caótico, desordenado y sin un plan preconcebido que rodea el estado de alarma, podría comportar la aplicación del sistema sancionador que deriva del ámbito sanitario, pues no debe ser en vano que nos encontramos ante una crisis sanitaria —una pandemia—, no un estado de alarma provocado por una situación de desórdenes públicos o de inseguridad ciudadana.

En este sentido, es la Ley 33/2011, de 4 de octubre, General de Salud Pública la que recoge en su Título VI (arts. 55 a 61) un conjunto de infracciones y sanciones, además de las previstas en la Ley General de Sanidad 14/1986, de 25 de abril. A priori, destaca la falta leve recogida en el art. 57.2.c), que tipifica el incumplimiento de la normativa sanitaria vigente, si las repercusiones producidas han tenido una incidencia escasa o sin trascendencia directa en la salud poblacional, comportamientos sancionados con multa de hasta 3.000 euros, debiendo respetar siempre el principio de proporcionalidad.

En este sentido, debería ser el bloque normativo referido al derecho a la salud que deriva del art. 43 CE, y no la normativa de orden público y seguridad ciudadana, la que reprimiera, como regla, las conductas contrarias a las normas dictadas durante el estado de alarma por la pandemia, y por tanto el sistema sancionador allí regulado.

No podemos olvidar que la salud pública —*suprema lex*— ha sido hasta fechas recientes una de las partes del ordenamiento jurídico donde los poderes públicos, el Estado de Derecho, han actuado con mayor intensidad. En una primera etapa, la del Estado Liberal de Derecho del siglo XIX, el derecho sanitario es básicamente el ejercicio por las distintas autoridades del Estado (en particular, la Administración local), de la función de policía sanitaria entendida como la imposición obligatoria de determinadas limitaciones o prohibiciones a los particulares con el fin de garantizar la salubridad general. Era la denominada en su origen policía de seguridad. De ahí derivaron las normas sancionadoras y las medidas cautelares a adoptar, y que serán incorporadas a la segunda etapa, propia ya del inicio del Estado Social de Derecho: el derecho individual a la salud, no sólo como una mera declaración programática sino como un auténtico derecho. Aquí se consagra esta segunda fase con la beneficencia pública para los más desfavorecidos, los seguros sociales y sistemas de seguridad social y la universalización del derecho a la atención médica con prestaciones asistenciales garantizadas a todos los ciudadanos.

La última etapa, en la que nos encontramos, es la que prima el derecho a la promoción de la salud individual y colectiva, en donde se trata de la correcta organización, con cada vez mayores prestaciones y de mayor calidad, a los pacientes mediante un sistema sanitario orientado a la prevención de la enfermedad y la promoción de la salud, individual y colectiva. En ese contexto, por salud no se entiende la mera ausencia de enfermedad, sino el lograr un estado de bienestar con implicaciones psicológicas, sociales e incluso medioambientales.

La administración sanitaria, junto a las funciones tradicionales (mediante la regulación y control de actividades y productos, prestación y servicios asistenciales), incorpora actuaciones dirigidas a programes específicos de promoción y educación para la salud.

El derecho administrativo sancionador, en este contexto, nace en la primera etapa, y habilita a la Administración a imponer sanciones a los que, con su conducta, atentaban contra la salud pública[38], y también habilita a adoptar medidas coactivas con el fin de proteger a los ciudadanos de enfermedades transmisibles, y otros casos de riesgo inminente y grave de la salud[39].

---

[38] Al respecto, por todos, véase ROBLES FERNÁNDEZ, S., "Régimen Jurídico de las infracciones y sanciones administrativas en el ámbito de la salud pública", *Derecho Sanitario* Vol. 3, Enero-Diciembre 1995, pp. 109 y ss.

[39] El conjunto de la legislación sanitaria otorga poderes coactivos a las Administraciones Públicas con el fin de proteger la salud de las personas y evitar

En este contexto, la Constitución (arts. 43, derecho a la salud; 149.1-16, 148.1-21) atribuye la competencia normativa en sanidad interior e higiene, es decir, salud pública, a la Administración del

---

la propagación de enfermedades contagiosas, restringiendo la libertad de circulación, la libertad de empresa y otros derechos. La característica fundamental de esta normativa es que, a diferencia de la aplicación del estado de alarma que se ha hecho durante el COVID-19, la legislación sanitaria actúa sobre los focos de enfermedad y con el grado de intensidad que requiere la gravedad de los hechos y por el tiempo necesario e imprescindible para poner en práctica dichas medidas. Entre ellas destacamos:

a) Ley 14/1986, de 25 de abril, General de Sanidad. El art. 26 de esta norma prevé: "*1. En caso de que exista o se sospeche razonablemente la existencia de un riesgo inminente y extraordinario para la salud, las autoridades sanitarias adoptarán las medidas preventivas que estimen pertinentes, tales como la incautación o inmovilización de productos, suspensión del ejercicio de actividades, cierres de Empresas o sus instalaciones, intervención de medios materiales y personales y cuantas otras se consideren sanitariamente justificadas.*

2. La duración de las medidas a que se refiere el apartado anterior, que se fijarán para cada caso, sin perjuicio de las prórrogas sucesivas acordadas por resoluciones motivadas, no excederá de lo que exija la situación de riesgo inminente y extraordinario que las justificó".

Por su parte, el art 27 establece: "*Las Administraciones públicas, en el ámbito de sus competencias, realizarán un control de la publicidad y propaganda comerciales para que se ajusten a criterios de veracidad en lo que atañe a la salud y para limitar todo aquello que pueda constituir un perjuicio para la misma, con especial atención a la protección de la salud de la población más vulnerable*".

Asimismo, esta ley atribuye competencias a los entes locales para realizar controles sanitarios de diversas actividades (art. 42).

b) Ley 33/2011, de 4 de octubre, General de Salud Pública. Su artículo 54 prevé una serie de medidas coactivas para la protección de la salud de la ciudadanía. Así, el precepto dice: "*Cada Comunidad Autónoma elaborará un Plan de Salud que comprenderá todas las acciones sanitarias necesarias para cumplir los objetivos de sus Servicios de Salud. El Plan de Salud de cada Comunidad Autónoma, que se ajustará a los criterios generales de coordinación aprobados por el Gobierno, deberá englobar el conjunto de planes de las diferentes Áreas de Salud*".

c) La Ley Orgánica 3/1986, de 14 de abril, de Medidas Especiales en materia de Salud Pública. Su artículo 3 dice: "*Con el fin de controlar las enfermedades transmisibles, la autoridad sanitaria, además de realizar las acciones preventivas generales, podrá adoptar las medidas oportunas para el control de los enfermos, de las personas que estén o hayan estado en contacto con los mismos y del medio ambiente inmediato, así como las que se consideren necesarias en caso de riesgo de carácter transmisible*".

Estado, que dicta la legislación básica y las Comunidades Autónomas dictan la normativa de desarrollo y llevan la práctica gestión de la sanidad (así, arts. 40 y 41 LCS). En el ámbito local, la competencia de los municipios se ejerce mediante ordenanzas municipales.

En ese marco, analizaremos las principales leyes que tipifican infracciones y sanciones y permiten la adopción de medidas cautelares para averiguar si alguna de ellas se acomoda a los comportamientos que se pretenden reprimir en el estado de alarma y, en concreto, los incumplimientos del art. 7 del Real Decreto 463/2020.

De ese modo, el derecho a la protección de la salud tiene tres bloques normativos principales, a saber:

a) La Ley 14/1986, de 25 de abril, General de Sanidad; norma dirigida a la protección de la salud, cuyo objeto principal es organizar un sistema sanitario orientado principalmente hacia la prevención de enfermedades y la promoción de la salud.

Esta Ley va destinada, fundamentalmente, a hacer efectivo el derecho a la protección de la salud de los ciudadanos y, por tanto, el sistema sancionador tiende a su protección, castigando en general actuaciones de los titulares del sistema de salud, no de los pacientes ni los ciudadanos. Por tanto, a priori, el sistema sancionador recogido en los arts. 32 a 37 de la Ley no resultaría, en general, aplicable a la población en el estado de alarma. Sin embargo, como excepción a la regla anterior, si que el art. 11 LGS establece como obligaciones de los ciudadanos con las instituciones y organismos del sistema sanitario que: "cumplan clase prescripciones generales sanitarias comunes a toda la población"; aunque, posteriormente, el conjunto de infracciones no parece incluir ilícito alguno respecto a este tema. Además, su sistema punitivo tampoco resultaría aplicable, a nuestro juicio, por cuanto, fundamentalmente, se refiere a lo pacientes en su relación con las "instituciones y organismos sanitarios", no con las autoridades sanitarias como ciudadanos[40].

---

[40]   En este sentido, el art. 35 dispone:
"Se tipifican como infracciones sanitarias las siguientes:
A) Infracciones leves.
1.ª Las simples irregularidades en la observación de la normativa sanitaria vigente, sin trascendencia directa para la salud pública.
2.ª Las cometidas por simple negligencia, siempre que la alteración o riesgo sanitarios producidos fueren de escasa entidad.
3.ª Las que, en razón de los criterios contemplados en este artículo, merezcan la calificación de leves o no proceda su calificación como faltas graves o muy graves.
B) Infracciones graves.
1.ª Las que reciban expresamente dicha calificación en la normativa especial aplicable en cada caso.
2.ª Las que se produzcan por falta de controles y precauciones exigibles en la actividad, servicio o instalación de que se trate.
3.ª Las que sean concurrentes con otras infracciones sanitarias leves, o hayan servido para facilitarlas o encubrirlas.
4.ª El incumplimiento de los requerimientos específicos que formulen las autoridades sanitarias, siempre que se produzcan por primera vez.
5.ª La resistencia a suministrar datos, facilitar información o prestar colaboración a las autoridades sanitarias, a sus agentes o al órgano encargado del Registro Estatal de Profesionales Sanitarios.
6.ª Las que, en razón de los elementos contemplados en este artículo, merezcan la calificación de graves o no proceda su calificación como faltas leves o muy graves.
7.ª La reincidencia en la comisión de infracciones leves en los últimos tres meses.
C) Infracciones muy graves.
1.ª Las que reciban expresamente dicha calificación en la normativa especial aplicable en cada caso.
2.ª Las que se realicen de forma consciente y deliberada, siempre que se produzca un daño grave.
3.ª Las que sean concurrentes con otras infracciones sanitarias graves, o hayan servido para facilitar o encubrir su comisión.
4.ª El incumplimiento reiterado de los requerimientos específicos que formulen las autoridades sanitarias.
5.ª La negativa absoluta a facilitar información o prestar colaboración a los servicios de control e inspección.
6.ª La resistencia, coacción, amenaza, represalia, desacato o cualquier otra forma de presión ejercida sobre las autoridades sanitarias o sus agentes.

De manera complementaria a esta Ley se dictó una mucho más breve denominada Ley Orgánica 3/1986, de 14 de abril, de medidas especiales de salud pública, que prevé una doble afectación del derecho fundamental más limitado durante el estado de alarma, el de la libertad personal y la libertad de circulación (arts. 17 y 19 CE): una, total, cuando se obliga a la hospitalización y asilamiento por padecer una enfermedad contagiosa; otra, parcial o atenuada, cando el aislamiento no comporta la hospitalización, restringiendo los movimientos de la persona. Su incumplimiento pone en marcha el régimen sancionador de la Ley General de Sanidad o de la Ley General de Salud Pública.

Como veremos, la actuación derivada del estado de alarma ha ido más allá, pues se han decretado estas medidas con carácter general, en todo el territorio y para todas las personas.

7.ª Las que, en razón de los elementos contemplados en este artículo y de su grado de concurrencia, merezcan la calificación de muy graves o no proceda su calificación como faltas leves o graves.
8.ª La reincidencia en la comisión de faltas graves en los últimos cinco años".
Por su parte, el art. 36 establece:
"1. Las infracciones en materia de sanidad serán sancionadas con multas de acuerdo con la siguiente graduación:
a) Infracciones leves, hasta 3.005,06 euros.
b) Infracciones graves, desde 3.005,07 a 15.025,30 euros, pudiendo rebasar dicha cantidad hasta alcanzar el quíntuplo del valor de los productos o servicios objeto de la infracción.
c) Infracciones muy graves, desde 15.025,31 a 601.012,10 euros, pudiendo rebasar dicha cantidad hasta alcanzar el quíntuplo del valor de los productos o servicios objeto de la infracción.
2. Además, en los supuestos de infracciones muy graves, podrá acordarse, por el Consejo de Ministros o por los Consejos de Gobierno de las Comunidades Autónomas que tuvieren competencia para ello, el cierre temporal del establecimiento, instalación o servicio por un plazo máximo de cinco años. En tal caso, será de aplicación lo previsto en el artículo 57.4 de la Ley 8/1980, de 10 de marzo, por la que se aprueba el Estatuto de los Trabajadores.
3. Las cuantías señaladas anteriormente deberán ser revisadas y actualizadas periódicamente por el Gobierno, por Real Decreto, teniendo en cuenta la variación de los índices de precios para el consumo".

b) La Ley 16/2003, de 28 de mayo, de cohesión y calidad del Sistema Nacional de Salud (modificada por el Real Decreto Ley 16/2012, de 20 de abril), que dispuso las bases para una prestación asistencial de calidad por los servicios sanitarios. Es una ley cuya tarea es la de ordenar y coordinar las actividades de la asistencia sanitaria y, por tanto, ajena al ámbito en el que nos movemos.

c) La Ley 33/2011, de 4 de octubre, General de Salud Pública. Esta Ley contempla el derecho a la salud más allá de los servicios sanitarios y la prevención de enfermedades y el cuidado de las personas enfermas. Es una Ley dirigida, fundamentalmente, a los poderes públicos para que hagan realidad, en sus intervenciones y actuaciones, el derecho a la salud, entendido como acción más allá del sistema sanitario de salud. También a las empresas que operan en este ámbito.

La Ley tiene por objeto: *"establecer las bases para que la población alcance y mantenga el mayor nivel de salud posible a través de las políticas, programas, servicios, y en general actuaciones de toda índole desarrolladas por los poderes públicos, empresas y organizaciones ciudadanas con la finalidad de actuar sobre los procesos y factores que más influyen en la salud, y así prevenir la enfermedad y proteger y promover la salud de las personas, tanto en la esfera individual como en la colectiva"* (art. 1.1).

Por ello, su artículo 2 dice: *"Lo establecido en esta ley será de aplicación a las Administraciones públicas con carácter general y a los sujetos privados cuando específicamente así se disponga"*[41]. Son los destinatarios de sus previsiones, fundamentalmen-

[41] Así, la ley recoge los derechos de los ciudadanos, las obligaciones de las Administraciones Públicas, las actuaciones de salud pública, que incluyen la vigilancia, promoción de la salud, prevención, coordinación de los servicios asistenciales y los de salud pública, protección de la salud de la población, sistemas de información en salud pública, planificación y coordinación de la salud pública, el personal profesional y la investigación en salud pública, la autoridad sanitaria estatal, vigilancia y control.

te, los poderes públicos, que deben garantizar una serie de derechos de la ciudadanía y unas tareas para conseguir una mejor salud pública que contribuya al bienestar social.

Del sistema sancionador de la ley, hemos de decir con cierta tristeza que no cumple con los requisitos constitucionales de determinación de los ilícitos y las sanciones que pueden ser de aplicación.

El sistema sancionador va dirigido, fundamentalmente, y a pesar que la ley es de aplicación a los poderes públicos, a las empresas que pueden afectar al derecho a la salud, y muy de refilón a la ciudadanía. La infracción que más se podría asimilar respecto a los comportamientos que analizamos es la falta leve, que tipifica "el incumplimiento de la normativa vigente, si las repercusiones producidas han tenido una incidencia escasa o sin trascendencia directa en la salud de la población" (art. 57.2.c), comportamiento sancionado con multa de hasta 3.000 euros, debiendo respetar siempre el principio de proporcionalidad[42].

En definitiva, y como conclusión, una alternativa clara a los sucesivos estados de alarma, prorrogados hasta seis veces, es la aplicación de la legislación sanitaria. Las restricciones a la libertad,

---

[42] Además, el art. 57.2.a) incluye como infracción muy grave: "*1°. La realización de conductas u omisiones que produzcan un riesgo o un daño muy grave para la salud de la población*" y "*2.° El incumplimiento, de forma reiterada, de las instrucciones recibidas de la autoridad competente, o el incumplimiento de un requerimiento de esta, si este comporta daños graves para la salud*", cuyas sanciones son de 60.001 euros hasta 600.000 euros.
Entre las infracciones graves, el art. 57.2.b) se refiere a: "*1.° La realización de conductas u omisiones que puedan producir un riesgo o un daño grave para la salud de la población, cuando ésta no sea constitutiva de infracción muy grave*" y "*3.° El incumplimiento de las instrucciones recibidas de la autoridad competente, si comporta daños para la salud, cuando no sea constitutivo de infracción muy grave*", castigado con sanciones de 3.001 euros hasta 60.000 euros. Estas infracciones resultan de aplicación a las empresas que operen en el sistema sanitario y de salud pública, no a la ciudadanía.

mucho más particularizadas y proporcionadas, podrían derivar de los mecanismos previstos en las leyes sectoriales.

Respecto al sistema sancionador, resulta aplicable a nuestro juicio, y sin perjuicio del análisis de cada caso concreto, únicamente la falta leve prevista en el art. 57.2.c) d la Ley General de Salud Pública de 2011.

La aplicación de esta Ley ha sido finalmente (mal) invocada por el Real Decreto Ley 21/2020, de 9 de junio, de medidas urgentes de prevención, contención y coordinación para hacer frente a la crisis sanitaria ocasionada por el COVID-19 que debe regular, después del Estado de Alarma, las cuestiones sanitarias. En un nuevo claro exceso del Gobierno, al afectar por Decreto Ley a la libertad personal (art. 17 CE) y a la libre circulación de personas (art 19 CE), entre otros derechos, cuestión vedada por el art 86.1 de la Constitución (el Decreto ley no podrá afectar a los derechos, deberes y libertades del Título 1 de la CE), ha añadido un art 31 que dice:

> "1. El incumplimiento de las medidas de prevención y de las obligaciones establecidas en este real decreto-ley, cuando constituyan infracciones administrativas en salud pública, será sancionado en los términos previstos en el título VI de la Ley 33/2011, de 4 de octubre, General de Salud Pública.
>
> La vigilancia, inspección y control del cumplimiento de dichas medidas, así como la instrucción y resolución de los procedimientos sancionadores que procedan, corresponderá a los órganos competentes del Estado, de las comunidades autónomas y de las entidades locales en el ámbito de sus respectivas competencias.
>
> 2. El incumplimiento de la obligación de uso de mascarillas establecido en el artículo 6 será considerado infracción leve a efectos de lo previsto en el artículo 57 de la Ley 33/2011, de 4 de octubre, y sancionado con multa de hasta cien euros.
>
> 3. El incumplimiento de las medidas previstas en los artículos 17.2 y 18.1, cuando constituyan infracciones administrativas en el ámbito del transporte, será sancionado con arreglo a lo dispuesto en las leyes sectoriales correspondientes".

Al respecto, tres cuestiones queríamos destacar:

a) El Real Decreto Ley no es una norma válida que cubra las exigencias del art 25.1 CE. Deberá ser objeto de tramitación como Ley y aún así, infringe los límites materiales que el art 86.1 de la CE impone para estas legislación extraordinaria y urgente.

b) La remisión en bloque al sistema sancionador de la Ley 33/2011 debe ser matizada por el objeto, ámbito de aplicación de la norma así como por las infracciones y cuantía de las sanciones en ella previstas. En principio, como la Ley va dirigida a las administraciones públicas con carácter general y a sujetos privados, únicamente cuando la Ley lo explicite en aquel caso concreto, no es de recibo la aplicación indiscriminada a la ciudadanía de ese sistema sancionador, al incumplir las exigencias de tipicidad y proporcionalidad.

Resulta de aplicación el sistema sancionador de la Ley 33/2011 en relación al Real Decreto-Ley comentado, para las administraciones públicas, cuando incumplan, por ejemplo, sus obligaciones de información, o a fabricantes de medicamentos, titulares de autorizaciones de comercialización, grandes laboratorios (art. 19 Ley 33/2011).

c) Respecto a la nueva infracción leve, que se añade al elenco sancionador previsto en la Ley, no podrá tener carácter retroactivo, y aflora la cuestión que habíamos denunciado en este trabajo: la imposibilidad de sancionar a quien incumpla la orden por la que se establecía el uso obligatorio de la mascarilla, al no tener, hasta ahora, un sistema sancionador.

Tampoco consideramos constitucional añadir, como hace el Real Decreto-Ley una nueva infracción y una sanción específica para estos comportamientos, que no están recogidos por otro lado en la Ley 33/2011. Una vez más, la puesta en práctica de una técnica jurídica arcaica, impropia de un Estado de Derecho.

E) La normativa local y el COVID-19: Las ordenanzas municipales

Los entes locales, en particular, los municipios tienen competencias que influyen de una u otra manera en las actuaciones sobre las que ha incidido el estado de alarma y, por tanto, son competentes para la vigilancia y la sanción por incumplimiento de su propia normativa. Así, la Ley 7/1985, de 2 de abril, de Bases de Régimen Local (LBRL), en su versión actualizada, atribuye a los municipios las competencias propias en policía local, protección de la salubridad pública (at. 25 LBRL). También como servicios que deben prestar los municipios, la limpieza viaria y la recogida y tratamiento de residuos (art. 26 LBRL). También pueden poseer competencias delegadas del Estado y las Comunidades Autónomas en inspección y sanción de establecimientos y actividades comerciales, entre otras.

De ese modo, existen diversos tipos de ordenanzas cuyo sistema sancionador puede ser aplicado para reprimir conductas contrarias a la regulación del estado de alarma. Entre ellas, destacamos:

a) Las Ordenanzas sobre convivencia ciudadana. Estas normas preservan el espacio público, calles, parques y jardines, plazas de cualquier alteración de la convivencia y el civismo y, por tanto, castigan a quienes infrinjan su regulación. Así, las previsiones clásicas de prohibición de consumo de bebidas alcohólicas en la calle, de hacer necesidades fisiológicas en la vía pública, el uso impropio de los espacios públicos como acampadas, baños en las fuentes o utilización de bancos y asientos para usos distintos a los destinados, puede ser castigado con más razón si cabe estos días, en los que la restricción a la libertad de circulación ha sido un hecho.

También regulan, en los municipios costeros, el uso de las playas, su seguridad, la prohibición de baños, conductas todas ellas que han sido restringidas durante el estado de alarma[43].

---

[43] Durante las primeras semanas desde la declaración del estado de alarma, la mayoría de playas de los municipios costeros españoles permanecieron ce-

La infracción de esa normativa está tipificada en las propias ordenanzas y puede conllevar sanciones cuyas multas deben respetar las cuantías previstas en la legislación local (art. 141 LBRL) o en la norma legal que resulte de aplicación[44].

b) Ordenanzas de limpieza de los espacios públicos y gestión de residuos. Las mismas, bajo distintas denominaciones[45], castigan las conductas consistentes en el abandono de objetos en la vía pública y, en general, en el territorio del municipio. Así, ante la proliferación de material sanitario

---

rradas al público, teniendo en cuenta que el acceso a las mismas no quedaba amparado por ninguna de las excepciones a la libre circulación previstas en el art. 7 del Real Decreto 463/2020. A partir de la Orden SND/370/2020, de 25 de abril, sobre las condiciones en las que deben desarrollarse los desplazamientos por parte de la población infantil durante la situación de crisis sanitaria ocasionada por el COVID-19, se dejó en manos de los municipios la decisión de abrir las playas. A modo de ejemplo, el Ayuntamiento de Almería acordó abrirlas a partir del 26 de abril, sólo para el paseo con niños. En el caso de Barcelona, las nueve playas del municipio no se reabrieron hasta el 8 de mayo de 2020, y únicamente para hacer deporte individual y en horario matinal (de 6 a 10 horas) prohibiendo los usos lúdicos como caminar por la arena, tumbarse para tomar el sol, el baño recreativo o hacer un picnic; medidas que no se empezaron a flexibilizar hasta la fase 0 de la desescalada, aunque manteniendo la prohibición de los baños recreativos.

44   Así, por ejemplo, la Ordenanza Municipal de medidas para el fomento y Garantía de la Convivencia Ciudadana en los Espacios Públicos de Sevilla, aprobada el 20 de junio de 2008, prevé multas de hasta 750 euros para las infracciones leves; 1.500 euros para las graves; y 3.000 euros para las muy graves.
Las mismas cuantías están recogidas en la Ordenanza de Medidas para Fomentar y Garantizar la Convivencia Ciudadana en el espacio público de Barcelona; la Ordenanza de Civismo del Ayuntamiento de Sitges; la Ordenanza General de Convivencia Ciudadana y uso de los espacios públicos de Tarragona; y la Ordenanza reguladora de los espacios públicos de Albacete para fomentar y garantizar la convivencia ciudadana y el civismo.

45   Así, podemos hacer referencia a la Ordenanza general de residuos urbanos y limpieza viaria de Mataró; a la Ordenanza de Recogida de Residuos y Limpieza Viaria de San Sebastián de los Reyes; a la Ordenanza Municipal de Limpieza Urbana de Valencia.

(guantes, mascarillas, gel desinfectante) el tradicional incivismo de algunos ha hecho que se activen este tipo de ordenanzas.

Muchas ciudades han recordado la prohibición de abandono de guantes y mascarillas y la posibilidad de sancionar esas conductas[46]. Al respecto, el ministerio de Sanidad dictó una recomendación de como deben tirarse las mascarillas y los guantes en los hogares (incluso pañuelos), incluyendo aquéllos en cuarentena[47].

Por último, y como ya dijimos, queda vedado a los bandos municipales la prohibición de conductas y, por supuesto, la imposición *ex novo* de sanciones. Los bandos, como ya hemos señalado, son meros recordatorios, no pueden tipificar infracciones y sanciones, so pena de nulidad del bando, al no ser fuente de Derecho. Tampoco estamos de acuerdo con distintos Decretos de la Alcaldía que han incidido directamente en la liberad de circulación, prohibiendo conductas en base a una supuesta habilitación de determinadas órdenes ministeriales a los ayuntamientos. El De-

---

[46] Así, por ejemplo el Ayuntamiento de Cádiz informó que arrojar mascarillas o guantes a la vía pública podría conllevar una multa de entre 100 y 750 euros, en el marco de la normativa municipal sobre tratamiento de residuos urbanos.
En Toledo, se recordó que tirar material sanitario al suelo era una actuación que podía ser sancionada en aplicación de la Ordenanza Municipal de Limpieza Viaria y Gestión de Residuos Urbanos del municipio.
En la misma línea, el municipio sevillano de Bollullos de la Mitación también advirtió que abandonar guantes o mascarillas usados en la calle podía sr objeto de sanción en base a la Ordenanza Municipal de Bienes Públicos.

[47] La Orden SND/271/2020, de 19 de marzo, establece instrucciones sobre gestión de residuos en la situación de crisis sanitaria ocasionada por el COVID-19; previsiones que se complementan con las recomendaciones sobre la gestión de residuos domésticos procedentes de hogares con personas aisladas/en cuarentena por COVID-19 que el Ministerio para la Transición Ecológica y el Reto Demográfico comunicó a las Comunidades Autónomas y a la Federación Española de Municipios y Provincias (FEMP), que a su vez dieron traslado de de las mismas a las entidades locales.

creto de la Alcaldía no puede restringir, como es obvio, derechos fundamentales ni libertades públicas[48].

V. OTRAS CUESTIONES: LAS AUTORIDADES COMPETENTES, LOS ATESTADOS Y ALGUNAS REGLAS DE LOS PROCEDIMIENTOS ADMINISTRATIVOS

Respecto a las cuestiones procedimentales, algunos temas específicos se plantean.

El inicio del expediente puede tener su origen en una denuncia de alguien (vecino, un tercero) o de los propios agentes de la autoridad pero, en todo caso, como siempre ocurre en este tipo de procedimientos, es el órgano competente de la Administración el que debe incoar el procedimiento.

El art. 5.2 del Real Decreto 463/2020 declara que:

"Los agentes de la autoridad podrán practicar las comprobaciones en las personas, bienes, vehículos, locales y establecimientos que sean necesarias para comprobar y, en su caso, impedir que se lleven a cabo los servicios y actividades suspendidas en este real decreto, salvo las expresamente exceptuadas. Para ello, podrán dictar las órdenes y prohibiciones necesarias y suspender las actividades o servicios que se estén llevando a cabo.

A tal fin, la ciudadanía tiene el deber de colaborar y no obstaculizar la labor de los agentes de la autoridad en el ejercicio de sus funciones".

Son agentes de la autoridad, a efectos del periodo del estado de alarma que se inició el 14 de marzo de 2020, los miembros de

---

[48] Así, véase Decreto de la Alcaldía del Ayuntamiento de Sopela (Bizkaia) dictado al amparo del art. 46.5 de la Orden SND 440/2020, de 23 de mayo, por la que se modifican diversas órdenes para una mejor gestión de la crisis sanitaria ocasionada por la COVID-19 en aplicación del Plan para la transición hacia una nueva normalidad. El Decreto prohíbe la práctica del deporte en las playas en una determinada franja horaria, ordena el desalojo o limitación de acceso a determinadas playas, en función de las indicaciones del personal de la Diputación foral. Este tipo de prohibiciones quedan vedadas a los Decretos de Alcaldía, siendo nulos de pleno derecho (art. 47.2 LPAC).

las Fuerzas y Cuerpos de Seguridad del Estado, los miembros de los cuerpos policiales autonómicos y locales[49].

En este sentido, la Orden del Ministerio del Interior INT 226/2020, de 15 de marzo, ha establecido criterios comunes de actuación, invocando para ello la legitimidad que le da el art. 9.1 de la Ley Orgánica 4/1981, y según la citada Orden por la declaración del estado de alarma, los policías estatales, autonómicos y locales (e incluso en ocasiones las empresas de seguridad privada) quedarán bajo las órdenes directas de la autoridad competente, en cuanto sea necesaria para la protección de personas, bienes y lugares. Con el objetivo de garantizar una acción concertada de todos los cuerpos policiales, se les habilita a formular denuncias por incumplimientos de las limitaciones y restricciones impuestas a la ciudadanía[50].

Una vez formulada la denuncia en el correspondiente atestado, que deberá contener una descripción de los hechos y claramente identificado el agente de la autoridad que lo redacta y lo firma, podrán incoarse un procedimiento sancionador. Las autoridades competentes para tramitar y resolver el procedimiento serán aquellas a las que la ley que resulta de aplicación atribuye la competencia específica y concreta.

---

[49] También en alguna ocasión han actuado los miembros de los Fuerzas Armadas al amparo del art. 5.6 del Real Decreto 463/2020. A nuestro juicio, para las labores de intervención limitativa de derechos o represiva de la ciudadanía es una clara extralimitación de sus funciones, pues no estamos ante un problema de orden público, sino sanitario, y además estoamos ante un estado de alarma, no de excepción.

[50] Dos cuestiones a resaltar: las órdenes que se han ido dictando en este período, adolecen de una clara extralimitación, por cuanto afectan a los derechos y libertades de los ciudadanos (en este caso, arts. 17 y 19 CE) y, por tanto, en alguno de esos supuestos vulneran o bien la reserva de Ley Orgánica o bien la reserva de Ley. En este sentido, sin la pretensión es, por ejemplo, dotar al personal de seguridad privada de la presunción de veracidad de las denuncias que formulen, es una actuación claramente ilegal La denuncia del personal de las empresas de seguridad privada tiene el mismo valor que la denuncia de un ciudadano, no gozando de presunción de veracidad o certeza.

En la Administración General del Estado, el Real Decreto 463/2020, atribuye a los ministros designados (en particular, a los ministros de Interior, de Sanidad y, en algunos supuestos, de transporte) la competencia para dictar órdenes, resoluciones, disposiciones instrucciones interpretativas.

El Ministro del Interior realizó, en fecha 14 de abril de 2020, una Comunicación a los delegados del Gobierno, a la que nos hemos referido anteriormente. En ella, se recuerda que el Ministerio del Interior es responsable de la seguridad ciudadana y que los Delegados del Gobierno son las autoridades competentes para incoar los procedimientos sancionadores, en particular, por la presunta infracción de desobediencia a la autoridad.

En una clara extralimitación de la legalidad vigente, la Comunicación (en realidad, Instrucción) establece reglas incompatibles con el Estado de Derecho, respecto a como se han de redactar los atestados policiales en relación a la graduación de la sanción.

Así, dice textualmente: *"la actitud de aceptación resignada de la denuncia no exigirá el reflejo de ninguna circunstancia especial. Por el contrario, sí se consignará si el infractor ha reaccionado con menosprecio, jactancia o mala educación o si ha llegado a y todas las frases o expresiones que haya proferido insultos o amenazas contra hacia los agentes por si se deduce intimidación o amenazas (en ambos casos que no constituyan infracción penal)".*

Asimismo, también incorpora los criterios de graduación de las propuestas de sanción, en base a una tabla con el siguiente contenido:

Nº	HECHOS	CIRCUNSTANCIAS	PROPUESTA DE SANCION
01	Desplazamiento no autorizado	Sin circunstancias concurrentes	601€
02		Menosprecio	2.000 €
03	Actitud inapropiada del infractor	Intimidación, cuando no constituya infracción penal.	3.000 €
04		Violencia o amenaza, cuando no constituyan infracción penal.	10.400 €
05	Persistencia referida a restricciones a la libre circulación	Propuesta de sanción sometida a variabilidad en razón de la persistencia	1.200 €
06	Persistencia referida a realización de actividades no permitidas en establecimientos comerciales o industriales	Propuesta de sanción sometida a variabilidad en razón de la persistencia	2.000 €
07	Presencia de Menores, personas con discapacidad o en situación de vulnerabilidad, en especial en el vehículo sin causa justificada.		1.500€
08	Desplazamiento no autorizado	En compañía, número de personas.	1.500€
09	Desplazamiento no autorizado hacia segunda residencia		1.500€
10	No identificación inicial debido a dificultades propiciadas dolosamente por la persona infractora		700€
11	Actuación deliberada del infractor para evitar o dificultar su identificación		1.500€
12	Organización o participación en actividades en común, festejos, celebraciones, etc.	Nivel de Riesgo elevado en virtud del número de personas, circunstancias y proximidad.	10.400 €

La instrucción de los expedientes debe adecuarse a las reglas de la ley que se aplique (en particular, la Ley 33/2011), teniendo en cuenta también las previsiones relativas a los procedimientos sancionadores contenidas en la Ley 39/2015, de 1 de octubre, de procedimiento administrativo común de las Administraciones Públicas (arts. 63, 64 y 70 a 82).

Lo que debe quedar claro en los expedientes sancionadores incoados durante el estado de alarma, son las siguientes reglas, a saber:

a) El denominado mando único que recoge el Real Decreto 463/2020, de 14 de marzo (art. 4.3) atribuye a los ministros competentes (interior, sanidad, transportes) la potestad de dictar órdenes, resoluciones, disposiciones e instrucciones interpretativas necesarias para la prestación de servicios ordinarios y extraordinarios, en orden a la protección de personas, bienes y lugares.

Estas atribuciones han de ser interpretadas de forma restrictiva, al ser derecho excepcional. Además, aunque el mismo desplace, en su caso, a la legislación general, no atribuye la competencia para la instrucción y resolución de los expedientes a las autoridades de la Administración General del Estado.

Al no contener un cuadro de infracciones y sanciones, y remitirse a las leyes vigentes (de seguridad ciudadana, sanitaria), debe respetarse la distribución de competencias establecida en esas leyes en relación a las Comunidades Autónomas y la Administración local.

Así, independientemente de quien provenga la denuncia, la incoación, instrucción y resolución se hará por la Administración Pública que ostenta las competencias. El estado de alarma y el mando único no es un derecho a la alteración de competencias en este ámbito[51].

Por tanto, cuando quien formule la denuncia en aplicación de la Ley de Seguridad Ciudadana sea la policía autonómica, le corresponderá a esta Administración la incoación, tramitación y, en su caso, la sanción. Cuando sea la policía local, las autoridades locales[52]. En el ámbito sanitario, serán la administración autonómica o local, cuando tengan

---

[51] Así, véase Orden del Ministerio del Interior 226/2020, de 15 de marzo, que establece los criterios comunes de actuación de todas las policías.

[52] No ha sido esta la solución adoptada en el caso de Cataluña, donde el Decreto Ley 22/2020, de 2 de junio, por el que se determinan los órganos competentes para tramitar las sanciones por incumplimientos de la normativa reguladora del estado de alarma denunciados por los diferentes cuerpos policiales, que establece que, con independencia del cuerpo policial que formule la denuncia, la competencia corresponde al consejero de Interior, que la podrá delegar en cualesquiera órganos del Departamento de Interior.

atribuidas las competencias en la materia, quienes deberán incoar, instruir y resolver.

b) El artículo 5.2 del Real Decreto 463/2020 recoge que: "Los agentes de la autoridad podrán practicar las comprobaciones en las personas, bienes, vehículos, locales y establecimientos que sean necesarias para comprobar y, en su caso, impedir que se lleven a cabo los servicios y actividades suspendidas en este real decreto, salvo las expresamente exceptuadas. Para ello, podrán dictar las órdenes y prohibiciones necesarias y suspender las actividades o servicios que se estén llevando a cabo. A tal fin, la ciudadanía tiene el deber de colaborar y no obstaculizar la labor de los agentes de la autoridad en el ejercicio de sus funciones"[53].

De este precepto, y de la Orden del Ministerio del Interior 226/2020, de 15 de marzo, se entiende que los distinto agentes de la autoridad están habilitados para formular denuncias por presuntos incumplimientos de las limitaciones y restricciones impuestas a la ciudadanía y, como hemos dicho, se incoará, instruirá y sancionará, en su caso, respetando las reglas competenciales que derivan de las leyes de aplicación.

Al remitirse a las leyes y carecer de sistema sancionador, cada Administración conservará las competencias que le otorga la legislación vigente en la gestión ordinaria de sus servicios (art. 6 Real Decreto 463/2020)[54].

---

[53] Este precepto no habilita en modo alguno a entrar en domicilios sin mandamiento judicial, como se ha hecho. para entrar en un domicilio se debe pedir autorización judicial.

[54] Este precepto prevé: *"Cada Administración conservará las competencias que le otorga la legislación vigente en la gestión ordinaria de sus servicios para adoptar las medidas que estime necesarias en el marco de las órdenes directas de la autoridad competente a los efectos del estado de alarma y sin perjuicio de lo establecido en los artículos 4 y 5".*

Por tanto, al no recoger ninguna previsión, como decimos, en materia sancionadora, no se está afectando al régimen competencial vigente. Así, el incumplimiento de las normas dictadas durante el estado de alarma (Reales Decretos, Órdenes, etc.), se deberá sancionar por la Administración competente por razón de la normativa sectorial aplicable (Ley de seguridad ciudadana, sanitaria, tráfico, comercial, etc.).

c) Tampoco sufrirá variación el procedimiento a seguir, sus distintos trámites, que dependen de la normativa sectorial aplicable en materia sancionadora, así como los derechos y garantías de la ciudadanía que derivan del art. 24.2 CE[55]. Contra la resolución sancionadora cabrán los recursos administrativos y contencioso administrativos que prevé la legislación vigente.

VI. BIBLIOGRAFÍA

ALARCÓN SOTOMAYOR, Lucía. "El nuevo régimen de la seguridad Ciudadana: Algunas faltas menos y muchas infracciones más", *Revista española de derecho administrativo* núm. 191, 2018, pp. 107-148.

ARAGUÀS GALCERÀ, Irene. *La transparencia en el ejercicio de la potestad reglamentaria*, Atelier, Barcelona, 2016.

CANO CAMPOS, Tomás. "Estado de alarma, sanciones administrativas y desobediencia a la autoridad", *Blog Seguridad Pública, Derecho administrativo sancionador y derechos fundamentales* (08/05/2020). https://seguridadpublicasite.wordpress.com/2020/05/08/estado-de-alarma-sanciones-administrativas-y-desobediencia-a-la-autoridad/

CANO CAMPOS, Tomás. " ¿Puede el Decreto de Alarma establecer su propio régimen sancionador?, *Blog Seguridad Pública, Derecho administrativo sancionador y derechos fundamentales* (11/05/2020). https://seguridadpublicasite.wordpress.com/2020/05/11/puede-el-decreto-de-alarma-establecer-su-propio-regimen-sancionador/

---

[55] STC 8/1981, de 6 de junio.

CANO CAMPOS, Tomás. "El concepto de sanción y los límites entre el Derecho penal y el Derecho administrativo sancionador", *Derecho administrativo y derecho penal: reconstrucción de los límites* (Dir. Felio J. Bauzá Martorell), Bosch, Barcelona, 2017. Pp. 151-170.

CANO CAMPOS, Tomás. "La analogía en el Derecho administrativo sancionador", *Revista española de derecho administrativo* núm. 113, 2002, pp. 51-88.

CANO CAMPOS, Tomás. *Sanciones administrativas*, Ediciones Francis Lefebvre, 2018.

GONZÁLEZ RIVAS, Juan José. "Las sanciones administrativas en la jurisprudencia constitucional", *Actualidad administrativa* núm. 28, 1994, pp. 395-412.

HUERGO LORA, Alejandro. *Las sanciones administrativas*, Iustel, Madrid, 2007.

IZQUIERDO CARRASCO, Manuel; Alarcón Sotomayor, Lucía (Dirs.), *Estudios sobre la Ley Orgánica de Seguridad Ciudadana*, Aranzadi, Navarra, 2019.

LAGUNA DE PAZ, José Carlos. "El principio de responsabilidad personal en las sanciones administrativas", *Revista de Administración Pública* núm. 211, 2020, pp. 37-69.

NIETO, Alejandro. *Derecho administrativo sancionador*, 4ª Ed, Tecnos, Madrid, 2005.

REBOLLO PUIG, Manuel. "Derecho administrativo sancionador", *Justicia administrativa. Revista de derecho administrativo* núm. 31, 2006, pp. 151-170.

REBOLLO PUIG, Manuel. "Novedades relativas al procedimiento sancionador y al de responsabilidad en la Ley 39/2015 de Procedimiento Administrativo Común", *Aproximación al nuevo procedimiento administrativo común de la Ley 39/2015: reflexiones y claves para su aplicación* (Dir. Mª Jesús Gallardo Castillo), CEMCI. Centro de Estudios Municipales y de Cooperación Internacional, Granada, 2016.

REBOLLO PUIG, Manuel. "Los principios de legalidad, personalidad y culpabilidad en la determinación de los responsables en las infracciones", *Régimen jurídico básico de las administraciones públicas: libro homenaje al profesor Luis Cosculluela* (Coord. Manuel Rebollo Puig, Mariano López Benítez, Eloísa Carbonell Porras), Iustel, Madrid, 2015.

REBOLLO PUIG, Manuel; IZQUIERDO CARRASCO, Manuel, ALARCÓN SOTOMAYOR, Lucía; BUENO ARMIJO Antonio Mª. *Derecho Administrativo Sancionador*, Valladolid, Lex Nova, 2010.

TRAYTER JIMÉNEZ, Joan Manuel. *Derecho disciplinario de los funcionarios públicos*, Marcial Pons, Madrid, 1992.

TRAYTER JIMÉNEZ, Joan Manuel; AGUADO CUDOLÀ, Vicenç. *Derecho administrativo sancionador: Materiales*, Cedecs, Barcelona, 1995.

GÓMEZ TOMILLO, Manuel; SANZ RUBIALES, Iñigo. *Derecho Administrativo Sancionador. Parte General*, 4ª edición. Cizur Menor: Aranzadi, 2017.

GARCÍA DE ENTERRÍA, Eduardo. "El problema jurídico de las sanciones administrativas", *Revista Española de Derecho Administrativo* núm. 10, 1976.

ROBLES FERNÁNDEZ, Salvador. "Régimen Jurídico de las infracciones y sanciones administrativas en el ámbito de la salud pública", *Derecho Sanitario* Vol. 3, Enero-Diciembre 1995.

COVID-19 y contratación pública: tramitación de emergencia en práctica y otras cuestiones

JULIO V. GONZÁLEZ GARCÍA[1]

Catedrático de Derecho administrativo
Universidad Complutense de Madrid

I. PLANTEAMIENTO

El 11 de marzo de 2020 la Organización Mundial de la Salud declaraba que la pandemia originada en Wuhan, República Popular China, a través del coronavirus SARS-CoV-2 tenía la naturaleza de pandemia global. La expansión de la enfermedad y, sobre todo, sus consecuencias dramáticas hacían preciso que se adoptaran todas las medidas necesarias para impedir la propagación de la enfermedad.

Un virus complejo, poco conocido y con consecuencias devastadoras provocaban que los recursos jurídicos del Derecho de excepción se tuvieran que poner en funcionamiento. No sólo ha sido una utilización razonablemente constante del Real Decreto Ley, sino una continua sucesión de Reglamentos e instrucciones de diverso tipo que daban respuesta a la situación del virus en cada día. De hecho, el primer gran Real Decreto Ley referido a la pandemia, (concretamente, el Real Decreto-ley 7/2020, de 12 de marzo, por el que se adoptan medidas urgentes para responder al impacto económico del COVID-19) fue promulgado unos pocos días antes de que se declarase el Estado de alarma.

El Derecho de excepción que hemos tenido y, con él, esta sucesión normativa, encuentra su base jurídica en el Real Decreto 463/2020, de 14 de marzo, por el que se declara el estado de alarma para la

---

[1] Este estudio se enmarca en el Proyecto de Investigación DER2016-76986-P; "Unión Europea en el contexto de los Tratados de nueva generación: entre reforma institucional y protección social", del que soy IP.

gestión de la situación de crisis sanitaria ocasionada por el CO-VID-19. Una declaración que encuentra su fundamento en el artículo 116 de la Constitución y, en un segundo escalón, en la norma de desarrollo, la Ley Orgánica 4/1981, de 1 de junio, de los estados de alarma, excepción y sitio), cuyo artículo 4 habilita la declaración del estado de alarma en circunstancias de epidemias graves, entre las cuales no hay mejor ejemplo que la provocada por el virus COVID19. Asimismo, constituye el instrumento adecuado para limitar la movilidad de la población, un aspecto que se ha reforzado como uno de los más relevantes en la reducción del impacto poblacional y en que no se terminaran de colapsar los hospitales. Desde una perspectiva de gestión pública, me resulta lógica la declaración y extensión del estado de alarma.

La contratación pública ha sido uno de los aspectos de la gestión pública en donde más se han manifestado las consecuencias del Derecho de excepción que ha generado la COVID19. Posiblemente por ello, desde el comienzo ha merecido atención por los autores[2]. No sólo desde el punto de vista académico sino también desde el institucional, ha sido objeto de análisis como lo prueba la publicación de en el Diario Oficial del Unión Europea de 1 de abril de 2020 ha publicado la Comunicación de la Comisión Orientaciones de la Comisión Europea sobre el uso del marco de contratación pública en la situación de emergencia relacionada con la crisis del COVID-19 (2020/C 108 I/01)[3].

---

[2]   Una visión inicial del impacto de la COVID en la contratación se puede ver en GIMENO FELIU, J. Mª: "La crisis sanitaria COVID-19 y su incidencia en la contratación pública", El Cronista del Estado Social y Democrático de Derecho nº 86-87 de 2020, pp. 62-73.

[3]   Véase, al respecto, el artículo de Gallego Córcoles, I., De las orientaciones de la Comisión Europea sobre contratación pública en la crisis del Covid-19 y de sus implicaciones en el caso español; que se puede consultar en *http://obcp.es/opiniones/de-las-orientaciones-de-la-comision-europea-sobre-contratacion-publica-en-la-crisis-del* Es importante tener presente que la Comunicación viene a significar que "en la práctica, esto significa que las autoridades pueden actuar con toda la rapidez que sea técnica y físicamente posible, y el procedimiento puede constituir una

Sí conviene destacar un aspecto con respecto a otros capítulos de este libro: las medidas previstas, el recurso a la contratación de emergencia (y otras), no están vinculadas al estado de alarma sino que tienen el punto de anclaje en la evolución de la pandemia y, por ello, puede que se prolonguen mucho más tiempo en vigor.

La realidad es que cuando llegó la pandemia no había acopio de material de protección ni para los profesionales sanitarios, ni para la población en general ni para los profesionales que iban a mantener la actividad económica durante la pandemia. En su mayor parte, disponer un stock suficiente de materiales de protección del contagio (mascarillas, batas, guantes, gel hidroalcohólico, respiradores...) para los hospitales y demás instalaciones sanitarias y de atención social como residencias de ancianos ha sido, antes y durante la pandemia, competencia de las Comunidades autónomas (aspecto que expresamente se recogió en el artículo 6 del Real Decreto 463/2020 que mantenía que "cada Administración conservará las competencias que le otorga la legislación vigente en la gestión ordinaria de sus servicios", dentro de los cuales estaban los departamentos de compras).

Pero no era sólo este hecho (que motivó una adquisición en mercados complejos de los equipos de protección individualizada) sino también que el resto de la contratación pública se viera afectada por las medidas que acompañaron la declaración del estado de alarma, con efectos directos sobre los contratos en ejecución como consecuencia de las prohibiciones de circulación y de ejercicio de muchas actividades económicas.

De pronto, las entidades del sector público tuvieron que aplicar el régimen inutilizado de la adquisición de emergencia previsto en el artículo 120 de la Ley 9/2017, de Contratos del Sector Público (LCSP, en adelante). No sólo eso sino que además se tuvo que afrontar la contratación de mascarillas, guantes y respiradores en el único mercado que disponía de ellos: el de la República

---

adjudicación directa de facto sujeta únicamente a limitaciones físicas o técnicas relacionadas con la disponibilidad real y la velocidad de entrega".

Popular China al que el desarrollo de la globalización neoliberal ha transformado en el gran productor de bienes para el mundo. Era el único sitio en el que había fábricas suficientes para nutrir de mascarillas al mundo. Era la paradoja de una pandemia global con una sanidad local[4] y un abastecimiento concentrado en el país en el que se originó el virus.

Adquirir material de protección sanitaria en la República Popular China plantea numerosos problemas prácticos, partiendo del propio desconocimiento del mercado, de sus reglas internas, del valor de sus instrumentos de control de calidad[5] y del papel que tuvieron los intermediarios que sí habían realizado actividades allí. Las propias negociaciones con los suministradores del material eran extremadamente estresantes, dependientes de un número de aviones limitados y de una auténtica lucha en la adquisición de las mascarillas. Desde luego, nunca se pensó que la contratación de emergencia llegaría hasta las cuestiones a las que hubo que hacer frente. Problemas todos ellos a los que los entes públicos tuvieron que hacer frente porque lo que estaba en juego era la salud de la ciudadanía y de sus trabajadores.

Más aún, durante algunos días ni siquiera allí había material suficiente para satisfacer las necesidades de todo el mundo, por mucho que estuvieran las fábricas que estaban trabajando a todo rendimiento. Esto viene provocando un problema continuo en cuanto al tiempo en el que se pueden ejecutar los contratos[6]. Por ello, la contratación pública en los tiempos de la COVID19 es la prueba definitiva de cómo ha de funcionar todo el aparato insti-

---

[4]   Sobre esta cuestión véase *https://www.globalpoliticsandlaw.com/2020/04/04/ covid19-pandemia-global-sanidad-local/*

[5]   El Gobierno chino publicó, para solucionar la problemática, un listado de fabricantes de confianza y de equivalencia de acreditaciones de calidad que pudiera ser de utilidad a los adquirentes occidentales

[6]   De hecho, ha habido alguna resolución de una de las querellas presentadas contra responsables de las entidades del sector público, en donde se contempla este elemento como uno de los esenciales para eliminar la responsabilidad por los eventuales daños que se hayan podido producir.

tucional vinculado a la contratación ante una situación de crisis total en donde cada contrato tenía la función de salvar vidas.

II. LA APLICACIÓN DE LA REGULACIÓN DE LA CONTRATACIÓN DE EMERGENCIA EN RELACIÓN CON LA ADQUISICIÓN DE BIENES Y SERVICIOS VINCULADOS A LA COVID19

Como se acaba de indicar, la adquisición de bienes y servicios para hacer frente a la COVID19 exigía cumplir con dos premisas: a) por un lado, disponer de un procedimiento excepcional para la tramitación de todos los contratos que estén vinculados directamente a la contratacion de unos suministros de elementos de protección individual básicos para evitar la difusión de la pandemia y b) un mecanismo especial de pago que permitiera cumplir con las exigencias de los fabricantes que se encontraran en la República Popular China, ya que era el único sitio del mundo donde había material o fábricas que pudieran elaborarlo. Dos aspectos que resultaban imprescindibles para una gestión global de la pandemia aunque, para algunos contratos concretos —los que se iban a ejecutar en España—, pudieran ir separados.

Desde el primer punto de vista, la declaración de emergencia para toda la contratación pública destinada a aspectos directamente relacionadas con la COVID 19 derivaba del Real Decreto-ley 7/2020, de 12 de marzo, por el que se adoptan medidas urgentes para responder al impacto económico del COVID-19 (en adelante, RDLey 7/2020) "la adopción de cualquier tipo de medida directa o indirecta por parte de las entidades del sector público para hacer frente al COVID-19 justificará la necesidad de actuar de manera inmediata, siendo de aplicación el art. 120 de la Ley 9/2017". Obviamente, esta declaración general se debía materializar en cada expediente, manifestando la vinculación que tenía la compra que se iba a ejecutar con la enfermedad, ya sea como elemento de curación (ventiladores, básicamente) ya sea para evitar la difusión (mascarillas, guantes con carácter general y otros elementos de protección para sanitarios con carácter específico). Una motivación que, además, estaba limitada por el carácter excepcional de la figura, que no permitía extenderlo a cualquier contrato durante la pandemia.

Esta inmediatez en la respuesta es la que justifica que, de acuerdo con lo que dispone el artículo 16.2 del RDLey 7/2020 "a todos los contratos que hayan de celebrarse por las entidades del sector público para atender las necesidades derivadas de la protección de las personas y otras medidas adoptadas por el Consejo de Ministros para hacer frente al COVID-19, les resultará de aplicación la tramitación de emergencia". La declaración era general para todas las entidades del sector público que adquirían materiales para la protección frente a la COVID19. Una tramitación de emergencia que se iba a transformar en la clave de la compra pública durante la pandemia, sobre todo durante la segunda quincena de marzo y la primera de abril de 2020 en donde la situación sanitaria era peor y la carencia de suministros incluso en origen era más acuciante.

La regulación del artículo 120 LCSP está pensada precisamente para situaciones como ésta y permite una tramitación express sin cumplir con los requisitos formales que recoge la Ley[7]: "el ór-

---

[7]   Recordemos, que además de lo que se señala en el texto, es precisa la comunicación a la intervención delegada, de acuerdo con lo dispuesto en la Disposición adicional centésima trigésima sexta de la Ley 6/2018, de Presupuestos Generales del Estado para 2018. Comunicación de inicio de actuaciones mediante régimen de tramitación de emergencia. Obviamente, se aplica sólo a las entidades del sector público que tengan esta intervención delegada.

"Cuando la Administración tenga que actuar de manera inmediata a causa de acontecimientos catastróficos, de situaciones que supongan grave peligro o de necesidades que afecten a la defensa nacional, de acuerdo con el régimen excepcional previsto en el artículo 120 de la Ley 9/2017, de 8 de noviembre, de Contratos del Sector Público, por la que se transponen al ordenamiento jurídico español las directivas del Parlamento Europeo y del Consejo 2014/23/UE y 2014/24/UE, de 26 de febrero de 2014, el órgano

gano de contratación, sin obligación de tramitar expediente de contratación, podrá ordenar la ejecución de lo necesario para remediar el acontecimiento producido o satisfacer la necesidad sobrevenida, o contratar libremente su objeto, en todo o en parte, sin sujetarse a los requisitos formales establecidos en la presente Ley, incluso el de la existencia de crédito suficiente". Incluso, de acuerdo con la regla general y previa a esta pandemia prevista en el artículo 37.1 LCSP, se permite que la contratación de emergencia se efectúe de forma verbal, algo que en, condiciones normales, no se puede hacer.

En definitiva, la necesidad de recurrir al artículo 120 derivaba de que el cumplimiento de todos los requisitos de la LCSP en los restantes procedimientos de licitación haría inviable la obtención del bien o del servicio en el plazo que se requería.

Sí conviene recordar, en este contexto, que a lo que habilita la LCSP es precisamente a adquirir sin procedimiento de licitación pública, —contratación directa en definitiva—, después de una mera negociación entre entidad del sector público y contratista. Pero no obliga a ello. De hecho, por ejemplo, la Sociedad Estatal Correos y Telégrafos, S.A., S.M.E., a partir de un determinado instante ha aplicado la cláusula de emergencia pero licitando el contrato en la Plataforma de Contratación del Estado y proporcionando a los eventuales licitadores un plazo de cinco días para presentar sus propuestas. Con ello, desde CORREOS se pensó que se armonizaban eficacia en la gestión con una apertura a la competencia que permitiría, hipotéticamente, disponer de mejores condiciones económicas.

---

de contratación dará cuenta de ello, en el mismo momento de adoptar el acuerdo de inicio de actuaciones precisas, a la Intervención Delegada cuya competencia orgánica o territorial se corresponda con la de la autoridad que haya de aprobar el gasto necesario para hacer frente a dicha actuación. En la comunicación que se remita al órgano de control correspondiente, se incluirá una descripción del objeto de las actuaciones a ejecutar y el importe del gasto por el que se haya efectuado la oportuna retención de crédito o se vaya a iniciar el expediente de modificación presupuestaria."

Pese a la rapidez con la que hubo de presentarse las propuestas, en modo alguno supuso que no hubiera licitadores con capacidad para presentar sus proposiciones[8], en la medida en que se exigía tanto que tuvieran las mascarillas que debían responder a ciertos parámetros de calidad y la propuesta básicamente dependía del precio y el plazo de entrega.

En segundo lugar, que se prevea la posibilidad de adjudicación directa y express de la prestación, no significa que no quepan mecanismos de racionalización de la contratación pública, los cuales ante una pandemia generalizada como la que hemos tenido resulta muy conveniente. De hecho, el Ministerio de Transportes, Movilidad y Agenda Urbana recurrió en dos ocasiones a la compra centralizada para agilizar, ganar en eficiencia y homogeneizar la adquisición de elementos de protección (guantes y mascarillas) en el extranjero. Para ello, se ha recurrido a dos entidades instrumentales, Puertos del Estado y al Administrador de Infraestructuras Ferroviarias, para que procedieran materialmente a la compra. Esta centralización de las compras se produjo a través de dos Ordenes del Ministro[9] en donde se encomendaban a las entidades públicas empresariales citadas que procedieran al proceso de compra.

Estas compras se hacían en nombre y por cuenta de las entidades del sector público que eran destinatarios del material adquirido. Con posterioridad, se procedía al abono de las cantidades respectivas a la entidad adquirente al precio al que se produjo el gasto por su parte. Fueron estos procedimientos los que permi-

---

[8]   Examinando la licitación de 4.500.000 mascarillas KN95, se observa que concurrieron a ella 14 licitadores, de los que dos quedaron fuera por razones formales, del plazo de presentación de la propuesta.

[9]   Así, tenemos la Orden TMA/263/2020, de 20 de marzo, por la que se regula la adquisición y distribución de mascarillas por parte del Ministerio de Transportes, Movilidad y Agenda Urbana (BOE 21/03/2020) y la Orden TMA/292/2020, de 26 de marzo, por la que se regula una segunda adquisición y distribución de mascarillas por parte del Ministerio de Transportes, Movilidad y Agenda Urbana (BOE 27/03/2020)

tieron, asimismo, la adquisición de elementos de protección individualizada a los trabajadores del sector del transporte, como vía para evitar la situación de falta de mascarillas y guantes durante los primeros tiempos de la pandemia.

En tercer lugar, conviene tener presente que han funcionado también los procedimientos de cooperación entre Administraciones públicas y entre entidades públicas para cubrir carencias que han podido existir de material de protección de personas, especialmente en los casos de elementos de protección individual para trabajadores, que han constituido uno de los aspectos más críticos de la gestión sindical durante la pandemia.

En cuarto lugar, la utilización del procedimiento de emergencia que recoge el artículo 120 LCSP sólo exonera el expediente de contratación en aras de una mayor rapidez en la contratación. Un recordatorio que es especialmente importante en cuanto a la aplicabilidad de las prohibiciones para contratar o en la exigencia de solvencia del contratista, que se ha venido garantizando a través de seguros y de certificados de buena prestación de contratos equivalentes. De hecho, sigue siendo vigente, por ejemplo, la determinación de un responsable del contrato (figura obligatoria, de acuerdo con el artículo 62 sin excepción ni por tipo de contrato ni por la forma de adjudicarlo) que ha de proceder a verificar el cumplimiento de las prestaciones. El volumen tan grande de suministros (que no olvidemos, lo era para toda Europa Occidental) dio pie a que se produjeran errores en los envíos o en la calidad de los materiales que sólo a través de los mecanismos usuales que recoge la norma se pueden solventar.

En quinto lugar, una de las cuestiones que ha podido preocupar a la opinión pública y a los autores es el de la transparencia[10] en la adquisición para ponderar cuál ha sido la gestión de cada en-

---

[10]   Véase el artículo de Miranzo Diaz, J., Reflexiones sobre la transparencia y la integridad en contrataciones relacionadas con el Covid-19, accesible en *http://www.obcp.es/opiniones/reflexiones-sobre-la-transparencia-y-la-integridad-en-contrataciones-relacionadas-con-el#die<*

tidad del sector público en las adquisiciones de bienes y servicios y que no afectan sólo a los de los equipos de protección individual (pienso, por ejemplo, en los servicios hoteleros contratados medicalizados con servicio incorporado de catering de la Comunidad de Madrid). Transparencia a la hora de publicar los contratos que ha hecho que existan, además de los medios más convencionales de petición de información, un número considerable de preguntas parlamentarias que suscitan aspectos concretos o generales de la cuestión.

No cabe duda que a la contratación de emergencia son aplicables las reglas sobre la publicidad de los acuerdos de adjudicación de los contratos, en las condiciones previstas en el artículo 154 LCSP: "La formalización de los contratos deberá publicarse, junto con el correspondiente contrato, en un plazo no superior a quince días tras el perfeccionamiento del contrato en el perfil de contratante del órgano de contratación. Cuando el contrato esté sujeto a regulación armonizada, el anuncio de formalización deberá publicarse, además, en el «Diario Oficial de la Unión Europea»". Conviene recordar aquí que se han suscrito contratos menores, y estos tienen un plazo diferente de publicidad, trimestral, de acuerdo con lo que dispone el artículo 63.4 LCSP: "La publicación de la información relativa a los contratos menores deberá realizarse al menos trimestralmente".

De igual manera, a este procedimiento excepcional de contratación es de aplicación a la contratación de emergencia el artículo 8 de la Ley 19/2013, de transparencia y Buen Gobierno. De acuerdo con la información facilitada por la Oficina Independiente de Regulación y Supervisión de la Contratación, en aplicación de estas reglas de publicidad, en el periodo del 14 de marzo al 3 de junio en los que se ha dado publicidad a 7.145 contratos[11]. La

---

[11]   Oficina Independiente de Regulación y Supervisión de la Contratación. Actualización del informe de supervisión de la publicidad de la contratación; página 3. Se puede consultar en *https://www.hacienda.gob.es/es-ES/RSC/ Paginas/OIReSuC/INFORME-ESPECIAL-(PUBLICIDAD-EMEREGENCIAS-CO-VID-19).aspx*

OIRSCON ha señalado qué tipos de defectos se han encontrado y al informe me remito.

En este sentido, los aspectos que deberían ser publicados afectan a los siguientes puntos: a) Información del contratista, b) Motivación de la adjudicación c) Justificación de la contratación, d) Justificación de la modalidad de contratación y e) Detallar el precio unitario y total de los bienes o servicios contratados; en las condiciones generales que prevén los artículos 154 y 63 de la LCSP.

En sexto lugar, el propio artículo 120 LCSP marca la obligatoriedad de que cada una de los tipos de entidades que están contempladas en él den cuenta al Consejo de Ministros de los contratos que realicen: "si el contrato ha sido celebrado por la Administración General del Estado, sus Organismos Autónomos, Entidades Gestoras y Servicios Comunes de la Seguridad Social o demás entidades públicas estatales, se dará cuenta de dichos acuerdos al Consejo de Ministros en el plazo máximo de treinta días". En el caso de las sociedades estatales, que no están recogidas, se ha procedido a dar cuenta ante la entidad ante la que dependen, ya sea el Ministerio de tutela o el holding al que forman parte, como ocurre con los casos de las sociedades encuadradas en la Sociedad Estatal de Participaciones Industriales.

En relación con esta cuestión, hay 742 tomas de razón de contratos (recordemos que cada una de ellas se puede afectar a más de un contrato). El proceso de toma de razón por parte de estas autoridades se está incrementando en los últimos tiempos, a medida que los contratos van siendo ejecutados y que la presión de la búsqueda de los suministros está decreciendo.

En séptimo y último lugar, conviene recordar que el artículo 44.4 LCSP impide el recurso al Tribunal de contratos administrativos en relación con los contratos que se adjudiquen por la vía del artículo 120, al establecer que "no se dará este recurso en relación con los procedimientos de adjudicación que se sigan por el trámite de emergencia". Es una regla lógica cuando la necesidad de ejecutar el contrato no se debe demorar más de un mes y los procedimientos de recurso se demoran lo suficiente como para hacerlo inviable.

III. EN CONCRETO, EL CAMBIO DE LAS REGLAS DE PAGO DE LA PRESTACIÓN

Uno de los aspectos que podía provocar más dificultades para la adquisición de bienes y servicios en la República Popular China es el del pago de la prestación, ya se adquieran directamente al productor, ya se haga a través de un intermediario.

Como se recordará, con carácter general el pago anticipado sólo está previsto en el artículo 198.3 de la LCSP en un caso muy concreto: las actuaciones preparatorias del contrato de obras: "El contratista tendrá derecho a percibir abonos a cuenta por el importe de las operaciones preparatorias de la ejecución del contrato y que estén comprendidas en el objeto del mismo, en las condiciones señaladas en los respectivos pliegos, debiéndose asegurar los referidos pagos mediante la prestación de garantía".

El sistema no era válido para las compras de material en China en donde la feroz concurrencia exigía como uno de los elementos determinantes el pago. Precisamente por ello, se modificó por completo el sistema para los contratos vinculados a la COVID y se sustituyó por la regla siguiente: "En estos casos, si fuera necesario realizar abonos a cuenta por actuaciones preparatorias a realizar por el contratista, no será de aplicación lo dispuesto respecto a las garantías en la mencionada Ley 9/2017, siendo el órgano de contratación quien determinará tal circunstancia en función de la naturaleza de la prestación a contratar y la posibilidad de satisfacer la necesidad por otras vías. De la justificación de la decisión adoptada deberá dejarse constancia en el expediente". Si se observan los contratos en la Plataforma de Contratación Pública se observará que los pagos se han producido parcialmente con anterioridad a la recepción de la mercancía. De hecho, las penalizaciones que se han aplicado han sido consecuencia de la no provisión del suministro de material en el tiempo breve al que se habían comprometido los contratistas.

La utilización de los sistemas de emergencia que están recogidos en el artículo 120 tiene la consecuencia de que la prestación se tiene que realizar en un periodo breve de tiempo, ya que si no se pudiera proceder de este modo, habría que recurrir al procedimiento ordinario, tal como se prevé en el artículo 120: "el plazo de inicio de la ejecución de las prestaciones no podrá ser superior a un mes, contado desde la adopción del acuerdo previsto en la letra a). Si se excediese este plazo, la contratación de dichas prestaciones requerirá la tramitación de un procedimiento ordinario". De hecho, en la contratación se recogían periodos breves de tiempo para la entrega del material que, sin embargo, no impedían la imposición de penalizaciones a los contratistas que no cumplían con los plazos de entrega. Algo que en el contexto de la feroz competencia que ha habido con los equipos de protección individual ha resultado muy conveniente.

Este aspecto, en el que ha incidido mucho la Abogacía del Estado en los informes que ha emitido sobre la contratación de emergencia, no impide, sin embargo que el material se deba utilizar en un periodo igual de breve. En efecto, en esta pandemia una de las cuestiones que va a resultar más relevante es la de disponer de equipos de protección para trabajadores durante un periodo de tiempo bastante prologada. La regla de la planificación, general en toda la contratación pública, aquí también va a obligar a que las adquisiciones de bienes se realicen a semanas vistas para ir cubriendo las necesidades de la población y de los empleados públicos.

IV. LA SUSPENSIÓN DE LA EJECUCIÓN DE LOS CONTRATOS ANTERIORES A LA COVID19

La pandemia ha provocado una paralización general de la actividad económica y social y con ello ha extendido sus efectos a la ejecución de los contratos adjudicados con anterioridad a ella.

Precisamente por ello, el artículo 34 del Real Decreto Ley 8/2020 introdujo una regla de suspensión de contratos que afectaba con carácter general a toda la contratación pública, definida de este modo, de acuerdo con el artículo 34.7 "A los efectos de este artículo sólo tendrán la consideración de «contratos públicos» aquellos contratos que con arreglo a sus pliegos estén sujetos a: la Ley 9/2017, de 8 de noviembre, de Contratos del Sector Público, por la que se transponen al ordenamiento jurídico español las Directivas del Parlamento Europeo y del Consejo 2014/23/UE y 2014/24/UE, de 26 de febrero de 2014; o al Real Decreto Legislativo 3/2011, de 14 de noviembre, por el que se aprueba el texto refundido de la Ley de Contratos del Sector Público; o a la Ley 31/2007, de 30 de octubre, sobre procedimientos de contratación en los sectores del agua, la energía, los transportes y los servicios postales; o Libro I del Real Decreto-ley 3/2020, de 4 de febrero, de medidas urgentes por el que se incorporan al ordenamiento jurídico español diversas directivas de la Unión Europea en el ámbito de la contratación pública en determinados sectores; de seguros privados; de planes y fondos de pensiones; del ámbito tributario y de litigios fiscales; o a la Ley 24/2011, de 1 de agosto, de contratos del sector público en los ámbitos de la defensa y de la seguridad".

Estas reglas, consecuencia de la fuerza mayor que es la pandemia, proporciona seguridad jurídica a las entidades del sector público. No obstante, es preciso tener en cuenta que la respuesta que se proporciona no es similar a todos los tipos de contratos, excluyendo algunos de ellos, que se refieren o bien a actividades permitidas durante la pandemia o bien a aquellas que podían servir directa o indirectamente para prevenir sus consecuencias. Concretamente, se trata de los relativos a los siguientes objetos: a) Contratos de servicios o suministro sanitario, farmacéutico o de otra índole, cuyo objeto esté vinculado con la crisis sanitaria provocada por el COVID-19; b) Contratos de servicios o suministro necesarios para garantizar la movilidad y la seguridad de las infraestructuras y servicios de transporte; c) Contratos de servicios o suministro necesarios para garantizar la movilidad y la seguridad de las infraestructuras y servicios de transporte y d) Contratos adjudicados por aquellas entidades públicas que coticen en mercados oficiales y no obtengan ingresos de los Presupuestos Generales del Estado.

En los casos de contratos de limpieza, hay reglas específicas para los casos de que los edificios o instalaciones estén parcialmente cerrados. En este caso, el contrato quedará parcialmente suspendido en lo que respecta a la prestación de los servicios vinculados a los edificios o instalaciones públicas cerradas total o parcialmente, desde la fecha en que el edificio o instalación pública o parte de los mismos quede cerrada y hasta que la misma se reabra.

La regulación del artículo 34 entronca dentro de las múltiples medidas que ha adoptado este Gobierno durante la pandemia para sostener lo más posible la actividad económica y para hacer más fácil la recuperación. Con ello se determinan los gastos cuya indemnización podrá solicitar el contratista a la Administración: 1) Los gastos salariales que efectivamente hubiera abonado el contratista al personal que figurara adscrito con fecha 14 de marzo de 2020 a la ejecución ordinaria del contrato, durante el período de suspensión, incluyendo las cotizaciones a la seguridad social; 2) Los gastos de alquileres o costes de mantenimiento de maquinaria, instalaciones y equipos relativos al periodo de suspensión del contrato, adscritos directamente a la ejecución del contrato, siempre que el contratista acredite que estos medios no pudieron ser empleados para otros fines distintos durante la suspensión del contrato; 3) Los gastos correspondientes a las pólizas de seguro previstas en el pliego y vinculadas al objeto del contrato que hayan sido suscritas por el contratista y estén vigentes en el momento de la suspensión del contrato.

Conviene tener presente, no obstante, que la Abogacía del Estado en su Informe 10/20 (R-341/2020) de 7 de abril de 2020 ha declarado taxativamente que no caben los anticipos y que habrá que esperar al momento en que se levante la suspensión de los procedimientos. Es una regla que deriva de la propia imposibilidad de la Administración de evaluar las solicitudes que presenten los empresarios afectados por la suspensión. Y es preciso tener presente que, como resulta razonable, la indemnización está sujeta a que el contratista principal, los subcontratistas, proveedores y suministradores que hubiera contratado para la ejecución del contrato estuvieran al corriente del cumplimiento de sus obligaciones laborales y sociales, a fecha 14 de marzo de 2020 y que el contratista principal estuviera al corriente en el cumplimiento de sus obligaciones de pago a sus subcontratistas y suministradores en los términos previstos en los artículos 216 y 217 de la Ley 9/2017, de Contratos del Sector Público, a fecha 14 de marzo de 2020. Forma parte de la política que está siguiendo el Gobierno de lucha contra el fraude a la Seguridad Social y que debe extender sus efectos a todo tipo de cantidad que pudiera percibirse de dinero público.

En relación con la cuestión del procedimiento para solicitar la indemnización, resulta bastante sencillo de gestionar, ya que hay que dirigir una solicitud al órgano de contratación indicando por qué es imposible la ejecución del contrato y los medios que tenía a disposición de la ejecución y cuyo coste quiere repercutir. Estas circunstancias serán examinadas por la Administración, que deberá dar respuesta en el plazo de cinco días. El silencio tiene efectos desestimatorios de la pretensión del particular. Previsiblemente, la regla del silencio deriva de la imposibilidad que tiene la Administración de verificar los elementos afectos a la ejecución del contrato fruto de que la mayor parte de los responsables de los mismos podían no tener la documentación a mano.

Por último, hay que señalar que en los contratos públicos de concesión de obras y de concesión de servicios vigentes a la entrada en vigor del Real decreto-ley 8/2020 la situación creada por el COVID-19 y las medidas adoptadas por las administraciones públicas para combatirlo darán derecho al concesionario al restablecimiento del equilibrio económico del contrato mediante mediante dos alternativas, dependiendo del caso: la ampliación de su duración inicial hasta un máximo de un 15 por 100 o mediante la modificación de las cláusulas de contenido económico incluidas en el contrato.

La última regla que conviene citar en este momento supone que la suspensión de los contratos no constituye, en ningún caso, una causa de resolución de los contratos. Forma parte, también, de las medidas para reactivar la actividad una vez concluyan los efectos más negativos de la pandemia.

V. LA AMPLIACIÓN DE LOS PLAZOS DE LOS CONTRATOS

La pandemia ha provocado, al mismo tiempo, el efecto inverso, esto es, el de necesitar ampliar el plazo del contrato porque la paralización de actividades que provocó la pandemia hizo imposible cumplir con el clausulado del mismo. Es una consecuencia de la regla de suspensión de plazos prevista en el Real Decreto 463/2020, de 14 de marzo, y no fuera posible la formalización. Para estos supuestos, se podrá ampliar el plazo, con independencia de la fecha de publicación de la licitación de dicho nuevo expediente.

De igual forma, la pandemia ha provocado demoras en la ejecución de los contratos que, sin embargo, no impiden su completa ejecución. Es un problema especialmente grave en el sector de ciertos servicios, en los contratos de obras y en los de suministros de bienes no esenciales. Tal como señala el precepto, "en los contratos públicos de servicios y de suministro, siempre y cuando éstos no hubieran perdido su finalidad como consecuencia de la situación de hecho creada por el COVID-19, cuando el contratista incurra en demora en el cumplimiento de los plazos previstos en el contrato como consecuencia del COVID-19 o las medidas adoptadas por el Estado, las comunidades autónomas o la Administración local para combatirlo, y el mismo ofrezca el cumplimiento de sus compromisos si se le amplía el plazo inicial o la prórroga en curso, el órgano de contratación se lo concederá, dándole un plazo que será, por lo menos, igual al tiempo perdido por el motivo mencionado, a no ser que el contratista pidiese otro menor. El órgano de contratación le concederá al contratista la ampliación del plazo, previo informe del Director de obra del contrato, donde se determine que el retraso no es por causa imputable al contratista, sino que se ha producido como consecuencia del COVID-19 en los términos indicados en el párrafo anterior. En estos casos no procederá la imposición de penalidades al contratista ni la resolución del contrato".

VI. CONTRATOS *PUENTE*

La suspensión de plazos operada por la Disposición Adicional 3ª Del Real Decreto 463/2020[12] ha supuesto, en la práctica, la imposibilidad de tramitar nuevos contratos durante la pandemia. Durante ella, además, se ha producido el vencimiento de otros contratos que, teóricamente, no se debería continuar la licitación. Para prevenir estas consecuencias, tal como señala el Informe JC-CPE 17/2020, de 20 de mayo, sobre la licitación durante el estado de alarma de contratos no relacionados con la crisis del Covid-19, cabe la posibilidad de que se adjudiquen contratos puente, o contratos que se firman hasta el momento en que se puede producir la adjudicación de un nuevo contrato.

---

[12]   Como señaló la nota emitida por la Junta Consultiva de la Contratación Pública del Estado el 23 de marzo de 2020, recogida por el Informe 17/2020: " En la citada nota, emitida con urgencia con el fin de ayudar a los órganos de contratación a interpretar el contenido de aquella disposición, señalábamos que "la correcta interpretación del citado precepto exige entender que, por su mandato, se produce la suspensión automática de todos los procedimientos de las entidades del sector público desde la entrada en vigor de la norma, cualquiera que sea su naturaleza y, en consecuencia, también de los propios de la contratación pública. Los procedimientos se reanudarán cuando desaparezca la situación que origina esta suspensión, esto es, la vigencia del estado de alarma"

El artículo 34.1 del Real Decreto-ley 8/2020, de 17 de marzo, de medidas urgentes extraordinarias para hacer frente al impacto económico y social del COVID-19, prevé que, "además, en aquellos contratos públicos de servicios y de suministros de prestación sucesiva, cuando al vencimiento de un contrato no se hubiera formalizado el nuevo contrato que garantice la continuidad de la prestación como consecuencia de la paralización de los procedimientos de contratación derivada de lo dispuesto en el Real Decreto 463/2020, de 14 de marzo, por el que se declara el estado de alarma para la gestión de la situación de crisis sanitaria ocasionada por el COVID-19, y no pudiera formalizarse el correspondiente nuevo contrato, podrá aplicarse lo previsto en el último párrafo del artículo 29.4 de la Ley 9/2017, de 8 de noviembre, de Contratos del Sector Público, con independencia de la fecha de publicación de la licitación de dicho nuevo expediente".

La justicia administrativa durante el estado de alarma[1]

JUAN RAMÓN FERNÁNDEZ TORRES
Catedrático de Derecho Administrativo
Abogado

I. ¿DISPONE EL ORDENAMIENTO JURÍDICO ESPAÑOL Y, EN PARTICULAR LA LEY 29/1998, DE 13 DE JULIO, REGULADORA DE LA JURISDICCIÓN CONTENCIOSO-ADMINISTRATIVA, DE HERRAMIENTAS BASTANTES PARA AFRONTAR UNA PANDEMIA CON GARANTÍAS DE ÉXITO?

Esta pregunta me la planteo como administrativista tan pronto como el Centro Nacional de Microbiología confirma el 31.012020 el primer caso positivo de infección por el coronavirus 2019 n-CoV en España en la isla de La Gomera. Reconozco sin tapujos que la respuesta entonces al interrogante puede ser prudentemente positiva, con todos los matices y salvedades que se quiera. A esa conclusión llego a la vista de la primera actuación (sanitaria y judicial), en territorio español, que es la de la Consejería de Sanidad de la Comunidad Autónoma de Canarias a finales de febrero de 2020, ratificada por el Juzgado de lo Contencioso-Administrativo nº 1 de Tenerife mediante Auto de 02.03.2020.

---

[1] El presente trabajo constituye una versión preliminar del estudio detallado del impacto del estado de alarma en el funcionamiento de la Justicia administrativa que será publicado en próximas fechas. Por eso quedan fuera del mismo en este momento cuestiones de interés tales como el examen de las medidas organizativas y procesales relacionadas en un principio con el denominado plan de choque de la Administración de Justicia y el análisis pormenorizado de las resoluciones judiciales dictadas a lo largo de la vigencia del estado de alarma.

A mi juicio, dicho Auto parece acreditar la suficiencia de los medios disponibles. Recuérdense los hechos fundamentales que motivan la adopción del Auto judicial de 02.03.2020, pues son de gran interés:

– uno, a resultas de la constatación por el Servicio Canario de la Salud de que al menos un ciudadano lombardo alojado en el Hotel H10 Costa Adeje Palace, ubicado en Adeje (S/C de Tenerife), da positivo en las pruebas de laboratorio para el coronavirus 2019 n-CoV, la Consejería de Sanidad de la Comunidad Autónoma de Canarias dicta una Orden el 24.02.2020 disponiendo la permanencia de todos los huéspedes de dicho establecimiento en sus habitaciones hasta ser atendidos y valorados por el personal sanitario competente y el cierre de sus instalaciones para impedir la entrada de nuevos clientes. Ello supone el aislamiento del hotel bajo control de las fuerzas y cuerpos de seguridad, aplicando los protocolos de actuación que derivan de las recomendaciones de la Organización Mundial de la Salud (OMS, en adelante) y del Ministerio de Sanidad y su adaptación específica por las autoridades sanitarias canarias;

– dos, dicha Orden es ratificada por Auto de 25.02.2020 (Diligencias indeterminadas 429/2020) del Juzgado de Instrucción nº 1 de Arona (en funciones de guardia);

– tres, la Consejería de Sanidad dicta una nueva Orden el 27.02.2020, que modifica la anterior, contemplando medidas sanitarias precisas para el tratamiento forzoso de las personas confinadas (incluidas en los anexos I a III) en función de la diversidad de situaciones constatadas en el establecimiento hotelero (personas asintomáticas con domicilio o vivienda en la isla que pueden permanecer en ella en observación domiciliaria —el personal—, otros a la inversa que carecen de ella —huéspedes—, y, por último, personas que, en atención a la fecha de llegada al mismo, no han estado expuestas a un riesgo de contagio que exija su confinamiento);

- cuatro, solicitada la ratificación judicial de las medidas acordadas en la Orden de 27.02.2020, sin acompañar los antecedentes, el Juzgado de lo Contencioso-Administrativo n° 1 de Tenerife dicta un Auto ese mismo día apreciando la urgencia de la medida con carácter provisional, requiriendo la subsanación de los defectos apreciados y recabando informe médico que avale la proporcionalidad y adecuación de las medidas y la notificación los afectados a fin de que puedan efectuar alegaciones, así como informe del Ministerio Fiscal; y

- cinco, con fecha de 28.02.2020 se subsanan las deficiencias advertidas y el Ministerio Fiscal emite informe favorable condicionado a la subsanación de los defectos advertidos en el Auto de 27.02.2020 y, sobre todo, a la limitación de su ratificación a quienes estando incluidos en los Anexos I y III manifiesten de forma explícita o por hechos concluyentes su oposición a la observancia de las medidas ordenadas por las autoridades sanitarias, y siempre con carácter estrictamente temporal —como máximo hasta el día 10.03.2020— y supeditado al avance o propagación de la enfermedad a nivel provincial o nacional —que, de generalizarse en dichos ámbitos, podría dejar sin sentido y utilidad alguna lo acordado en la Orden de 27.02.2020.

En este contexto, el Juzgado de lo Contencioso-Administrativo n° 1 de Tenerife dicta el Auto de 02.03.2020, ratificando las medidas sanitarias urgentes adoptadas por la Consejería de Sanidad de la Comunidad Autónoma de Canarias los días 24 y 27.02.2020 en relación con las personas incluidas en los Anexos I y III que "manifiesten explícitamente o por hechos concluyentes su oposición a la observancia y cumplimiento de las medidas ordenadas por la Autoridad y personal sanitarios puesto a su disposición, durante un plazo máximo extensivo hasta el 10.3.2020, "mientras resulten necesarias y eficientes, conforme a los conocimientos técnicos y científicos análisis de la situación en cada momento, para evitar el avance o propagación de la enfermedad" (sic). La resolución judicial contiene una fundamentación que a mi juicio es sólida.

En primer lugar, el Juzgado estima que el interés general requiere en ocasiones el sacrificio de derechos y libertades, al amparo de lo dispuesto por la legislación sectorial. El Auto se apoya de forma expresa, por un lado, en la Ley Orgánica 3/1986, de 14.4, de medidas especiales en materia de salud pública (LOMESP, en adelante), cuyo artículo 2 atribuye prerrogativas extraordinarias a las autoridades sanitarias para reconocer, tratar, hospitalizar o controlar siempre que constaten la existencia de indicios racionales de la existencia de un peligro para la salud pública como consecuencia de una específica situación sanitaria afectante a una persona o un grupo de personas o de las condiciones sanitarias de realización de una actividad. En detalle, el precepto dispone que

> "las autoridades sanitarias competentes podrán adoptar medidas de reconocimiento, tratamiento, hospitalización o control cuando se aprecien indicios racionales que permitan suponer la existencia de peligro para la salud de la población debido a la situación sanitaria concreta de una persona o grupo de personas o por las condiciones sanitarias en que se desarrolle una actividad" (sic).

El Auto encuentra respaldo asimismo en el artículo 26.1 de la Ley 14/1986, de 25.4, General de Sanidad (LGS, en adelante), de conformidad con el cual

> "En caso de que exista o se sospeche razonablemente la existencia de un riesgo inminente y extraordinario para la salud, las autoridades sanitarias adoptarán las medidas preventivas que estimen pertinentes, tales como la incautación o inmovilización de productos, suspensión del ejercicio de actividades, cierres de empresas o de sus instalaciones, intervención de medios materiales y personales y cuantas otras consideren sanitariamente justificadas. 2. La duración de las medidas a que se refiere el apartado anterior, que se fijarán para cada caso, sin perjuicio de las prórrogas sucesivas acordadas por resoluciones motivadas, no excederá de lo que exija la situación de riesgo inminente y extraordinario que las justificó" (sic).

Ambas Leyes estatales habilitan a las autoridades sanitarias para adoptar medidas que hagan prevalecer la tutela de la salud pública sobre cualesquiera otros intereses económicos menos dignos de protección. El Auto trae a colación de igual forma el artículo 25.1 de la Ley 11/1994, de 26 de julio, de Ordenación Sanitaria de Canarias, según el cual "en caso de que exista o se sospeche razonablemente la existencia de un riesgo inminente y extraordinario para la salud, las autoridades sanitarias adoptarán las medidas preventivas que consideren pertinentes y sean necesarias y eficaces para hacer desaparecer aquel riesgo o mitigar al máximo los efectos de su eventual materialización, tales como las órdenes generales y particulares, de hacer, no hacer o tolerar, la incautación o inmovilización de productos, suspensión del ejercicio de actividades, cierres de empresas, centros o establecimientos o de parte de sus instalaciones, intervención de medios materiales y personales y cuantas otras se consideren sanitariamente justificadas" (sic).

El Auto no menciona, sin embargo, la Ley 33/2011, de 4 de octubre, General de Salud Pública (LGSP, en adelante), pese a que su artículo 54 habilita a la Administración del Estado y las Administraciones autonómicas (y las de Ceuta y Melilla) para adoptar cuantas otras medidas distintas de las previstas en la LOMESP sean necesarias, de forma excepcional, en caso de concurrir motivos de extraordinaria gravedad o urgencia. El Juzgado de lo Contencioso-Administrativo no entiende preciso recurrir a ella, sencillamente.

En segundo lugar, el Auto deja claro que la invocación de la urgencia sanitaria no legitima cualquier actuación pretendida por las autoridades sanitarias. Dicho de otro modo, no es una patente de corso. Por este motivo, el Auto realiza un estudio detallado de

– los tipos de coronavirus detectados hasta el presente (Síndrome Respiratorio Agudo Grave, conocido como por su acrónimo en inglés, SARS, y Síndrome Respiratorio de Oriente Próximo, MERSCoV),

– las características del nuevo coronavirus 2019-nCoV y de la enfermedad resultante conocida como COVID-19,

"altamente contagiosa que se transmite de persona a persona por vía aérea, de persona a persona al hablar, toser o estornudar la persona enferma, alcanzando posteriormente a un nuevo huésped sano" (sic),

que implican la importancia decisiva de un tratamiento preventivo, porque

"no existe un tratamiento específico para esta enfermedad hasta la fecha y por lo tanto es fundamental asegurar un tratamiento de soporte precoz" (sic),

   – las guías publicadas por la OMS (disponibles en inglés), que establecen para casos asintomáticos y no confirmados un protocolo de aislamiento domiciliario de un máximo de 14 días de duración,

> "avalan los protocolos adoptados en la Orden cuya ratificación se interesa" (sic).

Sólo entonces el Juzgado de lo Contencioso-Administrativo estima que las medidas acordadas respecto de las tres situaciones descritas en los anexos de la Orden autonómica se ajustan al principio de proporcionalidad[2], máxime cuando su duración es limitada en el tiempo:

> "El aislamiento bien en el propio domicilio —habitual o accidental en la Isla (el propio Hotel H10 Costa Adeje Palace)— no puede considerarse tampoco como una medida excesivamente gravosa o desproporcionada, estando además sujeto a una corta perentoriedad en la Resolución administrativa —hasta el día 10 de marzo de 2020—. Incluso, en el caso de las personas comprendidas en el Anexo II, que quedan autorizadas para abandonar el hotel, la medida adoptada se limita a la obligación de comunicación inmediata a la Administración sanitaria de aparecer ciertos síntomas y sólo mientras permanezcan en el territorio nacional, sin suponer limitación de derecho fundamental alguno" (sic).

No obstante ello, el Juzgado coincide con el Ministerio Fiscal y considera que no ha lugar una ratificación general, indiscriminada e ilimitada de las medidas adoptadas por la Consejería de Sanidad. En su opinión, lo único que debe ponderarse en este momento procesal de valoración de las medidas sanitarias acordadas de urgencia es el riesgo de vulneración de cualesquiera derechos fundamentales en tanto en cuanto sean impuestas de forma

---

[2]   La regla de la proporcionalidad, en efecto, tiene su reflejo aquí al máximo nivel (artículo 55.2, § 2º CE), así como en la legislación ordinaria, de forma general (artículos 34.2 y 100 LPAC), y también referida a los estados de necesidad (artículo 21.1.j LRBRL). Vid. sobre la configuración del principio de proporcionalidad como límite jurídico del concepto de necesidad, Vicente Alvarez García, "*El concepto de necesidad en Derecho público*", Civitas, Madrid, 1996, pp. 458 y ss. en especial.

coactiva a las personas aisladas que se resistan a su acatamiento voluntario. A este propósito, el Auto declara que

"la ratificación judicial de tales medidas no puede otorgarse de una forma genérica y sin limitación del ámbito personal de afectación, ya que no se trata aquí de verificar la legalidad de la Orden de 27 de febrero de 2020 (que podrá ser impugnada, en su caso, por las personas que tengan interés legítimo por resultar afectadas por la misma y consideren que no se ajusta a derecho en alguno de sus apartados).

Por el contrario, en las medidas sanitarias urgentes no se trata de velar por la aplicación de cualquier medida sanitaria vinculada a la protección de la salud colectiva impuesta sin el consentimiento del afectado, sino, únicamente, de aquéllas que puedan lesionar alguno de sus derechos fundamentales y únicamente cuando las mismas deban imponerse coactivamente a sus destinatarios que se opongan a su cumplimiento voluntario (explícitamente o por hechos concluyentes)".

Ello conduce al Juzgado a la búsqueda de fundamentación de su resolución en un tercer motivo, en atención al grado de incertidumbre generada por la nueva enfermedad a escala mundial. A este respecto, entiende "plenamente" de aplicación el principio de precaución contemplado en el artículo 191 del Tratado de Funcionamiento de la Unión Europea (TFUE, en adelante), dado que su objetivo preventivo lo proyecta más allá de la tutela medioambiental hacia la salud humana, animal y vegetal, entre otros ámbitos:

"La toma de decisiones en el ámbito de la salud pública suele basarse en la determinación cuantitativa del riesgo, de manera que la restricción de actividades potencialmente peligrosas se produce, con frecuencia, una vez que los estudios científicos han establecido una asociación presumiblemente causal entre dichas actividades y su impacto adverso sobre la salud.

El principio de precaución intenta aproximar la incertidumbre científica y la necesidad de información a la decisión política de iniciar acciones para prevenir el daño. Dicho principio puede invocarse e cuando un fenómeno, un producto o un proceso puede tener efectos potencialmente peligrosos identificados por una evaluación científica y objetiva, si dicha evaluación no permite determinar el riesgo con suficiente certeza.

El recurso al principio se inscribe, por tanto, en el marco general del análisis de riesgo (que incluye, al margen de la evaluación del riesgo, la gestión del riesgo y la comunicación del riesgo) y, más concretamente, en el marco de la gestión del riesgo que corresponde a la fase de toma de decisiones. El principio de precaución solo se puede invocar en la hipótesis de un riesgo potencial, y que en ningún caso puede justificar una toma de decisión arbitraria.

El recurso al principio de precaución debe guiarse por tres principios específicos:

* una evaluación científica lo más completa posible y la determinación, en la medida de lo posible, del grado de incertidumbre científica;

* una determinación del riesgo y de las consecuencias potenciales de la inacción;

* la participación de todas las partes interesadas en el estudio de medidas de precaución, tan pronto como se disponga de los resultados de la evaluación científica o de la determinación del riesgo.

Además, los principios generales de la gestión de los riesgos cuando se invoca el principio de precaución. Se trata de los cinco principios siguientes:

* la proporcionalidad entre las medidas adoptadas y el nivel de protección elegido;

* la no discriminación en la aplicación de las medidas;

* la coherencia de las medidas con las ya adoptadas en situaciones similares o utilizando planteamientos similares;

* el análisis de las ventajas y los inconvenientes que se derivan de la acción o de la inacción;

* la revisión de las medidas a la luz de la evolución científica.

El principio de precaución, derivado del principio de previsión del Derecho alemán - ("*Vorsorgeprinzip*"), ha sido incorporado por diversos instrumentos internacionales sobre el medio ambiente (desde la Declaración de Río sobre medio ambiente y desarrollo de 1992) y por el Derecho primario de la Unión Europea (Artículo 130.2 R del Tratado de la Unión Europea, modificado por el Tratado de Lisboa) y la citada Directiva 92/43/CEE, del Consejo, de 21 de mayo (sobre la conservación de los hábitats naturales y de la flora y fauna salvajes), así como por la jurisprudencia de la Unión (desde las iniciales Sentencias del TJCE " Reino Unido/Comisión y National Farmers' Union, "de 5 de mayo de 1998). Se recoge hoy en la Ley 42/2.007, de 13 de diciembre, del Patrimonio Natural y de la Biodiversidad.

La fuerza del principio de precaución o cautela queda perfectamente reflejada en el Auto del Tribunal de Primera Instancia asunto Solvay Pharmaceuticals BV/ Consejo de la Unión Europea (T-392/02), de 11 de abril de 2003, el cual recuerda que de la jurisprudencia se desprende que sólo puede adoptarse una medida preventiva cuando la existencia y el alcance del riesgo no hayan sido plenamente demostrados mediante datos científicos disponibles en el momento en que se adopte dicha medida. Y considera que debe atribuirse incontestablemente un carácter preponderante a las exigencias ligadas a la protección de la salud pública frente a las consideraciones económicas, llegando a afirmar que cuando una institución comunitaria invoca la existencia de un serio riesgo para la salud pública, el juez de medidas provisionales debe inclinarse de manera casi inevitable, pese a su soberanía formal en la ponderación de los intereses, a favor de la protección de ésta. Los argumentos sobre pérdidas económicas de la empresa o pérdida de puestos de trabajo, por tanto, ceden de manera irremediable ante el interés general encarnado en el principio de cautela" (sic).

Sobre esta base legal y jurisprudencial del principio de precaución, el Auto concluye que revisten carácter preponderante las exigencias de protección de la salud pública sobre consideraciones económicas (tales como pérdidas económicas y de puestos de trabajo), motivo por el que procede la ratificación de las medidas sanitarias adoptadas por las autoridades sanitarias canarias.

El ejemplo de Adeje (S/C de Tenerife) es sin duda aleccionador y ofrece pautas muy valiosas para fijar una estrategia y un plan de actuación operativo para combatir la epidemia, que es irreversible en razón de su vertiginosa expansión desde China. Reténganse los datos que siguen:

– en la fecha de la confirmación del primer supuesto de contagio en España el 31.1.2020, la Universidad John Hopkins contabiliza 9.976 casos confirmados en el mundo, la mayoría en China (9.658 casos) pero ya está presente en Europa, en su mayoría en países vecinos (5 en Francia, 4 en Alemania y 2 en Italia), y 213 muertes;

– al día siguiente de decretarse la cuarentena del hotel tinerfeño por la Consejería de Sanidad canaria el 24.2.2020, la situación se ha agravado muy seriamente: la Universidad John Hopkins constata 80.407 casos confirmados y 2.708 muertes en el mundo. Aunque 77.660 enfermos se hallan en China, Italia ya cuenta 322 contagiados y 10 muertos y España anuncia un 3º caso en Tenerife y un 4º en Cataluña; y

– en la fecha del Auto del Juzgado de lo Contencioso-Administrativo nº 1 de Tenerife de 2.3.2020, la Universidad John Hopkins computa 89.253 casos confirmados en el mundo y 3.048 muertes. Pero lo más inquietante es que en Italia hay ya 1.694 contagios y 34 fallecidos, en Alemania se elevan a 150 los contagios, en Francia son 130 con 2 fallecidos y en España los casos se elevan a 120, o sea, un aumento del ¡¡3.000% en sólo 6 días!!

En estas circunstancias, llama poderosamente la atención que, existiendo un verdadero "arsenal normativo"[3] para afrontar las crisis sanitarias, no sean adoptadas medidas generales en los días que siguen. Ello es tanto más sorprendente cuanto que concurren diversas circunstancias de relevancia. En primer lugar, existen una diversidad de opciones legales (suspensión del ejercicio de actividades, cierre de instalaciones diversas, intervención de medios materiales y personales, incautación o inmovilización de productos, etc.), así como de cláusulas generales que habilitan a las autoridades sanitarias para tomar en tales situaciones de emergencia "cuantas medidas sean necesarias" y "cualquier otra medida ajustada a la legalidad vigente si existen indicios racionales de riesgo para la salud pública" (artículo 54 LGSP), "las preventivas que estimen pertinentes" y "cuantas otras se consideren sanitariamente justificadas" (artículo 26.1 LGS).

En segundo lugar, se produce un avance vertiginoso de la epidemia en España. Piénsese que

- el 05.03.2020 los casos confirmados en España se duplican respecto de la cifra registrada tres días antes (234 por 120) con los primeros 3 fallecidos (97.750 casos y 3.246 decesos en el mundo),

- el 09.03.2020 los casos confirmados en España se quintuplican en sólo cuatro días (1.200 por 234), con 30 fallecidos (113.579 casos y 3.995 decesos en el mundo), y

- el 13.03.2020 los casos confirmados en España casi se cuadriplican respecto de la cifra alcanzada cuatro días antes (4.300 por 1.200), con 122 fallecidos (137.445 casos y 5.088 decesos en el mundo).

---

[3]   Tomo en préstamo la expresión empleada por Vicente Alvarez García para referirse a la normativa sectorial específicamente sanitaria. Vid. *"El coronavirus (COVID-19): respuestas jurídicas frente a una situación de emergencia sanitaria"*, El Cronista del Estado Social y Democrático de Derecho (2020) 86-87, pp. 6-22, en especial pp. 9 y ss.

En tercer lugar, el 11.03.2020 la OMS decreta por vez primera el estado de pandemia[4]. La decisión está motivada "tanto por los niveles alarmantes de propagación y gravedad, como por los niveles alarmantes de inacción" (sic). La OMS argumenta que en las dos últimas semanas el número de casos fuera de China se ha multiplicado por 13 (118.000 a nivel mundial, con 4.291 fallecidos) y el número de países afectados se ha triplicado hasta llegar a 114[5].

Y, en cuarto lugar, la degradación de la situación da lugar lógicamente a que diferentes Comunidades Autónomas decidan dar un paso adelante y adopten al amparo de sus competencias en materia de sanidad medidas propias del estado de emergencia. Es el caso, entre otras, de

– la Comunidad de Madrid, que procede a tomar distintas medidas de precaución específicas desde el 05.03.2020[6], suspende actividades públicas desde el 6.3.2020[7], cierra los centros de mayores[8], los centros escolares y los centros ocupacionales (y otros), formula recomendaciones sobre el uso del teletrabajo y el transporte público el 11.03.2020 e implanta medidas extraordinarias de limpieza en el mismo el 12.3.2020 y dispone un día después el cierre al público de los espectáculos públicos, los negocios de hostelería (cafe-

---

4   Vid. sobre el papel de la OMS, Susana de la Sierra, *"Lectura de urgencia de las reacciones frente al COVID -19 desde una óptica jurídica internacional y comparada"*, El Cronista del Estado Social y Democrático de Derecho (2020) 86-87, pp. 32-41.

5   Vid. el informe de situación nº 51 de la OMS sobre la *"Coronavirus disease 2019 (COVID.19)"* de 11.03.2020.

6   Resoluciones de la Directora General de Salud Pública de 05.03.2020 y 08.03.2020.

7   Entre las actividades suspendidas se cuentan las prácticas formativas en centros sanitarios (Resolución de la Directora General de Salud Pública de 06.03.2020). Las restricciones y suspensiones se amplían de forma muy sustancial mediante Orden 344/2020, de 10.03, de la Consejería de Sanidad, por la que se adoptan medidas preventivas de salud pública en la Comunidad de Madrid como consecuencia de la situación y evolución del coronavirus (COVID-19) (BOCM de 11.03.2020.

8   Resolución de la Directora General de Salud Pública de 06.03.2020.

terías, bares y restaurantes) y el comercio minorista durante dos semanas[9], entre otras;

- la Comunidad Autónoma del País Vasco, que acuerda a través de la Consejería de Seguridad la activación formal del Plan de Protección Civil de Euskadi, *Larrialdiei Aurregiteko Bidea-Labi*, ante la situación generada por la alerta sanitaria derivada de la propagación del Covid-19 (Orden de 13.03.2020) al amparo del Texto Refundido de la Ley de Gestión de Emergencias, aprobado por Decreto Legislativo 1/2017, de 27.4;

- la Comunidad Autónoma de Castilla y León, que implanta medidas preventivas y recomendaciones por medio de las Ordenes SAN/295/2020, de 11.03, y SAN/306/2020, de 13.03, así como medidas obligatorias por Orden FYM/298/2020, de 12.03; y

- la Comunidad Autónoma de Galicia, que adopta medidas preventivas en materia de salud pública mediante Acuerdo del Consejo de la Xunta de 12.03.2020 y declara un día después la situación de emergencia sanitaria en el territorio gallego, al tiempo que activa el Plan territorial de emergencias de Galicia (Platerga) por Acuerdo del Consejo de la Xunta de 13.03.2020).

Sólo entonces el Presidente del Gobierno de la Nación anuncia la decisión de declarar el estado de alarma en una declaración institucional el 13.3.2020[10], posponiéndose hasta el final del día siguiente.

---

9   Orden 367/2020, de 13 de marzo, de la Consejería de Sanidad, por la que se adoptan medidas preventivas de salud pública en la Comunidad de Madrid como consecuencia de la situación y evolución del coronavirus (COVID-19) (BOCM de 13.03.2020).

10 https://www.lamoncloa.gob.es/presidente/actividades/Paginas/2020/130320-sanchez-declaracio.aspx.

II. DECLARACIÓN DEL ESTADO DE ALARMA Y SUBSIGUIENTE SURGIMIENTO DE UN NUEVO MARCO JURÍDICO EN SUSTITUCIÓN DEL VIGENTE HASTA ENTONCES

A) Contexto y alcance del Real Decreto 463/2020, de 14.3

Es relevante poner en contexto el Real Decreto 463/2020, de 14.3. A tal fin, importa señalar en primer lugar que la declaración del estado de alarma se produce cuando la propagación de la epidemia ya ha adquirido una velocidad vertiginosa. En menos de tres semanas desde el confinamiento el 24.02.2020 de los huéspedes y el personal del Hotel H10 Costa Adeje Palace ubicado en la Isla de Tenerife, el número de contagios en España se multiplica por 5.000, pasando de 120 a más de 6.000, y lo peor de todo es que se confirman 191 fallecimientos. A escala mundial, los datos no son menos elocuentes, elevándose los contagios de 89.253 a 149.943 y los fallecidos de 3.048 a 5.610. Tanto es así que desde el 11.03.2020 la epidemia adquiere por vez primera la condición de pandemia, lo que lleva a la OMS a reiterar con más insistencia aún su llamamiento para que los países "adopten medidas urgentes y agresivas" (sic)[11].

---

[11] En la rueda de prensa celebrada el 11.03.2020, el Director General de la OMS, D. Adhanom Ghebreyesus (https://www.who.int/es/dg/speeches/detail/who-director-general-s-opening-remarks-at-the-media-briefing-on-covid-19—11-march-2020), declara de manera elocuente que
– "cada día hemos hecho un llamamiento a los países para que adopten medidas urgentes y agresivas. Hemos hecho sonar la alarma de forma alta y clara";
– "todos los países están a tiempo de cambiar el curso de esta pandemia. Si los países se dedican a detectar, realizar pruebas, tratar, aislar y rastrear, y movilizan a su población en la respuesta, aquéllos que tienen unos pocos casos pueden evitar que esos casos se conviertan en grupos de casos, y que esos grupos den paso a la transmisión comunitaria. Incluso en los países donde hay transmisión comunitaria o grandes grupos de casos, se puede dar la vuelta a la situación creada por este virus";

A lo largo de las dos semanas siguientes (del 24.02 al 08.03.2020), sin embargo, el Ministerio de Sanidad centra su actuación de forma única y exclusiva en los focos siguientes:

- promueve una reunión del Centro Europeo de Control de Enfermedades para unificar criterios con los Estados miembros de la UE y convoca un Consejo Interterritorial del Sistema Nacional de Salud (24.02.2020)[12] para "aumentar la

---

- "Varios países han demostrado que es posible suprimir y controlar este virus. El reto al que se enfrentan muchos países que en estos momentos se encuentran con grandes grupos de casos o con situaciones de transmisión comunitaria no es si pueden hacer lo mismo, sino si lo harán. En algunos países hay un problema de falta de capacidad. En algunos países hay un problema de falta de recursos. En algunos países hay un problema de falta de determinación";
- "Todos los países deben encontrar un delicado equilibrio entre la protección de la salud, la minimización de los trastornos sociales y económicos, y el respeto de los derechos humanos";
- "Esto no es solo una crisis de salud pública, es una crisis que afectará a todos los sectores, y por esa razón todos los sectores y todas las personas deben tomar parte en la lucha";
- "He dicho desde el primer momento que los países deben adoptar un enfoque basado en la participación de todo el gobierno y de toda la sociedad, en torno a una estrategia integral dirigida a prevenir las infecciones, salvar vidas y reducir al mínimo sus efectos. Permitan que lo resuma en cuatro esferas clave. Primero, prepararse y estar a punto. Segundo, detectar, proteger y tratar. Tercero, reducir la transmisión. Cuarto, innovar y aprender"; y
- "Recuerdo a todos los países que estamos haciendo un llamamiento para que activen y amplíen sus mecanismos de respuesta a emergencias; Informen a sus pueblos sobre los riesgos existentes y sobre la forma de protegerse contra ellos: es tarea de todos; Encuentren, aíslen, sometan a pruebas y pongan en tratamiento todos los casos, y rastreen todos sus contactos; Preparen sus hospitales; Protejan y formen a sus trabajadores sanitarios; Y cuidemos los unos de los otros, porque nos necesitamos...Dejen que les proponga otras palabras que importan mucho más, y que son mucho más útiles para inspirar nuestra acción. Prevención. Preparación. Salud pública. Liderazgo político. Y por encima de todo, las personas" (sic).
Estamos en esto juntos, para hacer con serenidad las cosas que hay que hacer y proteger a los ciudadanos del mundo. Se puede lograr.

[12] El Ministro S. Illa razona que "es importante coordinarse con las CCAA y a nivel europeo y reforzar las medidas de sensibilización y detección precoz"

sensibilidad del sistema de detección para prevenir el coronavirus a nuevas zonas de riesgo (25.02.2020)[13],

- de forma conjunta con las Comunidades Autónomas, el Consejo Superior de Deportes y las Federaciones afectadas, recomienda la celebración a puerta cerrada de cuatro partidos de competición internacional de fútbol y baloncesto[14] y el aplazamiento o suspensión únicamente de los demás eventos deportivos o competiciones no profesionales sin impacto clasificatorio y relacionados con las zonas de riesgo, así como la cancelación de todos los congresos, seminarios, jornadas o cursos en los que participen profesionales sanitarios[15]; y

- insta a la Comisión Europea a garantizar, "en la medida de lo posible, la coherencia y la consistencia de las medidas tomadas por los Estados miembros para trasladar un mensaje de coordinación y cooperación a la ciudadanía europea", en la reunión monográfica sobre coronavirus del Consejo Europeo de Empleo, Política Social, Sanidad y Consumidores (EPSCO) celebrado el 06.03.2020[16].

(vid. la nota de prensa del Ministerio de Sanidad de 24.02.2020).

[13] Se refiere a todo el país de China (no sólo la provincia de Hubei), Corea del Sur, Japón, Singapur, Irán y cuatro regiones del norte de Italia: Lombardía, Véneto, Piamonte y Emilia Romaña (vid. la nota de prensa del Ministerio de Sanidad de 25.02.2020).

[14] En concreto, Valencia Basket-Olimpia de Milán previsto para el 05.03, Valencia C.F.-Atlanta del 10.03, Getafe-Inter de Milán del 19.03 y el Girona-Venezia del 19.03.

[15] Vid. la nota de prensa del Ministerio de Sanidad de 03.03.2020.

[16] Vid. la nota de prensa del Ministerio de Sanidad de 06.03.2020, que precisa que el Ministro de Sanidad recuerda en el curso de dicha reunión "algunas de las medidas implantadas en España como la constitución de una Comisión Interministerial que ya ha mantenido cuatro encuentros, la mayoría técnicos; las cuatro reuniones extraordinarias con el Consejo Interterritorial del Sistema Nacional de Salud con todas las CCAA; y la elaboración de documentos y protocolos específicos para los profesionales sanitarios confeccionados con todas las sociedades científicas" (sic) y el reforzamiento de los

Sólo a partir del 09.03.2020, con más de 1.200 casos confirmados y 30 fallecimientos, el Ministerio de Sanidad adopta medidas de mayor alcance y efectividad. Así,

— ese mismo día, el Consejo Interterritorial del Sistema Nacional de Salud acuerda para zonas que se hallen en fase de transmisión comunitaria significativa de coronavirus en el interior del territorio nacional (en detalle, la Comunidad de Madrid, la ciudad de Vitoria y la localidad de Labastida) una serie de medidas de distanciamiento en el ámbito educativo y laboral[17];

— el 10.03.2020, el Consejo de Ministros acuerda, entre otras medidas, prohibir los vuelos directos de Italia a España desde el 11 al 25.03, suspender los viajes del Imserso durante el plazo de un mes y las reuniones de más de mil personas con motivo de actividades colectivas proyectadas en espacios cerrados (sólo en zonas de transmisión significati-

---

equipos de Sanidad Exterior y la actualización de las recomendaciones a los viajeros que se trasladan a zonas de riesgo.

[17] La nota de prensa del Ministerio de Sanidad de 09.03.2020 se refiere de forma expresa a
– la suspensión de la actividad docente presencial en todos los niveles educativos (Universidades, Bachillerato, Educación Secundaria, Educación Primaria e Infantil, Guarderías, Formación Profesional y otros), así como de las actividades complementarias educativas,
– el planteamiento de varias recomendaciones en el ámbito laboral (implantación del teletrabajo "siempre que sea posible", revisión y actualización de los planes de continuidad de la actividad laboral ante emergencias, flexibilización de horarios y fijación de turnos escalonados y estímulo de las reuniones por videoconferencia), y
– la formulación de recomendaciones dirigidas a la protección de poblaciones específicas, como los mayores (p.e., fomento de su cuidado domiciliario, limitación de salidas en caso de padecer patologías previas y, en su defecto, evitar lugares concurridos en los que no sea posible mantener la distancia de seguridad interpersonal de al menos un metro), la población en general (evitar los viajes que no sean necesarios) y las personas que inicien síntomas respiratorios y/o fiebre ("se les recomienda que permanezcan en su domicilio evitando acudir a centros sanitarios, siempre que su situación clínica lo permita, y a su lugar de trabajo").

va, es decir, Madrid, La Rioja, Vitoria y Labastida), celebrar a puerta cerrada grandes eventos deportivos, profesionales y no profesionales, de competiciones nacionales e internacionales en toda España y limitar los accesos durante 14 días a prisiones y centros de inserción social (sólo en las mismas zonas de transmisión significativa). Junto a ello, aprueba el Real Decreto-Ley 6/2020, de 10.03, que comprende diversas medidas, entre las cuales se incluyen por un lado la previsión de que las personas infectadas y las que se hallen en aislamiento preventivo sean consideradas en situación de Incapacidad Temporal por contingencias profesionales (artículo 5) y, por otro, la modificación del artículo 4 LOMESP con el fin de establecer el suministro centralizado de todo tipo de productos de protección de la salud (artículo 4)[18] ; y

– el 12.03.2020 el Consejo Interterritorial del Sistema Nacional de Salud decide extender a todo el territorio nacional las medidas de distanciamiento en el ámbito educativo y laboral aprobadas 4 días antes para la Comunidad de Madrid, Vitoria y Labastida[19]. Además, el Consejo de Ministros anuncia la movilización de 18.225 millones de euros en aplicación de un plan de medidas económicas dirigidas a mitigar el impacto de la pandemia[20] y aprueba el Real Decreto-Ley 7/2020, de 12.3, que contiene numerosas novedades, en materia económica en lo fundamental. Asimismo, se prohí-

---

[18] No está de más señalar que ese mismo día el Congreso de los Diputados decide aplazar la actividad parlamentaria (amén de suspender visitas y actos extraparlamentarios), pese a lo dispuesto con toda claridad por el artículo 116.5 CE (http://www.congreso.es/portal/page/portal/Congreso/Congreso/SalaPrensa/NotPre?_piref73_7706063_73_1337373_1337373.next_page=/wc/detalleNotaSalaPrensa&idNotaSalaPrensa=35209&anyo=2020&mes=3&pagina=1&mostrarvolver=S&movil=null).

[19] Vid. la nota de prensa del Ministerio de Sanidad de 12.03.2020.

[20] Vid. la referencia del Consejo de Ministros y la nota de prensa del Ministerio de Sanidad de 12.03.2020.

be la entrada de cruces de cualquier procedencia en cualesquiera puertos españoles[21].

Queda, pues, de manifiesto que la reacción del Gobierno se produce en plena propagación acelerada de la epidemia y lo hace lentamente, además de ser parcial y fragmentaria, desaprovechando de esta suerte un amplio margen de tiempo para adoptar cualquiera de las medidas disponibles en la legislación aplicable[22]. Ello resulta difícilmente justificable a la vista de la información y documentación de la que disponía el propio Gobierno desde hacía semanas y de las recomendaciones que le habían sido trasladadas desde organismos internacionales. Entre los primeros, baste la mera cita en este momento de los siguientes documentos:

---

[21] Orden PCM/216/2020, de 12 de marzo, por la que se publica el Acuerdo del Consejo de Ministros de 12 de marzo de 2020, por el que se establecen medidas excepcionales para limitar la propagación y el contagio por el COVID-19, mediante la prohibición de entrada de buques de pasaje procedentes de la República italiana y de cruceros de cualquier origen con destino a puertos españoles (BOE de 12.03.2020).

[22] Resulta ilustrativo que Pedro Cruz Villalón explique la ausencia de declaración del estado de alarma hasta 1995, pese a que "sí ha habido emergencias naturales que hubieran podido dar lugar a ello", por "la superior idoneidad de la legislación específica de protección civil para afrontar de forma planificada este tipo de emergencias" (voz "Estado de alarma", en AAVV, "*Enciclopedia Jurídica Básica*", Civitas, Madrid, 1995, vol. II COR-IND, p. 2906). Desde una perspectiva parcialmente coincidente, Carlos Vidal Pardo y David Delgado Ramos critican la utilización de la LOAES en 2010 para poner fin a la crisis generada por el colectivo de controladores aéreos, en lugar de aplicar la legislación ordinaria [vid. "*Algunas consideraciones sobre la declaración del estado de alarma y su prórroga*", Revista Española de Derecho Constitucional (2011) 92, pp. 243-265].

Por lo demás, una visión crítica de la solución acogida por el Gobierno de la Nación el 14.03.2020 puede consultarse en Alba Nogueira López [vid. "*Confinar el coronavirus. Entre el viejo derecho sectorial y el derecho de excepción*", El Cronista del Estado Social y Democrático de Derecho (2020) 86-87, pp. 22-31] y Francisco Velasco Caballero [vid. "*Estado de alarma y distribución territorial del poder*", El Cronista del Estado Social y Democrático de Derecho (2020) 86-87, pp. 78-87].

- el protocolo comprensivo del "procedimiento de actuación frente a casos de infección por el nuevo coronavirus (2019-nCoV)" elaborado por el Centro de Coordinación de Alertas y Emergencias Sanitarias, fechado el 24.01.2020;

- el documento de Valoración de la declaración del brote de nuevo coronavirus 2019 (n-CoV) una Emergencia de Salud Pública de importancia internacional (ESPII)", obra igualmente del Centro de Coordinación de Alertas y Emergencias Sanitarias y fechado el 31.01.2020;

- el Informe Técnico del Centro de Coordinación de Alertas y Emergencias Sanitarias sobre el "Nuevo coronavirus 2019-nCov", de 10.02.2020;

- el oficio que el Ministro de Sanidad de 03.03.2020 dirige a las Consejerías de Sanidad de las Comunidades Autónomas formulando la "recomendación de medidas extraordinarias en relación con la situación provocada por el nuevo coronavirus Covid-19";

- el Comunicado del Ministerio de Sanidad "sobre la celebración de reuniones multitudinarias durante el período de epidemia de COVID-19" de 06.03.2020; o

- el nuevo Informe Técnico del Centro de Coordinación de Alertas y Emergencias Sanitarias sobre la "Enfermedad por coronavirus, COVID-2019", de 06.03.2020.

Entre los segundos, hay que tener presente de entrada que la OMS declara ya en enero que la situación propiciada por la pandemia supone una emergencia de salud pública de importancia internacional. Además, debe citarse la actualización de la evaluación de riesgos en relación con el brote de coronavirus 2019-nCoV que el Centro Europeo para el Control y la Prevención de Enfermedades (ECDC, en inglés) publica el 02.03.2020 recomendando la suspensión de las grandes aglomeraciones y el cierre de los establecimientos educativos.

Todo ello contribuye a explicar por qué el Gobierno se inclina por la aplicación de la LOAES, declarando una de las situaciones

de emergencia contempladas en el artículo 116.1 CE, y por qué el
Real Decreto 463/2020, de 14.3, que declara el estado de alarma, va
mucho más allá de su precedente de 2010 y establece unas nuevas
reglas de ordenación e, incluso, un sistema de fuentes distinto[23], de
donde resultan consecuencias patentes de gran calado. No se trata
sólo de lo que el Tribunal Constitucional entiende justificado en
atención a lo dispuesto en el artículo 116 CE y la LOAES.

> "todos los estados que cabe denominar de emergencia *ex* art. 116 CE y también
> por tanto, el de menor intensidad de entre ellos, esto es, el de alarma, suponen,
> como es evidente y así resulta de su regulación en la Ley Orgánica 4/1981, de 4 de
> junio, de los estados de alarma, excepción y sitio, excepciones o modificaciones
> *pro tempore* en la aplicabilidad de determinadas normas del ordenamiento vigente,
> incluidas, en lo que ahora importa, determinadas disposiciones legales, que sin ser
> derogadas o modificadas sí pueden ver alterada su aplicabilidad ordinaria (arts. 9
> a 12; 16 a 30; 32 a 36 de la Ley Orgánica 4/1981, de 4 de junio, de los estados de
> alarma, excepción y sitio), pues el fundamento de la declaración de cualquiera de
> estos estados es siempre la imposibilidad en que se encuentran las autoridades
> competentes para mantener mediante "los poderes ordinarios" la normalidad ante
> la emergencia de determinadas circunstancias extraordinarias (art. 1.1 de la Ley
> Orgánica 4/1981, de 4 de junio, de los estados de alarma, excepción y sitio)" (ATC
> 7/2012, de 13.1, FJ 3°; y STC 83/2016, de 28.4, FJ 10°).

Las consecuencias que se derivan de dicho Real Decreto
463/2020 son mucho más intensas y profundas, en tanto cuanto repercuten negativamente sobre un gran número de garantías
formales y materiales que son consustanciales al Estado de Derecho. Entre ellas, pueden citarse las que siguen: p.e.,

– la variabilidad constante de las normas fruto de la falta de
  un criterio claro y preciso y de la improvisación, con el efecto de generar un auténtico caos jurídico[24],

---

[23]   Vicente Alvarez García va más allá, al manifestar que las nuevas normas creadas
       al amparo del estado de alarma "permite(n) crear un Derecho de necesidad, de
       excepción, de emergencia o de crisis —todas esas denominaciones sirven, sin
       duda, para caracterizarlo—" [vid. *"El coronavirus (COVID-19): respuestas jurídicas
       frente a una situación de emergencia sanitaria"*, El Cronista del Estado Social y De-
       mocrático de Derecho (2020) 86-87, pp. 6-22, en especial pp. 8 y 9 ss.].

[24]   Tanto es así que son numerosos los profesionales del derecho los que se han
       sentido en la obligación de recopilar y sistematizar la cascada de normas

- una notoria inseguridad jurídica,

- la falta de la más elemental precaución,

- la abusiva invocación de la urgencia y la excepción por la normativa de aplicación que se excede de la habilitación contenida en el Real Decreto 463/2020,

- la ausencia de motivación alguna de un gran número de las medidas adoptadas,

- la discrecionalidad amplísima convertida en muchos casos en una patente arbitrariedad,

- la utilización caprichosa de la pericia técnica, ya sea científica, jurídica, económica y hasta social (dictámenes y criterios técnicos), o

- la falta de claridad y transparencia de las actuaciones, etc.

Los efectos sobre el control jurisdiccional de las actuaciones llevadas a cabo son claros, como podrá apreciarse más adelante[25].

---

generales, instrucciones, resoluciones, informes y consultas de distintos órganos (en particular, la Abogacía del Estado, convertida —ahí es nada— en "súprema" intérprete del ordenamiento de excepción nacido al amparo del Real Decreto 463/2020). Me limito en este punto al excelente "repositorio de disposiciones, actos, resoluciones judiciales y de doctrina relacionados con la crisis del covid-19" coordinado por las Letradas del Servicio Jurídico Central del Gobierno Vasco Mirari Erdaide Gabiola, Lourdes Pérez Ovejero y Arantza González López (https://www.alego-ejale.com/repositorio-de-disposiciones-y-articulos-relacionados-con-la-crisis-del-covid-19/).

[25] Estando en vigor la segunda prórroga del estado de alarma por Real decreto 487/2020, de 10.4, la Comisión Europea y el Consejo Europeo aprueban y publican el 15.4.2020 una Comunicación denominada "Hoja de ruta común europea para el levantamiento de las medidas de contención", de la que quiero extractar lo siguiente:
– en su introducción se afirma significativamente que, "si bien la vuelta a la normalidad requerirá tiempo, también es evidente que las medidas extraordinarias no pueden mantenerse indefinidamente. Es necesario realizar una evaluación continua de su proporcionalidad...";
– entre las recomendaciones dirigidas a los Estados miembros sobre el modo de suprimir gradualmente el confinamiento, elaboradas a partir del dictamen científico del Centro Europeo para el Control y la Prevención de

B) *Fundamento, legitimidad y justificación de la declaración del estado de alarma*

El fundamento de la declaración del estado de alarma descansa en los artículos 116.2 CE[26] y 4 y siguientes de la LOAES, como es notorio[27]. Baste recordar aquí algunas reglas básicas de forma telegráfica:

Enfermedades (ECDC) y del Grupo Consultivo sobre la COVID-19, figura la sustitución progresiva de las medidas generales por otras específicas, de forma que "**los estados de emergencia generales que otorgan competencias excepcionales al Gobierno deben ser sustituidos por intervenciones más específicas de los Gobiernos,** con arreglo a disposiciones constitucionales", de modo que "se garantizará la responsabilidad democrática y la transparencia de las medidas adoptadas y su amplia aceptación pública, así como el respeto de los derechos fundamentales y el Estado de Derecho" (punto 6.2.d, pág. 14).

[26] Resulta inevitable recordar cómo el autor que sienta las bases doctrinales del autoritarismo, Carl Schmitt, manifiesta en 1921 que "quien domine el estado de excepción, domina con ello al Estado, porque decide cuándo debe existir este estado y qué es lo que la situación de las cosas exige" (vid. "*La dictadura. Desde los comienzos del pensamiento moderno de la soberanía hasta la lucha de clases proletaria*", 1921, 1ª reimpresión en español de Alianza editorial, Madrid, 2003, p. 49). Su actualidad es patente, puesto que su pensamiento contribuye a la legitimación del otorgamiento de poderes extraordinarios en el marco de regímenes democráticos. Como muy bien dice José María Baño León, es en el contexto del uso del decreto-ley de excepción económica o en la convivencia de un ordenamiento dualista en el que coexiste una legislación normal u ordinaria, fundada en un sistema de garantías y de derechos de la ciudadanía frente al poder, con otra de carácter excepcional en la que unos y otros se debilitan e incluso desaparecen, "donde hoy el pensamiento de Schmitt encuentra ecos inesperados. Lo que hace más urgente e inexcusable recuperar el sentido del imperio de la ley y de la dignidad de la persona, la base de la idea del Estado liberal de derecho, que Schmitt combatió toda su vida" [vid. José María Baño León, "*ESTUDIO PRELIMINAR: Carl Schmitt: la autoridad del poder*", en Carl Schmitt, "Ensayos sobre la Dictadura (1916-1932)", Tecnos, Madrid, 2013, pp.XV-LXXVI, en especial p. LXXVI.

[27] Vid. sobre el particular, Jaime Nicolás Muñiz, "*Emergencias constitucionales y catástrofes en el ordenamiento constitucional español*", Cuadernos de Derecho Público (2002) 17, pp. 49-66; y Sara Sieira Mucientes, "*Los estados excepcionales*", Revista de las Cortes Generales (2018) 104, pp. 361-393.

– la adopción de la declaración sólo procede, según el artículo 1.1 LOAES, "cuando circunstancias extraordinarias hiciesen imposible el mantenimiento de la normalidad mediante los poderes ordinarios de las autoridades competentes" (sic);

– su alcance y duración: sólo "en cualquier caso los estrictamente indispensables para asegurar el restablecimiento de la normalidad", aplicándose "de forma proporcionada a las circunstancias" y sin sobrepasar 16 días (artículo 6.2 LOAES).

– el supuesto de hecho habilitante que legitima la declaración del estado de alarma, o sea, la situación de emergencia o, de acuerdo con la expresión legal, la alteración grave de la normalidad, es el contenido en el artículo 4.b LOAES, referido a las "crisis sanitarias, tales como epidemias y situaciones de contaminación graves", sin descartar en función de las circunstancias concurrentes en la fecha del 14.03.2020 su vinculación con los supuestos de "paralización de servicios públicos esenciales para la comunidad" (artículo 4.c LOAES) y "situaciones de desabastecimiento de productos de primera necesidad" (artículo 4.d LOAES)[28] ; y

---

[28]   Son las situaciones de emergencia que Pedro Cruz Villalón denomina un tanto cándidamente "políticamente neutras" [vid. *"Estado de sitio y Constitución. La constitucionalización de la protección extraordinaria del Estado (1789-1878)"*, CEC, Madrid, 1980; y *"Estados Excepcionales y suspensión de garantías"*, Tecnos, Madrid, 1984), algo que se explica en atención a lo tratado en los debates constituyentes para diferenciarlas de los estados de excepción y sitio. Lo cierto es que no hay una acepción única del estado de alarma. Piénsese en que el "Diccionario del español jurídico" dirigido por Santiago Muñoz Machado (RAE y CGPJ, 2016) define la alarma una "situación de peligro de quebranto del orden público que habilita intervenciones especiales para su conservación y restricciones de los derechos" (p. 120), mientras que para la *"Enciclopedia Jurídica Básica"* (Civitas, Madrid, 1995, vol. II COR-IND) la LOAES "ha configurado a este primer estado excepcional como el correspondiente a emergencias naturales o tecnológicas, no, por tanto, como una primera respuesta a emergencias sociales o políticas" (voz "Estado de alarma" a cargo de Pedro Cruz Villalón, p. 2905).

– su justificación es la elevación de la situación de emergencia de salud pública ocasionada por el COVID-19 a pandemia internacional por parte de la OMS el 11.03.2020.

Téngase en cuenta que la LOAES dispone un conjunto de principios informadores a los que ha de sujetarse la declaración del estado de alarma. Entre esos principios, se encuentran los de necesidad y proporcionalidad (artículo 1.2), temporalidad (artículo 1.3), vigencia inmediata y publicidad (artículo 2) y responsabilidad (artículo 3.2).

C) Naturaleza jurídica de la declaración del estado de alarma

Qué duda cabe que la determinación de la naturaleza jurídica de la declaración del estado de alarma (y de sus eventuales prórrogas) influye decisivamente en el régimen de su impugnación jurisdiccional. La regulación del estado de alarma, con una redacción imprecisa y manifiestamente mejorable y con lagunas tan relevantes como la falta de determinación de la jurisdicción y el órgano competente para el enjuiciamiento de la declaración gubernamental del estado de alarma, no facilita la búsqueda de una solución[29].

La previsión expresa de la intervención sucesiva de distintos órganos constitucionales al amparo de sus respectivas competencias (Gobierno primero y Congreso a continuación) motiva que algún autor sostenga que la declaración del estado de alarma contiene elementos propios de los actos jurídicos y de las disposiciones generales. En detalle, Angela Figueruelo Burrieza apunta que, "desde un punto de vista material, las decisiones excepcionales del art.

---

[29] Vid. al respecto, Angela Figueruelo Burrieza, "§ 179. Estados de anomalía constitucional", en Benigno Pendás (director), Esther González y Rafael Rubio (coordinadores), "España constitucional (1978-2018). Trayectorias y perspectivas", Centro de Estudios Políticos y Constitucionales, Madrid, 2018, tomo IV, pp. 2729-2744, en particular pp. 2737 y ss.; y
José Manuel Serrano Alberca, "*Comentario al artículo 116*", en Fernando Garrido Falla *et al.*, "Comentarios a la Constitución", Civitas, Madrid, 2ª ed. ampliada, 1985, pp. 1562 y ss.

116 CE son mitad actos jurídicos y mitad normas. Por ser actos, proclaman la situación de emergencia; por ser normas jurídicas, concretan el estatuto extraordinario del poder y constituyen fuente de habilitación de disposiciones y actos de ejecución del estado declarado"[30].

Ello contribuye a explicar que, en ausencia de jurisprudencia constitucional, la doctrina científica haya venido manteniendo opiniones discrepantes, incluso abiertamente antagónicas, acerca de la naturaleza jurídica de la declaración y prórroga del estado de alarma y, en general, de los estados excepcionales, así como de las autorizaciones y resoluciones parlamentarias de carácter excepcional[31]. Básicamente, se constatan las interpretaciones que siguen:

– uno, las declaraciones de estados de emergencia constituyen puros y simples actos políticos que, como tales, están exentos de todo control jurisdiccional, ordinario o constitucional;

– dos, sólo cabe un control de los elementos reglados de las declaraciones de estados de emergencia, así como de la observancia de los derechos fundamentales mediante la vía de amparo constitucional, con fundamento en el artículo 42 LOTC; y

– tres, las declaraciones de estados de emergencia (y las eventuales prórrogas) se configuran como disposiciones generales de naturaleza reglamentaria que en consecuencia son susceptible de fiscalización por los Tribunales contencioso-administrativos, de acuerdo con lo dispuesto por el artículo 106 CE[32].

---

[30]   Vid. al respecto, Angela Figueruelo Burrieza, "§ 179. Estados de anomalía constitucional", en Benigno Pendás (director), Esther González y Rafael Rubio (coordinadores), "España constitucional (1978-2018). Trayectorias y perspectivas", Centro de Estudios Políticos y Constitucionales, Madrid, 2018, tomo IV, pp. 2729-2744, en particular pp. 2738.

[31]   Vid. la exposición de las diferentes posiciones doctrinales en Carlos Garrido López, "*Naturaleza jurídica y control jurisdiccional de las decisiones constitucionales de excepción*", Revista Española de Derecho Constitucional (2017) 110, pp. 50 y ss.

[32]   Esa es la tesis postulada, por cierto, por Carl Schmitt en 1932 en su obra "*Legalidad y legitimidad*" (edición de Aguilar, Madrid, 1971), para quien "las medi-

Ninguna de estas tesis prospera, puesto que el Tribunal Constitucional se inclina por una solución defendida por una minoría de autores, que atribuye idéntica naturaleza jurídica a los decretos gubernamentales de declaración y prórroga de los estados de alarma (y de excepción) y a las autorizaciones y resoluciones parlamentarias excepcionales, en función de su contenido y eficacia, así como el mismo rango y valor de Ley. Lo hace en un doble pronunciamiento integrado por el Auto 7/2012, de 13 de enero, y la Sentencia 83/2016, de 28 de abril, en relación con el acuerdo del Pleno del Congreso de los Diputados de 16.12.2010, de autorización de la prórroga del estado de alarma declarado por el Real Decreto 1673/2010, de 4 de diciembre, y prorrogada mediante el Real Decreto 1717/2010, 17 de diciembre, y con estos últimos[33]. El Tribunal Constitucional rechaza que los Reales Decretos de declaración del estado de alarma y de prórroga del mismo y el acuerdo del Pleno del Congreso de autorización de dicha prórroga puedan ser considerados como disposiciones administrativas sometidas al control plenario de los Tribunales contencioso-administrativos, tal como pretenden los recurrentes (322 controladores aéreos al servicio de AENA) con fundamento en los artículos 116.2 CE, 4 y 6 en relación con el 3.1 LOAES y 12.1.a) LJCA.

Sin embargo, el alegato de los demandantes es sólido. Argumentan en síntesis que la inadmisión de sus recursos contencioso-

---

das de las autoridades facultadas para realizar estos actos extraordinarios no son ilegales, pero tampoco tienen fuerza de ley. Esta última no la necesitan ni pueden tenerla, porque la suspensión de los derechos fundamentales está prevista y mediante ella cesan las restricciones propias del Estado legislativo, las cuales habrían exigido para ello una ley y una fuerza de ley" (sic).

[33] Vid. acerca del estado de alarma declarado en diciembre de 2010 como consecuencia del abandono masivo y sin previo aviso de los puestos de control por parte de los controladores de tránsito aéreo en víspera del puente de la Constitución y sus efectos jurídicos, Ana Aba Catoira, "*El Estado de Alarma en España*", Revista de Derecho Político (2011) 28, pp. 313-341; Carlos Vidal pardo y David Delgado Ramos, "*Algunas consideraciones sobre la declaración del estado de alarma y su prórroga*", Revista Española de Derecho Constitucional (2011) 92, pp.. 243-265; y Sara Sieira Mucientes, "*Los estados excepcionales*", Revista de las Cortes Generales (2018) 104, pp. 369 y ss.; entre otros.

administrativos contra los Reales Decretos[34] 1673/2010, de 4.12[35], y 1717/2010, de 17.12, y el acuerdo del Consejo de Ministros de 14.12.2010 por falta de jurisdicción lesiona su derecho fundamental a la tutela judicial efectiva en su vertiente de derecho de acceso a la jurisdicción, por varios motivos:

- uno, los Reales Decretos de declaración del estado de alarma y de prórroga y el acuerdo del Consejo de Ministros de petición de la misma sí se configuran como disposiciones generales propias de la dirección de la Administración de rango inferior a la Ley que son plenamente fiscalizables en vía contencioso-administrativa, y no como una manifestación del titular del Poder Ejecutivo exenta por completo de cualquier control, jurídico e incluso político o parlamentario,

- dos, la naturaleza del acuerdo del Consejo de Ministros de solicitud de prórroga es la de una mera petición para solicitar la prórroga del estado de alarma;

- tres, si la declaración del estado de alarma recae en exclusiva en el Gobierno y adopta la forma de decreto, no pue-

---

[34] El único recurso contencioso-administrativo admitido a trámite por el Tribunal Supremo es el promovido contra el Real Decreto 1611/2010, de 3.12, dictado tras el abandono masivo y sin previo aviso de los puestos de control por los controladores. Por eso su objeto es la encomienda transitoria al Ministerio de Defensa de las facultades de control de tránsito aéreo atribuidas a la entidad pública empresarial Aeropuertos Españoles y Navegación Aérea (AENA), correspondiendo al Jefe del Estado Mayor del Ejército del Aire la adopción de las decisiones que procedieran para la organización, planificación, supervisión y control de los controladores de tránsito aéreo al servicio de AENA. Su justificación descansa en "las circunstancias extraordinarias que concurren por el cierre del espacio aéreo español como consecuencia del conflicto provocado por los controladores de tráfico aéreo que, mediante una acción concertada, han resuelto sin aviso previo, no desarrollar en la tarde del día 3 de diciembre de 2010 su actividad profesional..." (sic).

[35] Declara el estado de alarma para la normalización del servicio público esencial del transporte aéreo, al amparo del art. 4.c), en relación con sus apartados a) y d), de la LOAES.

de adquirir valor de ley y debe por ello ser susceptible de control en sede contencioso-administrativa (artículos 12.1.a LJCA y 3.1 LOAES);

– cuatro, incluso en el supuesto de catalogarse como decisión o acto político, la declaración del estado de alarma no queda exenta de todo control jurisdiccional, al menos en lo relativo a la tutela de los derechos fundamentales, sus elementos reglados y la determinación de la indemnización procedente, de acuerdo con lo dispuesto por el artículo 2.1.a) LJCA y la jurisprudencia contencioso-administrativa;

– cinco, siguiendo ese razonamiento, no está previsto un control parlamentario efectivo y cierto, ya sea previo, coetáneo, o posterior, de la declaración del estado de alarma, prerrogativa exclusiva del Gobierno, mientras que los únicos actos excluidos del control de los Tribunales contencioso-administrativos, que son los referidos a las relaciones con otros órganos constitucionales, sí están sujetos a aquél. En este marco, el Congreso de los Diputados sólo es informado por el Gobierno de la actuación desarrollada y de sus motivos, pudiendo sólo recabar la información y documentación que estime conveniente, pero no está habilitado para modificar, cambiar o transformar la auténtica naturaleza jurídica de la declaración del estado de alarma;

– seis, ni la CE ni la LOAES confieren a tales actos y disposiciones carácter parlamentario y rango de ley, máxime cuando emanan del Gobierno, de suerte que no pueden mutar su auténtica naturaleza jurídica; y

– siete, en definitiva, en ausencia de cualquier clase de control parlamentario y de cualquier otra previsión expresa, la declaración del estado de alarma y su prórroga y la petición gubernamental de su autorización al Congreso son impugnables en vía contencioso-administrativa.

Frente a ello, el Tribunal Constitucional reconoce "novedosa y de indiscutible relevancia constitucional" la cuestión nuclear controvertida y elabora una doctrina que se asienta sobre varios pilares. En primer lugar, el valor y rango de ley son cualidades que no resultan privativas de las Leyes formales, sino que son extensivos a otras fuentes parcialmente equiparadas a ellas por la CE, así como a algunos actos, decisiones o resoluciones no identificados como tales ni en la CE, ni en la LOTC, incluidos

«aquellas decisiones o actos parlamentarios que, sin ser leyes o fuentes equiparadas a la ley, sí pueden, conforme a la propia Constitución, afectar a aquellas normas legales o asimiladas, esto es, exceptionarlas, suspenderlas o modificar su aplicabilidad legítimamente. Si la Constitución y el ordenamiento habilitan a determinados actos, decisiones o resoluciones parlamentarias para modificar de tal modo la aplicación de las leyes, no es de dudar que tales actos, decisiones o resoluciones ostenten ese genérico rango" o "valor de ley"» (ATC 7/2012, de 13.1, FJ 3º)[36].

Consecuentemente,

"el acto de autorización parlamentaria de la prórroga del estado de alarma o el de la declaración y prórroga del de excepción, que no son meros actos de carácter autorizatorio, pues tienen un contenido normativo o regulador (ya en cuanto hacen suyos el alcance, condiciones y términos del estado de alarma o de excepción fijados o solicitados por el Gobierno, ya en cuanto la propia Cámara directamente los establece o introduce modificaciones en los propuestos), así como el acto parlamentario de declaración del estado de sitio son, todos ellos, decisiones con rango o valor de ley, expresión del ejercicio de una competencia constitucionalmente confiada a la Cámara Baja *ex* art. 116 CE en aras de la protección, en los respectivos estados de emergencia, de los derechos y libertades de los ciudadanos (en similar sentido, ATC 114/1991, de 11 de abril, FJ 3)" (ATC 7/2012, de 13.1, FJ 4º).

En segundo lugar, el Tribunal Constitucional estima que este planteamiento referido a una resolución parlamentaria es trasladable a las declaraciones de los estados de emergencia y sus pró-

---

[36] Con todo, la autorización parlamentaria de la prórroga también no ha merecido un amplio debate doctrinal. Vid. al respecto, Angela Figueruelo Burrieza, "§ 179. Estados de anomalía constitucional", en Benigno Pendás (director), Esther González y Rafael Rubio (coordinadores), "España constitucional (1978-2018). Trayectorias y perspectivas", Centro de Estudios Políticos y Constitucionales, Madrid, 2018, tomo IV, pp. 2729-2744, en detalle p. 2739.

rrogas. La decisión de declarar el estado de alarma es dictada en ejercicio de una competencia constitucional atribuida con carácter exclusivo al Gobierno por el artículo 116.2 CE, en su condición de órgano constitucional responsable de la dirección política del Estado (artículo 97 CE), y "no de órgano superior de la Administración". A juicio del Tribunal Constitucional,

> "la decisión gubernamental por la que se declara el estado de alarma no se limita a constatar el presupuesto de hecho habilitante de la declaración de dicho estado…, ni se limita tampoco a la mera la declaración de éste. La decisión gubernamental tiene además un carácter normativo, en cuanto establece el concreto estatuto jurídico del estado que se declara. En otras palabras, dispone la legalidad aplicable durante su vigencia, constituyendo también fuente de habilitación de disposiciones y actos administrativos. La decisión gubernamental viene así a integrar en cada caso, sumándose a la Constitución y a la Ley Orgánica 4/1981, el sistema de fuentes del derecho de excepción, al complementar el derecho de excepción de aplicación en el concreto estado declarado. Y esta legalidad excepcional que contiene la declaración gubernamental desplaza durante el estado de alarma la legalidad ordinaria en vigor, en la medida en que viene a excepcionar, modificar o condicionar durante ese periodo la aplicabilidad de determinadas normas, entre las que pueden resultar afectadas leyes, normas o disposiciones con rango de ley, cuya aplicación puede suspender o desplazar" (STC 83/2016, de 28.4, FJ 10º).

El Tribunal Constitucional estima así que la declaración del estado de alarma puede tener incidencia sobre la aplicabilidad ordinaria de la legislación preexistente, incluidas normas con rango de Ley, y ello con fundamento en los artículos 116.2 CE y 6 LOAES,

> "que imponen como contenido necesario del decreto en el que se formaliza la decisión gubernamental de la declaración la determinación de «los efectos del estado de alarma»,

Por tal motivo, deduce el Tribunal Constitucional,

> "aunque formalizada mediante decreto del Consejo de Ministros, la decisión de declarar el estado de alarma, dado su contenido normativo y efectos jurídicos, debe entenderse que queda configurada en nuestro ordenamiento como una decisión o disposición con rango o valor de ley. Y, en consecuencia, queda revestida de un valor normativo equiparable, por su contenido y efectos, al de las leyes y normas asimilables cuya aplicación puede excepcionar, suspender o modificar durante el estado de alarma" (STC 83/2016, de 28.4, FJ 10º).

Idéntico razonamiento emplea la jurisprudencia constitucional en relación con el rango o valor del Real Decreto de prórroga del estado de alarma, con la particularidad de constituir

"una formalización *ad extra* de la previa autorización del Congreso de los Diputados, esto es, su contenido es el autorizado por la Cámara, a quien corresponde autorizar la prórroga del estado de alarma y fijar su alcance, condiciones y términos, bien haciendo suyos los propuestos por el Gobierno en la solicitud de prórroga, bien estableciéndolos directamente. Al predicarse del acto de autorización parlamentaria, como ya se ha dejado constancia, la condición de decisión con rango o valor de ley (ATC 7/2012, FJ 4), idéntica condición ha de postularse, pese a la forma que reviste, de la decisión gubernamental de prórroga, que meramente se limita a formalizar y exteriorizar el acto parlamentario de autorización" (STC 83/2016, de 28.4, FJ 10º).

En definitiva, el Tribunal Constitucional considera (en rigor, afirma constatar) que las declaraciones gubernamentales del estado de alarma y de sus prórrogas disponen de rango o valor de Ley y, en consecuencia, quedan extramuros del ámbito de actuación de los Tribunales contencioso-administrativos. Ello es así, pese a que, como se ha visto antes, el Congreso no interviene *ex ante* en su elaboración y aprobación (a diferencia del estado de emergencia, que requiere la previa autorización del Congreso para su declaración —artículo 13.1 LO 4/1981), sino cuando el Gobierno le da cuenta de la misma y de las normas dictadas en su aplicación y cuando le solicita autorización para prorrogarlo (artículo 5 LO 4/1981).

En tercer lugar, la consideración de las declaraciones gubernamentales del estado de alarma y de sus prórrogas como materia excluida del ámbito de conocimiento de los órganos judiciales de lo contencioso-administrativo en razón de su rango o valor de Ley no significa por lo mismo una exención judicial absoluta. El Tribunal Constitucional precisa que no hay inmunidad que valga, sino sólo la reserva del monopolio de su enjuiciamiento jurisdiccional, sin perjuicio de la competencia de los Tribunales ordinarios para fiscalizar los actos y disposiciones que sean dictados en aplicación de tales declaraciones gubernamentales durante la vigencia del estado de alarma, y de la eventual utilización del amparo constitucional una vez agotada la vía judicial ordinaria:

"Ello no supone, como vienen a sostener los demandantes de amparo, que los citados Reales Decretos resulten inmunes a todo control jurisdiccional, sino que, al poseer rango y valor de ley, pese a revestir la forma de decreto, sólo cabe impugnarlos, de acuerdo con el modelo de jurisdicción de nuestro ordenamiento jurídico, ante este Tribunal Constitucional a través de los procesos constitucionales previstos en la Constitución y en la Ley Orgánica del Tribunal Constitucional, que tienen por objeto el control de constitucionalidad de las leyes, disposiciones y actos con fuerza o valor de ley [arts. 161 y 163 CE, 27.2 b) LOTC]. Sin perjuicio, como es evidente, de que los actos y disposiciones que puedan dictarse en su aplicación puedan impugnarse ante la jurisdicción ordinaria en cada caso competente (art. 3.2 de la Ley Orgánica 4/1981) y los órganos judiciales puedan, al enjuiciarlos, promover cuestión de inconstitucionalidad contra los actos, decisiones o resoluciones con valor de ley de los que son aplicación, cuando consideren que puedan ser contrarios a la Constitución (ATC 7/2012, FJ 3)" (STC 83/2016, de 28.4, FJ 11º).

A juicio del Tribunal Constitucional, ésta es la vía adecuada para que la totalidad de los actos gubernamentales y parlamentarios de declaración, autorización y prórroga queden sujetos, como actos y disposiciones con fuerza o rango de ley que son, al mismo régimen de control jurisdiccional en su seno.

En cuarto lugar, al acuerdo del Consejo de Ministros de solicitud al Congreso de los Diputados de autorización de prórroga del estado de alarma le es de aplicación la jurisprudencia constitucional recaída en relación con la actuación del Gobierno que no queda sometida al Derecho Administrativo, como la referida a las relaciones con otros órganos constitucionales o, p.e., la decisión de enviar a las Cortes un proyecto de Ley[37]. Siendo como es un acto cuya única funcionalidad consiste en activar el procedimiento de solicitud por el Gobierno al Congreso de los Diputados de la autorización para prorrogar el estado de alarma, su contenido y efectos se agotan en el ámbito específico de las relaciones entre

---

[37] Dicha jurisprudencia argumenta que
"el Gobierno actúa como órgano político y no como órgano de la Administración, no ejerce potestades administrativas ni dicta actos de esta naturaleza y, por lo mismo, su actuación no puede calificarse como "administrativa" cuyo control corresponda *ex* art. 106.1 de la Constitución y 8 LOPJ a los Tribunales de justicia" (STC 196/1990, de 29 de noviembre, FJ 5).

dichos órganos constitucionales, de suerte que es ajeno al ámbito objetivo de aplicación de la LJCA.

En conclusión, la doctrina del Tribunal Constitucional es nítida: las declaraciones gubernamentales del estado de alarma y de sus prórrogas y las resoluciones parlamentarias de autorización de las mismas quedan revestidas con un valor normativa equiparable, por su contenido y efectos, al de las Leyes y normas asimilables cuya aplicación pueden excepcionar, suspender o modificar durante el estado de alarma (salvando, claro es, las Leyes Orgánicas, lo que no ha sido el caso durante la vigencia de este estado de alarma, en contra de lo establecido por el artículo 81 CE).

Por este motivo, no es fácil vislumbrar un cambio de criterio y, menos aún, una revisión de esta doctrina con ocasión del próximo enjuiciamiento jurisdiccional del Real Decreto 463/2020, con independencia de su mayor o menor consistencia y solidez.

D) Autoridades competentes

La declaración del estado de alarma entraña el efecto de modificar el orden de competencias. Lo que viene a hacer es alterar el ejercicio de competencias por parte de la Administración y de las autoridades públicas e introducir ciertas limitaciones o restricciones. En primer lugar, el Gobierno de la Nación se erige en única autoridad competente para adoptar las medidas previstas en el Real Decreto 463/2020 (artículo 4.1 del Real Decreto 463/2020, en relación con el artículo 7 LOAES).

En segundo lugar, se configuran como autoridades delegadas competentes bajo la dirección del Gobierno los titulares de los Ministerios de Defensa, Interior, Transportes y Sanidad, contando este último con una competencia residual por defecto (artículo 4.2 del Real Decreto 463/2020). Deben observarse las peculiaridades siguientes:

– uno, las competencias otorgadas son muy amplias, pues habilitan para dictar cuantas "ordenes, resoluciones, disposiciones e instrucciones interpretativas...sean necesarias para garantizar la prestación de todos los servicios, ordinarios o extraordinarios, en orden a la protección de personas, bienes y lugares", adoptando a tal fin las medidas previstas en el artículo 11 LOAES (artículo 4.3 § 1º del Real Decreto 463/2020);

– dos, las medidas pueden adoptarse, bien de oficio a bien a instancia, aquí sí motivada, de cualesquiera autoridades autonómicas o locales (artículo 4.3 § 2º del Real Decreto 463/2020); y

– tres, cualquiera de dichas autoridades queda exonerada de la obligación del límite formal del procedimiento para la elaboración y aprobación de cualesquiera órdenes, resoluciones, disposiciones o instrucciones que estimen necesarios para asegurar la prestación de todos los servicios precisos para proteger personas, bienes y lugares, que es como decir todos los actos y disposiciones: "no será precisa la tramitación de procedimiento administrativo alguno", reza el artículo 4.3 § 2º del Real Decreto 463/2020). Dicho de otro modo, limitar la circulación o permanencia de personas o vehículos en horas y lugares determinados, o condicionarlas al cumplimiento de ciertos requisitos, practicar requisas temporales de todo tipo de bienes, imponer prestaciones personales obligatorias, intervenir y ocupar transitoriamente industrias, fábricas, talleres, explotaciones o locales de cualquier naturaleza (con excepción de domicilios privados), limitar o racionar el uso de servicios o el consumo de artículos de primera necesidad o impartir las órdenes necesarias para asegurar el abastecimiento de los mercados y el funcionamiento de los servicios de los centros de producción afectados por el artículo 4.d) LOAES no requiere la tramitación de procedimiento alguno.

En tercer lugar, queda activado a tal fin como órgano de apoyo al Gobierno el Comité Especializado de situación previsto en la disposición adicional primera de la Ley 36/2015, de 28 de septiembre, de Seguridad Nacional (artículo 4.4 del Real Decreto 463/2020). Tiene su origen en el acuerdo del Consejo de Seguridad Nacional de 05.12.2013 y se regula por Orden PARA/32/2018, de 22.01[38].

En cuarto lugar, el Real Decreto 463/2020 impone el sometimiento a los Ministerios del Interior (artículo 5) y Sanidad (artículo 11) de todas las autoridades respectivas de las CCAA.

En quinto lugar, las autoridades competentes delegadas cuentan con poderes exorbitantes: en los casos distintos del artículo 4.3 del Real Decreto 463/2020, no cabe prescindir de todo procedimiento, requiriéndose al menos la aplicación de una tramitación de urgencia (artículo 33 LPAC)[39]. Quedan a salvo las medidas excepcionales que puede adoptar bien el Ministerio de Sanidad para asegurar el suministro de bienes y servicios necesarios para la salvaguardia de la salud pública de acuerdo con el artículo 13 del Real Decreto 463/2020, o bien el Ministerio de Transportes en virtud del artículo 14.1.a) del mismo texto.

E) Límites de la declaración de estado de alarma

La CE contempla dos tipos de límites de los tres estados de emergencia previstos en su artículo 116.1. Ello es tanto más lógico cuanto que el Gobierno está habilitado para adoptar medidas excepcionales (artículos 11 y 12 LOAES). Dichos límites están destinados a proteger el orden constitucional, diferenciándose entre sí en función de su alcance.

Por un lado, se prevén una serie de límites generales, que constituyen otras tantas garantías. Entre ellas, se cuentan,

- uno, la imposibilidad de interrupción del funcionamiento de las Cortes Generales y de los demás Poderes constitucio-

---

[38] Vid. al respecto, Blanca Lozano Cutanda, "*Análisis de urgencia de las medidas administrativas del estado de alarma*", GA_P, marzo de 2020.

[39] Vid. en esta línea, Blanca Lozano Cutanda, "*Análisis de urgencia de las medidas administrativas del estado de alarma*", GA_P, marzo de 2020, p. 7.

nales del Estado durante la vigencia de los estados de emergencia (artículo 116.5 CE);

- dos, la interdicción de disolución del Congreso de los Diputados (artículo 116.5 CE), de manera que quedan automáticamente convocadas las Cámaras en caso de estar fuera del periodo de sesiones y asume las competencias de aquél su diputación permanente en los supuestos de disolución del mismo o de expiración de su mandato);

- tres, la ineficacia de la declaración de cualquiera de los estados de emergencia desde el punto de visto del principio de responsabilidad del Gobierno y de sus agentes reconocidos en el artículo 106.2 CE y en las Leyes (artículo 116.5 CE), porque no puede alterarlo[40];

- cuatro, la limitación de los derechos fundamentales susceptibles de ser suspendidos en el supuesto de declararse algún estado de emergencia, pues sólo se admite respecto de mencionados de forma explícita en el artículo 55.1 CE (artículos 17, 18.2 y 3, 19, 20.1.a y 5, 21, 28.2 y 37.2) y únicamente en caso de declararse los estados de excepción o de sitio. De ningún modo pueden ser suspendidos cualesquiera derechos fundamentales en el marco del estado de alarma[41];

- cinco, la remisión a la Ley de la regulación del ejercicio de la jurisdicción militar en los supuestos de estado de sitio, es decir, al artículo 14 de la Ley Orgánica 5/2005, de 17.11, de la Defensa Nacional (artículo 117.5 CE); y

---

[40] Vid. Gabriel Doménech Pascual, *"Responsabilidad patrimonial del Estado por la gestión de la crisis del COVID-19"*, El Cronista del Estado Social y Democrático de Derecho (2020) 86-87, pp. 102-109.

[41] Vid. a este respecto, la definición de estado de alarma contenida en el *"Diccionario jurídico"* dirigido por Alfredo Montoya Melgar (Real Academia de Jurisprudencia y Legislación, Thomson Reuters Aranzadi, Madrid, 2016) como "el más leve de los estados excepcionales, pues, a diferencia de los restantes, no puede entrañar la suspensión de derechos fundamentales" (p. 490); y, en parecidos términos, Pedro Cruz Villalón, voz "Estado de alarma", en AAVV, *"Enciclopedia Jurídica Básica"*, Civitas, Madrid, 1995, vol. II COR-IND, p. 2905.

– seis, la prohibición del inicio de la reforma constitucional durante la vigencia de alguno de los estados de emergencia (artículo 169 CE).

Por otro lado, se establecen algunos límites específicos para el estado de alarma, que son tanto formales como materiales (entre ellos, la competencia, el ámbito territorial, la duración, la dación de cuentas al Congreso de los Diputados y el sometimiento de la prórroga a un régimen de autorización previa de acuerdo con una tramitación específica).

Sabido es que en el estado de alarma, en contraste con el de emergencia, no cabe la suspensión de ningún derecho fundamental o libertad pública (artículo 55.1 CE a *contrario sensu*. En cambio, sí son admisibles medidas orientadas a limitar o restringir su ejercicio, tal como ratifica la jurisprudencia constitucional expuesta más arriba. De ahí que el Real Decreto 463/2020 se esfuerce en señalar en su Preámbulo que las medidas previstas "no suponen la suspensión de ningún derecho fundamental" (sic).

En la práctica, sin embargo, las limitaciones y restricciones contenidas en dicho Real Decreto 463/2020 y su normativa de aplicación están resultando muy amplias[42], con el agravante de ir más de lo contemplado en la LOAES, traspasando sus límites hasta el punto de confundirse con el estado de emergencia, aunque aquí no se dé un supuesto de alteración del orden público. Basten estos apuntes:

1) Libertad de circulación: durante muchas semanas se ve severamente limitada, sin llegar a la suspensión absoluta, restringién-

---

[42] El Real Decreto 463/2020 se beneficia aquí de la imprecisión de la redacción, muy criticada por la doctrina. P.e., Antonio Carro Martínez, afirma incluso que "el estado de alarma y la nada son la misma cosa, porque las facultades de la autoridad son las mismas que le corresponden en período de normalidad" [vid. "*Comentario al artículo 116 CE*" en Oscar Alzaga Villamil (coordinador), "Comentarios a la Constitución Española de 1978", Cortes Generales, Madrid, p. 253]. Vid. Lorenzo Cotino Hueso, "*Los derechos fundamentales en tiempos del coronavirus. Régimen general y garantías y especial atención a las restricciones de excepcionalidad ordinaria*", El Cronista del Estado Social y Democrático de Derecho (2020) 86-87, pp. 88-101.

dose los movimientos de personas y vehículos por vías públicas para la realización de actividades tasadas única y exclusivamente (artículo 7 del Real Decreto 463/2020) y habilitándose al Ministerio de Interior para cerrar a la circulación carreteras o limitar su acceso a determinados vehículos por razones muy variadas ("salud pública, seguridad o fluidez del tráfico");

2) Libertad ideológica, religiosa y de culto: se restringe severamente, porque no se prohíbe la asistencia a lugares de culto, ni las ceremonias civiles y religiosas, pero quedan condicionadas a que "se garantice a los asistentes la posibilidad de respetar la distancia entre ellos de, al menos, un metro" (artículo 11 del Real Decreto 463/2020);

3) Libertad de empresa: se suspende la apertura al público de locales y establecimientos minoristas (artículo 10 del Real Decreto 463/2020).

F) Suspensión de plazos procesales y administrativos

1. Introducción

El Real Decreto 463/2020 dedica sus Disposiciones Adicionales 2ª a 4ª a la suspensión de términos (fechas ciertas) y de plazos procesales y administrativos (lapsos temporales), así como de plazos de prescripción y caducidad[43]. Vaya por delante que la medida

---

[43] A propósito de esta cuestión, han sido numerosos los estudios publicados en las últimas semanas. Valga la cita de dos artículos particularmente interesantes: Julio Banacloche Palao, "*El cómputo de los plazos procesales como consecuencia del Estado de Alarma derivado del Covid-19*", Diario La Ley, Nº 9633, Sección Tribuna, 15 de Mayo de 2020, Wolters Kluwer; y Diego Gómez Fernández, "*La suspensión de términos y plazos administrativos por la crisis de la CO-VID-19*", El Consultor de los Ayuntamientos, 05.06.2020, La ley 5100/2020 (existe una versión digital, actualizada a fecha de 09.06.2020 en el blog del propio autor (https://www.derechoadministrativoyurbanismo.es/post/la-suspensi%C3%B3n-de-los-plazos-administrativos-por-la-crisis-del-covid-19-rd-463-2020-y-rd-465-2020).

resulta prácticamente inédita en los países de nuestro entorno, salvo en Italia y temporalmente en algún caso limitado (Francia).

De algún modo, la suspensión de plazos procesales constituye una previsión lógica y razonable en su formulación inicial en razón de su finalidad tuitiva y de las serias dificultades sobrevenidas para la celebración de un buen número de actos procesales que precisan la presencia física de las partes (declaraciones, interrogatorios, vistas, testificales o periciales, etc...). Pero, por lo mismo, la suspensión de los plazos administrativos es una previsión que carece de idéntico soporte legitimador, salvo —claro es— cuando su observancia requiere la asistencia física en las sedes administrativas.

En todo caso, la medida es comprensible en términos

– psicológicos (es innegable la preocupación y la aprensión, e incluso el miedo creciente, que se perciben a lo largo de las dos semanas anteriores a la declaración del estado de alarma, y que se manifiesta en los comunicados, las notas de prensa, las declaraciones de Asociaciones judiciales y fiscales, Decanos de Juzgados, Salas de Gobierno, etc., así como la presión a la que es sometido el CGPJ durante la segunda semana de marzo), y

– jurídicos. La provisionalidad de la medida, en razón de la duración limitada de la declaración del estado de alarma, puede servir de justificación.

2. Supuestos

a. *La suspensión general de términos e interrupción de plazos procesales de todos los órdenes jurisdiccionales, e incluso del Tribunal Constitucional (D.A. 2ª)*

La Disposición Adicional 2ª del Real Decreto 463/2020 dispone la suspensión general de términos y la interrupción de plazos procesales de todos los órdenes jurisdiccionales, e incluso del Tribunal Constitucional (Acuerdos del Pleno de 16.03.2020 y 06.05.2020), pese al carácter testimonial de la oralidad y la suficiencia de medios para el teletrabajo, reanudándose —en principio— con la pérdida de vigencia del Real Decreto 463/2020 y sus prórrogas.

Deben observarse los extremos que siguen:

- uno, la existencia de particularidades en el orden penal (D.A. 2ª.2)[44] ;

- dos, las excepciones tasadas en otros órdenes jurisdiccionales: en concreto, en la Jurisdicción Contencioso-Administrativa quedan exceptuados el procedimiento para la protección de los derechos fundamentales de los artículos 114 y ss. LJCA y la tramitación de las autorizaciones o ratificaciones judiciales del artículo 8.6 LJCA;

- tres, la prerrogativa judicial para acordar la práctica de cualesquiera actuaciones judiciales que sean necesarias para evitar perjuicios irreparables en los derechos e intereses legítimos de las partes en el proceso (D.A. 2ª.4).

Esta medida de suspensión carece de precedentes en la historia de la Jurisdicción contencioso-administrativa. En rigor, y esto es ciertamente significativo, hay que remontarse a la Guerra Civil Española para hallar una medida análoga, pues la Ley de 27.08.1938 dispone la suspensión del funcionamiento de la Jurisdicción contencioso-administrativa hasta su levantamiento seis años más tarde con motivo de la aprobación de la Ley de 18.03.1944[45].

Es cierto que la suspensión decretada se relaja muy ligeramente con posterioridad. Así lo acreditan algunos datos:

---

[44] La suspensión e interrupción no se aplica a los procedimientos de *habeas corpus*, las actuaciones encomendadas a los servicios de guardia y las que deban realizarse con detenido, las órdenes de protección, las actuaciones urgentes en materia de vigilancia penitenciaria y cualesquiera medidas cautelares en materia de violencia sobre la mujer o menores. Ello es al margen de que en fase de instrucción el juez o tribunal competente acuerde la práctica de aquellas actuaciones que, por su carácter urgente, sean inaplazables.

[45] Me remito en este punto al capítulo XII de mi obra *"Historia legal de la Jurisdicción contencioso-administrativa (1845-1998)"*, Iustel, Madrid, 2007, pp. 748 y ss.

– por una parte, los Tribunales notifican resoluciones judiciales a las partes, con cuentagotas en algunos casos, y

– por otra parte, el Real Decreto-Ley 16/2020, de 28.4,

- • posibilita la deliberación por medios telemáticos en los órganos colegiados y la presentación de demandas y recursos por los justiciables, y

- • contiene algunas medidas de agilización procesal, pero con la particularidad de que su aplicabilidad queda pospuesta hasta el momento del levantamiento del estado de alarma paradójicamente. Semejante demora no tiene fundamento consistente dada la necesidad de reactivación del servicio público de la justicia.

Pero no lo es menos que son hechos indubitados

– la suspensión general en toda España desde el 14.03.2020 de la actividad de los Juzgados y Tribunales, garantes últimos del Estado de Derecho, y, con ella, la tramitación de los asuntos y la propia efectividad del derecho a la tutela judicial efectiva, en contra de lo dispuesto por el artículo 116.5 CE, que no admite su suspensión en ninguno de los estados excepcionales[46];

– la pendencia de los asuntos, que no deja de acentuarse camino del colapso, y

– la previsión de un incremento extraordinario de la litigiosidad derivada de actuaciones ligadas a la pandemia (comisos e incautaciones de material sanitario, ocupaciones temporales, alteración del equilibrio de contratos, adjudicaciones de contratos, resoluciones sancionadoras, otorgamiento de ayudas públicas, …).

---

[46] José María. Baño León afirma con mucha razón que la suspensión entraña el efecto de sumir a todos en un estado de hibernación (vid. *"Por qué debe alzarse la suspensión de plazos procesales y administrativos, aunque continúe el estado de alarma,"* publicado el 11.05.2020 en https://www.iustel.com/diario_del_derecho/noticia.asp?ref_iustel=1198066).

En rigor, la prolongación de este estado de suspensión generalizada de la administración de justicia, tras cinco prórrogas ni más ni menos, carece de

- lógica, pues sólo deben suspenderse las actuaciones procesales que no puedan llevarse a cabo sin amenaza para la salud de los profesionales del derecho, los funcionarios y los justiciables, pero no si caben medidas organizativas elementales tales como el trabajo telemático, el mantenimiento de la distancia social de seguridad, la fijación de turnos de trabajo, …),

- justificación objetiva, porque no se advierte de qué modo protege la salud pública, y menos aún una vez pasado el pico de contagios),

- es desproporcionada,

- es lesiva para la seguridad jurídica,

- es contraproducente para el interés público, en cuanto puede agravar las consecuencias económicas de la crisis sanitaria (prolongación indebida de situaciones inicuas y de la resolución de conflictos), y, por supuesto,

- es negativa para la credibilidad y la consistencia del Estado de Derecho, porque los poderes extraordinarios del Gobierno durante el estado de alarma deben tener su contrapeso en un control real y efectivo de los Tribunales, incluido el Tribunal Constitucional.

Lo expuesto pone de manifiesto que semejante suspensión de los plazos procesales suscita dudas muy serias sobre su conformidad a la CE, tanto más cuanto que no existe una correlación entre la misma y la contención de la pandemia[47].

---

[47]   Como dice José María. Baño León, "la suspensión generalizada de plazos procesales difícilmente resiste un análisis de constitucionalidad, pues sus perniciosos efectos (la supresión temporal como regla general del derecho a la tutela de los Tribunales) sólo podría justificarse en el caso de poder demostrarse que es el único medio para evitar la propagación de la pandemia,

b. *La suspensión de plazos administrativos (D.A. 3ª)*

La suspensión de términos y la interrupción de los plazos administrativos establecida por la Disposición Adicional 3ª del Real Decreto 463/2020 se regula de tal modo que se contempla la reanudación y no el reinicio de su cómputo cuando éste (o sus prórrogas) pierda vigencia (apartado 1). Parece que la redacción pretende evitar que los más parsimoniosos se beneficien de la medida, en perjuicio de la igualdad de armas.

La medida reviste un carácter muy amplio. Sólo quedan fuera por razones evidentes los procedimientos administrativos en los ámbitos de la afiliación, la liquidación y la cotización de la Seguridad Social (apartado 5), así como a los plazos tributarios (apartado 6).

Dicho esto, su ámbito subjetivo de aplicación se extiende a todas las entidades del sector público, sin distinciones (apartado 2). Ello incluye, conforme a lo dispuesto en el artículo 2.2 LPAC, la Administración General del Estado, la Administración de las Comunidades Autónomas, las Entidades Locales, el sector público institucional en su integridad, comprendiendo las Universidades Públicas e, incluso, las Corporaciones sectoriales de base privada cuando ejercen funciones públicas tales como la potestad disciplinaria.

En cuanto a su ámbito objetivo, la regla suspensiva engloba en primer lugar todo tipo de procedimientos, tanto los declarativos (p.e., los procedimientos sancionadores y disciplinarios; los procedimientos de revisión de oficio; o los procedimientos en vía de recurso administrativo) como los ejecutivos (p.e., los procedimientos de apremio) e, incluso, los de mera gestión, aunque no carezca de lógica y de justificación objetiva por las razones ya ex-

---

es decir que pudiera acreditarse que no existen otras alternativas que permitan el funcionamiento regular de la administración de justicia" (vid. su artículo *"Por qué debe alzarse la suspensión de plazos procesales y administrativos, aunque continúe el estado de alarma,"* publicado el 11.05.2020 en https://www.iustel.com/diario_del_derecho/noticia.asp?ref_iustel=1198066).

puestas. Tampoco se hacen distinciones en función del tiempo de tramitación, de suerte que tanto los procedimientos ordinarios, como los simplificados (artículo 96 LPAC) y los sumarios o de urgencia se ven afectados por igual, salvo que —claro es— cuando vengan referidos a situaciones que estén "estrechamente vinculadas a los hechos justificativos del estado de alarma" (D.A. 3ª.4).

Otro tanto puede decirse de la falta de diferenciación de los procedimientos en atención a su incidencia sobre la esfera jurídica de sobre sus destinatarios, de suerte que tanto si conducen a la adopción de actos favorables o declarativos de derechos como si desembocan en la producción de actos desfavorables o de gravamen quedan en suspenso. El mismo argumento vale para los procedimientos que se distinguen por su forma de iniciación (de oficio o a instancia de un interesado).

Es cierto que, tal como se señala más arriba, existe la posibilidad de introducir excepciones caso por caso[48], siempre que estén debidamente motivadas:

– Procedimientos inherentes a la aplicación del estado de alarma por referirse a "situaciones estrictamente vinculadas a los hechos justificativos del mismo" (D.A. 3ª.4).

– Procedimientos "indispensables para la protección del interés general o para el funcionamiento básico de los servicios" (D.A. 3ª.4).

– Procedimientos en los que el interesado renuncie voluntariamente al beneficio de la suspensión, en dos casos (D.A. 3ª. 3):

   • posibilidad de adopción, motivadamente, de medidas de ordenación e instrucción estrictamente necesarias para

---

[48] Así lo hacen distintas Administraciones Públicas y entidades del sector público, tales como la Comisión Nacional de los Mercados y la Competencia (acuerdo AJ/058/20 del Pleno de fecha 06.04.2020), la Comisión Nacional del Mercado de Valores (Resolución de 20.03.2020, BOE de 25.03.2020) o el Banco de España (Resolución de 27.04.2020, BOE de 28.04.2020).

evitar perjuicios graves en los derechos del interesado en el procedimiento; y

- supuestos de renuncia del particular si no perjudica a terceros (p.e., licencias, autorizaciones, subvenciones…).

– Procedimientos no sujetos a plazos a favor de terceros ligados a la potestad de organización.

En segundo lugar, la regla de la suspensión afecta a todos los plazos: p.e.,

– los plazos a observar por las AAPP y plazos a disposición de los interesados;

– el plazo máximo de resolución (artículo 22, en relación con los artículos 24 y 25 LPAC);

– el plazo máximo de notificación (artículo 23 y 40 LPAC);

– el plazo de subsanación y mejora de solicitudes (artículo 68 LPAC);

– los plazos de instrucción (artículo 75 LPAC);

– los plazos de recurso y de resolución de los mismos (artículos 112 y siguientes LPAC);

– los plazos de los procedimientos de aprobación de disposiciones generales; o

– el plazo de ejecución de las resoluciones notificadas (artículos 97 y ss. LPAC).

Con todo, la Disposición Adicional 3ª habilita en su apartado 3 a los órganos administrativos para acordar, de forma motivada, aquellas medidas de ordenación e instrucción que sean "estrictamente necesarias para evitar perjuicios graves en los derechos e intereses del interesado en el procedimiento", lo que requiere el previo consentimiento de este último ("siempre que éste manifieste su conformidad, o cuando el interesado manifieste su conformidad con que no se suspenda el plazo" -sic).

Por lo demás, la medida regulada en estos términos tan amplios tiene una justificación cuestionable por varias razones, entre las que se hallan las siguientes:

– el transcurso de muchos plazos beneficia a los ciudadanos (títulos administrativos habilitantes, reconocimiento de derechos, caducidad de procedimientos desfavorables, etc…), de modo que a la inversa su suspensión les perjudica;

– la mayoría de los procedimientos se tramitan por escrito y no requieren la presencia física de los interesados de forma general (sin perjuicio de eventuales reuniones, toma de vista de expedientes, etc.);

– en no pocos casos están ya sentadas las bases para la implantación del trabajo telemático en el seno de las Administraciones Públicas;

– la Administración electrónica es una realidad legal en el sector público estatal y autonómico, así como en los Municipios de gran población y las Diputaciones Provincialas. Además, las personas jurídicas están obligadas a relacionarse con las Administraciones Públicas por medios electrónicos de forma general;

– los funcionarios públicos de ciertos sectores desarrollan en las circunstancias adversas del estado de alarma un trabajo de mucha altura y productividad; y, por último,

– introduce una disparidad de trato de fundamentación compleja: por un lado, los plazos tributarios y de la Seguridad Social no se suspenden y, por otro, las Administraciones Públicas pueden seguir dictando actos que sin embargo sus destinatarios no pueden impugnar. A ello se une que las Administraciones Públicas está habilitadas acordar la reanudación de los plazos por razones de interés público.

c. La suspensión de plazos de prescripción y caducidad (D.A. 4ª)

El Real Decreto 463/2020 dispone adicionalmente que "los plazos de prescripción y caducidad de cualesquiera acciones y derechos quedarán suspendidos durante el plazo de vigencia del estado de alarma y, en su caso, de las prórrogas que se adoptaren" (sic).

G) Recurribilidad del Real Decreto 463/2020 y de sus medidas de aplicación

Una idea comúnmente aceptada es que la atribución al Gobierno en situaciones de necesidad de poderes de excepción en virtud del principio *salus publica suprema lex esto*, que se manifiestan en medidas de fuerza irresistibles de ordinario, con la extraordinaria concentración de poder resultante, está sujeta a límites externos que deben ser efectivos, condicionando la legitimidad de su ejercicio y siendo a su objeto a su vez de fiscalización jurisdiccional. La declaración del estado de alarma no sólo no entraña una suerte de exención judicial, sino que muy al contrario impone como contrapeso un doble control[49].

Por un lado, se prevé un control de oportunidad y conveniencia política en sede parlamentaria acerca del alcance y las medidas introducidas (artículos 116.2 CE y 6.2 y 8 LOAES). Por otro lado, se contempla un control jurídico en el ámbito jurisdiccional, tanto por los Tribunales ordinarios integrados en el Poder Judicial (artículo 117 CE)[50] como por el Tribunal Constitucional, que no

---

[49] Vid. de forma general, Carlos Garrido López, "*Naturaleza jurídica y control jurisdiccional de las decisiones constitucionales de excepción*", Revista Española de Derecho Constitucional (2017) 110, pp. 43-73; además, Sara Sieira Mucientes, "*Los estados excepcionales*", Revista de las Cortes Generales (2018) 104, pp. 382 y ss.

[50] A este respecto, Eduardo García de Enterría y Tomás Ramón Fernández afirman que "De este modo los Tribunales contencioso-administrativos pueden controlar la legitimidad de la medida coactiva concreta, en sus límites

obstante configurarse como un órgano jurisdiccional no se integra en aquel Poder (artículo 116.5, en relación con los artículos 24 y 106.2 CE)[51]. Este último control debe valorar esencialmente la idoneidad, la necesidad y la proporcionalidad de lo acordado.

Baste indicar a modo de síntesis de lo expuesto en el apartado C de este trabajo acerca de la jurisprudencia constitucional que

– uno, al revestir el Real Decreto 463/2020 (y los Reales Decretos de prórroga) rango y valor de Ley, el monopolio de su control jurisdiccional corresponde al Tribunal Constitucional (artículos 161-164 CE),

– dos, los actos y disposiciones que hayan sido dictados en aplicación de aquél están sometidos a la fiscalización de los Tribunales ordinarios (la Jurisdicción contencioso-administrativa), y

– tres, contra las resoluciones judiciales que agoten la vía judicial previa cabe amparo constitucional, siempre que se observen todos los requisitos generales.

Dicho esto, es patente que el ejercicio de acciones contra la actuación administrativa se ve dificultado de forma extraordinaria por tres factores: en detalle,

1) la suspensión de todos los plazos procesales con dos únicas excepciones tasadas en el orden jurisdiccional contencioso-administrativo (básicamente, el procedimiento de tutela de

---

legales explícitos, en su competencia, en sus circunstancias legitimadoras, en su fin, en la proporcionalidad de la reacción para el fin que justifica el uso de la fuerza. Eventualmente, cuando resulte notoria la inexistencia de circunstancias legitimadoras y se haga patente un simple abuso de la fuerza, o también cuando ésta se utilice, más que como un medio de restablecimiento del orden, como una medida sancionatoria o represiva, los mismos Tribunales civiles podrán calificar de vía de hecho la actuación coactiva de la Administración y poner término a la misma" (vid. "*Curso de Derecho Administrativo*", Civitas Thomson Reuters, Madrid, 18ª ed., 2017, p. 859).

[51] Vid. Vicente Alvarez García, "*El coronavirus (COVID-19): respuestas jurídicas frente a una situación de emergencia sanitaria*", El Cronista del Estado Social y Democrático de Derecho (2020) 86-87, pp. 6-22, en especial pp. 8-9.

los derechos fundamentales del artículo 114 LJCA y las autorizaciones judiciales del artículo 8.6 LJCA),

2) la suspensión de las actuaciones jurisdiccionales que no sean de urgencia por Acuerdo del CGPJ de 13.03.2020 (completado por las Salas de Gobierno de los diversos Tribunales), pese a las dudas sobre el título competencial para ello, y

3) la suspensión de la actividad de los funcionarios dependientes del Ministerio de Justicia mediante Resolución del Secretario de Estado de Justicia sobre servicios esenciales de 14.03.2020.

III. IMPUGNACIÓN DE ACTUACIONES VINCULADAS A LA DECLARACIÓN DEL ESTADO DE ALARMA

Los datos de la actividad jurisdiccional durante la vigencia del estado de alarma son expresivos por sí sólos, a pesar de lo que declara el Tribunal Supremo en su Auto de 25.03.2020 (PO 88/2020):

> "considera la Sala que ha de prevalecer la exigencia de dar ya una respuesta fundada en Derecho a lo que se nos pide, precisamente, porque el artículo 116.5 de la Constitución asegura el funcionamiento de los poderes constitucionales del Estado durante la vigencia de los estados que contempla, por tanto, también del Poder Judicial al que corresponde la tutela efectiva de los derechos e intereses legítimos de todos incluso en tan extraordinarios momentos".

A) *Tribunal Constitucional*

A fecha de cierre del presente trabajo (10.06.2020), tan sólo hay constancia de la existencia de cuatro procedimientos relacionados con la pandemia.

1. *Recursos de inconstitucionalidad*

Son tres los recursos de inconstitucionalidad interpuestos y admitidos a trámite. Son los siguientes:

– recurso de inconstitucionalidad del Grupo Parlamentario de Vox en el Congreso de los Diputados contra los artículos 7, 9, 10 y 11 del Real Decreto 463/2020, así como contra el Real Decreto 465/2020, de 17.03, en cuanto modifica el artículo 7 del citado Real Decreto 463/2020, los Reales Decretos 476/2020, de 27.03, 487/2020, de 10.04, y 492/2020, de 24.04, en cuanto aprueban sucesivas prórrogas del estado de alarma, el Real Decreto 492/2020, además, en cuanto da nueva redacción al artículo 7 del Real Decreto 463/2020, y la Orden SND/298/2020, de 29.03, por la que se establecen medidas excepcionales en relación con los velatorios y ceremonias fúnebres para limitar la propagación y el contagio por el COVID-19. Admitido a trámite el 06.05.2020[52], se traslada el mismo al Congreso, el Senado y el Gobierno para personarse en 15 días y formular alegaciones al amparo del artículo 34 LOTC.

– recurso de inconstitucionalidad del Grupo Parlamentario de Vox en el Congreso de los Diputados contra la Disposición Final 2ª del Real Decreto-Ley 8/2020, de 17.03, de medidas urgentes extraordinarias para hacer frente al impacto económico y social del COVID-19. Su admisión a trámite tiene lugar en la misma fecha del 06.06.2020.

– recurso de inconstitucionalidad del Grupo Parlamentario del Partido Popular en el Senado contra la Disposición Final 2ª del mismo Real Decreto-Ley 8/2020, de 17.03, siendo admitida a trámite el 06.06.2020.

2. *Recursos de amparo*

En rigor, consta un único pronunciamiento, bien conocido por lo demás. Se trata del Auto de 30.04.2020 dictado por la Sala Primera del Tribunal Constitucional, que inadmite el recurso de amparo interpuesto el 29.04.2020 contra la Sentencia del Tribunal Superior de Justicia de Galicia de 28.04.2020, a propósito del

---

[52] BOE de 08.05.2020.

rechazo por la Subdelegación del Gobierno de Pontevedra de la pretensión de un sindicato de celebrar una manifestación en vehículos particulares por las calles de Vigo (procedimiento especial derecho de reunión nº 152/2020), que supuestamente infringiría el derecho de reunión (artículo 21 CE) y la libertad sindical (artículo 28 CE).

El Auto suscita varias observaciones:

– uno, queda al margen del análisis de la demanda de amparo la denuncia de la vulneración de la libertad sindical (artículo 28 CE), por falta de identificación en la instancia de la concreta vertiente lesionada con la exposición de una argumentación al respecto. El Tribunal Constitucional razona que, si la Sala no tuvo ocasión de pronunciarse sobre dicha cuestión, está vedado su examen ahora;

– dos, en relación con en el asunto litigioso, enfrentado a la necesidad de ponderar los derechos confrontados, el Tribunal Constitucional observa que el concepto de "orden público" se singulariza en el caso por la situación de pandemia:

> "La manifestación se pretende desarrollar en el marco de una situación de pandemia global muy grave, que ha producido un gran número de afectados y de fallecidos en nuestro país, y que ha puesto a prueba a las instituciones democráticas y a la propia sociedad y los ciudadanos, en cuanto se han convertido, en conjunto, en elementos esenciales para luchar contra esta situación de crisis sanitaria y económica que afecta a todo el país, situado por mor de la misma ante una situación que, pese a no ser la primera vez que se produce (ya sufrimos, entre otras, la pandemia de 1918), sí es la primera vez que nuestra actual democracia se ha visto en la necesidad de enfrentarse ante un desafío de esta magnitud y de poner en marcha los mecanismos precisos para hacerle frente" (sic);

– tres, el Tribunal Constitucional rechaza la adopción de una medida cautelar en razón de la premura de tiempo, admite la especial trascendencia constitucional del asunto y decide resolver directamente el fondo del mismo:

– cuatro, el Tribunal Constitucional rechaza también el alegato de falta de motivación: si bien señala que no caben las denegaciones tácitas del ejercicio del derecho de reunión, estima subsanado el defecto con la amplia motivación explicitada por la sentencia confirmatoria:

> "Cualquier defecto de motivación de la resolución administrativa, por tanto, habría quedado subsanado por la extensa motivación del órgano judicial. Motivación con la que puede estar de acuerdo o no el sindicato recurrente, pero de cuya suficiencia no puede dudarse";

– cinco, el Tribunal Constitucional soslaya, por ser ajeno al objeto litigioso, la cuestión debatida de si el Real Decreto 463/2020 limita la libertad de desplazamiento del artículo 19 CE o suspende un derecho de manifestación. En este caso preciso,

> "la limitación del ejercicio del derecho tiene una finalidad que no sólo ha de reputarse legítima, sino que además tiene cobertura constitucional bastante en los arts. 15 CE (garantía de integridad física de las personas) y 43 CE (protección de la salud)" (sic).

Y añade a modo de valoración general que,

> "en el estado actual de la investigación científica, cuyos avances son cambiantes con la evolución de los días, incluso de las horas, no es posible tener ninguna certeza sobre las formas de contagio, ni sobre el impacto real de la propagación del virus, así como que no existen certezas científicas sobre las consecuencias a medio y largo plazo para la salud de las personas que se han visto afectadas en mayor o menor medida por este virus. Ante esta incertidumbre tan acentuada y difícil de calibrar desde parámetros jurídicos que acostumbran a basarse en la seguridad jurídica que recoge el art.9.3 de la CE, las medidas de distanciamiento social, confinamiento domiciliario y limitación extrema de los contactos y actividades grupales, son las únicas que se han adverado eficaces para limitar los efectos de una pandemia de dimensiones desconocidas hasta la fecha. Desconocidas y, desde luego, imprevisibles cuando el legislador articuló la declaración de los estados excepcionales en el año 1981" (sic).

A su juicio, deben primar por ello

> "los valores de la vida, la salud y la defensa de un sistema de asistencia sanitaria cuyos limitados recursos es necesario garantizar adecuadamente" (sic).

– seis, el Tribunal Constitucional estima que **las medidas propuestas por los organizadores** (en vehículos conducidos por una sola persona con protección, etc.) no son idóneas:

"no se prevén por los organizadores medidas de control de la transmisión del virus específicas, ni destinadas a compensar la previsible concentración de automóviles que podría producirse si existiera una masiva respuesta a la convocatoria..." (sic).

Además,

"en una situación de alerta sanitaria, la libre circulación de los servicios de ambulancias o urgencias médicas, y el libre acceso a los hospitales es un elemento a tener en cuenta a la hora de valorar la proporcionalidad de la limitación de ejercicio del derecho aquí invocado. Y teniéndolo en cuenta en este caso la medida restrictiva puede tenerse como proporcionada» (el Tribunal Constitucional cita el dato de que Vigo es la segunda población gallega en número de contagios identificados)" (sic).

El juicio de proporcionalidad de las medidas lleva al Tribunal Constitucional a inadmitir el recurso de amparo: siendo positivo el juicio liminar sobre la proporcionalidad de las medidas, a su juicio no es verosímil la denuncia de lesión del artículo 21 CE. Luego la limitación del ejercicio del derecho de reunión resulta en el caso enjuiciado ajustada a derecho y proporcional[53].

Ahí acaba toda la actuación procesal del Tribunal Constitucional durante el estado de alarma relacionada con su declaración y desarrollo.

B) *Tribunales ordinarios. Una breve referencia a su actividad jurisdiccional*

Es notorio que la suspensión general de los plazos procesales causa un grave trastorno al funcionamiento de la Justicia. Tal

---

[53] Baste señalar ahora que a una solución antagónica llegan con sólidas razones los Tribunales Superiores de Justicia de Aragón y Navarra, estimando los recursos contencioso-administrativos promovidos contra las resoluciones denegatorias de la celebración del 1 de mayo (STSJ de Aragón de 30.04.2020 [procedimiento especial derecho de reunión n° 112/2020] y STSJ de Navarra de 30.04.2002 [procedimiento de derechos fundamentales n° 133/2020]).

como queda expuesto más arriba, entraña la paralización del grueso de la actividad jurisdiccional. Los datos que arroja el Centro de Documentación Judicial (CENDOJ) a fecha de 10.06.2020 sobre las actuaciones judiciales relacionadas con la pandemia[54] son tan elocuentes que basta su mera exposición:

– jurisdicción civil: 618 resoluciones (109 Autos —2 de la Sala Primera del Tribunal Supremo—, 509 Sentencias -19 de la Sala Primera del Tribunal Supremo);

– jurisdicción penal: 1.265 resoluciones (394 Autos, 64 Sentencias dictadas en casación y otras 807 Sentencias);

– jurisdicción contencioso-administrativa:

  • 249 resoluciones (58 Autos, 62 Sentencias dictadas en casación y otras 129 Sentencias);

  • distribución por órganos jurisdiccionales:

    o 143 resoluciones del Tribunal Supremo (28 Autos, 53 Sentencias dictadas en única instancia, 62 Sentencias dictadas en casación),

    o 3 resoluciones de la Audiencia Nacional (3 Autos),

    o 78 resoluciones de los Tribunales Superiores de Justicia (4 Autos, 74 Sentencias), y

    o 25 resoluciones de los Juzgados de lo Contencioso-administrativo (23 Autos, 2 Sentencias).

– jurisdicción social: 133 resoluciones (86 Autos —1 de la Sala Cuarta del Tribunal Supremo—, 45 Sentencias -20 de la Sala Cuarta del Tribunal); y

– jurisdicción militar: 2 resoluciones (2 Sentencias de la Sala Quinta del Tribunal Supremo).

---

54 El CGPJ habilita un espacio específico destinado a "información general COVID-19" (http://www.poderjudicial.es/cgpj/es/Servicios/Informacion-COVID-19/Informacion-General/), que alberga una sección concreta consagrada a la "jurisprudencia" (http://www.poderjudicial.es/search/tema/Real%20Decreto%20alarma%20sanitaria%20Covid-19/11/AN).

C) La Jurisdicción contencioso-administrativa. Una aproximación a su actividad durante los dos primeros meses[55]

La declaración del estado de alarma y la susbsiguiente suspensión de los plazos procesales produce un efecto paralizante de la Justicia administrativa. El siguiente cuadro es, a mi juicio, concluyente, pues da cuenta de las resoluciones judiciales dictadas por los distintos órganos de la planta jurisdiccional desde el 16.03.2020 hasta el 21.05.2020, es decir, no sólo durante el período más crítico de la pandemia, sino también bastante después (hasta el final de la 4ª prórroga del estado de alarma.

Situación a 21.5.2020	Autorización judicial		Cautelarísimas		Cautelares		Admisión		Fallo	
	Denegación	Otorgamiento	Denegación	Otorgamiento	Denegación	Otorgamiento	Denegación	Otorgamiento	Denegación	Otorgamiento
Tribunal Supremo	-	-	6	-	1	1	3	2	-	-
Tribunal Superior de Justicia	1	-	-	1	1	-	1	-	4 1 archivo	1
Juzgado Contencioso-Administrativo	1	10	1 1 inadmisión	5 1 revocación	-	-	-	-	-	-

Fuente: elaboración propia a partir de los datos publicados por el CENDOJ.

Es significativo que durante este período el Tribunal Supremo reconozca la objetiva necesidad de medios denunciada por los demandantes en sus recursos:

"acepta como hecho notorio que no disponen de todos los medios necesarios para hacer frente a la pandemia con la debida protección. Así resulta de las

---

55   Como no puede ser de otra forma, las páginas siguientes ofrecen una visión del funcionamiento de la Jurisdicción contencioso-administrativa muy acotada en el tiempo. El análisis completo y sistemático de sus actuaciones procesales debe ser objeto de otro estudio más profundo.

manifestaciones de profesionales afectados y de pacientes que transmiten los medios y de cuanto dicen las mismas autoridades que diariamente dan cuenta de sus gestiones para poner a disposición de quienes los necesitan los equipos de protección y, por tanto, admiten que aún no cuentan con todos los precisos" (ATS 31.3.2020 [PO 91/2020]).

El Tribunal Supremo reconoce asimismo el trabajo impagable del personal sanitario:

"La Sala comprende la preocupación que mueve a la Confederación Estatal de Sindicatos Médicos y coincide en que los profesionales sanitarios —cuyo papel extraordinario en la emergencia que sufrimos es notorio y reconocido por todos— han de contar con todas las medidas que les permitan hacer su trabajo con la protección necesaria" (ATS 31.3.2020 [PO 91/2020]).

Sin embargo, ese reconocimiento no se refleja en sus decisiones. Quiero centrar la atención en dos cuestiones específicas, por ser las acuciantes.

1. *Tutela cautelar.*

Las dificultades son tan extraordinarias que se saldan con un sonoro fracaso de los demandantes. De hecho, el balance es desolador (0/6). Parto del reconocimiento de que

1) el presupuesto para la adopción de una medida cautelar es su prosperibilidad o viabilidad jurídica, y

2) la velocidad de propagación del virus es muy elevada durante los meses de marzo y abril como consecuencia de la falta de previsión de las autoridades sanitarias durante las semanas previas, lo que motiva una manifiesta insuficiencia de medios y una reacción tardía, parcial e insuficiente. Es por ello innegable la excepcionalidad de la situación.

Las razones de la falta de éxito de las solicitudes de medidas cautelares son diversas, en mi opinión. Algunas de dichas razones obedecen al planteamiento forzado o defectuoso de los recurrentes. El Tribunal Supremo deja claro que no caben atajos: p.e.,

– PO 88/2020 (ATS 25.3.2020):

- recurrente: Confederación Estatal de Sindicatos Médicos (CESM).

- medida solicitada: se ordene la garantía de los facultativos con provisión "con carácter urgente e inmediato, en el término de 24 horas, en todos los centros hospitalarios y asistenciales... batas impermeables, mascarillas, gafas de protección y contenedores grandes de residuos".

- ausencia de identificación de la actuación impugnada y de prueba de una actuación administrativa contraria a la exigencia de dotar a los profesionales sanitarios de los medios necesarios de protección de su salud, la perentoriedad del asunto y la idoneidad de la medida solicitada.

- invocación del artículo 733 LEC en lugar del artículo 135 LJCA.

– PO 91/2020 (ATS 31.3.2020):

recurrente: Confederación Estatal de Sindicatos Médicos (CESM).

- medida solicitada: idéntica.

- recurso contra la inactividad de la Administración para cumplir sus obligaciones de proteger el personal sanitario. El problema es que no se justifica la presentación del preceptivo requerimiento previo a la Administración para poner fin a su inactividad 3 meses antes (artículo 29.1 LJCA).

– PO 98/2020 (ATS 22.4.2020):

- recurrentes: particulares integrantes de la plataforma cívica sin personalidad jurídica propia "Tu voz es tu derecho".

- medida solicitada: puesta a disposición y realización antes de 4 días del test rápido de diagnóstico de la COVID-19 a cualquier solicitante en la sanidad pública.

- recurso contra la inactividad de la Administración:

o El Tribunal Supremo obvia los defectos procesales:

"Apreciamos que no se hace referencia alguna en el escrito presentado acerca de porqué o cómo se tendría derecho, conforme al artículo 29.1 LJCA, a la prestación de «test PCR» que se pide en forma cautelarísima ni de que se haya reclamado previamente a la Administración, con éxito o sin él, la prestación que ahora se solicita. Dejamos aparte no obstante esas cuestiones, así como el cumplimiento de los requisitos de postulación…" (sic).

o   pese a ser tratarse de una plataforma sin personalidad jurídica integrada por ciudadanos, ello no confiere el interés legítimo preceptivo:

"No justifican los demandantes que su posición les adorne de un interés, ni de que éste sea el interés legítimo idóneo para recurrir en el caso. La condición de ciudadanos españoles, que dicen ostentar, no es índice de un interés legitimador para acceder a un proceso de estas características, en lo que se refiere a la pretensión que formulan en su propio nombre, ni hay tampoco acción popular en lo que parecen solicitar para el común de los ciudadanos. El artículo 125 de la CE sólo la reconoce en los procesos penales y el artículo 19.1 LOPJ exige que esté reconocida en una norma procesal con rango de Ley, que ni se invoca ni existe en la materia sanitaria de que se trata" (sic).

o   No todo derecho es susceptible de tutela por el procedimiento especial de la LJCA y no es suficiente la invocación del derecho a la tutela judicial efectiva del art. 24 CE:

"La improsperabilidad de la pretensión es, si cabe, más evidente cuando se anuncia la interposición de un procedimiento especial de amparo judicial ordinario para la protección de derechos fundamentales y, éste, en el Derecho español —que es uno de las más avanzados del Derecho comparado— sólo procede cuando se invoca formalmente alguno de los preceptos previstos en el artículo 53.2 CE entre los que, como es de general conocimiento, no se encuentran el artículo 35.1 CE ni el artículo 43.1 CE, que son los que nos invocan los recurrentes (Por todos ATC 388/1982, de 10 de diciembre, FFJJ 2, 3 y Fallo).

No enerva esta apreciación la mera cita del derecho a la tutela judicial efectiva del artículo 24.1 CE, porque éste se satisface plenamente cuando los órganos judiciales pronunciamos una decisión denegatoria que, a su vez, sea respetuosa con el contenido esencial del derecho fundamental (Auto de esta Sala de 2 de abril de 2014 (Rec 510/2013) y las sentencias que en él se citan). Todo ello sin prejuzgar en modo alguno, como es lógico, lo que en su caso podríamos acordar en un futuro recurso" (sic).

o No se formula alegato alguno sobre la urgencia, pese a constituir una carga del recurrente ("Bastará añadir que no se hace ningún alegato sobre la urgencia que sienten los recurrentes para solicitar la realización de los test PCR que piden para sí mismos para desestimar en este momento las medidas cautelarísimas que nos solicitan").

o No se puede pretender solicitar la suspensión cautelar de la vigencia de una disposición general antes de impugnarla (artículo 129.2 LJCA) y nunca en el trámite excepcional del artículo 136.2 LJCA.

Otras razones de la no prosperibilidad de las medidas cautelares solicitadas están relacionadas con una clara deferencia hacia las autoridades, que a su juicio hacen lo que pueden:

- ATS 25.3.2020 (PO 88/2020):

"La Sala es consciente de la emergencia en que nos encontramos y también de la labor decisiva que para afrontarla están realizando especialmente los profesionales sanitarios. Tampoco desconoce que deben contar con todos los medios necesarios para que la debida atención a los pacientes que están prestando de forma abnegada no ponga en riesgo su propia salud, ni la de las personas con las que mantengan contacto. Y coincide en que se han de hacer cuantos esfuerzos sean posibles para que cuenten con ellos. Sucede, sin embargo, que no consta ninguna actuación contraria a esa exigencia evidente y sí son notorias las manifestaciones de los responsables públicos insistiendo en que se están desplegando toda suerte de iniciativas para satisfacerla. En estas circunstancias, como hemos dicho, no hay fundamento que justifique la adopción de las medidas provisionalísimas indicadas. Es decir, no se han traído a las actuaciones elementos judicialmente asequibles, los únicos que cabe considerar en el proceso, en cuya virtud deban acordarse sin oír a la Administración" (sic).

Precisamente la excepcionalidad de la situación requiere, a mi juicio, ir más allá de un mero análisis convencional de la medida solicitada, porque no es una medida cautelar más. Cabía y procedía una estimación de una medida cautelar, realista y práctica, máxime a la vista de la falta de criterio, diligencia y eficacia de las autoridades sanitarias: una cosa es pedir lo imposible (como hicieron muchos Juzgados y Tribunales de lo Social [que se dote en 24 horas de todos los medios —EPIs,..— a todos los centros, sanitarios, asistenciales...]) y otra imponer que se dote a los profesionales sanitarios de medios (todos o parte) en un plazo de 5 o 10 días para que las autoridades se vean impelidas por el auto conminatorio y la amenaza de multas coercitivas a ser más diligentes para allegarlos. Lo contrario es lo sucedido.

Aún más lamentable es que, habiéndose previsiblemente transformado la denegación de la cautelarísima (¡¡25.03.2020!!) en pieza de medidas cautelares, con audiencia a la abogacía del Estado, no se acuerde una medida cautelar dando un plazo a las autoridades para dotar de los medios más indispensables a los profesionales sanitarios.

- ATS 31.3.2020 (PO 91/2020) (2ª cautelarísima denegada a CESM):

> "La cuestión jurídica a resolver en este momento, sin embargo, no es la insuficiencia de medios sino si puede ser reprochada como resultado de una inactividad antijurídica de la Administración y, mientras que no es discutible esa carencia, esta Sala carece de elementos suficientes para afirmar que existe tal inactividad y, mucho menos, sin oír antes a la Administración" (sic).

Por tal motivo,

> "no cabe, en consecuencia, acordar la medida positiva solicitada y sí acordar que se tramite la pieza ordinaria de medidas cautelares conforme a los artículos 129 y siguientes de la Ley de la Jurisdicción en cuyo seno la Sala pueda pronunciarse ya con conocimiento de todos los extremos precisos y, en particular, de la gestión efectuada al respecto por la Administración y de los criterios que la han informado que nos ha exponer con detalle el Abogado del Estado en su escrito de alegaciones" (sic).

Los casos expuestos suscitan algunos interrogantes de orden técnico. Valgan las dos que siguen:

a. en estas circunstancias excepcionales, el Tribunal Supremo resuelve las medidas cautelarísimas, por lo que parece, sin examinar los requisitos procesales y/o obviando sus defectos (p.e., la existencia o no del previo requerimiento de inactividad, el agotamiento o no de la vía administrativa, la impugnación o no de un acto de trámite, incluso la competencia jurisdiccional). ¿Quiere ello decir que las condiciones procesales, en todo o en parte, no se configurarán en presupuestos insoslayables para el examen de fondo del asunto?;

b. el examen de las medidas cautelarísimas solicitadas no se limita a ponderar los bienes jurídicos en juego, los riesgos y beneficios, ya sean individuales o colectivos. Parece que la valoración sobre la pertinencia de las medidas cautelarísimas y cautelares se adentra en el análisis de la existencia de "conducta o inactividad antijurídica". ¿No corresponde eso acaso al fondo del litigio?

Un mes después de la primera tentativa, la misma entidad demandante (el CESM) solicita, tras la denegación de medida cautelarísima, y obtiene una medida cautelar mediante Auto del Tribunal Supremo de 20.04.2020 (PO 91/2020). A la tercera va la vencida. Lo paradójico es que la petición de la medida cautelar se plantea en términos análogos a la primera, cuando previsiblemente el riesgo más elevado de contagio ha pasado.

El debate se encuadra del modo que sigue:

– el contenido es el requerimiento al Ministerio de Sanidad para que

1) adopte todas las medidas a su alcance para que tenga lugar efectivamente la mejor distribución de los medios de protección de los profesionales sanitarios, y

2) informe quincenalmente a la Sala de las concretas medidas adoptadas a tal fin, con indicación de los medios de protección puestos a disposición de los profesionales sanitarios y su distribución efectiva.

– el objeto de la medida solicitada es la inactividad del Ministerio de Sanidad por incumplimiento del artículo 12.4 del Real Decreto 463/2020 ("Estas medidas también garantizarán la posibilidad de determinar la mejor distribución en el territorio de todos los medios técnicos y personales, de acuerdo con las necesidades que se pongan de manifiesto en la gestión de esta crisis sanitaria").

– el fundamento de la petición es que "la Administración no ha garantizado la provisión de material de protección según las recomendaciones de la OMS y del propio Ministerio de Sanidad, a los profesionales sanitarios del conjunto de medidas y elementos necesarios para que puedan realizar su trabajo en condiciones mínimas de seguridad y no verse así contagiados por los pacientes o aumentar el riesgo que los mismos sufren, y evitar la propagación de la enfermedad" (sic).

– el daño provocado según la recurrente consiste en el incumplimiento, que se origina en que, "al elevar el 11 de marzo de 2020, la Organización Mundial de la Salud, la situación de emergencia de salud pública a pandemia internacional y la rapidez en la evolución de los hechos, a escala nacional e internacional, requiere la adopción de medidas inmediatas y eficaces para hacer frente a esta coyuntura tan dramática", causando la lesión de los legítimos intereses de los profesionales "dado el extraordinario riesgo para su integridad física y moral y las necesidades de protección de los profesionales sanitarios", que es "público y de general conocimiento, bastando al efecto, ver cualquier noticiario, diario público o privado, audiovisual, oral y escrito", y pudiendo "conllevar la infracción de dicho derecho constitucional el excesivo número de bajas, como ya están produciendo en elevado número, que rebajen y limiten las posibilidades de lucha contra la pandemia y la defensa de los ciudadanos afectados por ella" (sic).

– la demandante alega la vulneración del derecho fundamental a la integridad física en relación con el artículo 43.1 CE, contraria al artículo 116.5 y 6 CE, que no modifica el principio de responsabilidad del Gobierno y de sus agentes.

El Tribunal Supremo estima que

1) los óbices procesales están ligados al fondo del litigio y, en consecuencia, no pueden ser objeto de debate en esta fase preliminar en la que sólo procede ponderar los intereses

en liza y adoptar las medidas cautelares que procedan en su caso:

> "No vamos a ocuparnos ahora de los extremos apuntados por el Abogado del Estado y por el Ministerio Fiscal sobre la falta de acreditación de la reclamación previa prevista en el artículo 29 de la Ley de la Jurisdicción ni sobre si el artículo 12.4 del Real Decreto 463/2020 entraña o no una obligación para la Administración de la naturaleza prevista en dicho artículo 29. Son, al igual que el juicio —estrechamente vinculado a los aspectos anteriores— sobre si estamos o no ante una inactividad de la Administración, extremos que habrá que abordar y resolver en sentencia" (sic).

2) el interés de la recurrente no es ajeno al interés público, porque

> "Se trata del vinculado a la preservación del derecho fundamental a la integridad física y del derecho a la protección de la salud de los profesionales sanitarios y no cuesta esfuerzo en asociarlo a la preservación de esos mismos derechos de las personas a las que asisten que, en la situación crítica que atravesamos, somos potencialmente todos" (sic).

3) en coherencia con lo reconocido con anterioridad,

> "es notorio que los profesionales sanitarios no han contado con todos los elementos de protección necesarios" (sic).

4) no ha lugar conceder todo lo solicitado (la protección inmediata total del personal en todos los centros), porque entrañaría resolver anticipadamente el litigio:

> "Tampoco procede acordar la medida cautelar en los términos en que la solicita la recurrente porque, más que asegurar la efectividad de la sentencia que en su día se pudiere dictar, finalidad de las medidas cautelares a la que apunta el artículo 129 de la Ley de la Jurisdicción, supondría reconocer la pretensión de fondo, decisión que, ya hemos dicho, no se puede tomar ahora" (sic).

5) en aras de "la preservación de los derechos a la integridad física y a la salud de los profesionales sanitarios», procede que

> "no habiendo alcanzado plena efectividad la distribución de los medios de protección a los profesionales sanitarios, es procedente conforme al artículo 136 de la Ley de la Jurisdicción adoptar la medida cautelar de requerir al Ministerio de Sanidad que emprenda de inmediato las actuaciones precisas para superar las carencias apreciadas y hacer realidad el objetivo allí previsto" (sic).

6) procede de igual forma un control quincenal:

> "De igual modo, a fin de valorar la necesidad de esa medida cautelar a los efectos del artículo 132 de la Ley de la Jurisdicción en función de su cumplimiento y de las necesidades que la evolución de la pandemia pueda originar, considera la Sala preciso que por el Ministerio de Sanidad se le informe quincenalmente de las concretas medidas adoptadas en cumplimiento de este auto con indicación de la distribución efectiva de los medios de protección del personal sanitario entre las Comunidades Autónomas y de la que dentro de estas se efectúe por sus servicios sanitarios, para lo cual habrá de recabarles los datos correspondientes y adoptar las medidas necesarias, todo ello de acuerdo con la competencia y responsabilidad que le atribuye al Ministerio de Sanidad el artículo 12 del Real Decreto 463/2020" (sic).

2. *Competencia*

Se advierten discordancias notorias en la normativa de desarrollo del Real Decreto 463/2020, de la que derivan problemas procesales claros. En primer lugar, las órdenes ministeriales de marzo de 2020 indicaban su impugnabilidad ante la Sala de lo Contencioso-Aadministrativo de la Audiencia Nacional al amparo de lo dispuesto por el artículo 4 del Real Decreto 463/2020.

Sin embargo,

– la Audiencia Nacional dicta un Auto el 21.04.2020 declarando la competencia del Tribunal Supremo para conocer de los recursos contra órdenes ministeriales.

– Planteada cuestión de competencia, el Tribunal Supremo dicta Auto de 29.04.2020 (procedimiento nº 7/2020), apreciando su propia competencia para conocer del recurso con fundamento en el artículo 12.1.a LJCA, porque

  1. el artículo 9.4 LRJSP dispone que las resoluciones adoptadas por delegación se entienden dictadas por el delegante, esto es, el Gobierno;

  2. existe el precedente (tácito) en un supuesto análogo del Auto de 16.04.2020 (procedimiento de derechos fundamentales nº 95/2020).

– existe un Auto del Tribunal Supremo de 29.04.2020 (procedimiento nº 8/2020), idéntico al anterior.

En segundo lugar, el enjuiciamiento de las prohibiciones gubernativas de celebración de manifestaciones convocadas por ciertos partidos políticos es motivo de debate que zanja el Auto del Tribunal Supremo de 20.05.2020 (procedimiento nº 9/2020). Por un lado, rechaza la tesis del Tribunal Superior de Justicia de Madrid acerca de la competencia del Tribunal Supremo considerando que el Ministro del interior ejerce una competencia delegada del Gobierno al amparo del artículo 4.3 del Real Decreto 463/2020 en línea con los Autos arriba citados.

Por otro lado, el Tribunal Supremo entiende en este caso, con apoyo en el artículo 13.c) LJCA ("salvo disposición expresa en contrario, la atribución de competencia por razón de la materia prevalece sobre la efectuada en razón del órgano administrativo autor del acto"), que ha de estarse a lo dispuesto por el artículo 10.1.h) LJCA, luego compete a las Salas de lo Contencioso-administrativo de los Tribunales Superiores de Justicia conocer en única instancia de los recursos que se deduzcan "en relación con la prohibición o la propuesta de modificación de reuniones previstas en la Ley Orgánica 9/1983, de 15 de julio, Reguladora del Derecho de Reunión". Es decir, prima la cláusula de competencia material (art.10.1 h LJCA) sobre la cláusula de competencia formal (art.9.4 LRJSP).

De ahí surge una interrogante acerca de si es cuestionable aceptar que el Ministro del interior dicta su resolución por delegación en virtud del artículo 4.3 del Real Decreto 463/2020. Concuerdo plenamente con José Ramón Chaves[56] en que la respuesta debe ser afirmativa, porque en rigor no hay una delegación por acto administrativo (propia del artículo 9 LRJSP), sino más bien una desconcentración por una norma con rango de Ley (el Real Decreto 463/2020). Ello explicaría la referencia a la "habilitación" y

---

[56]   Vid. a este respecto, José Ramón Chaves García, "Control del derecho de reunión durante el Estado de Alarma en manos de los Tribunales Superiores de Justicia" (https://delajusticia.com/2020/05/21/control-del-derecho-de-reunion-durante-el-estado-de-alarma-en-manos-de-los-tribunales-superiores-de-justicia/).

llevaría a considerar que el Ministro ejerce la competencia propia, porque como manifestó el Tribunal Supremo,

> "esto es fundamental, por la delegación, al contrario de lo que ocurre con la desconcentración, la competencia se retiene por el titular de la misma" (sic).

El Tribunal Supremo agrega un argumento adicional, de orden pragmático ligado a la proximidad geográfica y la inmediatez:

> "resulta no menos claro que el concreto Tribunal Superior de Justicia competente para conocer de estas impugnaciones sólo puede ser el de Cataluña, en atención al dato objetivo de que la manifestación comunicada pretende desarrollarse en el ámbito del territorio de dicho Tribunal. Con toda evidencia la *ratio* de la LJCA, al establecer esta específica atribución competencial, descansa en la premisa de que es el propio Tribunal Superior de Justicia del territorio afectado el que se sitúa en mejores condiciones para valorar las circunstancias concurrentes en la manifestación pretendida, y sopesar todos los intereses en juego, en el contexto de un procedimiento especial como el aquí seguido, regulado por las notas de la celeridad y sumariedad procesal" (sic).

IV. EL LEVANTAMIENTO DE LA SUSPENSIÓN DE LOS PLAZOS ADMINISTRATIVOS Y PROCESALES

Razones prácticas imponen acabar este estudio con una exposición sintética del levantamiento de la suspensión de los plazos administrativos y plazos por el Real Decreto 537/2020, de 22.5. La forma más sencilla es la exposición mediante dos cuadros, que reproduzco a continuación.

PLAZOS ADMINISTRATIVOS

	Suspensión (DA 3ª RD 463/2020) /Interrupción (DA 8ª.1 RDL 11/2020, de 31.3)		Levantamiento
Regla general		14.3.2020 (último día computable: 13.3.2020) (D.A. 3ª RD 463/2020)	Reanudación por el plazo restante desde el 1.6.2020 (artículo 9 RD 537/2020, de 22.5): • plazos por horas (hábiles o, en su defecto, naturales artículo 30.1 LPAC), computándose desde las 00:00 del 1.6.2020. • plazos por días (hábiles o, en su defecto, naturales artículo 30.2 LPAC). • plazos por meses (artículo 30.4 LPAC), computándose por días naturales.
Plazos en procedimiento desfavorables o de gravamen (DA 8ª RDL 11/2020, de 31.3)		14.3.2020 (último día computable: 13.3.2020) (D.A. 3ª RD 463/2020)	Reinicio desde el 4.6.2020 (dies a quo: 5.6.2020) (D.A. 8ª RDL 11/2020 de 31.3 en relación con el artículo 9 RD 537, 2020, de 22.5). Salvo que se entienda que la regla del inicio del cómputo de la D.A. 8 RDL 11/2020 está derogada tácitamente por el artículo 9 RD 537/2020.
Plazos en contratación pública (ajena a la pandemia y a la tutela del interés general o el funcionamiento básico de los servicios)	Licitaciones	14.3.2020 (último día computable: 13.3.2020) (D.A. 3ª RD 463/2020)	Reanudación por el plazo restante desde • el 7.5.2020 (licitaciones electrónicas) (D.A. 8ª RDL 17/2020, de 5.4). • el 1.6.2020 (otras licitaciones).
	Recursos especiales		Reinicio desde • el 7.5.2020 (licitaciones electrónicas) (D.A. 8ª RDL 17/2020, de 5.4). • el 1.6.2020 (otras licitaciones) (D.A. 8ª RDL 11/2020, de 31.3).
Plazos de recurso de reposición o reclamación económico-administrativa en materia tributaria, incluida en ámbito local (DA 8ª.2 RDL 11/2020)		14.3.2020 (último día computable: 13.3.2020) (D.A. 3ª RD 463/2020)	Reinicio desde el 30.5.2020 en todos los casos (plazo de recurso de un mes ya en curso y actos pendientes de notificación) (D.A.1ª RDL 15/2020).

	Suspensión (DA 3ª RD 463/2020) /Interrupción (DA 8ª.1 RDL 11/2020, de 31.3)	Levantamiento
Plazos de prescripción (responsabilidad patrimonial, ejecución de actos administrativos, órdenes de demolición, infracciones y sanciones,…) y caducidad de acción (restablecimiento de la legalidad urbanística - caducidad de la acción y/o del procedimiento-licencias urbanísticas,…)	14.3.2020 (último día computable: 13.3.2020) (D.A. 3ª RD 463/2020)	Reanudación por el plazo restante desde el 4.6.2020 (*dies a quo:* 5.6.2020) (art. 10 RD 537/2020, de 22.5)

El cuadro requiere la formulación de algunas precisiones:

1) La Abogacía del Estado defiende en su informe de 28.05.2020 la aplicación de la regla del reinicio de plazos de la D.A. 8ª.1 del Real Decreto-Ley 11/2020 a todos los recursos administrativos, y no sólo a los recursos administrativos y las demás formas de impugnación, reclamación, cancelación, mediación y arbitraje alternativas en relación con actos desfavorables o de gravamen, cuyos plazos hubieran quedado en suspenso, independientemente del concreto tiempo transcurrido (conclusión 3ª.b). La única excepción se refiere a los plazos para interponer el recurso especial en materia de contratación de la D.A. 8ª 3 del Real Decreto-Ley 11/2020, que no se consideran suspendidos y siguen corriendo conforme a la LCSP. De ello se desprende que no se modula o flexibiliza el trato injustificadamente dispar brindado a los procedimientos conducentes a la adopción de actos favorables (títulos habilitantes, beneficios, ayudas, derechos…), cuyos plazos se reanudan simplemente.

2) Valga un ejemplo de resolución dictada o notificada el 13.03.2020 (o el 12.03.2020 en Madrid al ser inhábil el día siguiente) o durante el período de vigencia de la suspensión, recurrible dentro del plazo de un mes:

- *dies a quo:* arranca el 01.06.2020 (son inhábiles del 14.03 al 31.05, en coherencia con una doctrina jurisprudencial antiformalista).

- *dies ad quem:* 30.06.2020 (es el último día equivalente a la fecha de notificación, que se presume es el 31.05.2020 - artículo 30.4 LPAP).

3) Ejemplo de resolución dictada y notificada antes del 14.03.2020 con plazo de recurso fijado por un mes: los días restantes se computan como días naturales (STS 21.01.2016). Otro tanto sostiene la Dirección General de Seguridad Jurídica y Fe Pública en su Instrucción de 28.05.2020 (BOE de 30.05.2020). Sin embargo, la Abogacía del Estado es más laxa aquí (Informe 28.05.2020), al optar por días hábiles.

4) La discordancia entre la fecha del artículo 9 del Real Decreto 537/2020 (01.06.2020, levantamiento de la suspensión de todos los plazos administrativos a efectos de reanudar o reiniciar el cómputo) y la del artículo 10 del mismo texto 537/2020 (04.06.2020, levantamiento de la suspensión para ejercer acciones y derechos) debe resolverse conforme al principio de interpretación más favorable a los derechos de los ciudadanos y al artículo 24 CE.

PLAZOS PROCESALES

	Suspensión (DA 2ª RD 463/2020)	Excepciones a la regla general	Levantamiento
Regla general aplicable a Jueces y Tribunales ordinarios	14.3.2020 (último día computable: 13.3.2020) (D.A. 3ª RD 463/2020)	– orden penal: particularidades (DA 2ª.2 RD 463/2020); – excepciones tasadas en otros órdenes jurisdiccionales (en concreto, en la JCA quedan exceptuados el procedimiento para la protección de los derechos fundamentales de los artículos 114 y ss. LJCA y la tramitación de las autorizaciones o ratificaciones judiciales del artículo 8.6 LJCA); – prerrogativa judicial para acordar la práctica de cualesquiera actuaciones judiciales que sean necesarias para evitar perjuicios irreparables en los derechos e intereses legítimos de las partes en el proceso (DA 2ª.4 RD 463/2020).	1. Reinicio de términos y plazos suspendidos ex DA 2ª RD 463/2020) desde el 4.6.2020 (*dies a quo:* 5.6.2020) (art. 2.1 RDL 16/2020, en relación con el art. 8 RD 537/2020). 2. Ampliación de plazos de recursos contra sentencias y demás resoluciones poniendo fin al procedimiento (art. 2.2 RDL 16/2020, en relación con el art. 8 RD 537/2020) (plazos de anuncio, preparación, formalización e interposición): • Resoluciones notificadas durante el estado de alarma: plazo legal + 2º plazo idéntico al plazo legal (p.e., 30+30 días hábiles preparación casación). • Resoluciones notificadas dentro de los 20 días hábiles siguientes al levantamiento de la suspensión: plazo legal + 2º plazo idéntico al plazo legal.
Tribunal Constitucional	14.3.2020 (Acuerdos del Pleno de 16.3.2020 y 6.5.2020, en relación con el art. 8 RD 537/2020)	-	Reinicio desde el 4.6.2020 (*dies a quo:* 5.6.2020)

Ejemplos:

1) actuaciones procesales sujetas a cómputo de plazo y actos de comunicación de cualesquiera resoluciones realizadas antes del 14.3.2020 y desde el 14.3.2020 al 4.6.2020:

   – plazo de 5 días: concluye el 12.6.2020 a las 15:00 (contando plazo de gracia del 135 LEC).

   – plazo de 10 días: concluye el 19.6.2020 a las 15:00 (contando plazo de gracia del 135 LEC).

   – plazo de 20 días: concluye el 3.7.2020 a las 15:00 (contando plazo de gracia del 135 LEC).

   – plazo de 30 días: concluye el 17.7.2020 a las 15:00 (contando plazo de gracia del 135 LEC).

2) Sentencias y resoluciones poniendo fin al procedimiento (p.e., Autos) notificadas entre el 14.3.2020 y el 4.6.2020 (duplican el plazo):

   – plazo de 5 días: concluye el 19.6.2020 a las 15:00 (contando plazo de gracia del 135 LEC).

   – plazo de 10 días: concluye el 3.7.2020 a las 15:00 (contando plazo de gracia del 135 LEC).

   – plazo de 15 días: concluye el 17.7.2020 a las 15:00 (contando plazo de gracia del 135 LEC).

   – plazo de 30 días: concluye el 7.9.2020 a las 15:00 (contando plazo de gracia del 135 LEC).

3) Sentencias y resoluciones poniendo fin al procedimiento (p.e., Autos) notificadas entre el 4.6.2020 y el 2.7.2020 (computan doble plazo):

   – plazo de 5 días: se computa como de 10 días.

   – plazo de 10 días: se computa como de 20 días.

   – plazo de 15 días: se computa como de 30 días.

   – plazo de 30 días: se computa como de 60 días.

4) Sentencias y resoluciones poniendo fin al procedimiento (p.e., Autos) notificadas desde el 3.7.2020: computan conforme a los plazos de la LJCA.

El cuadro merece igualmente algunas precisiones:

1) acerca del plazo de recurso contencioso-administrativo contra el silencio administrativo y la inactividad administrativa:

Es sabido que, tratándose del silencio administrativo, el plazo se computa desde que se entiende producido por agotarse el plazo para resolver y notificar por la Administración. En el caso de la inactividad del art. 29 LJCA, el plazo se computa desde la terminación del plazo concedido a la Administración para actuar (3 meses) o ejecutar un acto firme (1 mes).

La jurisprudencia declara que

– no hay extemporaneidad del recurso cuando las AAPP incumplen su deber de resolver. El TC lo ratifica porque

"no es constitucional la interpretación que computa el plazo para recurrir contra la desestimación presunta a partir del día en que ésta se entiende producida, pues ello prima a la Administración que incumple su deber de resolver" (STC 32/2007, de 12.2).

– debe aplicarse idéntica regla en relación con la inactividad administrativa (STS 5.2.2020 [RC 6287/2018]):

"con interpretación de los arts. 29.1 y 46.2 LJCA (RCL 1998, 1741), hemos de concluir que la impugnación jurisdiccional de la inactividad de la Administración, cumplido el requerimiento (que puede reiterarse mientras subsista la inactividad y no tenga respuesta) y el plazo establecido en el art. 29.1, no está sujeta al plazo de caducidad previsto en el art. 46.2".

2) sobre el plazo de recurso contencioso-administrativo contra actos administrativos expresos:

José Ramón Chaves advierte con acierto[57] que una interpretación técnica, mecanicista, de la normativa de emergencia puede

---

[57] Vid. José Ramón Chaves García, *"Plazos suspendidos para iniciar procesos contencioso-administrativos: ¿reanudación o reapertura?"* (https://delajusticia.

conducir a la aberrante inadmisión de los recursos interpuestos en la creencia de buena fe de los justiciables de la prevalencia de una interpretación finalista. Lo cierto es que la distinción técnica entre plazos administrativos (o preprocesales) y plazos procesales, por muy alambicada y artificiosa que parezca, puede llevar a los Juzgados y Tribunales a entender que los plazos de interposición del recurso contencioso-administrativo (en el procedimiento ordinario) y de la demanda (en el procedimiento abreviado), siendo de carácter administrativo, no se reinician desde el 04.06.2020, sino que simplemente se reanudan desde el 01.06.2020.

En efecto, según esta interpretación, se diferenciarían cuatro plazos, con soluciones paradójicas:

– interposición de recurso contencioso-administrativo (procedimiento ordinario) o formulación de la demanda (procedimiento abreviado). Son plazos administrativos, luego se reanudarían desde el 01.06.2020 (descontando la parte consumida). LO paradójico es que los plazos de recurso administrativo en todo procedimiento del que puedan derivarse efectos desfavorables o de gravamen se reinician desde el 04.06.2020.

– iniciación del proceso contencioso-administrativo. El plazo de demanda es un plazo procesal, luego se reiniciaría por completo desde el 04.06.2020 (05.06.2020), aunque se iniciara antes del 14.03.2020.

– plazos en el seno del proceso en desarrollo. Son procesales, luego se reinician, aunque se iniciaran antes del 14.03.2020.

– plazo para los trámites de los recursos contra sentencias y demás resoluciones que pongan fin al procedimiento y *que sean notificadas durante el estado de alarma o en los 20 días siguientes a su finalización*. Son plazos procesales, luego se am-

com/2020/05/28/plazos-suspendidos-para-iniciar-procesos-contencioso-administrativos-reanudacion-o-reapertura/).

plían por un plazo igual al previsto para su trámite (ya sea anuncio, preparación, formalización o interposición).

Hago mío, pues, el llamamiento de José Ramón Chaves García a extremar la prudencia y el pragmatismo, dando por buena precavidamente la solución menos favorable a la tutela judicial efectiva. De esta forma, los plazos de iniciación del proceso contencioso-administrativo se reanudan, previo descuento de los días consumidos antes del 14.03.2020.

Los daños por la COVID-19 (responsabilidad patrimonial; ordenación y privación de derechos)

DAVID BLANQUER CRIADO
Letrado del Consejo de Estado (excedente)
Catedrático de Derecho Administrativo (UJI)

I. LA ADMINISTRACIÓN NO ES LA ASEGURADORA UNIVERSAL DE TODAS LAS DESGRACIAS QUE NOS SUCEDAN A LAS PERSONAS

En materia de responsabilidad patrimonial de las Administraciones públicas, aflora con bastante frecuencia el prejuicio emocional de considerar que debería ser la aseguradora universal y a todo riesgo de cualquier resultado lesivo que sufran las personas[1].

En el actual escenario de la pandemia por la COVID-19 también se propagará la pretensión de atribuir a los poderes públicos la responsabilidad de todas las desgracias que en aluvión nos vienen encima. La crisis o hecatombe sanitaria motivada por el coronavirus ha causado múltiples y diversos daños en el conjunto de la población española, europea y mundial. Aunque no siempre, algunos de esos daños pueden generar un pago con cargo a la hacienda pública y a título de responsabilidad patrimonial. Ahora bien, no todos los pagos, ayudas, compensaciones o indemnizaciones que satisfagan las Administraciones por razón de la crisis de la enfermedad COVID-19 se realizarán siempre a título de responsabilidad patrimonial. El hecho de que las Administraciones públicas tengan algo que ver en casi todas las esferas de la activi-

---

[1]   David BLANQUER, *La responsabilidad patrimonial de las Administraciones públicas*; Ponencia Especial de Estudios del Consejo de Estado; Instituto Nacional de Administración Pública, Madrid 1997, página 21.

dad cotidiana de los ciudadanos, las empresas y demás personas interesadas (como las asociaciones y fundaciones), no debe conducir a una interpretación extensiva y distorsionada del Estado social y democrático de Derecho (proclamado en el artículo 1.1 de la Constitución).

El llamado «Estado providencia» no sólo se interpreta en términos de incremento y mejora de las prestaciones sociales, sino que para algunos se identifica también con la socialización o colectivización de todos los riesgos que individualmente tienen los ciudadanos y demás sujetos de Derecho. Esa forma estatal debe ser rectamente interpretada, evitando cualquier desfiguración del llamado «Estado del bienestar», que conduzca a identificarlo con el «asegurador universal» de todas las desgracias, daños, incomodidades o molestias que sufran los ciudadanos; de lo contrario se rompería el razonable equilibrio entre las garantías que protegen los derechos de los ciudadanos, y las garantías que tutelan al interés general. Por decirlo en los términos empleados por el Consejo de Estado en su Memoria del año 1998[2]: *"la cláusula del Estado social no puede hacerse equivaler con la idea de la socialización generalizada de riesgos, pues la propia idea de Estado social repudia la idea de*

---

[2] Memoria elevada al Gobierno por el Consejo de Estado en el año 1998 (páginas 80 y 81 del texto impreso en papel; conviene advertir al lector internauta, que la paginación de ese texto cambia en el formato electrónico que está colgado de la web de esa institución): *"Sin embargo, la cláusula de Estado social no puede hacerse equivaler con la idea de la socialización generalizada de riesgos, pues la propia idea de Estado social repudia la idea de convertir al Estado en asegurador universal de todos los daños que sufren los ciudadanos en su vida personal y social. Desde la Constitución es clara la diferenciación de planos entre el régimen de protección social en el sentido amplio del término, y el régimen de compensaciones y resarcimientos que deriva de la responsabilidad de la Administración. En el Estado social la idea de riesgo social puede justificar que el Estado asuma compensar a la víctima de ciertos daños no achacables directamente a una actividad administrativa potencialmente productora de daños (p.ej. víctimas del terrorismo), pero ello más que una indemnización originada por una responsabilidad administrativa es una prestación social, por motivos que exceden y no encuentran base en el marco diseñado por el art. 106 CE".*

convertir al Estado en asegurador universal de todos los daños que sufren los ciudadanos en su vida personal y social" [3].

El terrible terremoto acaecido en la ciudad de Lorca el 11 de mayo de 2011 no fue causado por los poderes públicos, y las múltiples desgracias padecidas por su población no eran achacables a la Administración a título de responsabilidad patrimonial. Fue una catástrofe causada de las fuerzas de la indómita naturaleza, por lo que no concurrían los requisitos para declarar la responsabilidad patrimonial de la Administración (exigidos en el artículo 32 y siguientes de la Ley 40/2015, de 1 de octubre, de régimen jurídico del sector público, en lo sucesivo LRJSP 40/2015). Cuestión distinta son las ayudas y subvenciones que el Estado social puso en marcha para paliar algunos daños causados por un fenómeno geológico natural que produce efectos catastróficos (baste mencionar aquí al Real Decreto-ley 6/2011, de 13 de mayo, de medidas urgentes para reparar los daños causados por los movimientos sísmicos acaecidos en Lorca). En relación a ese tipo de ayudas de solidaridad, y sin perjuicio de volver más adelante a ese precepto aplicable en materia de responsabilidad patrimonial, conviene anticipar algo que establece el artículo 34.1 de la LRJSP 40/2015:

> *"No serán indemnizables los daños que se deriven de hechos o circunstancias que no se hubiesen podido prever o evitar según el estado de los conocimientos de la ciencia o de la técnica existentes en el momento de producción de aquéllos, <u>todo ello sin perjuicio de las prestaciones asistenciales o económicas que las leyes puedan establecer para estos casos</u>".*

En igual sentido, el coronavirus SARS-CoV-2 tampoco ha sido elaborado o fabricado en un laboratorio clandestino situado en las lóbregas mazmorras de la Dirección General de Insalubridad del Estado; no estamos en el lado oscuro de los poderes públicos españoles. Ahora bien, en ese escenario de crisis sanitaria puede

---

[3]   Hace ya más de 50 años, el Consejo de Estado afirmó lo siguiente: *"resulta utópica la socialización integral de los daños causados por la acción administrativa"* (dictamen de 20 de mayo de 1966, expediente 34.804).

cobrar alguna importancia el régimen jurídico de la responsabilidad patrimonial de las Administraciones públicas. Los riesgos que ponen en juego bienes jurídicos sensibles como la salud de las personas, exigen que los poderes públicos se anticipen a los acontecimientos y cumplan el principio de precaución; como dicen los anglosajones, *"better safe than sorry"*. Si las autoridades competentes no cumplen los estándares de cautela (o no responden con celeridad ante el riesgo notorio y evidente de rápida propagación de una enfermedad contagiosa), entonces ese mal funcionamiento de los servicios competentes puede generar la responsabilidad patrimonial de la Administración (siempre que concurran los requisitos exigidos en el artículo 32 y siguientes de la Ley 40/2015, de 1 de octubre, de régimen jurídico del sector público).

El coronavirus ha causado una «crisis sanitaria» en países como Nueva Zelanda, Grecia o Portugal, pero por su mayor extensión e intensidad, en otros como España hemos sufrido una auténtica «hecatombe sanitaria». En cualquier caso, dejando al margen el variable impacto de la COVID-19 en unos y otros países, teniendo en cuenta los problemas globales de salud pública acaecidos en las últimas décadas, la emergencia de enfermedades víricas es hoy en día un riesgo sanitario razonablemente previsible, que los poderes públicos deben gestionar con precaución y prudencia anticipatoria. Aunque también, no me refiero sólo a la enfermedad COVID-19 (*"coronavirus desease 2019"*); baste recordar la neumonía atípica aparecida en el año 2002 y denominada SARS (*"severe acute respiratory syndrome"*); cabe añadir el síndrome respiratorio de oriente medio detectado en 2012 (MERS-CoV); se puede mencionar igualmente la crisis sanitaria causada por el virus del Ébola detectado en 1976, o el «síndrome por inmunodeficiencia adquirida» (SIDA) que es la infección identificada a partir de 1981 causada por el «virus de inmunodeficiencia humana» (VIH). También hay que recordar la gripe aviar (en especial la causada por el virus «Influenza A») que generó en España una crisis de salud pública en el año 2009; conviene añadir los estragos del brote en 2009 de la gripe porcina o SIV (*"swine influenza viruses"*); finalmente, no cabe olvidar el virus Zika que se detectó en Brasil el año

2015. Son todas ellas graves enfermedades muy contagiosas, pero su creación no es imputable a las Administraciones públicas de los diferentes Estados.

En todos esos escenarios de crisis o hecatombe sanitaria, es marginal y episódica la importancia del régimen jurídico de la responsabilidad patrimonial de las Administraciones públicas (en España por no cumplirse los requisitos exigidos en el artículo 32 y siguientes de la LRJSP 40/2015). El núcleo central o almendra de la respuesta del Estado social frente a los daños causados por esas enfermedades virales, pasa por las ayudas y subvenciones solidarias. Sólo hay responsabilidad patrimonial si el resultado lesivo ha sido causado por la Administración y le es imputable a esa persona jurídica. Esa responsabilidad garantiza un resarcimiento integral que deja indemne al reclamante; es decir, en términos económicos repone el *"statu quo"* originario, objetivo que en cambio no se alcanza con otras medidas que sólo son paliativas. En efecto, la función de las ayudas y subvenciones no es la «indemnización» de los daños, sino la «contención» del alcance económico de los resultados lesivos.

Por ilustrar con otro ejemplo concreto el alcance y límites de la responsabilidad patrimonial de la Administración, cabe recordar al coloquialmente llamado «mal de las vacas locas» («encefalopatía espongiforme bovina» o EEB). Los primeros casos en animales se declararon en 1986, y una década después se detectó en el ser humano una variante de la enfermedad de Creutzfeldt-Jakob, relacionada con el ganado vacuno. Pues bien, algunos ganaderos españoles pretendieron ante los tribunales obtener una indemnización de los daños y perjuicios sufridos como consecuencia de lo que ellos consideraban un mal funcionamiento de las instituciones de lo que hoy es la Unión Europea, pues entre 1990 y 2000, adoptaron normas y medidas insuficientes, erróneas, inadecuadas y tardías para hacer frente a la EEB.

Entre otros muchos reproches, los ganaderos perjudicados consideraban que las autoridades europeas competentes habían sido imprudentes incrementando los riesgos en la fase de desescalada, al levantar prematuramente la prohibición de exportar bovinos, carne de vacuno y harinas de carne y huesos procedentes del Reino Unido[4]. A juicio de los ganaderos, las instituciones de la Unión Europea eran responsables de la propagación de esa enfermedad en varios Estados miembros (incluida España), lo que irrogó a los demandantes cuantiosos daños (especialmente debido a la caída del consumo de carne de vacuno y a la disminución de su precio en el mercado español). No prosperó esa pretensión de resarcimiento por las lesiones económicas derivadas de la encefalopatía espongiforme bovina, pero en este momento inicial no quiero desviar mi atención para analizar las razones jurídicas de que no se declarase la responsabilidad patrimonial.

En cualquier caso, es claro y evidente que el contenido de ese pronunciamiento sobre el «mal de las vacas locas» no es mecánicamente trasladable a los asuntos que se susciten por razón de la pandemia del coronavirus: ni se aplican las mismas normas, ni tampoco se dan las mismas circunstancias de hecho.

Lo que me interesa destacar ahora, es que la crisis sanitaria causada por la enfermedad COVID-19 también genera esos mismos reproches contra medidas gubernamentales que muchos consideran insuficientes, erróneas, inadecuadas y tardías, por lo que en la experiencia práctica habrá litigios en los que se examine la eventual responsabilidad patrimonial de la Administración. Para adentrarse en el estudio de algunas consecuencias económicas derivadas de la actual crisis sanitaria, es fundamental distinguir por lo menos tres escenarios distintos en los que se producen daños por diferentes causas, y que dan paso a la aplicación de variadas figuras jurídicas:

(i)   los daños causados por la COVID-19;

(ii) los daños causados por la mala gestión gubernamental o administrativa de la crisis o hecatombe sanitaria; y,

---

4   Sentencia del Tribunal de Primera Instancia de 13 diciembre 2006 (asunto T-304/01; caso Julia Abad Pérez y otros contra Consejo de la Unión Europea).

(*iii*) los daños causados por las medidas gubernamentales coactivamente impuestas durante el estado de alarma.

Además de ese variado elenco de daños acaecidos por distintas causas, también hay que ponderar el abanico de títulos jurídicos que pueden justificar la eventual atribución patrimonial que realice la Administración para compensar parcialmente o resarcir integralmente el resultado lesivo. A veces se tratará de una indemnización a título de responsabilidad patrimonial (fundada en razones de justicia conmutativa), en otras ocasiones puede ser una ayuda o subvención a fondo perdido (otorgada por razones de solidaridad o justicia distributiva); también es posible que no proceda realizar una atribución patrimonial, y que la persona dañada tenga que soportar estoicamente el resultado lesivo.

Ante tales circunstancias, tiene pleno sentido analizar los problemas jurídicos que en la práctica se suscitan en ese tipo de variados escenarios de la experiencia práctica, y estudiar también el deslinde conceptual y funcional entre la responsabilidad patrimonial y otras respuestas del Derecho ante los daños que podemos sufrir en la postmodernidad global.

No cabe cerrar este apartado introductorio sin añadir antes una última precisión: queda fuera de este trabajo el estudio de la reparación de daños que pueda pretenderse por vía penal; aquí sólo se analizan las cuestiones que se planteen en sede burocrática, o las que luego puedan llegar a la jurisdicción contencioso-administrativa.

II. EL DESLINDE CONCEPTUAL Y FUNCIONAL DE LA RESPONSABILIDAD PATRIMONIAL CON OTRAS FIGURAS JURÍDICAS

A) *La diversidad de daños sufridos a raíz de las medidas gubernamentales impuestas durante la vigencia del estado de alarma*

Durante el proceso de redacción del texto de la Constitución, se tuvo la prudencia y la sensatez de programar la reacción del ordenamiento ante situaciones anormales y extraordinarias de emergencia. La racionalización del ejercicio del poder en el Estado de Derecho llega a tal grado de sofisticación y avance, que hasta tipifica expresamente cómo deben gestionar los poderes públicos las circunstancias de emergencia que son extraordinariamente difíciles y delicadas. Es decir, el ordenamiento jurídico programa la gestión de los sorpresivos fenómenos institucionales generados por circunstancias anormales de alcance constitucional.

Ese dique de contención o válvula de escape para situaciones anormales y de emergencia, evita que por su rigidez al cambio, el sistema constitucional estalle al sufrir un exceso de presión, ya que la explosión daría paso a una dictadura (según el conocido pronóstico de ROUSSEAU en su *"Contrato social"*)[5]. Junto al bloque normativo que se aplica cotidianamente y en situaciones de normalidad constitucional, nuestro ordenamiento jurídico también tipifica la existencia de un bloque normativo para las situaciones excepcionales y gravemente anormales. Por expresarlo en los términos utilizados en 1839 por nuestro Donoso CORTÉS[6]:

> *"el legislador que en tiempos de disturbios y trastornos aspira a gobernar con las leyes comunes es un imbécil, el que aun en tiempos de disturbios y trastornos aspire a gobernar sin ley es temerario".*

---

[5] Juan Jacobo ROUSSEAU, *Contrato social*, prólogo de Manuel Tuñón de Lara, Editorial Espasa-Calpe, segunda edición, Madrid 1980. El apartado VI del Libro Cuarto de ese texto estudia la dictadura, y comienza su exposición en los siguientes términos (página 151): *"La inflexibilidad de las leyes, que les impide plegarse a los acontecimientos, puede, en ciertos casos, hacerlas perniciosas y causar la pérdida del Estado en su crisis. El orden y la lentitud de las formas exigen un espacio de tiempo que las circunstancias niegan algunas veces. Pueden presentarse mil casos que no ha previsto el legislador, y es una previsión muy necesaria comprender que no se puede prever todo.*
No es preciso, pues, querer afirmar las instituciones políticas hasta negar el poder de suspender su efecto. Esparta misma ha dejado dormir sus leyes".

[6] Tomo en préstamo la cita de Manuel GARCÍA-PELAYO, *Derecho constitucional comparado*, Alianza Editorial, Madrid 1984, página 163.

Por tanto, lo indicado es que el Estado de Derecho sea prudente y programe una respuesta jurídica especial para situaciones anormales o de emergencia. La prudente sindéresis y sentido común del poder constituyente se incorporó al artículo 116 de la Constitución, que en su apartado 1 establece una reserva de ley orgánica para regular tres estados diferentes de anomalía social o institucional (alarma, excepción y sitio). Esa remisión normativa fue satisfecha por la Ley Orgánica 4/1981, de 1 de junio, cuyo artículo cuarto establece lo siguiente:

> *"El Gobierno, en uso de las facultades que le otorga el artículo ciento dieciséis, dos, de la Constitución podrá declarar el estado de alarma, en todo o parte del territorio nacional, cuando se produzca alguna de las siguientes alteraciones graves de la normalidad.*
>
> *a) Catástrofes, calamidades o desgracias públicas, tales como terremotos, inundaciones, incendios urbanos y forestales o accidentes de gran magnitud.*
>
> *b) Crisis sanitarias, tales como epidemias y situaciones de contaminación graves.*
>
> *c) Paralización de servicios públicos esenciales para la comunidad, cuando no se garantice lo dispuesto en los artículos veintiocho, dos, y treinta y siete, dos, de la Constitución, concurra alguna de las demás circunstancia o situaciones contenidas en este artículo.*
>
> *d) Situaciones de desabastecimiento de productos de primera necesidad".*

Una vez tipificado el supuesto de hecho que habilita al Gobierno para declarar el estado de alarma, esa Ley Orgánica 4/1981 tipifica en su escueto artículo once las únicas medidas extraordinarias que las autoridades gubernamentales pueden adoptar durante la vigencia del estado de alarma. Se trata de medidas que van todavía más allá del régimen general o normal de las potestades exorbitantes, que por sí solas ya ubican a la Administración en una posición de supremacía sobre los ciudadanos (las empresas y demás personas interesadas, como las asociaciones y fundaciones). Conforme a lo establecido en el artículo once de la Ley 4/1981:

> *"Con independencia de lo dispuesto en el artículo anterior, el decreto de declaración del estado de alarma, o los sucesivos que durante su vigencia se dicten, podrán acordar las medidas siguientes:*
>
> *a) Limitar la circulación o permanencia de personas o vehículos en horas y lugares determinados, o condicionarlas al cumplimiento de ciertos requisitos.*

b) Practicar requisas temporales de todo tipo de bienes e imponer prestaciones personales obligatorias.

c) Intervenir y ocupar transitoriamente industrias, fábricas, talleres, explotaciones o locales de cualquier naturaleza, con excepción de domicilios privados, dando cuenta de ello a los Ministerios interesados.

d) Limitar o racionar el uso de servicios o el consumo de artículos de primera necesidad.

e) Impartir las órdenes necesarias para asegurar el abastecimiento de los mercados y el funcionamiento de los servicios de los centros de producción afectados por el apartado d) del artículo cuarto".

Una característica general o común de los estados de emergencia, es que se produce el fortalecimiento de los poderes gubernamentales, que aumentan en extensión e intensidad sobre el *"statu quo"* jurídico propio de las situaciones de normalidad constitucional. Tal y como expresa Karl LOEWENSTEIN, *"en una situación de crisis o necesidad la tarea natural del gobierno es tomar fuertemente las riendas del poder en sus manos"*[7]. Ahora bien, como advierte ese mismo autor, *"el mayor peligro inherente a cualquier gobierno de crisis es que hombres egoístas pueden pervertirlo para sus fines"*[8].

Además de muchas de esas medidas de emergencia previstas en la Ley Orgánica de 1 de junio de 1981, se añadieron otras al aprobar el Gobierno el Real Decreto 463/2020, de 14 de marzo (por el que el Gobierno declara el estado de alarma para gestionar la situación de crisis sanitaria ocasionada por la COVID-19). No pretendo analizar aquí si ese plus de poder es abusivo y contrario a Derecho por vulnerar derechos fundamentales y libertades públicas garantizadas por la Constitución; aquí me basta recordar medidas como el severo confinamiento domiciliario y la limitación de la libertad de desplazamiento, o la suspensión general de la apertura al público de locales y establecimientos minoristas (con algunas excepciones). Además de esas potentes y vigorosas

---

[7] Karl LOEWENSTEIN, *Teoría de la Constitución*, Editorial Ariel, Barcelona 1982, página 284.

[8] Karl LOEWENSTEIN, *Teoría de la Constitución*, Editorial Ariel, Barcelona 1982, página 286.

imposiciones, durante la vigencia del estado de emergencia sanitaria se pueden adoptar muchas otras medidas que producen un impacto negativo o dañoso para quienes las sufren, como por ejemplo las requisas, la intervención de empresas, o la limitación de la libre adquisición de determinados productos. Al margen de las medidas gubernamentales impuestas durante el estado de alarma, la falta de equipamientos de protección personal puede haber causado la infección y posterior fallecimiento de personal sanitario, generando así un supuesto de responsabilidad patrimonial.

Fallecimiento de personal sanitario contagiado por carecer de EPI	Privación temporal del uso de un aparato respirador	Privación definitiva de equipos de protección individual	Suspensión de la actividad económica de un bar o una librería	Intervención de la gestión de una empresa sanitaria
Responsabilidad patrimonial	Requisa forzosa	Expropiación forzosa	Ordenación general de una actividad	Medida provisional de carácter singular

Una vez ya identificados algunos escenarios en los que la COVID-19 ha generado unos u otros daños a la ciudadanía y a las empresas, es indispensable hacer una labor jurídica de deslinde conceptual, para trazar la frontera perimetral de la responsabilidad patrimonial de la Administración, y distinguir la indemnización a título de responsabilidad, del pago del justiprecio por la privación coactiva de un bien patrimonial, o del abono de ayudas y subvenciones destinadas a reparar daños catastróficos, y fundadas en la solidaridad que informa la configuración constitucional de un Estado social de Derecho[9].

---

9   Jesús JORDANO FRAGA, *La reparación de los daños catastróficos. Catástrofes naturales, Administración y Derecho público; responsabilidad, seguro y solidaridad,* Marcial Pons Ediciones Jurídicas y Sociales, Madrid 2000, páginas 169 y 170: *"Por eso, admitiendo una pluralidad posible de sistemas de reparación en supuestos de desastres naturales, en nuestro tiempo, la pregunta no debe ser si las Administraciones Públicas pueden convertirse en aseguradoras de los riesgos sociales y colectivos que representan las catástrofes, sino cuál ha de ser el nivel de solidaridad. El Estado*

Por ilustrarlo con un ejemplo concreto, la reparación del daño y la restitución del contravalor económico de los bienes coactivamente requisados por motivos de salud pública (como los aparatos de respiración asistida), es un escenario jurídico de gran importancia práctica e interés académico, pero que queda fuera del ámbito de la responsabilidad patrimonial. Ahora bien, aunque estén fuera de la almendra o núcleo central de ese concepto jurídico (al ser figuras o instituciones situadas en sus aledaños o alfoz), conviene hacer una breve referencia a esas otras nociones perimetrales de la responsabilidad patrimonial de la Administración, en las que el concepto de «daño» también ocupa un lugar principal.

Baste por el momento con esa aproximación básica y superficial al supuesto de hecho y la consecuencia jurídica del estado de alarma. A lo largo de este trabajo se analiza primero si la adopción de esas medidas que generan daños siempre justifica la aplicación del régimen de responsabilidad patrimonial de la Administración, o si en algunas ocasiones, nos enfrentamos ante otro tipo de figuras jurídicas diferentes, como sucede con la naturaleza expropiatoria de las requisas. Una vez ya trazadas las fronteras conceptuales, centraré mi atención en el análisis de los requisitos legalmente exigidos para que proceda declarar la responsabilidad patrimonial de la Administración.

B) Las requisas temporales de bienes necesarios durante la vigencia del estado de alarma (artículo 8.1 del RD 463/2020)

1. Introducción

Conforme a lo establecido en el artículo 11.b) de la Ley Orgánica 4/1981, de 1 de junio, durante la vigencia del estado de

---

social impone el despliegue de la solidaridad. La pregunta debe ser hasta qué punto y cómo van a ser reparados esos daños que de forma más o menos cíclica e inevitable, pero siempre terriblemente, asolan nuestra vida".

alarma la Administración puede practicar requisas temporales de todo tipo de bienes. En esa misma dirección, el artículo 8.1 del Real Decreto 463/2020, de 14 de marzo (por el que el Gobierno declara el estado de alarma para gestionar la situación de crisis sanitaria ocasionada por la COVID-19), establece lo siguiente:

> *"De conformidad con lo dispuesto en el artículo once b) de la Ley Orgánica 4/1981, de 1 de junio, las autoridades competentes delegadas podrán acordar, de oficio o a solicitud de las comunidades autónomas o de las entidades locales, que se practiquen requisas temporales de todo tipo de bienes necesarios para el cumplimiento de los fines previstos en este real decreto, en particular para la prestación de los servicios de seguridad o de los operadores críticos y esenciales. Cuando la requisa se acuerde de oficio, se informará previamente a la Administración autonómica o local correspondiente".*

Antes de seguir avanzando en el deslinde conceptual entre la indemnización a título de responsabilidad y la compensación que se paga por una requisa temporal o una expropiación definitiva, conviene poner de manifiesto que para imponer ese tipo de medidas coactivas no es estrictamente necesaria o imprescindible la previa declaración del estado de alarma (artículo 116 de la Constitución).

Al margen de esa situación de emergencia sanitaria, también cabe imponer requisas por razones de salud pública en momentos de normalidad, según resulta de lo establecido en el artículo 26 de la Ley 14/1986 (general de sanidad). Sin necesidad de que se declare el estado de alarma, cuando exista un riesgo inminente y extraordinario para la salud, las autoridades sanitarias competentes pueden imponer la incautación y la inmovilización de productos, con el límite de que la duración de esas medidas no exceda de lo que exija la situación de riesgo inminente y extraordinario que las justificó. La requisa también puede ser una medida de protección civil impuesta al amparo del artículo 7.bis.3) de la Ley 17/2015, de 9 de julio, norma que precisa que esa privación válida y coactiva exige el pago de una compensación económica que deje indemne a quien la ha sufrido. No cabe cerrar este breve repaso o recordatorio de la normativa aplicable a las requisas temporales de bienes o derechos impuestas por razón de una pandemia, sin recordar el artículo 120 de la Ley de expropiación forzosa de 16 de diciembre de 1954[10], que es aplicable en esa y otras calamidades públicas. Conforme a ese precepto, el procedimiento administrativo de pago debe iniciarse a instancia de parte interesada, y quien ha sufrido la privación coactiva tiene derecho a que se le indemnice aplicando los preceptos relativos a la ocupación temporal de los inmuebles y al justiprecio de los muebles.

2. El deslinde conceptual y funcional entre la requisa y la incautación de cosas muebles

Tanto en la «incautación» de bienes como en la «requisa» hay una privación temporal de la posesión y uso de una cosa, pero hay importantes matices conceptuales y funcionales entre una requisa temporal (realizada para satisfacer transitoriamente una causa de utilidad pública), y la incautación e inmovilización administrativa de un bien mueble (medida impuesta para restablecer la legalidad vulnerada).

Normalmente, el punto de partida de la inmovilización e incautación de una cosa mueble es una situación irregular o contraria a Derecho del titular o detentador de una cosa (baste pensar en la venta o dispensación de mascarillas cuya calidad no está certificada, y que no reúnen las condiciones de seguridad exigidas), algo que en cambio no sucede en las requisas de los respiradores que están debidamente homologados.

---

[10] Artículo 120 de la Ley de expropiación forzosa de 16 de diciembre de 1954: *"Cuando por consecuencias de graves razones de orden o seguridad públicos, epidemias, inundaciones u otras calamidades, hubiesen de adoptarse por las Autoridades civiles medidas que implicasen destrucción, detrimento efectivo o requisas de bienes o derechos de particulares sin las formalidades que para los diversos tipos de expropiación exige esta Ley, el particular dañado tendrá derecho a indemnización de acuerdo con las normas que se señalan en los preceptos relativos a los daños de la ocupación temporal de inmuebles y al justiprecio de los muebles, debiendo iniciarse el expediente a instancia del perjudicado y de acuerdo con tales normas".*

Por otro lado, esta última figura comporta la adquisición de uso de la cosa requisada, algo que en cambio no sucede en la simple incautación, que en rigor estricto es una medida de cesación de uso para restablecer la legalidad vulnerada. Si la Administración incauta una partida de mascarillas defectuosas, no es para adquirir su propiedad y después ponerlas en uso en un hospital público, sino para proteger los intereses generales y evitar un riesgo de salud pública. Dicho en otros términos, no hay un efecto traslativo de la cosa; se trata de una auténtica ablación en sentido estricto, por lo que no hay un beneficiario que se aproveche individualmente de la incautación.

Requisa	Incautación
Medida administrativa de naturaleza expropiatoria	Medida administrativa de restablecimiento de la legalidad vulnerada
Efecto traslativo de la cosa a un beneficiario que se aprovecha de su uso temporal	Hay ablación de la cosa, no hay transmisión a un beneficiario

Según ha declarado la jurisprudencia, la imposición por razones de salud alimentaria de una medida de inmovilización temporal de un producto insalubre no da lugar a indemnización, cuando a juicio de los tribunales el resultado lesivo no se considera «antijurídico» (requisito exigido para declarar la responsabilidad patrimonial de la Administración, al que luego se prestará alguna atención). Es más, la jurisprudencia niega que el resultado sea antijurídico, aunque el acto formal que impuso la medida coactiva haya sido expresamente declarado inválido y contrario a Derecho[11] (criterio muy cuestionable y criticable, como casi todos los pronunciamientos judiciales que imponen al lesionado, un

---

[11]   En sentido desestimatorio de la pretensión resarcitoria por la inmovilización cautelar y transitoria del aceite de orujo de oliva, tras haber sido detectados en el producto hidrocarburos aromáticos policíclicos (HAP), que podían entrañar riesgos para la salud, se pronuncian las Sentencias del Tribunal Supremo de 16 de septiembre de 2011 (recurso de casación 714/2007); 27 de abril de 2010 (recurso de casación 3641); 14 de septiembre de 2010 (recurso de casación 6475/2008), y la de 20 de octubre de 2009 (recurso de casación

amplio margen de estoica tolerancia con los daños causados por actos inválidos y contrarios a Derecho).

Otro ejemplo ilustrativo de ese tipo de medida administrativa de restablecimiento de la legalidad vulnerada, es la retención o inmovilización administrativa de un vehículo porque su conductor está ebrio. En esas circunstancias, se trata de una medida necesaria para hacer efectiva la normativa de tráfico y seguridad vial (y evitar el riesgo de que el bebedor siga conduciendo, porque la tasa de alcohol en sangre rebasa los porcentajes máximos establecidos en la normativa sectorial). Pues bien, esa medida de restablecimiento de la legalidad no puede ser confundida con una requisa o un acto de naturaleza expropiatoria. El conductor no tiene derecho a ser indemnizado por la privación temporal del uso del vehículo (al fin y al cabo, la Administración no adquiere la facultad de uso). Es más, el titular del vehículo no cobra, sino que paga (artículo 104.6 del Texto Refundido de la Ley sobre tráfico, circulación de vehículos a motor y seguridad vial, aprobado por Real Decreto Legislativo 6/2015, de 30 de octubre):

> *"Salvo en los casos de sustracción u otras formas de utilización del vehículo en contra de la voluntad de su titular, debidamente justificadas, los gastos que se originen como consecuencia de la inmovilización del vehículo serán por cuenta del conductor que cometió la infracción. En su defecto, serán por cuenta del conductor habitual o del arrendatario, y a falta de éstos, del titular. Los gastos deberán ser abonados como requisito previo a levantar la medida de inmovilización, sin perjuicio del correspondiente derecho de recurso y de la posibilidad de repercutirlos sobre la persona responsable que haya dado lugar a que la Administración adopte dicha medida. Los agentes podrán retirar el permiso de circulación del vehículo hasta que se haya acreditado el abono de los gastos referidos".*

557/2008); referidas todas ellas a la inmovilización de determinadas partidas de aceite de orujo.

Conviene destacar que en esos pronunciamientos se deniega el derecho a la indemnización de las consecuencias lesivas causadas en el contexto de una alerta alimentaria, que da lugar a una medida provisional de inmovilización del aceite de orujo después invalidada por ausencia de riesgo inminente para la salud; así resulta de la Sentencia del Tribunal Supremo de 27 de junio de 2007 (recurso 10820/2004; (*Tol 1124121*)).

No muy diferente al que resulta de esa medida impuesta para restablecer la legalidad vulnerada y garantizar la obediencia al Derecho en materia de tráfico de vehículos y seguridad vial, es el escenario jurídico que se produce, cuando por razones de interés general en materia de seguridad ciudadana (con objeto de prevenir la comisión de cualquier delito o garantizar la seguridad de las personas o de las cosas), los miembros de las fuerzas y cuerpos de seguridad incautan unas armas, procediendo a su depósito[12].

3. Las privaciones temporales y las expropiaciones definitivas

La privación de bienes o derechos de contenido patrimonial puede ser «plena y definitiva» (expropiación en sentido estricto), o «parcial y provisional» (que implica una simple requisa de un bien mueble, o la ocupación temporal de un inmueble).

Baste pensar en lo que ocurre cuando se procede a la «ocupación temporal» de un bien inmueble en los términos previstos en el artículo 108 de la LEF/1954[13] (por ejemplo, para levantar

---

[12]   Artículo 148.2 del Reglamento de armas (aprobado por Real Decreto 137/1993, de 29 de enero).

[13]   Artículo 108 de la Ley de 26 de diciembre de 1954 (de expropiación forzosa): *"La Administración, así como las personas o Entidades que se hubieran subrogado en sus derechos, podrán ocupar temporalmente los terrenos propiedad del particular, en los casos siguientes:*
1. Con objeto de llevar a cabo estudios o practicar operaciones facultativas de corta duración, para recoger datos para la formación del proyecto o para el replanteo de una obra.
2. Para establecer estaciones y caminos provisionales, talleres, almacenes, depósitos de materiales y cualesquiera otros más que requieran las obras previamente declaradas de utilidad pública, así por lo que se refiere a su construcción como a su reparación o conservación ordinarias.
3. Para la extracción de materiales de toda clase, necesarios para la ejecución de dichas obras, que se hallen diseminados por la propiedad, o hayan de ser objeto de una explotación formalmente organizada.
4. Cuando por causa de interés social, y dándose los requisitos señalados en el artículo 72, la Administración estime conveniente, no haciéndolo por sí el propietario, la realización por su cuenta de los trabajos necesarios para que la propiedad cumpla con las exigencias sociales de que se trate".

temporalmente un hospital militar de campaña en unos terrenos de propiedad privada próximos a un hospital). En ese último escenario ocupación temporal de inmuebles, la medida coactiva está justificada por alguna causa de utilidad pública, pero como es temporal y no definitiva, una vez que ya desaparece esa causa legitimadora, la medida pierde su fundamento legitimador, por lo que debe reponerse el originario *"statu quo"*, y la Administración tiene que devolver los bienes ocupados, y abonar al interesado la compensación que corresponda.

En el contexto de la crisis o hecatombe sanitaria por la enfermedad COVID-19, por la Administración se expropian mascarillas o equipos de protección individual (EPI), que son bienes muebles desechables y no reutilizables (y de ahí que la privación sea definitiva), pero con los aparatos de respiración asistida puede bastar una privación temporal o requisa. En caso de requisa temporal de un aparato de respiración asistida, el titular no es privado de la «titularidad» o nuda propiedad, sino del «ejercicio» de las facultades de uso y disfrute temporal del bien mueble, y en compensación

---

En caso de ocupación temporal de unos terrenos, el titular del bien no es privado de la «titularidad» o nuda propiedad, sino del «ejercicio» de las facultades de uso y disfrute temporal del bien inmueble de que se trate, y en compensación por esa privación, tiene derecho a percibir una indemnización que le resarza de los daños y perjuicios causados. La cuantía puede fijarse por mutuo acuerdo, y en su defecto la establecerá unilateralmente el Jurado Provincial de Expropiación. El importe de esa compensación no se fija en función del valor de los terrenos temporalmente ocupados, según destaca la Sentencia del Tribunal Supremo de 19 de diciembre de 2007 *(Tol 1235174)*. El resarcimiento se compone de dos partidas (artículo 115 de la LEF/1954):

(i) el «lucro cesante» derivado de los rendimientos o rentas del inmueble que su titular ha dejado de percibir durante la ocupación; y,

(ii) el «daño emergente» causado por el eventual deterioro del inmueble, y los gastos necesarios para restituirlo a su estado originario anterior a la ocupación forzosa.

Ahora bien, como la privación del uso no es definitiva, a diferencia de lo que ocurre con las expropiaciones plenas, en la ocupación temporal no hay derecho a incrementar el resarcimiento en un 5 por ciento en concepto de premio de afección, según resulta de la Sentencia del Tribunal Supremo de 19 de diciembre de 2007 *(Tol 1235174)*.

por esa privación, tiene derecho a percibir una indemnización que le resarza de los daños y perjuicios causados.

Privación coactiva de cosas	
Requisa	Expropiación
Privación temporal de la posesión	Privación definitiva de la propiedad
Aparato de respiración asistida	Mascarilla o EPI

4. La diferencia entre la privación forzosa y la responsabilidad patrimonial de la Administración

La responsabilidad patrimonial de la Administración y la requisa forzosa de bienes muebles son dos instituciones jurídicas diferentes, que tienen en común la producción de un daño o efecto lesivo que merece ser compensado.

Ahora bien, mientras que el daño o efecto lesivo es «directo, voluntario e intencional» en el caso de la requisa, la ocupación temporal y la expropiación forzosa (la privación coactiva es querida para usar un aparato respirador o los terrenos necesarios para hacer un hospital de campaña), en la responsabilidad patrimonial el resultado lesivo es «indirecto, involuntario y consecuencial» (durante la ejecución de las obras de una nueva línea de metro se cortan al tráfico unas calles, y a los potenciales clientes les resulta total y absolutamente imposible acceder a los locales comerciales que están en esas calles, por lo que los propietarios de esos establecimientos sufren de forma indirecta un lucro cesante, que se potencia o incrementa por el retraso en la terminación de las obras, y por ello tienen derecho a ser resarcidos a título de responsabilidad patrimonial).

En la responsabilidad patrimonial el resarcimiento es siempre posterior a la producción del resultado lesivo (es una «consecuencia» patrimonial de la actuación de la Administración). El lucro cesante o disminución de ingresos que se impone a los comercios es una consecuencia del retraso en la ejecución de las obras para la construcción del metro (y no un requisito habilitante para realizar esa obra pública). Por regla general, el pago del justiprecio expropiatorio es previo a la privación del bien o derecho (el pago es un «requisito habilitante» para la adquisición de la titularidad del bien o derecho objeto de la expropiación). Ahora bien, el pago que se realiza por la ocupación temporal de un inmueble o la requisa temporal de un bien mueble es posterior a la privación coactiva, pues hasta que no cese finalmente la posesión de la cosa mueble o inmueble, todavía no se sabrá el alcance de la compensación.

Mientras que el pago del justiprecio de una requisa, una ocupación temporal o una expropiación siempre tiene su origen en una decisión administrativa que salvo excepciones es conforme a Derecho y ajustada a la legalidad vigente, el pago a título de responsabilidad puede derivar tanto de actuaciones legales como ilegales, puede tener su origen tanto en el funcionamiento normal como el funcionamiento anormal de la Administración pública.

La actuación de la policía nacional para desbaratar un atraco puede generar daños a los establecimientos colindantes con la entidad bancaria, cuando se produce un cruce de disparos con los delincuentes. La legítima utilización de armas de fuego por los policías es una «actuación legal» que pone de manifiesto la creación de un riesgo por la Administración en beneficio general de la seguridad pública de toda la comunidad. Como ese riesgo beneficia a todos, las consecuencias lesivas no deben ser individualmente soportadas por los titulares de los establecimientos colindantes (que sufren daños en sus escaparates al ser alcanzados por los disparos). El mismo daño también puede ser causado por un policía que está fuera de servicio y de baja por enfermedad psicológica, quien dispara en el escaparate de un local para vengarse del dueño porque le ha quitado la novia. No es este el momento indicado para analizar si en esas peculiares circunstancias el riesgo es imputable a la Administración o al policía que está de baja, baste con destacar que es una «actuación ilegal y antijurídica», de la que resulta el derecho a percibir una indemnización a título de responsabilidad patrimonial.

En ocasiones la Administración tiene que abonar una indemnización a título de responsabilidad patrimonial cuando la actuación es legal pero produce un sacrificio especial, pero en la mayoría de los casos, la indemnización a título de responsabilidad se produce como consecuencia del «funcionamiento anormal o ilegal» de la Administración (así ocurre cuando se incumple el plazo de ejecución de las obras del metro, y se alarga en el tiempo la imposibilidad de acceder a los locales comerciales, con el consiguiente incremento de las pérdidas económicas).

En cambio, el justiprecio por requisa o expropiación se paga como consecuencia del «funcionamiento normal y legal» de la Administración (cuando se requisa o expropia con fundamento en una causa de utilidad pública o interés social, se siguen de forma debida los trámites del procedimiento, el justiprecio responde al valor real de mercado, y se paga en el plazo legalmente establecido).

C) La intervención de empresas en el sector sanitario (artículo 13.b) del Real Decreto 463/2020)

En ese mismo contexto de las medidas que se pueden imponer durante la vigencia del estado de alarma declarado por el Decreto 463/2020, también resulta oportuno recordar la diferencia entre la expropiación forzosa y la intervención temporal de empresas.

Conforme a lo establecido en el artículo 11.c) de la Ley Orgánica 4/1981, durante la vigencia del estado de alarma la Administración puede: *"Intervenir y ocupar transitoriamente industrias, fábricas, talleres, explotaciones o locales de cualquier naturaleza, con excepción de domicilios privados, dando cuenta de ello a los Ministerios interesados"*. En esa misma dirección, el artículo 13.b) del Real Decreto 463/2020, de 14 de marzo (por el que se declara el estado de alarma para gestionar la situación de crisis ocasionada por la COVID-19), habilita al Ministro de Sanidad para: *"Intervenir y ocupar transitoriamente industrias, fábricas, talleres, explotaciones o locales de cualquier naturaleza, incluidos los centros, servicios y establecimientos sanitarios de titularidad privada, así como aquellos que desarrollen su actividad en el sector farmacéutico".*

Esas previsiones normativas pueden tener pleno sentido para garantizar el suministro a la población de bienes esenciales y cotidianos. Por ejemplo, si durante el confinamiento no hubieran funcionado correctamente las empresas de distribución de alimentos, o las de transporte de bienes esenciales, habría existido fundamento adecuado para intervenir la gestión de esas empresas. Lo mismo cabe decir de las cooperativas de distribución de medicamentos y productos sanitarios. Ocurre que por regla general esos sectores económicos han funcionado bien; dadas las circunstancias, el funcionamiento de esos sectores económicos puede ser calificado como ejemplar, orillando así de raíz la existencia de fundamento adecuado y suficiente para imponer una medida extraordinaria e intervenir la gestión de esas empresas que durante el confinamiento tenían carácter estratégico y esencial.

Sin perjuicio de la libertad de empresa (artículo 38 CE), conforme a lo establecido en el artículo 128.2 de la Constitución, en nuestro sistema jurídico se admite *"la intervención de empresas cuando así lo exigiere el interés general"*. Esa medida exige cobertura legal, requisito constitucional que puede cumplirse tanto con una ordenación general del régimen de intervención de empresas, como mediante una ley sectorial que concrete las fórmulas de intervención para un determinado ámbito de la economía (STC 111/1983, de 2 de diciembre). Aunque es una norma o disposición general aprobada por el Gobierno, el Real Decreto 463/2020 por el que se declara el estado de alarma es una fuente excepcional del Derecho que tiene rango de ley (según declara la Sentencia del Tribunal Constitucional 83/2016, de 28 de abril, relativa a los controladores aéreos). En la actualidad no hay una regulación general de la intervención de empresas, pero sí hay algunas normas sectoriales, en especial en el ámbito financiero, que tienen por finalidad garantizar la solvencia de las empresas que operan en el sector bancario y crediticio, en el mercado de valores o en el sector de los seguros privados. También hay alguna previsión específica para el «secuestro administrativo» de empresas que gestionan servicios públicos en virtud de una concesión.

Es importante destacar que esas medidas de intervención no afectan al derecho de propiedad (artículo 33 CE), sino a la libertad de empresa (artículo 38 CE). La adopción de esas medidas de intervención no comporta la expropiación de la propiedad de la empresa, pues no se trata de una privación coactiva de la propiedad de las acciones o participaciones representativas del capital de la sociedad mercantil. Tampoco se produce una expropiación de los bienes muebles o inmuebles de la empresa, o de sus derechos e intereses patrimoniales. Lo que se interviene temporalmente es la gestión de la empresa que, en lugar de ser libre y autónoma, queda sometida a control administrativo. Por otro lado, esa medida no traslada a la Administración el pago de la nómina a los trabajadores de la empresa intervenida, pues siguen siendo empleados de la misma persona jurídica.

En lo que aquí importa (el estudio de los daños sufridos durante la vigencia del estado de alarma), la simple intervención administrativa no genera por sí misma el derecho a percibir una compensación. Ahora bien, si durante ese intervalo se produce un lucro cesante como consecuencia de la defectuosa gestión burocrática de la empresa, puede existir fundamento adecuado para reclamar una indemnización a título de responsabilidad patrimonial, siempre que concurran los requisitos exigidos en el artículo 32 y siguientes de la LRJSP 40/2015. No es impertinente precisar, que no da lugar a responsabilidad la simple existencia de un lucro cesante como consecuencia del parón económico general; sólo hay derecho a percibir una indemnización si las pérdidas o la disminución de ingresos ha sido causada por la mala gestión administrativa.

Por exigencias del principio de reserva de ley, son los representantes parlamentarios de los ciudadanos quienes deben identificar en una norma con rango o fuerza de ley: (i) las circunstancias que legitiman la adopción de las medidas administrativas de restablecimiento del orden público económico y de preservación de la seguridad del tráfico mercantil; *(ii)* el contenido y alcance de las medidas administrativas de intervención de empresas. Sin perjuicio de las particularidades que se establecen para cada sector económico, y dejando ahora al margen la nula densidad normativa del Real Decreto 463/2020, la intervención de empresas se realiza con alguna de las siguientes medidas administrativas:

(i) la sustitución de los administradores de la sociedad por otros gestores provisionales designados por la Administración pública, quienes podrán revocar los poderes o delegaciones que hubieran conferido los órganos de administración de la sociedad;

(ii) la sujeción de la validez de las decisiones empresariales, a su aprobación por los gestores provisionales designados por la Administración;

(iii) la incautación de las oficinas de la empresa para controlar los documentos, datos e informaciones económicas de la sociedad mercantil que ha sido intervenida;

(iv) exigir que la empresa privada elabore un plan de saneamiento y recuperación financiera, plan que se somete a aprobación administrativa;

(v) imponer a la empresa privada un incremento de su solvencia, por encima de lo establecido en las normas generales del sector;

(vi) prohibir la celebración de determinados contratos, por ejemplo, los de enajenación de bienes; o,

(vii) suspender la celebración de algunos contratos.

Antes de adoptar las específicas medidas intervención que en cada caso procedan (en función de las circunstancias concurrentes y respetando el principio de proporcionalidad), debe darse a los administradores de la empresa intervenida la oportunidad procesal de formular en el trámite de audiencia las alegaciones que tengan por pertinentes, salvo que excepcionalmente, y por razones de urgencia debidamente justificadas, se adopten medidas provisionales *"inaudita parte"*.

Los actos administrativos de intervención de empresas deben estar suficientemente motivados por la autoridad u órgano que los dicta, pues se trata de decisiones que limitan derechos subjetivos o intereses legítimos (artículo 35.1.a) de la LPAC 39/2015). Se trata siempre de medidas provisionales, cuya duración en el tiempo se prolonga hasta que se logre el objetivo de interés general que se pretende alcanzar. Cuando hay sustitución de los administradores, una vez se extingue la eficacia de las medidas administrativas de intervención, procede convocar a la junta general de accionistas, para que proceda a designar un nuevo órgano de administración.

D) La ordenación general de un derecho que no da lugar al pago de una indemnización o compensación económica. Algo sobre la suspensión temporal de actividades empresariales impuesta por el artículo 10 del RD 364/2020

1. Introducción

Regular la publicidad de los medicamentos y someterla a previa autorización administrativa, o prohibir la publicidad del tabaco o de las bebidas alcohólicas de alta graduación, es algo muy distinto a expropiar o quitar a las sociedades mercantiles alguna de las facultades de venta o promoción de sus productos que forman parte de la libertad de empresa constitucionalmente garantizada (artículo 38 CE).

Cuando se prohíbe fumar en los bares y demás establecimientos abiertos al público, el empresario que gestiona el local puede sufrir una pérdida de ingresos en comparación a la caja que hacía antes de imponerse esa medida; ahora bien, ese lucro cesante no es indemnizable a título de responsabilidad patrimonial. Algo parecido o similar ocurre también cuando de manera temporal y por razón de una pandemia, se suspenden algunas actividades empresariales. La prohibición temporal o definitiva de una actividad mercantil resulta del ejercicio de potestades públicas de ordenación que los particulares están jurídicamente obligados a soportar sin compensación económica, y que no pueden ser confundidas con la privación de derechos o intereses patrimoniales.

Hay que diferenciar la «privación singular» de activos patrimoniales (en inglés, *"taking"*), y la «ordenación general» de los derechos e intereses legítimos que tienen un contenido económico (en inglés, *"regulation"*). Mientras que el *"taking"* siempre genera el derecho a percibir una compensación económica, no sucede lo mismo con las consecuencias negativas o desfavorables de la ordenación general o *"regulation"*. Lo más habitual y frecuente es que no se compensen los efectos desfavorables de una ordenación general; ahora bien, hay algunas excepciones, como sucede en el caso del sacrificio de animales contagiados por epizootias, al que luego haré referencia.

Sólo hay expropiación forzosa o requisa cuando estamos ante una «privación singular» de un bien o derecho, para beneficiar a un tercero, que es capaz de satisfacer una necesidad de utilidad pública o interés social. En cambio, no hay en rigor expropiación o privación singular, cuando se trata de una «ordenación general» de los derechos e intereses patrimoniales de los ciudadanos y las empresas; en la regulación abstracta del contenido normal de los derechos e intereses legítimos no hay un beneficiario concreto que obtenga una ganancia o evite un perjuicio, como consecuencia de la ordenación.

Ordenación ("regulation")	Expropiación ("taking")
Medida general y abstracta	Medida singular y concreta
No se puede individualizar un beneficiario concreto	Se puede individualizar un beneficiario concreto
No hay compensación porque no hay un beneficiario obligado a pagarla	Obligatorio pago del justiprecio por el beneficiario que adquiere lo expropiado

2. La privación singular, o susceptible de ser individualizada

Distinta a la regulación «general» de la propiedad privada, es la figura jurídica de la expropiación forzosa, decisión administrativa que comporta una privación «singular», un despojo o sacrificio impuesto coactivamente para satisfacer una necesidad de utilidad pública o interés social. La expropiación es una medida singular de un concreto bien o derecho patrimonial, que además tiene un beneficiario que también es concreto e individualizado.

El carácter singular de la privación no se refiere, ni al sujeto expropiado, ni a los bienes que le son despojados (toda vez que lo más normal y frecuente, es que la expropiación tenga por objeto una pluralidad de cosas o derechos patrimoniales). Pero sí que existe la posibilidad de individualizar el objeto de la expropiación; es más, para llevar a cabo una expropiación forzosa, es indispensable hacer una lista o relación concreta e individualizada de los bienes o derechos patrimoniales que son objeto de privación coactiva (artículo 17.1 LEF/1954). Además, también se individualiza al sujeto beneficiario de la expropiación (que es quien debe pagar el justiprecio); por tanto, no se trata de una mutilación o ablación que carezca de un beneficiario concreto que se pueda individualizar (a diferencia de lo que sucede con la confiscación de bienes o la imposición del obligatorio sacrificio de animales contagiados por epizootias). En definitiva, más que singular, la expropiación es una medida susceptible de ser individualizada desde una doble perspectiva:

(i) hay una relación individualizada de los bienes o derechos que se expropian; y,

(ii) hay una individualización del sujeto beneficiario de la privación coactiva.

Cuando la Administración expropia una cosa o bien patrimonial, no estamos ante la regulación general de un tipo de bienes (como por ejemplo, las minas y las canteras a cielo abierto). La misma persona puede ser privada de varias propiedades concretas, o para hacer un pantano puede ser necesario expropiar a todos los vecinos de la localidad que quedará inundada al hacerse la presa. Ahora bien, en ambos casos, están claramente individualizados tanto los bienes y derechos que son objeto de la expropiación, como los sujetos a quienes corresponde su titularidad; también está identificado el concreto beneficiario de la privación coactiva.

El carácter singular de la privación también se refiere al beneficiario concreto de la privación coactiva o expropiación forzosa. Ese beneficiario está perfectamente individualizado o singularizado incluso antes de comenzar el procedimiento expropiatorio, y desde luego mucho antes de materializarse la privación coactiva. A diferencia de la ordenación general de las facultades dominicales, el efecto que deriva de la expropiación forzosa es la «privación» de un derecho o bien singular y concreto, para que lo adquiera un tercero que se beneficia de la transferencia de titularidad. La Administración quita o despoja a un sujeto un bien (un derecho o un interés legítimo), para atribuírselo a otra persona que lo adquiere a cambio del pago del justiprecio, y para satisfacer una necesidad de utilidad pública o interés social.

En consecuencia, no se trata de una simple «mutilación» o «ablación» que a nadie beneficia de forma concreta o individualizada (algo que en cambio sí sucede, cuando de manera coactiva se impone el sacrificio de animales enfermos por epizootías). En efecto, si el sacrificio es individual y concreto (por ejemplo, del animal que sufre una enfermedad contagiosa y que constituye un riesgo para la salud pública), pero esa medida coactiva no comporta un beneficio para un tercero que se pueda identificar o individualizar, no hay un fundamento objetivo que justifique de manera necesaria o inexorable, redistribuir las consecuencias lesivas que derivan de ese sacrificio o despojo. En ese caso hay una operación quirúrgica de mutilación o amputación del derecho de propiedad, pero no hay un trasplante en beneficio de un tercero que haya sido individualizado o pueda serlo (la Administración no adquiere un animal enfermo; tampoco su cadáver).

En la expropiación forzosa hay un «sacrificio» de algún elemento patrimonial de una persona, pero de otro lado hay algún «beneficio» para alguien concreto e individualizado o singularizado. Así sucede incluso en el supuesto en el que la expropiación comporte la mera cesación de un derecho, como ocurre cuando la Administración extingue anticipadamente una concesión demanial, procediendo a su rescate. En ese escenario la porción de dominio público rescatada pasará a ser utilizada y aprovechada directamente por la propia Administración, quien por tanto debe indemnizar o compensar al concesionario por la privación de su derecho (artículo 100.d) de la Ley 33/2003, de 3 de noviembre, de Patrimonio de las Administraciones Públicas).

En la expropiación forzosa siempre debe existir un tercero que se beneficia del ejercicio por la Administración de la potestad exorbitante, pues obtiene una ganancia o evita un perjuicio; ese tercero o beneficiario es quien debe compensar la privación coactivamente impuesta (pagando el justiprecio), pues en otro caso estaríamos ante un «expolio» o una «confiscación». Se puede expropiar porque se persigue un fin público y porque la privación coactiva no es un expolio o una confiscación desnuda, sino la sustitución de un bien o derecho por su equivalente económico. El resultado final debe ser que el expropiado ni pierde ni gana en términos económicos, de ahí la denominación legal de precio justo o justiprecio. Por sí solo, el justiprecio expropiatorio rigor no tiene en rigor estricto la consideración de una atribución patrimonial generadora de una plusvalía o incremento patrimonial; no hay un *"plus"* sino un *"ídem"*, ya que es una simple conversión o transformación de un bien o derecho por su equivalente económico.

Desde esa perspectiva, la expropiación forzosa es una figura jurídica en la que se pone de manifiesto la «justicia conmutativa», pues en el ejercicio de esa potestad exorbitante debe existir una equilibrada correlación entre el «sacrificio» que se impone coactivamente, y el «beneficio» que se obtiene para los intereses generales. Desde la perspectiva de la justicia conmutativa o sinalagmática, el foco de atención se pone en la proporción y el equilibrio entre lo que se da y lo que se recibe. En materia expropiatoria el justiprecio tiene que satisfacer las exigencias de equivalencia y proporción, ya que de lo contrario implicará un empobrecimiento o confiscación de bienes. El beneficiario singular de la expropiación debe pagar un justiprecio que, en términos de mercado, se corresponda equilibradamente con la valoración y la entidad económica de los bienes y derechos que adquiere coactivamente. Por tanto, a diferencia de lo que sucede con las ayudas y subvenciones otorgadas para mitigar o paliar los daños causados por una catástrofe natural como el terremoto de la ciudad de Lorca, creo que la expropiación forzosa no plantea un problema de «justicia distributiva».

3. La ordenación general

La actividad administrativa de ordenación general de los derechos subjetivos de los ciudadanos puede implicar la «definición del contenido normal» de un derecho o de una libertad como la de empresa. La «definición del contenido normal» de un derecho patrimonial no tiene como función la transferencia a un tercero de una utilidad o aprovechamiento de contenido económico, y por eso no hay derecho a indemnización; baste pensar en el ejemplo antes propuesto de la prohibición general de fumar en los establecimientos públicos; no hay enriquecimiento de un beneficiario concreto e individualizado de esa medida de salud pública, que devenga obligado a pagar una compensación.

El cambio por los poderes públicos del estatuto jurídico puede comportar una reducción o compresión del haz de facultades que hasta ese momento tenía el titular del derecho subjetivo o la libertad. Es posible que una nueva definición del contenido normal de un derecho subjetivo, limite su contenido normal (como sucede al prohibirse la publicidad de las bebidas alcohólicas de alta graduación, o al suspenderse temporalmente determinadas actividades empresariales durante el estado de alarma), pero esa «reducción normativa» de alcance general o *"erga omnes"*, es algo distinto a una «privación coactiva» de naturaleza expropiatoria.

En línea general de principio, esa «reducción normativa» del contenido previo de un derecho patrimonial (o del ejercicio de la libertad de empresa), no da lugar a una compensación o indemnización económica. Hay dos rasgos que perfilan esa figura de la ordenación general de los derechos e intereses de contenido patrimonial:

(*i*) se realiza mediante una regla general que no es individualizada o individualizable, pues la regla tiene un destinatario general y abstracto, no tiene un destinatario singular y concreto;

(*ii*)se trata de una regla o medida que impone un sacrificio para satisfacer una función social de contenido genérico, en el sentido de que no comporta un beneficio concreto a favor de un sujeto individualizado o individualizable; la medida general se impone en beneficio de todos o de la colectividad.

Para evitar divagaciones, conviene centrarse en uno de esos escenarios normativos, como el que resulta de la Ley 28/2005, de 26 de diciembre (de medidas sanitarias frente al tabaquismo, y reguladora de la venta, el suministro, el consumo y la publicidad de los productos del tabaco). Además de prohibir su venta en lugares como los hospitales y las universidades, esa norma también prohibió el consumo en espacios cerrados pero abiertos al público (en su artículo 7 se incluye una larga lista de hasta 20 apartados, en la que se detallan los establecimientos en los que el consumo se prohíbe totalmente). Esa norma que sigue en vigor y no ha sido invalidada, beneficiaba los intereses colectivos y difusos en materia de salud pública, y aunque perjudicó a algunos empresarios, no generó la responsabilidad patrimonial de los poderes públicos; tampoco era una expropiación forzosa con un beneficiario individualizado.

Ni siquiera fueron indemnizados los empresarios que en una primera fase se acogieron a una posibilidad permitida por la propia ley (de instalar mamparas en sus locales para crear una zona separada para fumadores), posibilidad que 5 años después fue suprimida mediante una reforma legal. No prosperaron y fueron desestimadas las reclamaciones de indemnización presentadas por los empresarios que habían hecho inversiones de alguna importancia (en mamparas y en la canalización del aire acondicionado, entre otras), y que alegaron que los poderes públicos habían defraudado la confianza legítima depositada en que se mantendría la posibilidad de que en sus locales hubiera dos zonas (una para fumadores y otra para no fumadores)[14].

Ahora bien, el hecho de que el daño o resultado lesivo tenga su origen en la aplicación de una norma que regula el ejercicio de un derecho e impone cargas generales (o que prohíbe el válido ejercicio de un derecho o libertad), no siempre determina la inaplicabilidad del régimen de responsabilidad patrimonial de la Administración. En ocasiones hay que introducir matices y diferenciar unas y otras situaciones. En efecto, a veces se aprueba una medida general prohibitiva (como la veda o prohibición de cazar especies protegidas), que puede generar resultados lesivos individualizados merecedores de ser resarcidos a título de responsabilidad patrimonial. Así ocurre con las especies silvestres protegidas (que son *"res nullius"* que carecen de titular, y que gozan de garantías privilegiadas para así preservar la biodiversidad).

Entre otras medidas, esas especies de animales se protegen estableciendo una prohibición general que impide su caza (artículo 54.1.5 de la Ley 42/2007), como por ejemplo sucede en el caso del lobo (respecto a las poblaciones situadas al sur del río Duero). Pues bien, si un lobo protegido causa daños a un ganadero o un agricultor, el perjudicado tendrá derecho a ser resarcido a título de responsabilidad patrimonial[15]. Así lo reconoce expresamente el artículo 38.1.b) de la Ley 2/1989, de 6 de junio (de caza del

---

[14] Sentencia del Tribunal Supremo de 21 de febrero de 2014 (recurso 623/2012; (*Tol 4119471*)). En igual sentido se pronuncia también la Sentencia del Tribunal Supremo de 4 de marzo de 2014 (recurso 546/2012; (*Tol 4134361*)).

[15] Sentencia del Tribunal Superior de Justicia de Castilla y León 2228/2005, de 7 de octubre (recurso 1575/2001; (*Tol 747735*)).

Principado de Asturias). Por el contrario, no pueden solicitar y obtener una indemnización las personas aficionadas a la escopeta, que se sienten frustradas por no tener la oportunidad de cazar válidamente al lobo o a otra especie protegida.

Mediante la Ley 33/2015, se introdujo una nueva redacción en lo que hasta ese momento era artículo 52.6 de la Ley 42/2007; en su nueva numeración como artículo 54.6, ese precepto legal pasó a tener la siguiente redacción: *"Sin perjuicio de los pagos compensatorios que en su caso pudieren establecerse por razones de conservación, con carácter general, las Administraciones públicas no son responsables de los daños ocasionados por las especies de fauna silvestre, excepto en los supuestos establecidos en la normativa sectorial específica"*.

Pues bien, aunque la redacción de ese precepto legal parece orillar expresamente la responsabilidad patrimonial de la Administración, en relación los daños causados por lobos en el territorio de la Comunidad de Madrid, la Sentencia del Tribunal Supremo de 2 diciembre de 2019[16] declara la responsabilidad patrimonial de la Administración, y el derecho de los ganaderos reclamantes a percibir una indemnización o reparación integral por todos los daños y perjuicios sufridos. Por tanto, el Tribunal Supremo mantiene el mismo criterio ya previamente afirmado en algún pronunciamiento previo al cambio del texto legal introducido por la Ley 33/2015[17].

4. La libertad constitucional de empresa y la suspensión de actividad durante la vigencia del estado de alarma

El artículo 10 del Real Decreto 463/2020 (por el que se declara el estado de alarma) establece una suspensión general de la apertura al público de locales y establecimientos minoristas (con

---

[16] Sentencia del Tribunal Supremo 1654/2019, de 2 diciembre (recurso de casación 141/2019, (*Tol 7611406*)).

[17] Sentencia del Tribunal Supremo de 22 de marzo de 2013 (recurso de casación 823/2010; (*Tol 3531792*)).

algunas excepciones); se incluyen en la suspensión los establecimientos de hostelería y restauración, o los museos y las bibliotecas, así como de los locales y establecimientos en los que se desarrollen espectáculos públicos, las actividades deportivas y de ocio. En cambio, quedan además fuera de esa suspensión los comercios al por mayor[18]. Por tanto, esa medida de suspensión generalizada va mucho más allá de lo que en tiempo de Franco se estableció en la Ley de 25 de noviembre de 1944 (de bases de la sanidad nacional)[19].

---

[18] Artículo 10 del Real Decreto 463/2020, de 14 de marzo (de declaración del estado de alarma para gestionar la situación de crisis sanitaria ocasionada por la enfermedad COVID-19): *"Medidas de contención en el ámbito de la actividad comercial, equipamientos culturales, establecimientos y actividades recreativos, actividades de hostelería y restauración, y otras adicionales.*
1. Se suspende la apertura al público de los locales y establecimientos minoristas, a excepción de los establecimientos comerciales minoristas de alimentación, bebidas, productos y bienes de primera necesidad, establecimientos farmacéuticos, médicos, ópticas y productos ortopédicos, productos higiénicos, peluquerías, prensa y papelería, combustible para la automoción, estancos, equipos tecnológicos y de telecomunicaciones, alimentos para animales de compañía, comercio por internet, telefónico o correspondencia, tintorerías y lavanderías. Se suspende cualquier otra actividad o establecimiento que a juicio de la autoridad competente pueda suponer un riesgo de contagio.
2. La permanencia en los establecimientos comerciales cuya apertura esté permitida deberá ser la estrictamente necesaria para que los consumidores puedan realizar la adquisición de alimentos y productos de primera necesidad, quedando suspendida la posibilidad de consumo de productos en los propios establecimientos.
En todo caso, se evitarán aglomeraciones y se controlará que consumidores y empleados mantengan la distancia de seguridad de al menos un metro a fin de evitar posibles contagios.
3. Se suspende la apertura al público de los museos, archivos, bibliotecas, monumentos, así como de los locales y establecimientos en los que se desarrollen espectáculos públicos, las actividades deportivas y de ocio indicados en el anexo del presente real decreto.
4. Se suspenden las actividades de hostelería y restauración, pudiendo prestarse exclusivamente servicios de entrega a domicilio.
5. Se suspenden asimismo las verbenas, desfiles y fiestas populares".
[19] En el penúltimo párrafo de la base cuarta (relativa a la lucha contra las enfermedades infecciosas) de la Ley de 25 de noviembre de 1944 (de bases de la sanidad nacional) se estableció lo siguiente: *"Corresponderá a la autoridad gubernativa, a petición de la sanitaria, en tiempo de anormalidad sanitaria, la pro-*

La Ley Orgánica 4/1981 da cobertura a algunas medidas administrativas que impactan en la actividad empresarial y que pueden ser válidamente adoptadas durante la vigencia del estado de alarma. Conforme a lo establecido en el artículo 11 de esa norma, así puede suceder con la intervención o la ocupación de empresas, la requisa temporal de bienes, la limitación del uso de algunos servicios, o la impartición de las órdenes administrativas que sean necesarias para asegurar el abastecimiento de los mercados y el funcionamiento de los servicios de los centros de producción.

Lo que me interesa destacar en este momento, es que el artículo 11 de la Ley Orgánica 4/1981 no contiene una habilitación universal para imponer «por tierra, mar y aire» cualquier tipo de medida que incida negativamente en la libertad de empresa. En concreto, ese precepto legal no da cobertura a la suspensión general del funcionamiento de los locales o establecimientos en los que se desarrollan actividades empresariales, medida que sin embargo ha sido impuesta en el artículo 10 del Real Decreto 463/2020 (por el que se declara el estado de alarma). Cuestión distinta es que esa misma medida de suspensión de actividades mercantiles sí que esté tipificada expresamente y tenga su fundamento legitimador en otras leyes sectoriales que se aplican en situaciones de normalidad y al margen del estado de alarma.

Esa ambivalencia permite pensar que una de dos: o la Ley orgánica de alarma no ha llegado y se ha quedado corta, o las leyes sectoriales de normalidad se han pasado al crear un bloque normativo de alarma encubierta y no declarada formalmente. En ese contexto alguno pensará que nos enfrentamos a un fraude de Constitución imputable a las leyes sectoriales que se aplican en situaciones ordinarias, pero que incorporan medidas extraordinarias de limitación y control de los derechos y libertades, que *"prima facie"* deberían estar únicamente reservadas para las situa-

---

hibición de ferias y mercados, la clausura de escuelas, espectáculos y centros de reunión así como la prohibición o reglamentación del comercio de objetos que se juzguen peligrosos para la salud pública".

ciones de emergencia, como la declaración expresa y formal del estado de alarma previsto en el artículo 116 de la Constitución.

El bien jurídicamente protegido en esas normas sectoriales aplicables en situaciones de normalidad no es siempre la salud pública (ahora afectada por la pandemia de la enfermedad CO-VID-19), por lo que en rigor estricto esas normas sectoriales no prestan cobertura al artículo 10 del RD por el que se declara el estado de alarma. Por ilustrarlo con un ejemplo concreto, eso es lo que sucede con la Ley Orgánica 4/2015 (de protección de la seguridad ciudadana), que en su artículo 21 habilita a la Administración para imponer medidas de seguridad extraordinarias como el cierre de locales y establecimientos, pero sólo cuando concurran circunstancias extraordinarias de emergencia para la garantía de la seguridad ciudadana, en las que exista un peligro inminente para las personas o los bienes que justifique una actuación rápida de las autoridades competentes. Pues bien, lo que se protege en el Real Decreto 463/2020 es la salud pública de las personas y no la seguridad ciudadana que incide en las personas o las cosas.

Cambiemos de norma y pasemos ahora a la Ley 17/2015, de 9 de julio (del sistema de protección civil). Se trata de una política de seguridad pública diseñada para proteger a las personas y los bienes (garantizando una respuesta adecuada ante los distintos tipos de emergencias y catástrofes originadas por causas naturales o derivadas de la acción humana, sea ésta accidental o intencionada). Cuando concurran ese tipo de circunstancias de hecho vinculadas a la protección civil, la suspensión temporal de actividades empresariales tiene cobertura normativa expresa en el artículo 7.bis.3) de la Ley 17/2015, precepto que aclara lo siguiente: *"Quienes como consecuencia de estas actuaciones sufran perjuicios en sus bienes y servicios, tendrán derecho a ser indemnizados de acuerdo con lo dispuesto en las leyes"*.

En relación a los bienes jurídicamente protegidos durante la vigencia del estado de alarma motivado por la enfermedad COVID-19, mayor propincuidad y conexión directa tiene la Ley 14/1986, de 25 de abril (general de sanidad), que en su artículo 26 habilita expresamente a la Administración para imponer la suspensión de actividades (así como el cierre de empresas y de sus instalaciones) cuando exista un riesgo inminente y extraordinario para la salud. Esa medida puede perdurar mientras persista ese tipo de riesgo, pero en contraste con la normativa de protección civil, el artículo 26 de la Ley general de sanidad no aclara si los perjudicados por la suspensión de actividades tienen derecho a ser compensados económicamente por el lucro cesante padecido o los daños soportados. También presta cobertura a esas medidas el artículo 54.2 de la Ley 33/2011, de 4 de octubre (general de salud pública), que igualmente habilita a la Administración para imponer el cierre preventivo de las instalaciones, establecimientos, servicios e industrias, o la suspensión del ejercicio de actividades.

Una vez ya descritas esas normas sectoriales de cobertura que se aplican en situaciones de normalidad (sin necesidad de que se declare el estado de alarma), conviene volver al plano conceptual o teórico para diferenciar los «sacrificios especiales» o singularizables que pueden merecer un resarcimiento al título de responsabilidad patrimonial, y los «sacrificios generales» que resultan de la ordenación de determinadas actividades por los poderes públicos, como sucede en el ejemplo antes propuesto de la Ley 28/2005, de 26 de diciembre (de medidas sanitarias frente al tabaquismo, y reguladora de la venta, el suministro, el consumo y la publicidad de los productos del tabaco).

Sin perjuicio de las evidentes diferencias de detalle entre uno y otro escenario, en un primer análisis *"prima facie"* (guiado por la apariencia inicial), lo mismo resulta también del artículo 10 del Real Decreto 463/2020 (de declaración del estado de alarma), cuando establece una suspensión general de la apertura al público de locales y establecimientos minoristas. Esa suspensión temporal es una medida general de ordenación del comercio minorista que no da lugar a indemnización a título de responsabilidad patrimonial.

Ahora bien, mientras que sigue estando en vigor y no ha sido invalidada la Ley 28/2005, de 26 de diciembre (de medidas sanitarias frente al tabaquismo, y reguladora de la venta, el suministro, el consumo y la publicidad de los productos del tabaco), otra cosa podría suceder con el Real Decreto 463/2020 de declaración del estado de alarma. Aunque para ser sincero no me parece muy probable que prosperen las impugnaciones, no cabe descartar de raíz la posibilidad de que se invalide la declaración del estado de alarma por vulnerar la Constitución. Si se invalida ese Real Decreto, existe fundamento para declarar la responsabilidad patrimonial de los poderes públicos.

En cualquier caso, y aunque la propiedad privada o la libertad de empresa no sean derechos fundamentales susceptibles de amparo por el Tribunal Constitucional, la ordenación general de su estatuto no puede imponer de forma desproporcionada, tantas cargas y limitaciones que al final se vacíe su «contenido esencial» (artículo 53.1 CE). Aunque la norma que imponga esas restricciones tenga rango de ley, no puede desnaturalizar esa figura y despojar a la libertad de empresa de sus rasgos configuradores típicos y característicos en nuestro ordenamiento jurídico, que la hacen reconocible para la generalidad de los profesionales del Derecho[20]. El problema se traslada entonces a identificar cuál es el núcleo mínimo irreductible, que rebasado produce un efecto confiscatorio, o de supresión del contenido esencial de la libertad de empresa o del derecho de propiedad garantizado por la Constitución. ¿Dónde termina la «ordenación general» y empieza la «privación singular»?

---

[20] Como declara la Sentencia del Tribunal Constitucional 227/1988, de 29 de noviembre *(Tol 80074)*: *"... es obvio que la delimitación legal del contenido de los derechos patrimoniales o la introducción de nuevas limitaciones no puede desconocer su contenido esencial, pues en tal caso no cabría hablar de una regulación general del derecho, sino de una privación o supresión del mismo que, aunque predicada por la norma de manera generalizada, se traduciría en un despojo de situaciones jurídicas individualizadas no toleradas por la norma constitucional salvo que medie la indemnización correspondiente".*

Para responder ese interrogante conviene recordar que las medidas generales de ordenación adoptadas durante la vigencia del estado de alarma sí que pueden dar lugar a indemnización (artículo 3.2 de la Ley Orgánica 4/1981), siempre que concurran las circunstancias tipificadas en el artículo 32.3 de la Ley 40/2015, de 1 de octubre (de régimen jurídico del sector público). Por el perfil subjetivo generalista de las medidas *"erga omnes"* que se adoptan en esas situaciones extraordinarias de emergencia, hay que entender que los resultados lesivos serán sufridos por una pluralidad de personas; la clave no es determinar si todos resultan afectados o sólo unos pocos. A efectos jurídicos y para determinar si procede declarar la responsabilidad patrimonial, lo importante es la posibilidad de individualizar a las personas que han sufrido un resultado lesivo; el requisito exigido en el artículo 32.2 de la vigente LRJSP 40/2015, es que el daño sea *"individualizado con relación a una persona o grupo de personas"*.

Como luego se explica con más detenimiento, a pesar de las circunstancias anómalas y extraordinarias concurrentes en un estado de alarma, en esa situación de emergencia sigue siendo plenamente aplicable el régimen de responsabilidad patrimonial de los poderes públicos. El artículo 3.2 de la Ley Orgánica 4/1981 (de estados de alarma, excepción y sitio), puede y debe ser interpretado en el sentido de que, a pesar de las circunstancias extraordinarias y no obstante la restricción de derechos y libertades que en cada uno de esos estados se pueden imponer, lo que no cabe es orillar ni aminorar la garantía indemnizatoria por los daños y perjuicios causados, siendo de aplicación el mismo régimen general de resarcimiento de resultados lesivos que es aplicable en situaciones de normalidad. En la actualidad hay que estar a lo dispuesto en el artículo 32 de la LRJSP 40/2015, que establece el régimen de responsabilidad patrimonial derivada de actos legislativos de naturaleza no expropiatoria.

Aunque es una norma o disposición general aprobada por el Gobierno, el Real Decreto 463/2020 por el que se declara el estado de alarma es una fuente excepcional del Derecho que tiene rango de ley (según declara la Sentencia del Tribunal Constitucional 83/2016, de 28 de abril, relativa a los controladores aéreos). En esas circunstancias normativas, la suspensión de actividades del comercio minorista y de los establecimientos hoteleros y de restauración, resulta de un acto legislativo que no tiene naturaleza expropiatoria. Ahora bien, premisa necesaria para que se declare esa responsabilidad, es que el propio acto legislativo no expropiatorio establezca de manera expresa que los empresarios de los sectores económicos negativamente afectados por la suspensión de actividades durante la vigencia del estado de alarma, tienen derecho a ser indemnizados y no tienen el deber jurídico de soportar el resultado lesivo (algo que no resulta del artículo 10 del Real Decreto 463/2020).

Descartada esa alternativa tipificada en el primer párrafo del artículo 32.3 de la LRJSP 40/2015, el segundo párrafo de ese mismo precepto legal deja abierta una última posibilidad normativa para que exista una responsabilidad patrimonial de la que derive el derecho al resarcimiento económico de los perjudicados por esa suspensión temporal de actividades económicas; veámosla:

> *"La responsabilidad del Estado legislador podrá surgir también en los siguientes supuestos, siempre que concurran los requisitos previstos en los apartados anteriores:*
>
> *a) Cuando los daños deriven de la aplicación de una norma con rango de ley declarada inconstitucional, siempre que concurran los requisitos del apartado 4.*
>
> *b) Cuando los daños deriven de la aplicación de una norma contraria al Derecho de la Unión Europea, de acuerdo con lo dispuesto en el apartado 5".*

Por tanto, no obstante el silencio del Real Decreto 463/2020 sobre el eventual derecho de los empresarios a ser resarcidos por los daños sufridos como consecuencia de la suspensión temporal de su actividad mercantil, si la proclamación del estado de alarma fuera invalidada y declarada inconstitucional, existiría la posibilidad de que algunos empresarios obtuvieran una indemnización a título de responsabilidad patrimonial. Digo algunos empresarios y no todos, porque para ostentar ese derecho al resarcimiento no basta con haber sufrido un efecto lesivo como consecuencia de la suspensión temporal de la actividad económica, sino que además es indispensable que ese empresario también haya sido diligente y haya asumido la carga impugnatoria, que es el requisito exigido por el artículo 32.4 de la LRJSP 40/2015, a cuyo tenor: *"Si la lesión es consecuencia de la aplicación de una norma con rango de ley declarada inconstitucional, procederá su indemnización cuando el particular haya obtenido, en cualquier instancia, sentencia firme desestimatoria de un recurso contra la actuación administrativa que ocasionó el daño, siempre que se hubiera alegado la inconstitucionalidad posteriormente declarada"*.

Lo que subyace en ese precepto, es que el legislador considera antijurídico el resultado lesivo causado por una ley inconstitucional; el reclamante no está jurídicamente obligado a soportar estoicamente los daños y perjuicios causados por los representantes parlamentarios de los ciudadanos al cometer una gravísima irregularidad jurídica[21] (tampoco los causados por una disposición gubernamental con rango de ley por la que se declara el estado de alarma). En relación a la pandemia causada por la COVID-19, para tener derecho a una indemnización a título de responsabilidad patrimonial, es imprescindible que la declaración del estado de alarma se anule por ser inconstitucional; no basta su invalidez por simples vicios de ilegalidad.

Es más, no sólo es necesario que el Tribunal Constitucional invalide el Real Decreto 463/2020 (por el que se declara el estado de alarma), sino que también es preciso que el empresario haya impugnado esa norma excepcional, y deducido tanto una pretensión declarativa de invalidez, como otra pretensión de condena a la Administración a pagar un resarcimiento. Además de ese doble *"petitum"*, es también necesario que en la *"causa petendi"* el empresario haya alegado expresamente la inconstitucionalidad del mencionado RD 463/2020. Dejando ahora al margen la hipótesis de futuro de que el Tribunal Constitucional invalide o no la declaración del estado de alarma, no tendrán derecho al resarcimiento a título de responsabilidad patrimonial derivada de un acto legislativo no expropiatorio, los otros empresarios que se hayan

---

[21]   Sentencia del Tribunal Supremo de 29 de noviembre de 2013 (recurso 269/2011; (*Tol 4062110*)).

limitado a aliviar los espasmos de la bilis participando en cacerolladas contra el Gobierno, pero que no hayan sido procesalmente diligentes, asumiendo la carga impugnatoria (y cumpliendo todas las demás exigencias que resultan del artículo 32.4 de la LRJSP 40/2015).

Teniendo en cuenta que es igual el punto de partida de todos los empresarios que han sufrido un terrible impacto económico como consecuencia de la suspensión de su actividad económica impuesta por el Gobierno, alguien pensará que sería injusto que algunos sean indemnizados y otros no. Sucede que no es cierta la premisa de que todos son iguales y están en la misma situación; sin bien es cierto que el punto de partida era igual para todos, no todos han jugado las mismas cartas de igual manera pues algunos han recurrido y otros han permanecido procesalmente pasivos o inactivos (el destino o el azar reparten las cartas, pero cada individuo decide cómo jugarlas).

No es igual la situación de los empresarios jurídicamente activos (y que por creer en las garantías del Estado de Derecho han asumido diligentemente la carga impugnatoria ante el tribunal competente), que la de los descreídos que se han rendido ante la desgracia y no han asumido la lucha por el Derecho (sobre la que escribió Rudolph VON IHERING)[22]. El empresario que se aquieta ante la desgracia causada por el estado de alarma, quien se abandona al aciago destino y no participa en la lucha por el

---

[22] Rudolph VON IHERING, *La lucha por el derecho*, Prólogo de Leopoldo Alas «Clarín», Editorial Civitas, Madrid 1985, página 60: *"Todo derecho en el mundo debió ser adquirido por la lucha; esos principios de derecho que están en vigor han sido indispensable imponerlos por la lucha a los que no los aceptaban, por lo que todo derecho, tanto el derecho de un pueblo, como el de un individuo, supone que están el individuo y el pueblo dispuestos a defenderlos. El derecho no es una idea lógica, sino una idea de fuerza; he ahí por qué la justicia, que sostiene en una mano la balanza sobre la que se pesa el derecho, sostiene en la otra la espada que sirve para hacerlo efectivo. La espada, sin la balanza, es la fuerza bruta, y la balanza sin la espada, es el derecho en su impotencia; se completan recíprocamente: y el derecho no reina verdaderamente, más que en el caso en que la fuerza desplegada por la justicia para sostener la espada, iguale a la habilidad que emplea en manejar la balanza".*

derecho, quien no es activo y diligente en la defensa de su esfera jurídica, no obtendrá de la hacienda pública una indemnización a título de responsabilidad patrimonial. Por decirlo en los términos empleados por SHAKESPEARE en el celebérrimo monólogo de un joven príncipe danés llamado Hamlet[23]: *"¡Ser o no ser: he aquí el problema ¡¿Qué es más levantado para el espíritu: sufrir los golpes y dardos de la insultante Fortuna, o tomar las armas contra un piélago de calamidades y, haciéndoles frente, acabar con ellas?"*.

No cabe cerrar este apartado sin añadir una última precisión: es poco probable que al final llegue a producirse esa diferencia entre los empresarios que no son resarcidos y los otros que perciben indemnizaciones a título de responsabilidad patrimonial por los daños y perjuicios sufridos como consecuencia de la suspensión temporal de su actividad económica (hasta la correspondiente fase de desescalada). Hay un factor que refuerza la conclusión de ese vaticinio, pues a pesar de sus notables defectos jurídicos, en mi modesta opinión es improbable que se declare la inconstitucionalidad del Real Decreto 463/2020 (por el que se declaró el estado de alarma).

5. Breve digresión sobre la propiedad y las crisis de sanidad animal: las indemnizaciones por sacrificio de animales en la normativa de epizootias

De la salud pública de las personas y su incidencia en la libertad de empresa (artículo 38 CE), paso a los riesgos de la sanidad animal y su impacto en el derecho de propiedad (artículo 33 CE). Ese otro escenario jurídico permite profundizar en la variedad de respuestas que ofrece nuestro Derecho positivo, a los daños causados por la ordenación general de una actividad.

---

[23] William SHAKESPEARE, *Obras completas*, estudio preliminar, traducción y notas por Luis Astrana Marín, Aguilar Ediciones, 15ª edición, Madrid 1967, página 1359.

Del bloque normativo aplicable a los empresarios de los que se acaba de hablar, se infiere que pesa sobre ellos un deber general de garantizar la seguridad sanitaria de sus clientes y la salubridad de sus establecimientos. Esa situación jurídica subjetiva se ha hecho ahora explícita en el artículo 4 del Real Decreto-Ley 21/2020, de 9 de junio, que impone el «deber de cautela y protección». De manera parecida o similar, ya la Ley del Suelo de 12 de mayo de 1956 imponía a los propietarios de inmuebles un genérico deber de conservarlos en adecuadas condiciones de «seguridad y salubridad». Lo mismo ocurría también con el deber general de «higiene pecuaria» impuesto a las propiedades de los ganaderos y las industrias cárnicas por Ley de 20 de diciembre 1952 (de epizootias).

De igual manera que la Administración urbanística puede transformar el «deber genérico» de conservación en una «obligación concreta», y ordenar la demolición de un edificio que está en ruina y genera riesgos a los peatones o a los dueños de las casas colindantes, la Administración competente en materia de sanidad animal también puede ordenar el sacrificio de las cabezas de ganado que sufran enfermedades infectocontagiosas de carácter exótico y de acusada gravedad o gran poder difusivo (artículo 9 de la Ley de epizootías). Conviene añadir, que el artículo 19 de esa Ley de 1952 atribuyó a los ganaderos el derecho subjetivo a obtener una indemnización parcial por el sacrificio de los animales contagiados.

La imposición del forzoso sacrificio de los animales enfermos comporta la «mutilación» de una propiedad privada, o «ablación» que a nadie beneficia de forma concreta o individualizada. En la expropiación forzosa hay un «sacrificio» de algún elemento patrimonial de una persona, pero de otro lado hay algún «beneficio» para alguien concreto e individualizado o singularizado. En el escenario que ahora nos ocupa, la Administración no es beneficiaria del sacrificio forzoso de un animal que sufre una enfermedad contagiosa; es la simple responsable de verificar que de manera efectiva se cumple una orden imperativa dictada en ejercicio de las competencias de policía de sanidad.

Privación traslativa	Privación ablativa
Justiprecio siempre	Compensación económica, o ausencia de compensación
"Taking"	"Regulation"

Sin perjuicio de los evidentes cambios normativos experimentados por nuestro ordenamiento con el devenir de la historia, esa misma orientación general se mantiene en el Derecho positivo actualmente vigente. La Ley 8/2003, de 24 de abril, afirma en su preámbulo que: *"La sanidad animal se considera un factor clave para el desarrollo de la ganadería, y es de vital trascendencia tanto para la economía nacional como para la salud pública, así como para el mantenimiento y conservación de la diversidad de especies animales"*. Entre otros objetivos de la Ley 8/2003 (de sanidad animal), cabe destacar en este momento el previsto en su artículo 1.2.e): *"La prevención de los riesgos para la salud humana derivados del consumo de productos alimenticios de origen animal que puedan ser portadores de sustancias o aditivos nocivos o fraudulentos, así como de residuos perjudiciales de productos zoosanitarios o cualesquiera otros elementos de utilización en terapéutica veterinaria"*.

Para lograr los objetivos de interés público en materia de sanidad animal, esa norma parlamentaria impone a los ganaderos «deberes generales» de prevención y conservación de su cabaña (artículos 7 y 16), y atribuye a la Administración pública potestades exorbitantes para imponer medidas de policía de salubridad (artículo 8). Además de estar empoderada para suspender la eficacia habilitante de autorizaciones administrativas, o de suspender la celebración ferias de ganado (también suspender actividades cinegéticas y pesqueras), la Administración tiene expresa habilitación parlamentaria para ordenar imperativamente el sacrificio obligatorio de animales (artículos 8.1.b) y 20 de la Ley 8/2003). En cualquier momento puede declararse una enfermedad de los animales que les cause a sus propietarios un perjuicio, por tener que sacrificarlos en cumplimiento de una orden imperativa de la Administración. Según ha declarado el Tribunal de Justicia de la

444 David Blanquer Criado

Unión Europea, se trata de un riesgo que es inherente a la actividad de cría y comercialización de animales vivos, y la pérdida es una consecuencia derivada de un acontecimiento natural que no es imputable a la Administración[24].

En línea general de principio, debe ser el propio ganadero quien realice o ejecute el sacrificio, pero en caso de incumplimiento de esa obligación impuesta por la orden burocrática, en su lugar puede hacerlo la Administración a través de la ejecución subsidiaria prevista en el artículo 102 de la LPAC 39/2015. Esa medida imperativa de sacrificio se vincula por la ley a un derecho subjetivo a percibir una compensación económica (que el artículo 21 califica como una «indemnización»). Ahí radica la principal diferencia entre la ordenación y definición del contenido normal del derecho de propiedad del ganado, y la ordenación y definición del contenido normal de la libertad de empresa durante la vigencia del estado de alarma.

Ahora bien, a pesar de la terminología oficial utilizada por la ley («indemnización»), esas compensaciones no se establecen para dejar totalmente indemne al ganadero. Por un lado, no se trata de un resarcimiento pleno o integral, sino de una aportación económica parcial cuyo importe se cuantifica en aplicación de unos baremos aprobados por la Administración (en la actualidad hay que estar a lo dispuesto tanto en el Real Decreto 389/2011, de 18 de marzo, como en el Real Decreto 82/2015, de 13 de febrero). En principio, un animal enfermo que no se puede vender no vale nada, pero a pesar de ello se le asigna un valor económico convencional. Sin perjuicio de algunas reglas especiales, ese RD 389/2011 establece que el punto de partida es el 85 por ciento del valor de cada cabeza de ganado establecido a tanto alzado en esa misma disposición (por ejemplo 321,54 euros por cabeza para ganado vacuno de aptitud cárnica si la res tiene una edad más

---

[24] Sentencia del Tribunal de Justicia de las Comunidades Europeas de 10 de julio de 2003 (asuntos acumulados C-20/2000 y C-64/2000; caso Booker Aquaculture Ltd).

de más de 120 meses; 707,26 euros si el animal está entre los 24 y los 48 meses, y 147,13 euros si tiene 1 mes o menos); en caso de vacío sanitario (es decir el sacrificio de todos los animales de una explotación ganadera), el cálculo se realiza partiendo del 100 por cien del valor de cada animal. Según se expresa en el preámbulo del Real Decreto 389/2011:

> *"Los baremos de indemnización por sacrificio obligatorio deben ser lo más ajustados posible, evitando sobre-compensaciones. Deben estar ligeramente por debajo de los precios de mercado con el fin de que los ganaderos asuman al menos una parte de los costes de la lucha frente a las enfermedades, siguiendo las directrices de la Nueva Estrategia de Sanidad Animal de la Unión Europea. El valor de la calidad genética, de la conformación o de las diferencias en cuanto al sexo debe ser asumida por el ganadero como forma de corresponsabilidad, bien directamente o bien mediante la contratación de seguros, para lo cual el sistema de seguros agrarios combinados español proporciona una herramienta modelo".*

Por otro lado, el título jurídico de esa atribución patrimonial en favor del ganadero no es la responsabilidad patrimonial de la Administración que ha impuesto la obligación de sacrificar necesariamente a determinados animales[25]. Estamos ante una atribución patrimonial realizada a fondo perdido, que encaja con naturalidad en el concepto jurídico de subvención pública[26] (creada por el legislador y concretada por la Administración). Se trata de una ayuda dineraria fundada en razones de solidaridad, que no constituye una ventaja económica que falsee o distorsione la igual competencia en el mercado (según ha declarado el Tribunal de Justicia de la Unión Europea)[27].

A juicio de ese mismo Tribunal, también es conforme a Derecho que por el ordenamiento de algún Estado miembro no se atribuya al propietario de los animales enfermos el derecho a per-

---

[25]   Sentencia del Tribunal Supremo de 6 junio 1996 (recurso de apelación 2201/1991; (*Tol 5144869*)).

[26]   Sentencia del Tribunal Superior de Justicia de Castilla-La Mancha 253/2007, de 4 junio (recurso 227/2004; (*Tol 1145806*)).

[27]   Sentencia del Tribunal de Justicia de las Comunidades Europeas de 8 enero 2002 (asunto C-428/99; caso H. van der Bor BV contra en verkoopbureau).

cibir una compensación económica por su obligatorio sacrificio. El Tribunal de Luxemburgo declara que el efecto que deriva de la medida de sacrificio obligatorio no es privar coactivamente a los propietarios de las explotaciones de animales, sino permitirles continuar ejerciendo su actividad en ellas. Según concluye el TJUE, el imperativo sacrificio de los animales enfermos sin que el dueño perciba una compensación económica, no es una intervención abusiva, desmesurada e intolerable que lesione la propia esencia del derecho de propiedad[28].

Si por el contrario los poderes públicos deciden atribuir al dueño un derecho a percibir alguna compensación económica por razón de su sacrificio forzoso de los animales, entonces estamos ante una medida solidaria por la que libre y voluntariamente ha optado el legislador. Ahora bien, una vez que la ley ya atribuye ese derecho subjetivo a los ganaderos, después la Administración no puede denegar arbitrariamente su reconocimiento y pago, que debe realizarse en los términos previstos en la norma.

En cuanto a las razones que justifican esa atribución patrimonial a fondo perdido y en favor del ganadero, entre otras cabe destacar la salud de los consumidores de los productos cárnicos. Según declara el Tribunal de Luxemburgo en su Sentencia de 8 de enero de 2002[29]: *"Como expuso el Abogado General en los puntos 29 a 35 de sus conclusiones, el hecho de que los Estados miembros fueran competentes para ordenar el sacrificio de animales implica que también lo eran para disponer la indemnización a los ganaderos afectados por esta medida, toda vez que podían existir razones serias para creer que, a falta de una indemnización equitativa, dichos ganaderos podrían ocultar el origen de los animales que poseían con el fin de evitar su sacrificio y la consiguiente pérdida financiera".*

---

28   Sentencia del Tribunal de Justicia de las Comunidades Europeas de 10 de julio de 2003 (asuntos acumulados C-20/2000 y C-64/2000; caso Booker Aquaculture Ltd).

29   Considerando 41 de la Sentencia del Tribunal de Justicia de las Comunidades Europeas de 8 de enero de 2002 (asunto C-428/99; caso H. van der Bor BV contra en verkoopbureau).

E) *Algo sobre las ayudas y subvenciones públicas*

1. El Estado social y la función solidaria de algunas ayudas y subvenciones

Por pura convención e inercia histórica, los manuales universitarios y los tratados académicos todavía siguen ubicando el estudio de las ayudas y subvenciones públicas en la actividad administrativa de fomento y promoción de las actividades privadas que son de interés general. Como es sabido, para condicionar la conducta de un ciudadano o de alguna persona jurídica, o para influir sobre ella y su actividad, por la burocracia se pueden emplear distintos medios o instrumentos: la coacción para forzarle, o la persuasión para seducirle. En sus relaciones con los ciudadanos, la Administración Pública puede utilizar «el palo» (la actividad de policía), o «la zanahoria» (la actividad de fomento). La Administración no se limita a imponerse a los ciudadanos mediante actividades de policía que se orientan a evitar la perturbación del interés general (*"cura advertendi mala futura"*), sino que también adopta medidas para persuadir a alguien y convencerle de la conveniencia y utilidad de desarrollar actividades que son de interés general (*"cura promovendi salutis"*).

Ayudas y subvenciones	
Promoción económica	Contención social
"Cura promovendi salutis"	*"Cura advertendi mala futura"*

Ahora bien, aunque esa sistemática es parcialmente correcta, no es del todo completa, pues no describe de manera suficiente las distintas misiones de interés general que pueden cumplir las ayudas y subvenciones. La realidad social y económica fuerza a matizar y completar esa simplificación; es cierto que muchas ayudas y subvenciones son medidas de «promoción económica», pero no es menos cierto que muchas otras son de «contención social» (pues se establecen para paliar o aminorar el descontento y la indignación social ante una situación adversa o una desgracia).

Finalmente, también hay algunas ayudas que cumplen ambas funciones; así sucede con las que fomentan y estimulan al conductor la compra de vehículos eléctricos, híbridos o poco contaminantes, y que además también palían o aminoran la crisis empresarial de ese importante sector industrial (Decreto 569/2020, de 16 de junio, que regula el programa MOVES II).

2. El silencio del Real Decreto 463/2020 sobre las ayudas a los empresarios que han sufrido la suspensión imperativa de sus actividades mercantiles

Mientras que la Ley 8/2003 (de sanidad animal), atribuye expresamente al ganadero el derecho subjetivo a percibir una compensación económica por el sacrificio de los animales enfermos, en relación al estado de alarma por la COVID-19, el artículo 10 del Real Decreto 463/2020 guarda silencio sobre la compensación de los daños y perjuicios empresariales sufridos al suspenderse imperativa y temporalmente (hasta la correspondiente fase de la desescalada) el desarrollo de muchas actividades abiertas a la competencia del mercado. La opción del Gobierno al declarar el estado de alarma y aprobar el Real Decreto 463/2020, ha sido desvincular la suspensión temporal de actividades económicas, de la reparación parcial de sus consecuencias negativas con ayudas y subvenciones; es decir, se separan las medidas policiales de restricción de la actividad empresarial, y las sociales de contención de los daños.

Ahora bien, aunque no exista una conexión directa e inmediata con esa suspensión temporal de muchas actividades mercantiles, algún vínculo indirecto o colateral puede existir con algunas de las ayudas creadas *"ad hoc"* para paliar o aminorar algunos de los daños derivados de la pandemia; por ejemplo, me refiero a las distintas líneas de avales del Instituto de Crédito Oficial (ICO), y otras ayudas creadas por los poderes públicos con motivo de la crisis sanitaria por la COVID-19, como las del sector cultural previstas en el Real Decreto-Ley 17/2020, de 5 de mayo. También hay ayudas y subvenciones en favor de las Comunidades Autónomas, para paliar el incremento de gasto generado por la crisis sanitaria (Real Decreto Ley 22/2020, de 16 de junio).

Para otros colectivos o grupos sociales con unas u otras necesidades, hay diferentes ayudas creadas por las Comunidades Autónomas, como las de Castilla-La Mancha que resultan del Decreto 15/2020, de 12 de mayo (que regula la concesión directa de ayudas de emergencia excepcional destinadas a personas que se encuentren en situación de dificultad económica y social para cubrir necesidades básicas, como consecuencia de la crisis ocasionada por el COVID-19 durante 2020). Las ayudas no siempre consisten en subvenciones, también pueden ser ventajas tributarias, como las establecidas en Cataluña mediante el Decreto-ley 11/2020, de 7 de abril (por el que se adoptan medidas económicas, sociales y administrativas para paliar los efectos de la pandemia generada por la COVID-19 y otras complementarias). Si alguien quiere visualizar un abanico más amplio y diversificado de ayudas y auxilios públicos ante situaciones catastróficas o de emergencia, basta con consultar el ya derogado RD 692/1981[30].

A diferencia de lo que sucede en materia de responsabilidad patrimonial (sector en el que hay un auténtico deber de resarcimiento integral y la obligación de pago del importe de la indemnización que corresponda), en el régimen de ayudas y subvenciones públicas existe una amplia y elástica libertad de configuración del legislador, por lo que tanto su otorgamiento directo, como también la ausencia de compensaciones económicas, son ambas opciones válidas y respetuosas con la Constitución. La Administración también tiene un amplio margen de discrecionalidad para apreciar las circunstancias y convocar ayudas en unos u otros sectores necesitados de un apoyo solidario (siempre que exista para ello la previa dotación en los presupuestos).

---

[30] Artículo 3 del Real Decreto 692/1981, de 27 de marzo (de coordinación de medidas de protección civil con motivo de situaciones de emergencia o de naturaleza catastrófica).

En términos políticos, sociales y económicos, esa diferencia de criterio de los poderes públicos en favor de unos u otros colectivos necesitados de alguna ayuda, está abierta a legítima controversia y razonable discusión, pero en términos jurídicos ambos regímenes son igualmente válidos y conformes a Derecho. Dicho ello, conviene recordar que en el contexto de la Unión Europea (un mercado abierto a la competencia entre los operadores económicos), son compatibles con el mercado interior: *"las ayudas destinadas a reparar los perjuicios causados por desastres naturales o por otros acontecimientos de carácter excepcional"* (artículo 107.2.b) del Tratado de Funcionamiento de la Unión Europea de 13 de diciembre de 2007).

3. La diferencia entre los pagos a título de responsabilidad patrimonial, y las atribuciones patrimoniales solidarias realizadas a fondo perdido

En los pagos que pueda realizar una Administración pública en el contexto de la crisis de salud pública motivada por la enfermedad COVID-19, es fundamental hacer un claro deslinde del título jurídico en virtud del cual se hace una atribución patrimonial en favor de un tercero. Es evidente que una subvención o ayuda es algo muy diferente a una indemnización o reparación integral que se paga por la hacienda pública al amparo del artículo 34 de la LRJSP 40/2015.

La experiencia práctica nos permite constatar que en algunos escenarios en los que el resultado lesivo no era imputable a la Administración (o por no concurrir algún otro de los demás requisitos legalmente exigidos para declarar la responsabilidad patrimonial), los poderes públicos optaron por crear ayudas económicas de carácter solidario que compensaran parcialmente graves o irreparables daños. Por ejemplo, aunque las limitaciones de la ciencia médica justificaron que en el Estado de Derecho no se declarase la responsabilidad patrimonial de la Administración por todos los contagios del «virus de inmunodeficiencia humana» (VIH) ocasionados como consecuencia de transfusiones de sangre realizadas en hospitales públicos, para aminorar parcialmente los daños y las situaciones de necesidad, se optó por crear libremente algunas ayudas públicas reclamadas por el perfil del Estado Social de Derecho. Esa grave enfermedad originada en la década de 1980 motivó que los poderes públicos de establecieran ayudas y subvenciones que en alguna medida contribuyeran a paliar las desgraciadas consecuencias sufridas por quienes contrajeron esa enfermedad o fallecieron por ella. Una vez más conviene recordar aquí el texto del artículo 34.1 de la LRJSP 40/2015):

> *"Sólo serán indemnizables las lesiones producidas al particular provenientes de daños que éste no tenga el deber jurídico de soportar de acuerdo con la Ley. No serán indemnizables los daños que se deriven de hechos o circunstancias que no se hubiesen podido prever o evitar según el estado de los conocimientos de la ciencia o de la técnica existentes en el momento de producción de aquéllos, todo ello sin perjuicio de las prestaciones asistenciales o económicas que las leyes puedan establecer para estos casos".*

Bastantes personas se contagiaron de «virus de inmunodeficiencia humana» (VIH) como consecuencia de una transfusión sanguínea realizada antes de que la ciencia conociese las vías de propagación y los riesgos de esa enfermedad, y antes de que se realizasen análisis a los donantes de sangre para detectar si eran portadores de ese virus. A pesar de que no había responsabilidad patrimonial de la Administración porque el resultado lesivo no era antijurídico, mediante Real Decreto-Ley 9/1993, de 28 de mayo, se estableció un sistema de ayudas compensatorias a los contagiados y sus familiares[31].

En ese mismo sentido, cuando se produjeron daños catastróficos por una causa de fuerza mayor como es el terremoto acaecido en la ciudad de Lorca el 11 de mayo de 2011, por los poderes públicos se habilitaron ayudas y subsidios extraordinarios que no se pagaban a título de responsabilidad patrimonial de la Administración. Baste recordar el Real Decreto-ley 6/2011, de 13 de

---

[31]   Sentencia del Tribunal Supremo de 5 de julio de 2011 (recurso de casación 5196/2010; (*Tol 2177629*)).

mayo (de medidas urgentes para reparar los daños causados por los movimientos sísmicos acaecidos en Lorca), el Real Decreto-ley 17/2011, de 31 de octubre (de medidas complementarias para paliar los daños producidos por esos mismos movimientos sísmicos), o el Real Decreto-ley 11/2012, de 30 de marzo (de medidas para agilizar el pago de las ayudas a los damnificados por el terremoto, reconstruir los inmuebles demolidos e impulsar la actividad económica de Lorca). Como se ha dicho con pleno acierto, la fuerza mayor es una línea divisoria entre la responsabilidad patrimonial y las ayudas y subvenciones a título de solidaridad[32].

Otras veces se produce una concurrencia entre ayudas públicas fundadas en la solidaridad e indemnizaciones a título de responsabilidad patrimonial, como por ejemplo sucedió con la rotura de la presa de Tous y el Real Decreto-Ley 20/1982, de 23 de octubre (de medidas urgentes para reparar los daños causados por las ocurridas en Albacete, Alicante, Murcia y Valencia). En ese otro contexto normativo, se plantea la aceptación o rechazo de la compatibilidad de esas ayudas con la indemnización a título de responsabilidad patrimonial. Como luego se explica, en ese caso de la presa de Tous (situada en la provincia de Valencia), las lluvias torrenciales eran previsibles, y se produjo un mal funcionamiento de la Administración en el manejo de las compuertas para aliviar la cantidad de agua embalsada.

Dicho ello, recuperemos el hilo argumental y volvamos nuevamente a la distinción entre las atribuciones patrimoniales que se realizan a título de responsabilidad patrimonial, y las que confiere el Estado social mediante ayudas y subvenciones otorgadas a título de solidaridad. Una cosa es que a algunos perjudicados por la presa de Tous se les aplique la «justicia retributiva» (que es propia del resarcimiento a título de responsabilidad patrimonial),

---

[32] Jesús JORDANO FRAGA, *La reparación de los daños catastróficos. Catástrofes naturales, Administración y Derecho público; responsabilidad, seguro y solidaridad*, Marcial Pons Ediciones Jurídicas y Sociales, Madrid 2000, página 23. Según afirma más adelante (página 166): *"En la solidaridad es donde ha de encontrarse el fundamento de la reparabilidad de los daños catastróficos"*.

y otra distinta es que con fundamento en la «justicia distributiva» los poderes públicos se creen ayudas o subvenciones para paliar las terribles consecuencias económicas del contagio por el VIH o las derivadas de una inundación o un terremoto. Las diferencias jurídicas entre esas figuras son de profundo calado:

(i) la atribución patrimonial que se realiza a título de responsabilidad patrimonial se fundamenta en la «justicia conmutativa», y la atribución que se canaliza mediante ayudas y subvenciones a fondo perdido es una manifestación de la «justicia distributiva» fundada en la solidaridad;

(ii) mientras que en el resarcimiento a título de responsabilidad patrimonial hay un auténtico derecho subjetivo a percibir una indemnización, la convocatoria del régimen de ayudas o subvenciones es normalmente discrecional (aunque hay algunas excepciones como sucede en aplicación del Real Decreto-Ley 9/1993, o de la Ley 8/2003);

(iii) mientras que la responsabilidad patrimonial reclama un resarcimiento pleno o integral, las ayudas o subvenciones únicamente sirven para aminorar parcialmente las dramáticas consecuencias del terremoto de Lorca, o las que derivan de la suspensión general del comercio minorista durante la vigencia del estado de alarma; y,

(iv) mientras que el importe de la indemnización percibida a título de responsabilidad patrimonial está exento de tributación en el IRPF, por regla general y sin perjuicio de algunas excepciones aisladas, no sucede lo mismo con las ayudas y subvenciones otorgadas a título de solidaridad[33].

---

[33] Artículo 7 de la Ley 35/2006, de 28 de noviembre (impuesto sobre la renta de las personas físicas): *"Estarán exentas las siguientes rentas:*
a) Las prestaciones públicas extraordinarias por actos de terrorismo y las pensiones derivadas de medallas y condecoraciones concedidas por actos de terrorismo.
b) Las ayudas de cualquier clase percibidas por los afectados por el virus de inmunodeficiencia humana, reguladas en el Real Decreto-ley 9/1993, de 28 de mayo.

No es misión ni propósito de este trabajo adentrarse en el estudio en profundidad del régimen jurídico de las distintas fórmulas de ayudas y subvenciones públicas que nuestro Estado Social ha impulsado para disminuir en alguna medida la tragedia social y económica derivada de la crisis de la enfermedad COVID-19. Dejo en el tintero cuestiones importantes como, por ejemplo, la compatibilidad entre unas y otras ayudas y auxilios, pues en ocasiones el Derecho positivo permite acumular más de una percepción solidaria[34]. Baste por tanto con haber establecido la línea fronteriza entre las indemnizaciones abonadas en concepto de responsabilidad patrimonial de la Administración, y otros pagos realizados por la hacienda pública en virtud de otros títulos jurídicos diferentes.

III. UN CONTEXTO COMPLEJO Y LLENO DE INCERTIDUMBRES PARA LA RESPONSABILIDAD PATRIMONIAL

A) Introducción

A pesar de los avances en la gestión de la crisis por la COVID-19, desde la perspectiva de la responsabilidad patrimonial de la Administración pública nos enfrentamos a una tormenta jurídica casi perfecta, porque una situación anómala y excepcional del ordenamiento jurídico (el estado de alarma), se combina con un sector o materia en el que la ley tiene muy escasa densidad normativa, y además la jurisprudencia no aporta certidumbre y seguridad jurídica.

(…) q) Las indemnizaciones satisfechas por las Administraciones públicas por daños personales como consecuencia del funcionamiento de los servicios públicos, cuando vengan establecidas de acuerdo con los procedimientos previstos en el Real Decreto 429/1993, de 26 de marzo, por el que se regula el Reglamento de los Procedimientos de las Administraciones Públicas en materia de Responsabilidad Patrimonial".

[34]   Artículo 2 del Real Decreto 307/2005, de 18 de marzo (que regula las subvenciones en atención a determinadas necesidades derivadas de situaciones de emergencia o de naturaleza catastrófica, y se establece el procedimiento para su concesión).

A esos factores se añaden otros derivados de llamada «*la sociedad del riesgo*» o *"Risikogesellschaft"* (Ulrich BECK)[35], o a la zozobra cotidiana y las incertidumbres que son intrínsecas en la actual «postmodernidad líquida» (Zygmunt BAUMAN)[36]. En ese contexto, es posible que no exista otro remedio o solución que asumir una estrategia «VUCA»[37], que es la propia de organizaciones que como la Administración pública actúan en entornos complejos.

B) *Algo sobre el Estado de Derecho durante la vigencia del estado de alarma*

1. ¿Pervive la garantía indemnizatoria durante la vigencia del estado de alarma?

Para seguir avanzando en el estudio del régimen de responsabilidad patrimonial de la Administración durante la vigencia del estado de alarma declarado por la crisis sanitaria motivada por la enfermedad COVID-19, conviene plantearse una duda previa para discernir:

(*i*) si la declaración del estado de alarma elimina la garantía indemnizatoria que resulta del artículo 106.2 de la Constitución;

(*ii*) si el estado de alarma únicamente aminora el alcance de la responsabilidad; o,

(*iii*) si no tiene ninguna incidencia y a pesar de esa situación de emergencia, sigue siendo aplicable el mismo régimen de responsabilidad que en situaciones de plena normalidad.

---

35   Ulrich BECK, *La sociedad del riesgo*, Ediciones Paidós, Barcelona 1998.
36   Zygmunt BAUMAN, Z., *Modernidad líquida*, cuarta reimpresión, Fondo de Cultura Económica, Madrid 2018.
37   VUCA es el acrónimo que designa la estrategia que asumen algunas organizaciones interesadas en gestionar acertadamente los rasgos de su entorno, como son la volatilidad, la incertidumbre, la complejidad y la ambigüedad («Volatility», «Uncertainty», «Complexity», «Ambiguity»).

Con el objetivo de analizar estas tres alternativas, conviene empezar recordando aquí el texto del artículo 106.2 de la Constitución: *"Los particulares, en los términos establecidos por la ley, tendrán derecho a ser indemnizados por toda lesión que sufran en cualquiera de sus bienes y derechos, salvo en los casos de fuerza mayor, siempre que la lesión sea consecuencia del funcionamiento de los servicios públicos"*.

De ese precepto no resulta un derecho subjetivo de rango constitucional a obtener un resarcimiento económico por todos los daños causados por el funcionamiento de los servicios públicos. La Constitución impone el principio de responsabilidad patrimonial de la Administración, pero el alcance y los límites de la garantía indemnizatoria no resultan directamente de la propia Constitución, que se remite a los términos establecidos en la ley. Por tanto, se trata de un «derecho de configuración legal», por lo que el parlamento tiene un cierto margen de libertad a la hora de regular la responsabilidad patrimonial de la Administración pública de una u otra manera. Un límite de esa libertad de configuración del legislador, es el que impide a las Cortes Generales eliminar de raíz la posibilidad de reclamar el derecho de los perjudicados a ser resarcidos. Cabría defender la existencia de una «garantía institucional» de esa figura jurídica, en el sentido de que el legislador no puede suprimir de manera general y para todos los casos esa responsabilidad patrimonial. No cabe incluir en la ley una cláusula general que exonere a la Administración del deber general de indemnizar a quienes sean lesionados por acción u omisión de la burocracia.

Por otro lado y de lo establecido en el artículo 149.1.18ª de la Constitución (que alude al *"sistema"* de responsabilidad), se infiere que el constituyente no pensó en un régimen unitario o uniforme de responsabilidad patrimonial de las Administraciones públicas. Esa opción por la idea de *"sistema"* encierra la negación de un único régimen de cobertura de daños y perjuicios; no es imaginable un *"sistema"* de un régimen único y exclusivo; el *"sistema"* se refiere siempre a una pluralidad o diversidad de elementos que se agrupan en un todo unitario (en el cual se integran a través de reglas de articulación y coherencia)[38]. Con arreglo a esa lógica plural del sistema de responsabilidad, en el ejercicio de su libertad de configuración, el parlamento pudo optar por establecer un estatuto dual, diferenciando un régimen general y pleno para las situaciones de normalidad, y otro régimen especial y rebajado para las situaciones extraordinarias o de emergencia. Con fundamento en las circunstancias anómalas concurrentes en un estado de alarma, las Cortes Generales podrían haber modulado el concepto de antijuridicidad del resultado lesivo al elaborar la Ley Orgánica 4/1981, y al ampliar la obligación de soportar determinados daños o cargas generales ante la situación de súbita emergencia, haber reducido normativamente el alcance de la responsabilidad patrimonial.

El legislador también pudo guardar silencio, y así crear una situación tan elástica para el Gobierno y la Administración, como ambigua e incierta para los ciudadanos y los tribunales. Lo cierto es que las Cortes Generales no eligieron ninguna de las dos fórmulas que acaban de apuntarse; conforme a lo establecido en el artículo 3.2 de la Ley Orgánica 4/1981 (de estados de alarma, excepción o sitio): *"Quienes como consecuencia de la aplicación de los actos y disposiciones adoptadas durante la vigencia de estos estados sufran, de forma directa, o en su persona, derechos o bienes, daños o perjuicios por actos que no les sean imputables, tendrán derecho a ser indemnizados de acuerdo con lo dispuesto en las leyes".*

Por tanto, el estado de alarma no tiene ninguna incidencia en el régimen general y normal de responsabilidad patrimonial de la Administración. El artículo 3.2 de la Ley Orgánica 4/1981 puede y debe ser interpretado en el sentido de que, a pesar de las circunstancias extraordinarias (y no obstante la restricción o suspensión de derechos y libertades que en cada uno de esos estados se pueden imponer), lo que no cabe es orillar ni aminorar la

---

[38]   David BLANQUER, *La responsabilidad patrimonial de las Administraciones públicas,* Ponencia Especial de Estudios del Consejo de Estado; Instituto Nacional de Administración Pública, Madrid 1997, página 81.

garantía indemnizatoria por los daños y perjuicios causados por el funcionamiento de los servicios públicos, siendo de aplicación el mismo régimen general de resarcimiento de resultados lesivos que es aplicable en situaciones de normalidad (cuyas reglas materiales o sustantivas se contienen en el artículo 32 y siguientes de la Ley 40/2015, de 1 de octubre, de régimen jurídico del sector público, o también LRJSP 40/2015).

Dejando ya al margen el estado de alarma, no está de más añadir otro escenario peculiar o singular, como es la restricción del control judicial sobre los actos políticos del Gobierno. Pues bien, esa figura tampoco tiene impacto en la plena exigencia de la responsabilidad patrimonial derivada de esas decisiones. En efecto, la trascendencia ideológica o el carácter político de algunas decisiones gubernamentales, no priva a los ciudadanos de sus derechos e intereses patrimoniales legítimos. Las decisiones políticas del Gobierno pueden generar daños y perjuicios merecedores de un resarcimiento que, en caso de no ser estimado por la Administración, puede ser instado por los lesionados ante la jurisdicción contencioso-administrativa. El Tribunal Supremo no puede controlar el núcleo central de la decisión política, pero en su perímetro sigue perviviendo en las mismas condiciones el derecho a ser indemnizado a título de responsabilidad patrimonial, por los daños y perjuicios causados por un acto político del Gobierno (artículo 2.a) de la LJCA 29/1998). Por tanto, la responsabilidad patrimonial es una figura jurídica que en nuestro ordenamiento está plenamente garantizada incluso en situaciones comprometidas o delicadas como ocurre con un estado de emergencia o un acto político del Gobierno.

Pondré algún ejemplo concreto que sirva para ilustrar el significado y alcance de ese precepto legal. Las relaciones internacionales es un terreno propicio a las decisiones gubernamentales de dirección política que en su contenido central no son fiscalizables por los tribunales, pero que en algunas ocasiones generan daños y perjuicios merecedores de resarcimiento, sobre los que sí se debe pronunciar la jurisdicción contencioso-administrativa. Baste pensar en las relaciones entre España y el Reino Unido de la Gran

Bretaña; por acuerdo del Consejo de Ministros de 6 de junio de 1969, se cerró la frontera española con Gibraltar. Esa decisión gubernamental impidió a algunos empresarios y comerciantes continuar con normalidad su actividad mercantil, que con el tiempo tuvieron que abandonar. Pues bien, aunque el contenido de esa medida de dirección de la política internacional no es fiscalizable por los tribunales, éstos se pueden pronunciar sobre las solicitudes de indemnización de daños y perjuicios dirigidas por ese motivo a la Administración del Estado[39]. Lo mismo sucedió también respecto a las relaciones entre España y Guinea Ecuatorial; importa destacar que esa declaración de la responsabilidad patrimonial de la Administración por el Tribunal Supremo se realizó cuando Franco todavía vivía, reconociéndose en varias sentencias el derecho de algunas empresas a ser indemnizadas por los daños y perjuicios causados por una actuación política[40].

2. Durante el estado de alarma se respira una atmósfera jurídica anormal. En tiempos difíciles no se hace buen Derecho

Aunque durante la vigencia del estado de alarma, y a pesar de que las actuaciones del Gobierno y las Administraciones están sometidas al control de la jurisdicción contencioso-administrativa (artículo 3.1 de la Ley Orgánica 4/1981), y pese a la plena aplicación del régimen general de responsabilidad patrimonial, conviene plantear si la Administración y los Tribunales aplicarán la normativa vigente de la misma manera y con iguales criterios uti-

---

[39]   Sobre esa decisión gubernamental de cierre de la frontera española con Gibraltar, ver también las Sentencias del Tribunal Supremo de 16 de abril de 2008 (recurso de casación 449/2006; (*Tol 1320709*)); 9 de marzo de 2000 (recurso 403/1996; (*Tol 1716669*)); 24 de julio de 1999 (recurso 675/1995; (*Tol 1716104*)); 19 de julio de 1999 (recurso 671/1995; (*Tol 1716438*)).

[40]   Así sucedió en el caso resuelto por la Sentencia del Tribunal Supremo de 5 de noviembre de 1974, relativa a la indemnización de daños y perjuicios reclamada por 28 empresarios españoles por los daños causados por una multa de 4 millones de pesetas que cada uno de ellos debían pagar a autoridades extranjeras en el plazo máximo de 10 días.

lizados en situaciones ordinarias o de normalidad constitucional. Algunos pueden tener dudas sobre el mantenimiento en tiempos de emergencia (o en los momentos posteriores en los que se analizan las situaciones jurídicas generadas durante la alarma), de los mismos criterios que se utilizan en situaciones de plena normalidad.

No cabe descartar de raíz, que el vértigo colectivo que todos sufrimos en esta situación de grave emergencia (no sólo sanitaria sino también social y económica), influya en que alguna decisión se adopte con una «iuris-prudencia» redoblada, con el objetivo de no crear un lío añadido por haber maximizado las garantías en favor de los reclamantes. Teniendo en cuenta los problemas presupuestarios y de gasto público que se otean en el horizonte de la enfermedad COVID-19, alguien puede pensar que sería imprudente estimar reclamaciones de resarcimiento a título de responsabilidad, que por su carácter masivo o muy numeroso podrían abrir un boquete a la maltrecha hacienda. En una situación de emergencia nacional, la defensa de la salud financiera de las arcas públicas puede gozar de primacía y de mayor protección que el pago de las indemnizaciones a título de responsabilidad patrimonial (*"salus publica, summa lex esto"*, por decirlo en los muy conocidos términos en su día empleados por CICERÓN)[41].

Siguiendo algún precedente que se remonta a 1837, la expresión *"hard cases make bad law"* se hizo popular a partir de 1904, cuando fue utilizada por el entonces presidente del Tribunal Supremo de los Estados Unidos de América (Oliver Wendell HOLMES) en su voto particular a la sentencia del asunto «Northern Securities Co. V. United States». Según el argumento de HOLMES, en los casos difíciles entran en juego emociones que distorsionan el juicio de quienes tienen que adoptar una decisión: *"Great cases like hard cases make bad law. For great cases are called great, not by reason of their*

---

[41] Marco Tulio CICERÓN, *Sobre las leyes*, libro III, capítulo 3, apartado 8; Editorial Aguilar, Buenos Aires 1966, página 157.

importance… but because of some accident of immediate overwhelming interest which appeals to the feelings and distorts the judgment".

Sin perjuicio del uso de otras expresiones, esa misma lógica argumental sobre la difícil gestión de la seguridad jurídica en momentos de grave emergencia, subyace también en el reciente Auto del Tribunal Constitucional de 30 de abril de 2020 (recurso de amparo 2056/2020, referido al ejercicio del derecho de reunión durante el estado de alarma motivado por la COVID-19): *"En el estado actual de la investigación científica, cuyos avances son cambiantes con la evolución de los días, incluso de las horas, no es posible tener ninguna certeza sobre las formas de contagio, ni sobre el impacto real de la propagación del virus, así como no existen certezas científicas sobre las consecuencias a medio y largo plazo para la salud de las personas que se han visto afectadas en mayor o menor medida por este virus. Ante esta incertidumbre tan acentuada y difícil de calibrar desde parámetros jurídicos que acostumbran a basarse en la seguridad jurídica que recoge el ait. 9.3 de la Constitución (…)"* (fundamento jurídico 4.b).

Este trabajo se refiere a un contexto jurídico de emergencia y anormalidad como es el estado de alarma. Al producirse una crisis sanitaria que supone una alteración grave de la normalidad, al amparo de lo establecido en el artículo 116 CE y de la Ley Orgánica 4/1981, el Gobierno declaró el estado de alarma mediante el Real Decreto 463/2020, de 14 de marzo. Pues bien, ese tipo de régimen de excepción no es un contexto propicio a la formación de buen Derecho, pues las autoridades competentes se enfrentan a casos difíciles[42], que sólo puede resolver con acierto un auténtico «Hércules» del Derecho (es decir, un juez dotado de habilidad, erudición, paciencia y perspicacias sobrehumanas)[43]. La situación

---

[42]   Ronald DWORKIN, *Los derechos en serio*, Editorial Ariel, Barcelona 1984, página 146: *"En el positivismo jurídico encontramos una teoría de los casos difíciles. Cuando un determinado litigio no se puede subsumir claramente en una norma jurídica, establecida previamente por alguna institución, el juez —de acuerdo con esa teoría— tiene discreción para decidir el caso en uno u otro sentido".*

[43]   Ronald DWORKIN, *Los derechos en serio*, Editorial Ariel, Barcelona 1984, página 177.

es muy compleja, se producen terribles consecuencias individuales y colectivas, el ambiente se tensa y afloran muchos prejuicios ideológicos que se potencian por la escasa densidad normativa de la ley que regula la responsabilidad patrimonial de la Administración.

Un signo de progreso y evolución de los modernos ordenamientos jurídicos, es el paulatino incremento de la exigencia de calidad normativa. Para ponderar la calidad de las leyes debe analizarse la variable dosis de certidumbre y seguridad jurídica que esas normas aportan a sus destinatarios. La densidad normativa de la ley también debe ser suficiente para permitir que cuando los interesados recaben la tutela judicial efectiva (artículo 24 CE), los tribunales puedan medir el grado de sometimiento de la actividad administrativa a la previa programación parlamentaria. Los tribunales deben estar en adecuadas condiciones para enjuiciar si se han respetado o no los límites del programa parlamentario que condiciona y guía la actividad administrativa en materia de responsabilidad patrimonial; el marco para realizar ese juicio debe ser el previamente creado por el parlamento al establecer dicho programa.

Sucede que como seguidamente se expone, una buena parte de la inseguridad jurídica en materia de responsabilidad patrimonial es achacable al legislador, que ha regulado esa importante figura jurídica con muy poca densidad normativa. Una de las paradojas de la postmodernidad del siglo XXI, es la convivencia o cohabitación de la intensa y extensa «hiperregulación» de materias intrascendentes o banales, con la «hiporregulación» u ordenación deficitaria de cuestiones básicas y fundamentales (aquejadas de una escasa densidad normativa, insuficiente para satisfacer adecuadamente los estándares de seguridad jurídica que reclama un Estado de Derecho).

La regulación legal en España del régimen de la responsabilidad patrimonial de la Administración ha sido, y en cierta medida sigue siendo todavía, un vagón en la cola de una locomotora que tiene otro destino diferente[44]. Ha venido siendo una suerte de estrambote de la legislación de expropiación forzosa, del régimen jurídico de las Administraciones públicas o del procedimiento administrativo común[45]. Si dejamos al margen la responsabilidad de las autoridades y empleados públicos y nos fijamos ya en el Derecho positivo hoy en día vigente, como resultado del sumatorio de disposiciones que regulan las cuestiones materiales y las formales nos quedamos en tan sólo 7 preceptos legales (artículos 67, 91 y 92 de la LPAC 39/2015, y los artículos 32 a 35 de la LRJSP 40/2015); subimos a 9 preceptos si incorporamos el régimen de responsabilidad patrimonial de las autoridades y empleados públicos (artículos 36 y 37 de la LRJSP 40/2015). ¿Es ello suficiente teniendo en cuenta la trascendencia y la complejidad de la materia?

Cuando la calidad y la densidad normativa de la ley es insuficiente (porque tiene un contenido nebuloso y genérico), la actividad administrativa no es ni previsible para los ciudadanos y demás interesados en un procedimiento, ni tampoco mensurable por los tribunales que deben controlarla. En esas circunstancias jurídicas se vulnera la denominada «libertad de los modernos». Esa libertad es un espacio de autonomía individual y seguridad jurídica; consiste en la seguridad de que sólo la ley del parlamento puede limitar la libertad de los ciudadanos (considerados como individuos que disfrutan de un espacio de autonomía y privacidad). Frente al «gobierno subjetivo» de los hombres o monarcas

---

44 David BLANQUER, *La responsabilidad patrimonial de las Administraciones públicas*, Instituto Nacional de Administración Pública, Madrid 1997, página 29.

45 La Ley de Expropiación Forzosa de 1954 sólo dedicó tres artículos a esta materia (artículos 121 a 123). Hasta cuatro artículos subió la Ley de Régimen Jurídico de la Administración del Estado de 1957 (artículos 40 a 43). En esa línea de paulatina pero progresiva evolución, la Ley 30/1992 incluyó hasta siete artículos (desde el 139 hasta el 145).

Conviene no olvidar que en el año 1889 el Código Civil dedicó 9 preceptos para regular la responsabilidad extracontractual (artículos 1902 a 1910), que ascienden a diez si se tiene en cuenta el régimen de prescripción de acciones (artículo 1968.2), y a 18 preceptos si añadimos lo que en relación a las obligaciones extracontractuales disponen los artículos 1.101 a 1.108 del Código Civil.

absolutos, se contrapone el «gobierno objetivo» de las leyes (que a diferencia de los hombres no tienen pasiones, como ya advirtió ARISTOTELES, *Política* 1286 a). Conviene recordar que a través de la representación parlamentaria que aprueba la ley, se expresa la voluntad general de los ciudadanos que aceptan la restricción de sus libertades. Es decir, la libertad individual se logra gracias a la seguridad jurídica en la producción y aplicación de las normas del ordenamiento[46].

IV. LOS REQUISITOS LEGALMENTE EXIGIDOS PARA QUE PROCEDA DECLARAR LA RESPONSABILIDAD PATRIMONIAL DE LA ADMINISTRACIÓN

A) *Introducción*

Para aproximarse a las cuestiones que se analizan en este apartado, conviene empezar recordando que, conforme a lo establecido en el artículo 32 y siguientes de la Ley 40/2015, de 1 de octubre (de régimen jurídico del sector público), los requisitos legalmente exigidos para que proceda declarar la responsabilidad patrimonial de la Administración son los siguientes:

(*i*) la producción de un daño en sentido técnico-jurídico: el resultado lesivo tiene que ser efectivo, individualizado, susceptible de valoración económica y antijurídico (en el sentido de que no exista una obligación legal que imponga al reclamante soportar estoicamente ese daño con su propio patrimonio);

---

[46] Benjamin CONSTANT, *De la libertad de los antiguos comparada con la de los modernos*, discurso pronunciado en el Ateneo de París en febrero de 1819, cuyo texto se incluye como anexo (página 293 y siguientes), en la traducción al castellano de su obra, *Curso de política constitucional*, Editorial Comares, Granada 2006. Giovanni SARTORI, *¿Qué es la democracia?*, Editorial Taurus, Madrid 2007, página 167 y siguientes. Eduardo GARCÍA DE ENTERRÍA, *Democracia, jueces y control de la Administración*, Editorial Civitas, Madrid 1995, página 33.

(ii) la relación de causalidad entre el funcionamiento de la Administración, y el resultado lesivo sufrido por el interesado en el procedimiento; y,

(iii) imputabilidad del resultado lesivo a la Administración pública como persona jurídica (imputación que se desplaza cuando concurre una causa de fuerza mayor).

Para aplicar esos requisitos legales y pronunciarse en cada reclamación indemnizatoria sobre la existencia de responsabilidad patrimonial durante el estado de alarma o más allá, hay que diferenciar dos fases o momentos distintos:

(i) la generación de un riesgo; y,

(ii) la adecuada gestión de un riesgo exógeno.

Es claro y evidente que las Administraciones públicas españolas no han originado la enfermedad COVID-19 en un laboratorio; tampoco la han importado en aviones oficiales. Aunque esa desgraciada enfermedad pueda ser reputada como una causa de fuerza mayor (la generación del riesgo no es imputable a la Administración), no es menos cierto que la pasividad burocrática o el mal funcionamiento de la Administración, puede incrementar el riesgo de que algunas personas se infecten y enfermen (la mala gestión burocrática del riesgo exógeno es imputable a la Administración). Por tanto, puede existir una relación de causalidad entre las deficiencias administrativas en la gestión de la pandemia, y el incremento de riesgo de que se produzca un resultado lesivo.

Para ajustarme a la extensión de un trabajo que se incluye en un libro colectivo, dejo ahora en el tintero muchas otras cuestiones sobre el régimen de responsabilidad patrimonial, que pronto abordaré en una monografía más completa y detallada. Por ejemplo, dejo fuera las especialidades jurídicas que se aplican a las reclamaciones de resarcimiento presentadas por los empleados públicos (como el personal sanitario)[47], que en rigor estricto

---

47   Con carácter general, el personal sanitario se rige por la Ley 44/2003, de 21 de noviembre (de ordenación de las profesiones sanitarias). Dentro del régimen

y literal no son los «particulares» (a los que alude el artículo
106.1 de la Constitución y el artículo 34.1 de la LRJSP 40/2015).
En línea general de principio, los daños sufridos por los servidores públicos «como consecuencia» del servicio, y cuando cumplen sus responsabilidades burocráticas deberían ser reparados
en el marco de la responsabilidad patrimonial de la Administración, mientras que los daños causados por terceros pero sufridos
«con ocasión» del servicio deben ser cubiertos por las prestaciones de la Seguridad Social y la legislación de clases pasivas o por
el régimen de indemnizaciones de las normas reguladoras del
estatuto de los funcionarios públicos[48]. En ese cruce de regímenes jurídicos, se plantea la compatibilidad o incompatibilidad
entre las percepciones a título de responsabilidad patrimonial
y las realizadas en aplicación del régimen de clases pasivas que
protege a los empleados públicos[49], cuestión que será estudiada
en esa futura monografía.

Tampoco abordo aquí y ahora el estudio de la articulación entre la responsabilidad patrimonial de la Administración y las pólizas de seguro. Cuando una Administración sanitaria suscribe u
contrato de seguro para dar cobertura a los siniestros que puedan
acaecer en el funcionamiento del servicio público, normalmente
lo hace con miras a los procesos penales tramitados a instancia

---

de lo que coloquialmente se denomina «personal estatutario», importa prestar
especial atención al artículo 17.1.d) de la Ley 55/2003, de 16 de diciembre
(estatuto marco del personal estatutario de los servicios de salud); conforme a
ese precepto, el personal estatutario de los servicios de salud tiene derecho:
*"A recibir protección eficaz en materia de seguridad y salud en el trabajo, así como
sobre riesgos generales en el centro sanitario o derivados del trabajo habitual, y a la
información y formación específica en esta materia conforme a lo dispuesto en la Ley
31/1995, de 8 de noviembre, de Prevención de Riesgos Laborales".*

[48] Dictamen del Consejo de Estado de 17 de abril de 1997 (expediente
936/1997). Ver también la Memoria del Consejo de Estado de 1990 (página
112 y siguientes del texto impreso en papel; conviene advertir al lector internauta, que la paginación de ese texto cambia en el formato electrónico que
está colgado de la web de esa institución).

[49] Dictámenes del Consejo de Estado de 3 de junio de 2015 (expediente
301/2015), y de 14 de marzo de 2013 (expediente 179/2013).

del paciente que ha sufrido daños (o por sus sucesores si ha fallecido); se busca proteger al empleado público y externalizar la responsabilidad subsidiaria de la Administración derivada de un delito cometido por una autoridad o un empleado público (artículo 121 del Código Penal de 1995). Otro tipo de póliza es el que da cobertura a los riesgos propios de los ensayos clínicos con medicamentos; en ese caso es obligatorio suscribir un contrato de seguro[50].

En cualquier caso, lo que quiero destacar es que las Administraciones no son tomadoras de pólizas de seguro que cubran los riesgos laborales que corre el personal sanitario. Ello no obstante, la patronal de las compañías aseguradoras (UNESPA), anunció el 7 de abril de 2020 que un centenar de sus asociadas había aportado 37 millones de euros para constituir un fondo solidario, constituido con la finalidad de suscribir un seguro de vida colectivo que cubrirá el fallecimiento por causa directa del COVID-19 de quienes cuidan de la salud de todos los ciudadanos en la presente crisis sanitaria, así como un subsidio para los que resulten hospitalizados. En cuanto a su ámbito de cobertura, los profesionales sanitarios que contarán con esta protección serán los médicos, enfermeros, auxiliares de enfermería, celadores y personal de ambulancias que forman parte del Sistema Nacional de Salud y se encuentren involucrados directamente en la lucha contra el coronavirus. Estarán cubiertos tanto aquellos que trabajan en hospitales, clínicas y ambulatorios públicos, como los que lo hacen en centros del sector privado. Este seguro colectivo también protegerá a los médicos, enfermeros, auxiliares de enfermería y celadores que trabajan para residencias de mayores; ya sean públicas o privadas.

---

[50]   Artículo 3.1.i) del Reglamento que regula los ensayos clínicos con medicamentos, los Comités de Ética de la Investigación con medicamentos y el Registro Español de Estudios Clínicos (aprobado por Real Decreto 1090/2015, de 4 de diciembre).

B) *La imputación del resultado lesivo y las causas de fuerza mayor*

1. La imputación del resultado lesivo a una persona jurídica

La declaración de la responsabilidad patrimonial exige que el resultado lesivo se atribuya o impute a la Administración como persona jurídica; además es necesario que el daño no tenga un origen externo al haber sido causado por una causa de fuerza mayor. Conforme a lo establecido en el artículo 106.2 de la vigente Constitución: *"Los particulares, en los términos establecidos por la ley, tendrán derecho a ser indemnizados por toda lesión que sufran en cualquiera de sus bienes y derechos, salvo en casos de fuerza mayor, siempre que la lesión sea consecuencia del funcionamiento de los servicios públicos".*

Dejando por el momento al margen lo relativo a la eventual concurrencia de una causa de fuerza mayor, según las particulares circunstancias de hecho concurrentes en cada caso que pueda suscitarse por hechos acaecidos durante la vigencia del estado de alarma motivado por la enfermedad COVID-19, los títulos que normalmente legitiman atribuir o imputar a la Administración pública el resultado lesivo, pueden ser:

(i) la organización administrativa (es decir, que el resultado lesivo haya sido producido por la actividad formal o material de un órgano o unidad que forma parte de la persona jurídica);

(ii) la creación de un riesgo por la Administración pública (el riesgo puede ser inherente a la propia actividad burocrática, o derivado del incremento por la Administración de los riesgos generales de la vida en sociedad).

Una vez ya anunciadas las principales cuestiones que se suscitan sobre la imputación del resultado lesivo a una persona jurídica, aunque sea con brevedad conviene analizarlas de manera autónoma o separada. Por las singulares circunstancias concurrentes en la crisis motivada por la enfermedad COVID-19, parece indicado empezar haciendo una breve referencia a las causas de fuerza mayor.

2. El desplazamiento de la imputación de la responsabilidad por causa de fuerza mayor

La responsabilidad patrimonial de la Administración termina en la fuerza mayor, y en ese mismo punto es donde precisamente empieza la reparación de los daños catastróficos. La propia Constitución establece en su artículo 106.2 que el resultado lesivo no es imputable a la Administración pública cuando deriva de una causa de fuerza mayor.

Ahora bien, al ser expresión vaga y vaporosa («fuerza mayor») tiene un significado gris y borroso (*"fuzzy"*); Zygmunt BAUMANN diría que la semántica es líquida y dinámicamente fluida[51], por lo que genera incertidumbre e inseguridad jurídica. De forma muy expresiva Jerome FRANK afirma que los llamados conceptos difusos o indeterminados pueden merecer una doble valoración; en parte positiva (son *"válvulas de seguridad"* que evitan la petrificación del ordenamiento); y en parte negativa (generan inseguridad, pues son escurridizos al estar formados por *"palabras comadreja"*)[52]. Pueden ser la catapulta de una interpretación evolutiva de las normas, pero encierran una ambigüedad *"fofa"* que hace borrosa la predicción sobre cómo se resolverá el caso concreto.

Hay algunas normas que definen o describen el concepto de «fuerza mayor», pero otras guardan silencio y lo dan por supuesto o sabido. En materia de contratos administrativos hay un concep-

---

[51] Zygmunt BAUMAN, *Modernidad líquida*, cuarta reimpresión, Fondo de Cultura Económica, Madrid 2018. A diferencia de la rigidez y densidad de los cuerpos sólidos (que se pueden quebrar o romper), los líquidos y los gases se cualifican por su dinámica fluidez (circulan de manera natural y no es posible detenerlos fácilmente). Los líquidos y los gases no conservan su forma durante mucho tiempo, y están permanentemente dispuestos a cambiarla. Según el citado BAUMAN, *"mantener la forma de los fluidos requiere muchísima atención, vigilancia constante y un esfuerzo perpetuo ... e incluso en ese caso el éxito no es, ni mucho menos, previsible"* (página 13).

[52] Jerome FRANK, *If men were angels. Some aspects of government in a democracy*, Harper and Brothers Publishers, New York 1942, página 313.

to o definición oficial de la noción de causas de fuerza mayor; además de los daños causados por alteraciones graves del orden público y los incendios, el artículo 239 de la LCSP 9/2017 menciona *"los fenómenos naturales de efectos catastróficos"*, como los maremotos, terremotos, erupciones volcánicas, movimientos del terreno, temporales marítimos, inundaciones y otros semejantes. Es decir, la norma contiene una definición o descripción del significado de una expresión propia del argot o la jerigonza del mundo del Derecho, con el propósito de reducir la discrecionalidad judicial y administrativa en la interpretación de los conceptos jurídicos indeterminados; esa tendencia se ha extendido en el ordenamiento de la Unión Europea, pero es una técnica normativa originaria del Derecho inglés, donde surge para que el *"statute law"* de origen parlamentario, acote el margen de libre apreciación al *"common law"* de origen judicial[53].

En cambio, en materia de responsabilidad patrimonial no hay en nuestro Derecho positivo ninguna regulación o descripción del significado de «fuerza mayor», por lo que estamos ante un concepto jurídico indeterminado. El significado de esa noción borrosa o palabra comadreja se completa por la jurisprudencia, teniendo en cuenta tanto la normativa sobre contratos administrativos, como el Código Civil de 1889, cuyo artículo 1105 establece lo siguiente: *"Fuera de los casos expresamente mencionados en la ley, y de los en que así lo declare la obligación, nadie responderá de aquellos sucesos que no hubieran podido preverse, o que, previstos, fueran inevitables".*

Es decir, en materia de responsabilidad patrimonial de las Administraciones públicas, el concepto de fuerza mayor se construye indirectamente y a través de un doble préstamo normativo: la legislación de contratos administrativos vincula la fuerza mayor con una causa «externa» (los fenómenos de la indómita naturaleza), y el Código Civil aporta el carácter «imprevisible» de la causa, e «inevitable» del resultado.

---

[53] Gustav RADBRUCH, *El espíritu del Derecho inglés*, Editorial Marcial Pons, Madrid 2001, página 47.

Fuerza mayor		
Origen externo	Riesgo imprevisible	Resultado inevitable

Ahora bien, asumiendo que en materia de responsabilidad patrimonial de la Administración la fuerza mayor es un concepto jurídico difuso e indeterminado, conviene destacar que no siempre está asociado a las catástrofes derivadas de los fenómenos de la naturaleza. Si en el futuro se incluyera una regulación expresa y *"ad hoc"* para la responsabilidad patrimonial de esa figura jurídica, el legislador tendría un cierto margen de libertad de configuración, en cuyo ejercicio no estaría necesariamente vinculado por las nociones existentes en otras normas sectoriales. Tal y como ha destacado el Consejo de Estado, el legislador tampoco estaría atado por la interpretación jurisprudencial de la noción de fuerza mayor focalizada en los eventos catastróficos o desastres de la naturaleza[54].

Cuando se acepta que hay fuerza mayor, normalmente el resultado lesivo se debe a circunstancias externas a la actividad administrativa, que además no son previsibles ni evitables. La fuerza mayor se vincula a resultados devastadores causados por acontecimientos muy infrecuentes, insólitos o extraordinarios, que se sitúan más allá de las previsiones normales de cualquier persona. Para desplazar la imputación del resultado lesivo y orillar su responsabilidad patrimonial, pesa sobre la Administración la carga de la prueba de la efectiva concurrencia de una causa de fuerza mayor; además también debe acreditar el vínculo o la conexión lógica entre las fuerzas de la indómita naturaleza, y el inevitable resultado lesivo que generan[55].

---

[54] Memoria del Consejo de Estado del año 2001 (ver página 119 y siguientes del texto impreso en papel; conviene advertir al lector internauta, que la paginación de ese texto cambia en el formato electrónico que está colgado de la web de esa institución).

[55] Sentencia del Tribunal Supremo de 3 de mayo de 1991 (*Tol 2421367*).

El concepto de causa fuerza mayor (que orilla la imputación del resultado lesivo), debe ser jurídicamente deslindado de los casos fortuitos (que no exoneran de responsabilidad a la Administración)[56]. Por ilustrar el concepto de caso fortuito con un ejemplo concreto, cabe aludir a las infecciones nosocomiales producidas con ocasión o como consecuencia del funcionamiento de la Administración sanitaria. La jurisprudencia excluye la indemnización de los daños causados por un contagio nosocomial, siempre y cuando la Administración haya cumplido los protocolos médicos sobre las prevenciones profilácticas precisas para evitar las infecciones que se pueden contagiar en un hospital (pesa sobre la Administración la carga de acreditar el efectivo cumplimiento de esos protocolos)[57]. Muchas veces esas infecciones son totalmente inevitables, y por ello, si se produce el contagio en el hospital a pesar de cumplirse satisfactoriamente el protocolo de prevención profiláctica, esas infecciones son calificadas como una causa de fuerza mayor que desplaza la imputación del resultado lesivo a la Administración sanitaria[58].

Ahora bien, si se omiten esas cautelas exigidas por la *"lex artis"* de la medicina, estaremos ante un caso fortuito generado por el mal funcionamiento de la Administración[59]. Otras veces se trata de un caso fortuito derivado de un mal funcionamiento de la Ad-

---

[56] Estamos ante un «caso fortuito» cuando se trata de un *"evento interno, intrínseco, inscrito en el funcionamiento de los servicios públicos, producido por la misma naturaleza, por la misma consistencia de sus elementos, con causa desconocida"* (en ese sentido se pronuncia la Sentencia del Tribunal Supremo de 11 de diciembre de 1974). En cambio, la «fuerza mayor» se identifica con *"aquellos hechos que, aun siendo previsibles, sean, sin embargo, inevitables, insuperables e irresistibles, siempre que la causa que los motive sea extraña e independiente a la voluntad del sujeto obligado"* [así lo han declarado, entre otras muchas, las Sentencias del Tribunal Supremo de 31 de mayo de 1999, 19 de abril de 1997 (*Tol 193519*) y de 23 de mayo de 1986).

[57] Sentencia del Tribunal Supremo de 22 noviembre 2010 (recurso de casación 4674/2006; (*Tol 2008883*)).

[58] Sentencia de la Audiencia Nacional de 3 diciembre 2008 (recurso 929/2001; (*Tol 5266377*)).

[59] Sentencia del Tribunal Supremo de 13 de julio de 2000 (recurso de casación 2464/1996; (*Tol 1716903*)).

ministración sanitaria, cuando un paciente se infecta del virus de la hepatitis C como consecuencia de una transfusión de sangre realizada en un hospital público. Según la jurisprudencia, esa calificación jurídica como caso fortuito también se mantiene, cuando por razón del estado de la ciencia en el momento de realizarse la transfusión (artículo 34.1 de la LRJSP 40/2015), todavía no se podía detectar ese virus[60].

Mientras que el simple «caso fortuito» no desplaza la imputación del resultado lesivo a la Administración (por tratarse de un riesgo interno o inherente al servicio público), la «fuerza mayor» es un riesgo externo y ajeno al funcionamiento del servicio público y el siniestro no puede ser evitado por la Administración[61] (así sucede por ejemplo, con los daños catastróficos causados por las fuerzas irresistibles de la indómita naturaleza, como un terremoto, un huracán o las inundaciones causadas por el desbordamiento de los ríos con ocasión de unas lluvias torrenciales absolutamente imprevisibles en una determinada localización geográfica)[62]. A la vista de esos ejemplos, no es de extrañar que nuestra *"vis maior"* sea designada como *"acts of God"* en el Derecho norteamericano[63].

---

[60] Sentencia del Tribunal Supremo de 1 de noviembre de 2001 (recurso de casación 6972/1997; (*Tol 4919347*)). En el mismo sentido se pronuncia también la Sentencia del Tribunal Supremo de 17 octubre 2001 (recurso de casación 8237/1997; (*Tol 4977042*)).

[61] Según declara la Sentencia del Tribunal Supremo de 11 de julio de 1995 (recurso 303/1993; (*Tol 1674537*)).

[62] En determinadas circunstancias de hecho las inclemencias meteorológicas pueden llegar a alcanzar la consideración de fuerza mayor. Para objetivar cuándo se dan esas condiciones climáticas extremas resulta de utilidad el Reglamento del seguro de riesgos extraordinarios (aprobado por Real Decreto 300/2004, de 20 de febrero), que por ejemplo establece que el concepto jurídico indeterminado *"vientos extraordinarios"* puede ser identificado con: *"....aquellos que presenten rachas que superen los 135 km por hora. Se entenderá por racha el mayor valor de la velocidad del viento, sostenida durante un intervalo de tres segundos"* (artículo 2.1.e.4° del Reglamento).

[63] Jesús JORDANO FRAGA, *La reparación de los daños catastróficos. Catástrofes naturales, Administración y Derecho público; responsabilidad, seguro y solidaridad*, Marcial Pons Ediciones Jurídicas y Sociales, Madrid 2000, página 58.

En los casos de fuerza mayor hay un riesgo imprevisible para la Administración y un resultado lesivo que es inevitable.

Ahora bien, como luego se explica, el hecho de que el origen de un resultado lesivo sea externo al funcionamiento de los servicios públicos, no basta siempre para excluir de raíz la responsabilidad patrimonial de la Administración. En efecto, aunque la causa del resultado lesivo sea una catástrofe causada por las indómitas fuerzas de la naturaleza, en ocasiones esas desgracias son previsibles, y los daños evitables. Por tanto, antes de exonerar a la Administración de toda la responsabilidad, suele ser necesario examinar la gestión administrativa de los riesgos de la naturaleza (como los geológicos, los climáticos o los derivados de las enfermedades causadas por los animales).

Conforme a lo establecido en el artículo 2.1.f) del RD 300/2004, la caída de cuerpos siderales y aerolitos (que evidentemente, es un fenómeno natural totalmente ajeno a la actividad humana) sí que es causa de fuerza mayor expresamente tipificada por nuestro Derecho positivo; el impacto de esos cuerpos procedentes del espacio exterior puede causar gravísimos daños, pero al ser una causa de fuerza mayor nunca existirá responsabilidad patrimonial de la Administración. Pues bien, en cierto sentido, el coronavirus ha caído sobre nosotros como un devastador meteorito; los daños y perjuicios directamente causados por la enfermedad COVID-19 no son siempre imputables a la Administración; al fin y al cabo, las Administraciones públicas españolas no han originado el coronavirus en un laboratorio; tampoco lo han importado en aviones oficiales. No cabe descartar de raíz la tentación administrativa de alegar la concurrencia de una causa de fuerza mayor, argumentando que la masiva avalancha en unas pocas semanas de decenas de miles de pacientes contagiados por el coronavirus, ha sido una circunstancia externa e imprevisible que orilla la imputación de los resultados lesivos a la Administración del Estado.

Dejando por un momento al margen la pandemia por coronavirus que aquí focaliza nuestra atención, en la experiencia práctica hay bastantes situaciones en las que nuestros tribunales han rechazado la pretensión administrativa de exonerarse de responsabilidad patrimonial so pretexto de la existencia de una supuesta causa de fuerza mayor. Para lograr ese desplazamiento de la imputabilidad del resultado no basta con identificar el origen externo de la causa generadora del resultado lesivo; se precisa además que la Administración asuma con eficacia la carga de la prueba, y con alguna frecuencia los tribunales rechazan sus alegatos sobre:

(i) el carácter imprevisible del riesgo;

(ii) la imposibilidad de evitar el daño.

Una vez ya identificados esos dos rasgos característicos de las causas de fuerza mayor que desplazan la imputación del resultado lesivo, para seguir profundizando conviene analizarlas brevemente y de forma separada o autónoma.

3. Algo más sobre el carácter imprevisible del riesgo causado por las fuerzas de la naturaleza

Hay daños que derivan de un desastre causado por las fuerzas de la naturaleza (como unas lluvias torrenciales), pero a menudo se trata de fenómenos climáticos que no son excepcionales ni insólitos, pues se repiten de manera periódica y sucesiva a lo largo del tiempo. En esas circunstancias son fenómenos previsibles para un experto con conocimientos especializados sobre la materia; si además la Administración canaliza esa información a través de un sistema de alerta, después ya no podrá orillar su responsabilidad y desentenderse del *"warning"* o *"caveat"* sobre la existencia de un riesgo cierto y conocido.

No es nada fácil fijar en abstracto cuál es el estándar de precaución exigible a la Administración para gestionar los riesgos futuros vinculados con las fuerzas de la naturaleza; a pesar de ello, en algunas ocasiones el riesgo es previsible si la Administración es cauta y diligente. En algunas circunstancias de hecho, se sabe que es posible (incluso probable), que en determinados lugares y en una franja concreta del calendario, acaezca una catástrofe natural. Así sucede entre los meses de septiembre y octubre en la costa mediterránea de la península española, respecto al riesgo de la «gota fría» (o *"kaltlufttropfen"*, también conocida como «depresión aislada en niveles altos» o DANA). Ese fenómeno de la naturaleza es previsible casi todos los años (en el siglo XXI ya todos los años), pero de manera anticipada se ignora cuándo o en qué momento preciso y exacto puede suceder (*"certus an, incertud quando"*). Ahora bien, no hay en rigor una auténtica causa de fuerza mayor, si la Administración es negligente y vulnera el principio de precaución, porque no se anticipa a un riesgo conocido y previsible (que de manera reiterada genera un grave siniestro).

Pondré otro ejemplo parecido, pero en parte distinto. En relación a los daños causados por el desprendimiento de rocas que como consecuencia de unas lluvias torrenciales caen sobre una carretera, no es insólito ni infrecuente que la Administración se refugie en la existencia de una supuesta causa de fuerza mayor (para así exonerarse de la imputación del resultado lesivo)[64]. Ahora bien, los tribunales analizan las particulares circunstancias de hecho concurrentes en cada caso, y con mucha frecuencia llegan a la conclusión de que el resultado lesivo es imputable a la Administración, porque el desprendimiento de rocas era previsible, y las autoridades burocráticas no gestionaron bien ese riesgo. Si en ese contexto fáctico se eximiera a la Administración de responsabilidad patrimonial, en el futuro las autoridades competentes volverían a permanecer estáticas en su zona de confort, y no actuarían con la exigible diligencia, para adoptar medidas que aminoren la posibilidad de que se produzca un resultado lesivo por el desprendimiento de rocas sobre una carretera. Lo mismo sucede también cuando lo que se derrumba a raíz de unas lluvias, es la Torre Desmochada de la Muralla de la ciudad de Cáceres[65].

---

[64] Sentencia del Tribunal Supremo de 13 diciembre 2001 (recurso de casación 9004/1997; (*Tol 4915732*)); también la de 27 de octubre de 1990 (*Tol 2417358*).

[65] Sentencia del Tribunal Supremo de 12 de diciembre de 1989 (*Tol 2372251*).

En relación a los daños derivados de la COVID-19, no es descabellado pensar que alguien utilice esa línea argumental sobre los fenómenos de la naturaleza que son razonablemente previsibles, siempre y cuando se mantenga un nivel reforzado de diligencia y cautela de las autoridades competentes. Conviene recordar que uno de los pilares troncales de las políticas en materia de salud pública es el «principio de precaución». Conforme a lo dispuesto en el artículo 3.d) de la Ley 33/2011, de 4 de octubre (general de salud pública), ese principio de precaución debe aplicarse ante: *"La existencia de indicios fundados de una posible afectación grave de la salud de la población, aun cuando hubiera incertidumbre científica sobre el carácter del riesgo, determinará la cesación, prohibición o limitación de la actividad sobre la que concurran".*

De ese precepto legal se infiere con claridad, que los expertos que asesoran a las autoridades sanitarias competentes no pueden refugiarse en discrepancias subjetivas con la opinión de otros expertos; en caso de duda o incertidumbre científica sobre la efectiva existencia de un riesgo (o sobre su gravedad, alcance y magnitud), el principio de precaución fuerza a adoptar siempre medidas preventivas que sirvan para proteger a la población (*"better safe than sorry"* que dicen los anglosajones).

Teniendo en cuenta ese deber de cautelosa precaución que pesa sobre las autoridades sanitarias, en relación a los daños derivados de la COVID-19, es posible que para acreditar la previsibilidad del resultado lesivo, alguien invoque las alertas tempranas sobre el origen de la siguiente gran crisis mundial realizadas por Bill GATES. Como es público y notorio, en el año 2015 GATES ya vaticinó que la siguiente crisis global no estaría originada por un conflicto bélico entre Estados, sino que estaría causada por la propagación de un virus contagioso. No es fácil valorar como irrefutable y plenamente convincente la afirmación gubernamental de que no era previsible una pandemia como la de la COVID-19, teniendo en cuenta las previas crisis de salud pública de impacto global o internacional acaecidas en las últimas décadas; baste recordar entre otras, la causada por el virus del ébola, el «síndrome por inmunodeficiencia adquirida» (SIDA), la neumonía atípica denominada SARS (*"seve-*

re acute respiratory syndrome"), la gripe aviar (en especial la causada por el virus «Influenza A») que generó en España una crisis de salud pública en el año 2009, o también el síndrome respiratorio de oriente medio detectado en 2012 (MERS-CoV); finalmente, no cabe olvidar el Zika. Ahora bien, ¿se atreverá algún magistrado a declarar que no hay fuerza mayor porque era previsible el brote de una enfermedad vírica contagiosa?

En ese punto es oportuno y pertinente volver a recordar lo afirmado a principios del siglo XX por el juez Oliver Wendell HOLMES: *"hard cases make bad law"*. En el contexto de un caso difícil como el de la responsabilidad patrimonial por la COVID-19 que aquí nos ocupa, para que un magistrado negase la existencia de una causa de fuerza mayor y afirmase que el riesgo de pandemia viral era razonablemente previsible por las autoridades sanitarias, sería necesario encontrar a un auténtico «Hércules» del Derecho (es decir, un juez dotado de habilidad, erudición, paciencia y perspicacias sobrehumanas)[66].

En realidad, ya hay una magistrada hercúlea, me refiero a Elena ALCALDE VENEGAS, que es la ponente de la Sentencia 60/2020, de 3 de junio (procedimiento 114/2020), dictada por el Juzgado de lo Social único de Teruel. Ese pleito versa sobre el cumplimiento o incumplimiento por las autoridades sanitarias autonómicas competentes en el ámbito territorial de la provincia de Teruel, de las normas de prevención de riesgos laborales aplicables al personal sanitario. El pronunciamiento condena a la Administración por no haber suministrado equipos de protección individual (EPI) y demás material preciso para que el personal sanitario se resguardase del riesgo de contagio por el agente biológico causante de la COVID-19.

Hay otros pronunciamientos de esa misma fecha que también abordan la misma problemática (pero referida a la prevención de los riesgos laborales de la policía autonómica vasca durante la cri-

---

[66] Ronald DWORKIN, *Los derechos en serio*, Editorial Ariel, Barcelona 1984, página 177.

sis sanitaria)[67] ; a los efectos que ahora me interesan, la principal diferencia es que esos otros pronunciamientos del Tribunal Superior de Justicia del País Vasco no analizan la eventual existencia de una causa de fuerza mayor.

La Sentencia del Juzgado de Teruel no se dicta en un litigio sobre la eventual responsabilidad patrimonial de la Administración, pero califica expresamente como hechos públicos y notorios muchos indicios reveladores de que el riesgo de contagio del coronavirus era previsible y evitable, lo que le lleva a la conclusión de que no se trata de un caso de fuerza mayor (valoración de la prueba que también afirma el Ministerio Fiscal). No pretendo ahondar aquí y ahora en los detalles de ese pronunciamiento, baste con poner de manifiesto que según esa Sentencia 60/2020, a la vista de las circunstancias fácticas no había una causa de fuerza mayor que orillara el deber de la Administración de suministrar al personal sanitario el material de protección preciso para evitar o paliar los riesgos profesionales durante la gestión de la pandemia. Ahora bien, en un contexto normativo distinto al de la prevención de riesgos laborales, esos mismos hechos pueden conducir a otras conclusiones diferentes en sede de la jurisdicción contencioso-administrativa.

---

[67]   Esa misma línea del Juzgado de Teruel ha seguido también la Sala de lo Social del Tribunal Superior de Justicia del País Vasco, que mediante Sentencia 705/2020 de 3 de junio (recurso 14/2020), condena al Gobierno autonómico por vulnerar el derecho a la integridad física de los agentes de la Ertzaintza, al no haberse aplicado las medidas de prevención necesarias para preservar el derecho a la salud de los agentes desde que se decretó el estado de alarma. Ese litigio se inicia a instancia del sindicato ErNE (*"Ertzainen Nazional Elkartasuna"*), que solicitó al Gobierno vasco los medios de protección consistentes en mascarillas, gafas, guantes desechables, buzos y contenedores de residuos infecciosos. Con carácter provisional, esa pretensión ya había sido estimada por Auto del TSJ de 17 de abril de 2020 (medidas cautelares 14/2020). La Sentencia de 3 de junio declara que, aunque la situación era *"difícil de prever"* en un primer momento, la posterior gestión gubernamental no fue la suficientemente rauda y eficaz.
En igual sentido se pronuncia el TSJ del País Vasco, en su Sentencia 696/2020 de 3 junio (recurso 20/2020), en otro litigio paralelo promovido por el sindicato ESAN (*"Ertzaintzaren Sindikatu Abertzale Nazionala"*).

No cabe cerrar este apartado sin añadir una breve reflexión, que puede contribuir a la ponderación y a la valoración crítica del pronunciamiento del Juzgado de Teruel. Para hacer un juicio objetivo y razonable sobre el grado de mayor o menor previsibilidad de un terremoto, unas lluvias torrenciales o una hecatombe sanitaria, hay que asumir un determinado punto de vista subjetivo (el del experto), y utilizar la información existente antes de estallar la catástrofe. En el arte de la tauromaquia no es lo mismo hacer una crítica áspera desde el tenido y a toro pasado, que enfrentarse al morlaco en el albero.

En efecto para analizar si una específica causa de fuerza mayor era o no razonablemente previsible, no cabe asumir el punto de vista de una persona media (el «Juan español»); tampoco importa la opinión subjetiva de una magistrada, un filósofo o un experto en arte rupestre. Se precisan aquellos conocimientos especializados que están relacionados o vinculados con los distintos tipos de catástrofe; en ocasiones será preciso un experto en sismología, y otras veces se necesitará un sabio en meteorología o epidemiología. Pesa sobre la Administración la carga de demostrar la efectiva concurrencia de una causa de fuerza mayor que desplace u orille su responsabilidad patrimonial, por lo que debe ser ella quien aporte una prueba pericial de un experto en epidemiología. Dejo ahora al margen el análisis de si a esos efectos, son auténticos peritos o meros testigos quienes trabajan en el Centro de Coordinación de Alertas y Emergencias Sanitarias (CCAES); lo que me importa es recomendar que el reclamante procure aportar también su informe pericial elaborado por algún prestigioso epidemiólogo.

Juicio de previsibilidad de una causa de fuerza mayor	
Conocimiento experto	Conocimiento anterior

Importa añadir y precisar también que, para hacer ese juicio sobre el carácter previsible o imprevisible de un desastre causado por las fuerzas de la indómita naturaleza, es necesario situarse en un momento histórico anterior al acaecimiento de los hechos que generan el resultado lesivo, y no en otro instante posterior[68]. No cabe hacer un vaticinio retrospectivo fundado en los conocimientos sobrevenidos y adquiridos a posteriori (lo que en la crisis sanitaria de la COVID-19 ha sido denominado por algunos como «sesgo de retrospectivo»; ese sesgo está ligado con una memoria distorsionada sobre el pasado; y algunos llegan a pensar y creer que siempre supieron antes, lo que iba a ocurrir después).

4. Algo más sobre el carácter inevitable del resultado lesivo causado por las fuerzas de la naturaleza

En cuanto al carácter evitable o no de los resultados lesivos generados por una causa de fuerza mayor, hay pronunciamientos judiciales que acotan y limitan la aplicación de esa causa de exoneración de responsabilidades vinculada a los desastres naturales. Aunque la causa del resultado lesivo sea un huracán o unas lluvias que sean imprevisibles (conforme a los conocimientos de la meteorología), en determinadas circunstancias de hecho son evitables los daños causados por esas fuerzas de la indómita naturaleza; puede bastar con que la Administración gestione esa situación de peligro con eficacia y rauda diligencia.

Por ejemplo, si unas lluvias torrenciales de carácter imprevisible arrastran barro sobre una carretera abierta a la circulación, el servicio público de conservación de los viales puede retirar ese material con celeridad y prontitud. Ese mismo servicio también puede permanecer pasivo, y dejar que el barro se seque y endurezca, generando pequeños promontorios en la calzada, generando así un riesgo para los vehículos y sus ocupantes; baste pensar en la situación de un motociclista que circula por esa carretera[69]. La

---

[68]   Sentencia del Tribunal Supremo de 24 de marzo de 1984 (relativa a un recurso de apelación interpuesto por la Diputación Foral de Navarra, en relación al pantano de Yesa).

[69]   Sentencia del Tribunal Supremo de 19 de abril de 1997 (recurso de apelación 1075/1992; (*Tol 5147032*)).

Administración no ha llenado la carretera de lodo, pero ha sido negligente y no ha quitado el barro; es decir, ha gestionado mal un riesgo de la naturaleza.

Pondré otro ejemplo ilustrativo de ese mismo tipo de escenario fáctico, en el que también la fuerza de la naturaleza es el origen externo del resultado lesivo, pero ni el riesgo era imprevisible para la Administración, ni tampoco el resultado lesivo era inevitable (si las autoridades y empleados públicos hubieran sido tan diligentes como hábiles y eficaces). Baste pensar en unas lluvias torrenciales causadas por una «gota fría» acaecida en otoño y en el levante mediterráneo, y el defectuoso cumplimiento de los estándares de seguridad en el diseño y construcción de una obra pública, y la torpe gestión administrativa de la apertura de las compuertas del aliviadero de una presa. Ese conjunto de circunstancias pone de manifiesto un mal funcionamiento de la Administración, y una mala gestión de un riesgo vinculado con la fuerza de la naturaleza (como las lluvias torrenciales que derivaron en el desastre de la presa de Tous, acaecido en octubre de 1982). Es más, en ese asunto el Tribunal Supremo precisó que el desbordamiento del río Júcar (y la consiguiente inundación de los terrenos en la provincia de Valencia), no podía ser considerada como una causa de fuerza mayor que exonerase de responsabilidad a la Administración, dada la previsibilidad de las lluvias que motivaron el desbordamiento del Júcar; también se pondera por el Tribunal Supremo el «incremento de riesgo» y los efectos negativos que para la evacuación normal de los campos inundados suponía la ausencia de desagües suficientes (circunstancia imputable a la Administración)[70].

Como ya se ha anticipado, antes de pronunciarse sobre la existencia de una causa de fuerza mayor debida a los fenómenos de la naturaleza (no sólo los climáticos, sino también los víricos), hay que deslindar la generación de un riesgo y su adecuada gestión

---

[70] Sentencia del Tribunal Supremo de 20 de octubre de 1997 (recurso 455/1997; (*Tol 5108320*)).

por las autoridades competentes. El hecho de que la Administración no haya originado el coronavirus, no comporta que haya una causa de fuerza mayor que orille de raíz el análisis racional sobre la buena o mala gestión de ese riesgo sanitario. La existencia de una causa de fuerza mayor en el origen de la enfermedad, no exonera a la Administración de la exigencia de ser diligente para gestionar correctamente la emergencia, y así evitar o paliar las consecuencias de la fuerza mayor[71]. En efecto, hay que diferenciar dos fases o momentos distintos:

(i)   la generación de un riesgo; y,

(ii) la adecuada gestión de un riesgo exógeno.

Aunque la pandemia derivada de la COVID-19 pueda ser reputada como una causa de fuerza mayor (la generación del riesgo no es imputable a la Administración), no es menos cierto que la pasividad burocrática o la tardanza y el mal funcionamiento de la Administración, puede incrementar el riesgo de que algunas personas se infecten y enfermen (la mala gestión burocrática del riesgo exógeno es imputable a la Administración). Como se acaba de exponer, hay precedentes muy conocidos, en los que se afirma la responsabilidad patrimonial y la imputación del resultado lesivo, a pesar de que la Administración invoque la concurrencia de una causa de fuerza mayor.

Por tanto, aunque se admita que la COVID-19 puede ser calificada como una causa de fuerza mayor originada por la naturaleza, la existencia de múltiples deficiencias administrativas en la gestión de la pandemia, genera un incremento de riesgo de que se produzca un resultado lesivo. No es imputable a la Administración todo el resultado lesivo, pero si la parte del daño que está vinculada a ese «incremento del riesgo». Una vez apuntada esa idea, conviene detenerse brevemente en su estudio.

---

[71]   Sentencia del Tribunal Supremo de 24 de diciembre de 2001 (recurso de casación 1178/1996; (*Tol 4977027*)).

5. La creación de riesgos como título de imputación; el incremento del riesgo generado por la pasividad o el mal funcionamiento de la Administración pública

Respecto a la creación de riesgos como título de imputación de la responsabilidad patrimonial, hay que destacar que las sociedades tecnológicamente avanzadas suponen un indudable beneficio colectivo (al producirse un notable incremento de la calidad de vida), pero esas ventajas están indisociablemente anudadas a desventajas como el incremento exponencial de los riesgos (en este punto cobra importancia la justicia distributiva)[72].

La paulatina pero imparable expansión y diversificación de la actividad administrativa, conduce a una cada vez más intensa y cotidiana relación entre los ciudadanos y las Administraciones públicas; fruto directo de esa convivencia es el incremento de los riesgos de que se produzcan con mayor frecuencia consecuencias desfavorables para los ciudadanos, las empresas y demás personas interesadas. En esas circunstancias, tanto la jurisprudencia como la doctrina han perfilado criterios jurídicos que sirven para objetivar los riesgos que son imputables a la Administración, y los que deben ser estoicamente soportados por los ciudadanos sin compensación alguna.

El resultado lesivo sufrido por el reclamante de la indemnización es «objetivamente imputable» a la Administración pública, cuando el siniestro tiene su origen en un «riesgo inherente» a la actividad burocrática o administrativa. Por ejemplo, tendrá derecho a ser indemnizado un peatón lesionado por la Administración (quien cuando caminaba por la calle, resultó fortuitamente alcanzado por un disparo policial, realizado para evitar males mayores al desbaratar el atraco a una oficina bancaria). Pues bien, en

---

[72] Memoria elevada por el Consejo de Estado al Gobierno en el año 1994 (página 139 del texto impreso en papel; conviene advertir al lector internauta, que la paginación de ese texto cambia en el formato electrónico que está colgado de la web de esa institución).

esas circunstancias, estamos ante el «riesgo inherente» a las armas de fuego que válidamente pueden utilizar los miembros de las fuerzas y cuerpos de seguridad del Estado para el cumplimiento de sus funciones.

En cambio, cuando se trata de un «riesgo general» de la vida en sociedad, el efecto lesivo no es objetivamente imputable a la Administración. Contraer una gripe u otra enfermedad vírica, no es un «riesgo inherente» al funcionamiento de las Administraciones públicas, sino que debe ser reputado como un «riesgo general» de la vida en sociedad (es algo que puede acontecer a cualquiera, con independencia de la edad, y al margen del buen o mal funcionamiento de las Administraciones públicas). Unos más que otros, pero todos tenemos un cierto déficit de defensas frente a un virus, y el mayor o menor margen de riesgo de que se produzca una infección es externo al buen o mal funcionamiento de la Administración pública. Son incidentes normales o habituales en el devenir de la vida cotidiana que acontecen al margen y con independencia de cualquier clase de actividad administrativa; el contagio se puede producir en el ámbito doméstico, en el trabajo, al unirse a una manifestación multitudinaria en la calle, al asistir en España a un partido de fútbol o al desplazarse a otro país para asistir a un partido de la «Champions League».

Ahora bien, puede suceder que la negligencia o la inactividad de la Administración incremente el riesgo de que se produzca un siniestro, como ocurre cuando el Administración es negligente y no adopta medidas de prevención, o funciona mal por imponer medidas inadecuadas e inútiles. Baste pensar en el riesgo inherente al mal funcionamiento servicio que se pone de manifiesto cuando se produce un contagio nosocomial contraído en un hospital público (porque no se cumplen los protocolos médicos respecto a las prevenciones profilácticas). También estamos ante un riesgo inherente al servicio público, cuando en la crisis de la COVID-19 se ha contagiado el personal sanitario mientras estaba en acto de servicio y sin EPI en un hospital público, o con un equipamiento de protección inadecuado o insuficiente para prevenir el riesgo de infección.

En esas peculiares circunstancias de hecho, el origen del riesgo sigue siendo exterior a la Administración o ajeno a su actividad (el coronavirus no ha sido creado por la Administración en un laboratorio, y las autoridades españolas tampoco lo han importado para luego esparcirlo entre la población), pero el margen de probabilidad de que efectivamente se produzca el resultado lesivo, aumentará como consecuencia del mal funcionamiento de la Administración pública. En esas circunstancias fácticas cabe hablar de «incremento de un riesgo general» (que es un título que permite imputar a la Administración una parte de la responsabilidad del resultado lesivo).

Junto a las nociones de «riesgo general» y «riesgo inherente», hay un tercer concepto que contribuye a delimitar el alcance del carácter objetivo de la responsabilidad patrimonial de la Administración: el «riesgo socialmente tolerado». La posibilidad de salir de casa durante el confinamiento para acudir a la farmacia (o al mercado para hacer compras de alimentación), son actividades lícitas del ciudadano que entrañan un cierto margen de riesgo que es socialmente tolerado. Es un riesgo normal del nuevo régimen de vida durante el estado de alarma por la COVID-19, que sólo se puede eliminar de raíz, prohibiendo de manera absoluta cualquier libertad de movimiento, e imponiendo un confinamiento domiciliario sin ningún tipo de excepción, porque socialmente no se admite ningún riesgo de contagio. En consecuencia, no es imputable a la Administración el contagio del virus al ejercer la libertad de movimientos en alguno de los escenarios excepcionales previstos en el artículo 8 del RD 463/20202 (por el que se declara el estado de alarma).

6. La organización administrativa como título de imputación; algo sobre las Comunidades Autónomas

Dejando por un momento al margen el excepcional escenario generado por la COVID-19, en la experiencia práctica es muy frecuente que el daño lo cause una persona física que es titular de un órgano administrativo (o unidad administrativa) que forma parte de la estructura de la persona jurídica que es una Administración pública. La regla general es que ninguna Administración debe pagar los daños causados por otra persona jurídica o Administración Pública. La titularidad de la competencia o del servicio público es el criterio esencial para disipar las incertidumbres sobre cuál es el sujeto del sector público al que hay que imputar el resultado lesivo.

Un problema de imputación del resultado lesivo (a una u otra persona jurídica del sector público y naturaleza administrativa) surge o puede originarse como consecuencia del Estado autonómico y la compleja distribución de competencias entre unas y otras Administraciones. A veces no es fácil identificar a qué Administración debe imputarse el resultado lesivo, porque no es claro el deslinde de las específicas competencias sobre una determinada materia que corresponden a cada una de ellas.

Otras veces la dificultad deriva de la concurrencia de competencias de distintas Administraciones sobre una misma materia. Ahora bien, para proteger al lesionado y evitar que las Administraciones que actúan conjuntamente se laven las manos, y se exoneren de toda responsabilidad, atribuyéndola a las demás Administraciones actuantes, el artículo 33 de la LRJSP 40/2015 establece unas reglas especiales de responsabilidad solidaria (salvo que se puedan deslindar las recíprocas competencias y se pueda concretar la dosis de responsabilidad que es imputable a cada una de ellas).

En cuanto a los eventuales problemas de imputación de la responsabilidad patrimonial durante la vigencia del estado de alarma, de lo establecido en la Ley Orgánica 4/1981 y el Real Decreto 463/2020 no resultan cambios relevantes o significativos en la distribución territorial del poder, pues esas disposiciones no comportan el desapoderamiento competencial de las Comunidades Autónomas. Cuando el daño haya sido causado como consecuencia de la prestación de un servicio sanitario en un hospital de titularidad pública, como esa competencia corresponde a las Comunidades Autónomas, a cada una de ellas deben imputarse los daños que ocasionen. Lo mismo sucede también cuando el resultado lesivo se ha causado en una residencia para la tercera edad de titularidad pública y dependiente de la Comunidad Autónoma.

Imputación de daños	
Administración del Estado	Administración autonómica
Mala gestión gubernamental de la crisis sanitaria	Mala gestión autonómica de los hospitales o de las residencias

La única regla especial de imputación se aplica, cuando el servicio sanitario o asistencial se realiza cumpliendo los requisitos o las condiciones de prestación impuestas por una orden directa de la autoridad gubernamental competente (artículo 9 de la Ley Orgánica 4/1981). En efecto, el artículo 12 del Real Decreto 463/2020 (por el que se declara el estado de alarma) habilita al Ministro de Sanidad para dictar órdenes o mandatos imperativos de obligado cumplimiento, pero en el apartado 2 de ese mismo artículo 12 se precisa o aclara la conservación del mismo y previo *"statu quo"* sobre la distribución de competencias en materia de sanidad: *"Sin perjuicio de lo anterior, las administraciones públicas autonómicas y locales mantendrán la gestión, dentro de su ámbito de competencia, de los correspondientes servicios sanitarios, asegurando en todo momento su adecuado funcionamiento"*.

En definitiva, cuando el resultado lesivo se origina por el funcionamiento de la Administración sanitaria dependiente de una Comunidad Autónoma, la responsabilidad patrimonial es imputable a la correspondiente persona jurídica autonómica. En cambio, si el daño está causalmente vinculado de manera directa e inmediata con el efectivo cumplimiento por la organización autonómica de una orden del Ministro de Sanidad, el resultado lesivo debe imputarse entonces a la Administración del Estado. Ese reparto de la atribución de las consecuencias lesivas a la Administración autonómica o la estatal, recuerda bastante a otro escenario de nuestro Derecho positivo, como es la imputación del resultado lesivo al concesionario de un servicio público, o a la Administración que ostenta la titularidad o la competencia de ese servicio (artículo 288.c) de la LCSP 9/2017).

C) La relación de causalidad entre la actuación administrativa y el resultado lesivo

1. Teorías sobre la relación de causalidad

Para que proceda declarar la responsabilidad patrimonial debe existir una conexión material o lógica entre la actividad de la Administración pública y el resultado lesivo sufrido por el reclamante. La relación de causalidad no resulta de la simple coincidencia fáctica entre la verificación de un siniestro y la presencia del lesionado en un establecimiento público; la Administración es responsable de los daños producidos «como consecuencia» de la prestación de servicios públicos, pero no le son imputables los que sólo se produzcan «con ocasión» de su funcionamiento.

En ese sentido, el hecho de que una persona fallezca en un hospital público después de una operación quirúrgica no equivale necesariamente a la existencia de una responsabilidad administrativa. El resultado lesivo no es imputable a la Administración cuando el fallecimiento se produce «con ocasión» de la prestación del servicio sanitario, pero «como consecuencia» de la sepsis generalizada del paciente originada por el tratamiento de quimioterapia[73]. Igual sucede también cuando el paciente fallece «como consecuencia» de un aneurisma gigante en ambas carótidas (frente al que la medicina no tiene soluciones), entonces la responsabilidad no es de la Administración sino de las limitaciones de la ciencia médica, de la inclemente naturaleza o si se prefiere de la divina providencia[74]. Lo mismo cabe decir también de muchos fallecimientos que se han producido durante la vigencia del esta-

---

[73]   Sentencia del Tribunal Supremo de 4 de junio de 2013 (recurso de casación 2187/2010; (*Tol 3775438*)).

[74]   Sentencia del Tribunal Supremo de 14 de junio de 1991 (recurso 512/1987).

do de alarma declarado por el Real Decreto 463/2020. No basta que el resultado acaezca cuando un paciente está ingresado en un hospital público; es imprescindible que el resultado lesivo haya sido causado como consecuencia de la pasividad o del mal funcionamiento de la Administración sanitaria.

Así puede suceder cuando el reclamante forma parte del personal sanitario que ha sufrido secuelas o daños por la enfermedad COVID-19. Es posible que afirme que se contagió estando en acto de servicio y como consecuencia de no haberle suministrado el necesario equipo de protección individual (EPI), o por haberle entregado uno de calidad deficiente y que no estaba homologado conforme a las reglas exigidas en la Unión Europea. Es posible que la Administración acepte la veracidad de esa afirmación, pero también cabe imaginar que la ponga en duda, por considerar que el contagio del virus también se pudo producir cuando estaba fuera de servicio y por algún descuido o negligencia del reclamante; por tanto, según ese otro relato o versión de la burocracia, no habría relación de causalidad entre el resultado lesivo y la actividad de la Administración sanitaria.

Para algunos la existencia de la relación de causalidad en una cuestión que sólo es fáctica, únicamente se refiere a los hechos y está totalmente desprendida de connotaciones jurídicas (así sucede con la llamada «teoría de la equivalencia de las condiciones», en la que todos los eslabones de la cadena causal son *conditio sine qua non*" de la efectiva verificación del resultado lesivo).

Las demás construcciones sobre la conexión causal terminan introduciendo juicios de relevancia jurídica que desnaturalizan la relación de causalidad como un problema exclusivamente fáctico o de hechos (por ejemplo, la «teoría de la causalidad adecuada» excluye los hechos que no son directamente idóneos para la verificación del resultado lesivo; ello implica una valoración jurídica de la adecuación o inadecuación de ciertos hechos).

Si alguien reclama una indemnización por el fallecimiento durante la pandemia de su padre o madre en una residencia para la tercera edad de titularidad pública, es bastante probable que se suscite un problema de relación de causalidad, que en términos empíricos no podrá ser resuelto, al no existir plena incertidumbre acerca de la verdadera causa de la muerte.

En la mayoría de los casos, antes de fallecer no se habrá realizado una prueba o *"test"* al residente para verificar si el anciano estaba efectivamente contagiado por la COVID-19; si después no se hace autopsia, después de producirse la cremación o el enterramiento se crea una situación fáctica, en la que acreditar empíricamente la verdadera causa del fallecimiento se aproxima mucho a una prueba diabólica de casi imposible realización. Ahora bien, aunque no exista una prueba plena, en la mayoría de los casos habrá indicios razonables de los que se puede inferir que la causa fue la enfermedad COVID-19; a esa circunstancia se añaden los principios que informan la distribución de la carga de la prueba.

En ese escenario debe ponderarse la buena fe del reclamante y la mayor facilidad de la Administración para acceder a las fuentes de la prueba. A la hora de obtener informaciones y pruebas que acrediten el fundamento fáctico de una afirmación (como la que realiza el reclamante sobre la existencia de una clara relación de causalidad), a ninguna persona se le puede exigir una conducta heroica. La carga de aportar pruebas que acrediten la relación de causalidad se matiza y modula con fundamento en la buena fe procesal (en rigor no se trata tanto de un deber positivo de buena fe, como de un deber negativo de abstención o una prohibición de mala fe)[75]. Cuando existen trabas o dificultades objetivas para obtener una prueba, su acreditación corresponde a quien tiene mayor facilidad procesal de aportar los medios de prueba por estar más próximo a los hechos. Conforme a lo establecido en el artículo 217.7 de la LEC 1/2000: *"el tribunal deberá tener presente la disponibilidad y facilidad probatoria que corresponde a cada una de las partes del litigio"*[76].

---

[75] Sentencia del Tribunal Supremo de 5 de julio de 2011 (recurso de casación 5196/2010; (*Tol 2177629*)).

[76] Sentencia del Tribunal Supremo de 19 mayo 2015 (recurso de casación 4397/2010; (*Tol 5173539*)).

2. La concurrencia de causas y sus efectos

Para que proceda declarar la responsabilidad patrimonial de la Administración no es imprescindible que la actuación burocrática o de los empleados públicos sea la causa directa, inmediata, única y exclusiva de la producción del resultado lesivo cuya indemnización solicita el reclamante. En ocasiones la causalidad está mediatizada y es indirecta, o existe una concurrencia con otras causas:

(i) la actuación del propio lesionado;

(ii) la actuación de un tercero;

(iii) la actuación concurrente de otra Administración pública (en ese caso la responsabilidad de las distintas Administraciones Públicas es en principio solidaria, por lo que el lesionado puede reclamarla a cualquiera de las Administraciones, y la que pague el resarcimiento al perjudicado, podrá ejercer después la acción de regreso contra las demás Administraciones corresponsables).

En función de las particulares circunstancias existentes en cada caso, la concurrencia de causas puede romper el nexo causal (cuando la actividad administrativa es una causa distante y remota, que por sí sola no es adecuada para la efectiva producción del resultado lesivo). En ese contexto fáctico no cabe afirmar la relación de causalidad que justifica imputar a la Administración el resultado lesivo.

En otras ocasiones, la concurrencia de causas puede determinar una situación de corresponsabilidad del propio lesionado (produciéndose una compensación de las respectivas culpas, que determina una disminución del importe económico del resarcimiento proporcional a la dosis de culpa). A ese último respecto, baste pensar en el ciudadano que sistemáticamente desatiende las recomendaciones gubernamentales sobre medidas de higiene y prudencia para prevenir el contagio de la COVID-19; si el ciudadano no se lava las manos, ni usa mascarilla y no respeta ningún tipo de cautelosa distancia social, después no estará legitimado para focalizar todo su reproche sobre la Administración.

En función de las particulares circunstancias de hecho que se dan en algunos casos, pueden surgir dificultades para identificar la relación de causalidad en asuntos relativos a mayores de edad que residan en un centro para la tercera edad de titularidad pública. Baste pensar que una vez detectado el contagio por coronavirus, se intente trasladar al anciano, y por la dirección de la residencia se hagan las gestiones para que una ambulancia lo recoja y así ingresarlo en un hospital público en el que se le pueda ofrecer un tratamiento médico adecuado. Pues bien, es posible que el eslabón causal del resultado lesivo no se localice en el funcionamiento del centro público de la tercera edad, sino en la pasividad del servicio de ambulancias o de la gerencia del hospital cuyo auxilio ha sido requerido. Por otro lado, la eventual demora o retraso de la residencia a la hora de diagnosticar el contagio y pedir el traslado al hospital, debe contextualizarse en el grado de diligencia y acierto que cabe exigir a la ciencia médica en el momento de producirse el contagio con arreglo a los criterios de la *"lex artis"* (artículo 34.1 de la LRJSP 40/2015), que además debe situarse en el contexto de los recursos humanos y los medios materiales que se exigen a una residencia para la tercera edad, que en rigor estricto no es un auténtico centro sanitario (una residencia es un hogar, no es un hospital).

Para resolver las dudas sobre la compleja red de causas autónomas o concurrentes que pueden existir en esos casos sobre las residencias para la tercera edad, no queda más remedio que acudir a la prueba de los hechos controvertidos (artículo 77 de la LPAC 39/2015). En ese escenario debe ponderarse la buena fe del reclamante y la mayor facilidad de la Administración para acceder a las fuentes de información. A la hora de obtener pruebas que acrediten el fundamento fáctico de una afirmación (como la que realiza el reclamante sobre la existencia de una clara relación de causalidad), a ninguna persona se le puede exigir un esfuerzo sobrehumano a la hora de recabar pruebas útiles y pertinentes.

En cualquier caso, si tanto la residencia de la tercera edad, como el servicio de ambulancias, y el hospital forman parte de la estructura organizativa de la misma Administración pública, al no existir un problema de imputación del resultado lesivo a distintas personas jurídicas, se orilla hasta desaparecer la problemática sobre la relación de causalidad en la producción del daño indemnizable.

D) El concepto técnico-jurídico de lesión indemnizable

1. Introducción

Para que exista derecho del reclamante a percibir una indemnización a título de responsabilidad patrimonial de la Administración pública, es necesario que haya daño en sentido técnico-jurídico en los términos previstos en el artículo 32 y siguientes de la LRJSP 40/2015; para ello es preciso que la lesión sea:

(i) efectiva (es decir, que no sea ni futura ni hipotética, sino actual y presente);

(ii) individualizada (en el sentido de que no sea una carga general que pesa por igual sobre todos los ciudadanos);

(iii) antijurídica (es decir que no exista una obligación jurídica que imponga al reclamante la exigencia de soportar el resultado lesivo); y,

(iv) susceptible de valoración económica.

2. La efectividad de la lesión

Para que proceda declarar la responsabilidad patrimonial de la Administración, la ley exige que la lesión sea *"efectiva"* (artículo 32.2 de la LRJSP 40/2015). Es decir, debe ser una realidad actual y presente, y cuando se trata de lesiones físicas o daños materiales, el resultado debe ser susceptible de comprobación empírica. No basta una simple conjetura teórica, ni una hipótesis abstracta. Ahora bien, el hecho de que un resultado lesivo pueda evolucionar y empeorar con el transcurso del tiempo (como a veces ocurre con las enfermedades o lesiones físicas), no significa que sea un daño eventual, futuro o hipotético. En esas circunstancias el resultado lesivo es efectivo (*"certus an"*) aunque su alcance definitivo sea incierto (*"incertus quantum"*).

En la experiencia práctica sucede de manera bastante habitual que, en el momento de formular la reclamación, el interesado no puede especificar todavía el alcance real de la lesión. La normativa aplicable no establece una obligación rígida que necesaria e imperativamente imponga la exigencia de especificar siempre y en el momento inicial de presentar la reclamación, el importe exacto de la indemnización que se solicita. Conforme a lo establecido en el artículo 67.2 de la LPAC 39/2015, el reclamante sólo está obligado a fijar el importe del resarcimiento *"si fuera posible"* (por lo que implícitamente la norma está reconociendo que ese extremo se puede determinar en un momento posterior y en función de los avances de información que se logren en el curso de la instrucción del expediente administrativo).

Esa disposición es singularmente importante cuando se trata de daños continuados o de enfermedades recidivantes. En ese supuesto se abren a la Administración dos alternativas: *(i)* bien suspender formalmente la tramitación del procedimiento hasta que la lesión se consolide o agote sus efectos; o bien, *(ii)* continuar el procedimiento y fijar únicamente la indemnización de los daños ya consumados, con expresa declaración de que la acción resarcitoria no ha prescrito, por lo que sigue abierto el plazo para pretender algún resarcimiento complementario cuando haya posteriores resultados lesivos que sean una continuación directa del daño originariamente causado. Como declara la Sentencia del Tribunal Supremo de 31 de mayo de 2001, en los supuestos de daño continuado en que la lesión ya se ha producido (aunque después todavía continúe agravándose o manifestándose en el tiempo), es posible reclamar los daños ya producidos o bien esperar a que el perjuicio se agote. O como declara la Sentencia de 7 de febrero de 1997, cuando se trata de daños continuados producidos día a día, sin solución de continuidad, el plazo de prescripción de la acción de responsabilidad patrimonial no empieza a computarse hasta que no cesen los efectos lesivos.

3. Lesión individualizada

El resultado lesivo debe ser individualizado con relación a una persona o grupo de personas (artículo 32.2 de la LRJSP 40/2015), en el sentido de que no se trata de una carga que de forma general se impone *"erga omnes"* a todos los ciudadanos. Cuando se celebran las fallas y tiene lugar la ofrenda de flores a la Virgen de los Desamparados, en Valencia se produce un corte generalizado de las calles del centro de la ciudad. Esa medida administrativa produce perturbaciones a muchos vecinos, pero no hay lesión en sentido técnico-jurídico, pues se trata de una carga general de la convivencia en sociedad.

Ahora bien, que la lesión sea individualizada no significa que no pueda reconocerse el derecho a percibir una indemnización a un colectivo más o menos numeroso de personas. La dificultad estriba en establecer la frontera que separa las cargas generales de las lesiones individualizadas, pues el deslinde no puede establecerse en abstracto y con simples criterios cuantitativos (a la vista del número más o menos crecido de afectados).

4. Lesión susceptible de valoración económica

La ley exige que el daño sea *"evaluable económicamente"* (artículo 32.2 de la LRJSP 40/2015), pero no impone que ya esté evaluado en el momento inicial de formular la reclamación. Una de las funciones que institucionalmente tiene encomendado el procedimiento administrativo es, precisamente, despachar las actuaciones precisas para averiguar o comprobar el alcance de la lesión, y establecer el montante económico de la indemnización. Así se pone de manifiesto cuando el procedimiento se inicia de oficio por la propia Administración Pública; cuando se dicta el acto de incoación del expediente, no se determina ya el importe del resarcimiento, sino que la cuantía resultará de las actuaciones que se despachen durante la instrucción del procedimiento.

Por otro lado, la dificultad de fijar la valoración del resultado lesivo consistente en secuelas físicas o el fallecimiento de una persona, no significa que el daño no sea susceptible de valoración económica. Así sucede también con los daños morales, en cuya cuantificación siempre hay un margen de apreciación subjetiva, por lo que la fijación del montante resarcitorio puede ser discutible u opinable. Efectivamente, la reparación de los daños morales plantea una cuestión que no es matemática, y tampoco se ajusta a parámetros objetivos que sean susceptibles de comprobación empírica[77].

El resarcimiento de los daños morales se calcula a tanto alzado, pues no hay un baremo general, tampoco una fórmula matemática para computarlos de manera plenamente objetiva[78]; siempre hay un cierto margen de discutible apreciación subjetiva a la hora de cuantificar el importe de los daños morales. Ahora bien, no se puede fijar el montante de la indemnización de manera puramente intuitiva e irracional (sin ninguna referencia objetiva que justifique la cifra del resarcimiento), pues determinar una cifra a voleo o al «tun tún» ("ad vultum tuum"), sería un ejercicio de pura arbitrariedad que no tiene cabida en nuestro ordenamiento jurídico[79]. Ello no obstante, la diferencia de criterio de los tribunales es con bastante frecuencia muy difícil de justificar con argumentos objetivos, sólidos y consistentes; por ejemplo, para el mismo tipo de daño moral consistente en la omisión del consentimiento informado del paciente, a veces el Tribunal Supremo limita el re-

---

[77]   Según declara la Sentencia del Tribunal Supremo de 30 de enero de 2006 (Tol 821407): "El resarcimiento del daño moral por su carácter afectivo y de «pretium doloris» carece de módulos objetivos, lo que conduce a valorarlo en una cifra razonable, que ... siempre tendrá un cierto componente subjetivo ... debiendo ponderarse todas las circunstancias concurrentes en el caso ... el daño moral, en sentido estricto, es independiente de las circunstancias económicas que rodean al perjudicado, ya que lo que se valora es algo inmaterial ajeno por completo a toda realidad física evaluable".

[78]   Sentencia del Tribunal Supremo de 11 de mayo de 2004 (recurso de casación 2191/2000; (Tol 463008)).

[79]   Sentencia del Tribunal Supremo de 12 de noviembre de 2010 (recurso de casación 5803/2008; (Tol 2007075)).

sarcimiento a 6.000 euros[80], y otras veces lo eleva hasta los 30.000[81] o los 60.000 euros[82].

5. La antijuridicidad de la lesión

Se entiende que una lesión es antijurídica y por tanto merecedora de ser indemnizada con cargo a la hacienda pública, cuando no hay una obligación legal que imponga tolerar y soportar estoicamente ese resultado sin compensación económica (artículo 34.1 de la LRJSP 40/2015).

Conviene precisar que la antijuridicidad es un juicio que se predica del resultado lesivo, no de la actividad administrativa que ha causado el daño. En teoría, es indiferente que la Administración pública haya funcionado de forma jurídicamente correcta o incorrecta, normal o anormal. Aunque la actividad burocrática sea válida y conforme a Derecho, la Administración también tiene que indemnizar a título de responsabilidad patrimonial si el resultado es antijurídico. Lo relevante es determinar si el lesionado está jurídicamente obligado a resignarse y soportar el resultado. Por ejemplo, en relación al funcionamiento de los hospitales y la Administración sanitaria, la ley impone la obligación de soportar los daños cuando *"no se hubiesen podido prever o evitar según el estado de los conocimientos de la ciencia o de la técnica existentes en el momento de producción de aquéllos"* (artículo 34.1 de la LRJSP 40/2015).

Aunque esa expresión (antijuridicidad del resultado) es tradicional en nuestro Derecho positivo, lo cierto es que ha desaparecido del lenguaje expresamente utilizado en la normativa vigente. Pese a que esa expresión ya no se utilice en la redacción literal del precepto, la idea se infiere con razonable claridad de lo establecido en el artículo 34.1 de la LRJSP 40/2015. Para realizar el juicio

---

[80] Sentencia del Tribunal Supremo de 27 de diciembre de 2011 (*Tol 2451020*).
[81] Sentencia del Tribunal Supremo de 3 de abril de 2012 (recurso de casación 1464/2011; (*Tol 2521484*)).
[82] Sentencia del Tribunal Supremo de 22 de octubre de 2009 (*Tol 1747334*).

de antijuridicidad, lo único relevante es determinar si el parlamento obliga al lesionado a soportar con su propio patrimonio el resultado negativo de la actividad administrativa. Conforme a lo establecido en el artículo 34.1 de la LRJSP 40/2015: *"Sólo serán indemnizables las lesiones producidas al particular provenientes de daños que éste no tenga el deber jurídico de soportar de acuerdo con la Ley"*.

De la estricta literalidad de lo establecido en ese precepto legal, resulta de manera clara y evidente una reserva de ley en materia de antijuridicidad del resultado lesivo. Conforme a nuestro Derecho positivo, la obligación de soportar el resultado lesivo es una carga económica que únicamente puede ser impuesta al perjudicado por el parlamento mediante una ley. Dicho en otros términos, el resultado lesivo es antijurídico cuando por los representantes parlamentarios de los ciudadanos se considera que sería contrario a los valores de justicia material propios de un Estado de Derecho, que quien ha sufrido un daño tuviera que soportar con su propio patrimonio las consecuencias desfavorables derivadas de la actividad administrativa.

En la LRJSP 40/2015 no hay una regla material o sustantiva de alcance general (que imponga soportar esos resultados lesivos), sino tan sólo una regla formal como es la reserva a la ley de la competencia para decidir qué resultados lesivos tienen que ser soportados estoicamente por no ser antijurídicos. Las reglas sustantivas sobre la antijuridicidad del resultado se contienen en la legislación especial aprobada para cada materia o sector. En nuestro Derecho positivo hay algunos ejemplos que permiten comprobar fehacientemente, que en determinadas circunstancias expresamente tipificadas en una ley, las Cortes Generales imponen al lesionado la obligación jurídica de soportar el resultado lesivo[83].

---

[83] También es oportuno recordar aquí el artículo 295 de la LOPJ 6/1985: *"En ningún caso habrá lugar a la indemnización cuando el error judicial o el anormal funcionamiento de los servicios tuviera por causa la conducta dolosa o culposa del perjudicado"*.
Lo mismo sucede también respecto al estándar de funcionamiento de los registros administrativos que gestiona la Comisión Nacional del Mercado

Para ilustrarlo baste con poner un ejemplo concreto; conforme a lo establecido en el artículo 48.d) Texto Refundido de la Ley del suelo y rehabilitación urbana (aprobado por Real Decreto Legislativo 7/2015, de 30 de octubre):

> *"Dan lugar en todo caso a derecho de indemnización las lesiones en los bienes y derechos que resulten de los siguientes supuestos: (...) d) La anulación de los títulos administrativos habilitantes de obras y actividades, así como la demora injustificada en su otorgamiento y su denegación improcedente. En ningún caso habrá lugar a indemnización si existe dolo, culpa o negligencia graves imputables al perjudicado".*

Por tanto, no es a los tribunales sino al parlamento, a quien se atribuye la competencia para distinguir los daños que por ser antijurídicos son indemnizables, y los otros que deben ser estoica y resignadamente soportados por el lesionado (a quien no le queda más remedio que aguantar el daño sin percibir ninguna compensación de la hacienda pública). No hay «reserva de jurisdicción», sino «reserva de ley». Efectivamente, nuestro Derecho positivo ha optado libre y expresamente por atribuir al parlamento la legítima competencia para establecer qué resultados lesivos deben ser soportados por los interesados con su propio patrimonio, al no

---

de Valores (CNMV), según resulta de lo expresamente establecido en el artículo 238 *"in fine"* del Texto refundido de la Ley del mercado de valores (aprobado por Real Decreto Legislativo 4/2015, de 23 de octubre). Así le sucede al inversor que haya sufrido una pérdida económica como consecuencia de la falta de «veracidad» de las informaciones que figuren en los registros administrativos de la CNMV. Efectivamente, en ese caso específico, el inversor está jurídicamente obligado por la ley a soportar el resultado lesivo, pues la inscripción en esos registros administrativos no garantiza la «veracidad» de la información; así resulta con diáfana claridad de lo expresamente establecido en el penúltimo párrafo del artículo 238 *"in fine"* del Texto refundido de la Ley del mercado de valores (aprobado por Real Decreto Legislativo 4/2015, de 23 de octubre): *"La incorporación a los Registros de la Comisión Nacional del Mercado de Valores de la información periódica y de los folletos informativos sólo implicará el reconocimiento de que aquellos contienen toda la información requerida por las normas que fijen su contenido y en ningún caso determinará responsabilidad de la Comisión Nacional del Mercado de Valores por la falta de veracidad de la información en ellos contenida".*

ser valorados como antijurídicos por los representantes parlamentarios de los ciudadanos (artículo 34.1 de la LRJSP 40/2015).

Como consecuencia de esa reserva a la ley, está fuera de las competencias de la Administración o del arbitrio judicial, decidir si un determinado resultado lesivo es o no antijurídico, si es o no una carga general que debe ser soportada sin derecho a compensación[84]. Parece evidente que las cargas «generales» que debemos soportar los ciudadanos (o las empresas y demás personas interesadas)[85], no se pueden identificar de manera «individualizada» y en función de las «particulares» circunstancias concurrentes en «cada caso concreto». Pero bueno, es sólo una opinión, pues como dijo el torero: «hay gente pa tó»; baste pensar que algunos tienen un pulpo como animal de compañía.

Los ciudadanos somos los dueños del poder (artículo 1.2 de la Constitución), y en un sistema parlamentario lo ejercemos a través de nuestros representantes en las Cortes Generales (artículo 1.3 CE). A mi entender, en una democracia parlamentaria

---

[84] David BLANQUER CRIADO, *El inicio del procedimiento administrativo*, Editorial Tirant lo Blanch, Valencia 2020, página 1416 y siguientes. David BLANQUER CRIADO, *La CNMV. Su transparencia y responsabilidad*, Editorial Tirant lo Blanch, Valencia 2014, página 781 y siguientes.

[85] Memoria del Consejo de Estado del año 1998 (página 80 del texto impreso en papel; conviene advertir al lector internauta, que la paginación de ese texto cambia en el formato electrónico que está colgado de la web de esa institución): *"La igualdad de los ciudadanos ante las cargas públicas sería, para algunos, el fundamento último de la responsabilidad de la Administración. Desde luego, históricamente ha sido esa igualdad una de las razones que han llevado a aceptar esa responsabilidad patrimonial de la Administración, partiendo de la idea de compensar un "daño especial" causado a determinados individuos y no sufrido por los demás, en una actuación administrativa legítima en razones de interés general. Esta idea de que el daño causado por el funcionamiento de un servicio público debe correr a cargo de la colectividad en interés de la cual el servicio se ha establecido, aunque no sea el fundamento único, firme y seguro de la responsabilidad administrativa, explica que para no alterar la igualdad de sacrificios entre todos la colectividad asuma la indemnización del perjuicio si un servicio público en beneficio del conjunto de los ciudadanos causa un daño singular a uno de ellos, y en este sentido cabe hablar de que la responsabilidad administrativa opera como mecanismo de solidaridad".*

el resultado lesivo es antijurídico cuando por el legislador se considera que sería contrario a los valores de justicia material que defiende una determinada sociedad (y en un momento histórico concreto), que el lesionado tuviera que soportar con su propio patrimonio las consecuencias dañosas de la actividad administrativa. Adviértase que no se trata de un juicio de equidad (o justicia del caso concreto), pues tiene que existir en la ley un criterio general y abstracto sobre la mayor o menor justicia de las cargas y los riesgos burocráticos que los ciudadanos deben aguantar con su propio patrimonio, y los otros que la Administración debe soportar con cargo a la hacienda pública. Pues bien, como debe tratarse de criterios generales y abstractos sobre la justicia, tienen que ser establecidos por normas que contienen disposiciones de ese mismo carácter; no cabe que los criterios de antijuridicidad sean descubiertos por los tribunales en cada caso concreto sometido a su arbitrio.

Para que el resultado lesivo sufrido por el interesado no fuera antijurídico, sería necesario que una ley impusiera de forma clara y expresa al interesado, la carga económica de soportar estoicamente y sin compensación las consecuencias desfavorables derivadas de la actuación material o la actividad formal de la Administración. El legislador puede imponer a los ciudadanos algunas cargas públicas, pero debe hacerlo de forma expresa, en normas generales suficientemente claras y nítidas en su significado y alcance. Los representantes parlamentarios de los ciudadanos también pueden indultar a la Administración y exonerarla de sus responsabilidades patrimoniales, pero deben hacerlo de forma expresa, y con diáfana claridad y transparencia.

E) La antijuridicidad del resultado y el estado de los conocimientos de la ciencia médica frente a la enfermedad COVID-19

A pesar de que por inercia histórica y pereza intelectual se sigue afirmando que la responsabilidad patrimonial de la Administración siempre es objetiva, en nuestro ordenamiento jurídico sólo son indemnizables los resultados lesivos causados por el mal funcionamiento de la Administración sanitaria[86]; si el funcionamiento del servicio hospitalario ha sido correcto y adecuado, no procede declarar la responsabilidad aunque haya resultado lesivo.

En ese sector no hay una obligación de lograr siempre un resultado favorable para la salud del paciente; a la Administración sólo se le impone una obligación de actividad y de medios, no de resultados positivos[87]. A pesar de haberse producido un resultado lesivo, se considera que no es antijurídico si hay buen funcionamiento de un servicio médico que se ajusta a la *"lex artis"* y al grado de avance de los conocimientos de la ciencia en el momento de realizarse la actuación sanitaria.

Como ya se ha anticipado, no hay ninguna dificultad técnica que impida al legislador identificar supuestos fácticos o escenarios de la realidad práctica, en los que los representantes parlamentarios de los ciudadanos consideran que el lesionado debe soportar las consecuencias dañosas con su propio patrimonio, al no ser un resultado lesivo de carácter antijurídico. En materia de daños causados por la Administración sanitaria, hay una previsión legal expresa que delimita los márgenes de la antijuridicidad del resultado lesivo (artículo 34.1 de la LRJSP 40/2015):

> *"Sólo serán indemnizables las lesiones producidas al particular provenientes de daños que éste no tenga el deber jurídico de soportar de acuerdo con la Ley. No serán indemnizables los daños que se deriven de hechos o circunstancias que no se hubiesen podido prever o evitar según el estado de los conocimientos de la ciencia o de la técnica existentes en el momento de producción de aquéllos, todo ello sin perjuicio de las prestaciones asistenciales o económicas que las leyes puedan establecer para estos casos".*

En ese sentido, el hecho de que una persona fallezca en un hospital público después de una operación quirúrgica, no equi-

---

[86] Dictamen del Consejo de Estado de 7 de octubre de 1993 (expediente 1005/1993).

[87] Dictamen del Consejo de Estado de 26 de febrero de 2009 (expediente número 62/2009).

vale necesariamente a la existencia de una responsabilidad administrativa. Si el fallecimiento se produce «con ocasión» de la prestación del servicio sanitario, pero «como consecuencia» de un aneurisma gigante en ambas carótidas (patología frente a la que la medicina todavía no tiene soluciones a fecha de hoy), entonces la responsabilidad no es objetivamente imputable a la Administración, sino que es fruto de las actuales limitaciones de la ciencia médica, que fuerzan a los lesionados a soportar estoicamente ese resultado que no se reputa antijurídico. *"Nemo dat quod non habet"*, y la medicina no puede dar una garantía total de éxito, pues no hay plena certidumbre sobre los conocimientos de los que actualmente dispone la comunidad científica.

Tampoco procede indemnizar a la paciente que se queda embarazada después de habérsele practicado una laparoscopia y esterilización tubárica[88], o cuando una mujer se queda embarazada pese a que su marido fue objeto de una operación de vasectomía[89]. En efecto, del actual estado de los conocimientos médicos no resulta una garantía plena de que esas intervenciones quirúrgicas impidan total y absolutamente la posibilidad de la procreación; en esos escenarios el suministro por la sanidad pública de información cuantitativa y cualitativamente suficiente, traslada al paciente la asunción del riesgo de embarazo, pues hay un consentimiento informado de ese tipo de intervenciones (dejo ahora al margen los casos en los que la información no se ha suministrado correctamente, o no se han cumplido las exigencias impuestas por la Ley 41/2012, de 14 de noviembre, reguladora de la autonomía del paciente y derechos y obligaciones en materia de información y documentación clínica, en los que se puede generar un daño

---

[88]   Dictamen del Consejo de Estado de 14 de julio de 1994 (expediente número 1135/94).

[89]   Dictamen del Consejo de Estado de 14 de julio de 1994 (expediente número 1134/94, del que resulta que en la Universidad de Santiago de Compostela se realizó una prueba de paternidad, que arrojó un resultado de un 99,98% de probabilidad de que el paciente intervenido de vasectomía fuera el padre).

moral resarcible a título de responsabilidad patrimonial)[90]. La situación cambia cuando el embarazo no deseado tiene su origen causal en el mal funcionamiento de la Administración sanitaria al implantar un anticonceptivo, como puede suceder cuando se vulneran las exigencias de la *"lex artis"* de la medicina y el dispositivo intrauterino (DIU) se coloca mal o de manera defectuosa[91].

En los tratamientos y operaciones quirúrgicas hay una «obligación de actividad» y también una «obligación de medios», pero no existe una «obligación de resultado». La actividad debe realizarse correctamente y ajustándose a la *"lex artis"* de la medicina, pero el estándar de calidad exigible al funcionamiento del servicio sanitario no comporta la obligación de obtener siempre los resultados esperados por la medicina o deseados por el paciente[92]. En materia sanitaria, se produce una inversión de la carga de la prueba de los hechos controvertidos (artículo 77 de la LPAC 39/2015), ya que es la Administración quien debe probar que ha actuado con arreglo a la *"lex artis ad hoc"*. En cambio, pesa sobre el reclamante la carga de la prueba de la impericia médica, y, en su caso, la de contrarrestar o desvirtuar la prueba presentada de contrario por la Administración.

En ese peculiar contexto de los servicios públicos de sanidad, el legislador ha optado por modular expresamente el requisito de antijuridicidad; conforme a lo establecido 34.1 de la LRJSP 40/2014: *"No serán indemnizables los daños que se deriven de hechos o circunstancias que no se hubiesen podido prever o evitar según el estado de los conocimientos de la ciencia o la técnica existentes en el momento de producción de aquéllos (…)"*. Por ilustrarlo con otro ejemplo concreto que se aproxima más al escenario de la pandemia por la COVID-19, cabe recordar lo que en su día ocurrió en relación al SIDA.

---

90 Sentencia del Tribunal Supremo 64/2018 de 24 abril (recurso de casación 33/2016; (*Tol 6592188*)).
91 Sentencia del Tribunal Supremo de 19 mayo 2015 (recurso de casación 4397/2010; (*Tol 5173539*)).
92 Sentencia del Tribunal Supremo 418/2018 de 15 marzo (recurso de casación 1016/2016; (*Tol 6556359*)).

Bastantes personas se contagiaron de «virus de inmunodeficiencia humana» (VIH) como consecuencia de una transfusión sanguínea realizada antes de que la ciencia conociese las vías de propagación y los riesgos de esa enfermedad, y antes de que se realizasen análisis a los donantes de sangre para detectar si eran portadores de ese virus (obligación que se reguló mediante el Real Decreto 1854/1993 y la Orden del Ministerio de Sanidad y Consumo de 2 de julio de 1999). Como ha declarado la jurisprudencia, lo importante para determinar la antijuridicidad del resultado lesivo es el estado de los conocimientos de la ciencia, y no el de las normas del ordenamiento jurídico que detallen las precauciones sanitarias a tomar. En ocasiones, la cuestión clave de la sentencia es fundamentalmente técnica o científica (como a partir de qué fecha la ciencia descubrió el riesgo de que el virus del donante, no se detectara durante un «período ventana»), por lo que resulta indispensable la aportación de pruebas periciales de expertos en medicina[93].

Como conclusión de lo expuesto, nos encontramos ante un factor jurídico que será de máxima importancia en las reclamaciones de indemnización a título de responsabilidad patrimonial presentadas con motivo de la pandemia por la COVID-19. Es una enfermedad nueva y ni la medicina ni la farmacología han conseguido de momento un tratamiento suficientemente efectivo y fiable; tampoco se ha descubierto una vacuna. Por tanto, con frecuencia estamos ante daños que, en el momento de consumarse, no se podían prever o evitar con el actual estado de conocimientos de la ciencia. A ello se añaden los problemas de relación de causalidad, cuando se trata de una persona que ya arrastraba una previa enfermedad base (una diabetes o una insuficiencia cardiovascular), que después se complica al resultar infectada por el coronavirus de manera sobrevenida.

---

[93] Sentencia del Tribunal Supremo de 31 de marzo de 2010 (recurso de casación 2828/2008; (*Tol 1840293*)).

Ahora bien, ese criterio abstracto sobre la ausencia de antijuridicidad del resultado en contagios por el coronavirus (resultado que en la actualidad la medicina todavía no puede evitar por el estado de los conocimientos científicos y la ausencia de vacuna), no es mecánicamente trasladable a todos los casos; baste pensar en los contagios del personal sanitario motivados por la ausencia de equipamiento de protección individual (EPI), o por el suministro de equipos defectuosos. En esos escenarios no estamos ante las limitaciones de la ciencia médica o farmacéutica, sino ante una falta de previsión de la Administración sanitaria. Ahí cobra importancia la objetivación del estándar o patrón general de cautela y previsión que es exigible en materia de salud pública. Conforme a lo dispuesto en el artículo 3.d) de la Ley 33/2011, de 4 de octubre (general de salud pública), ese principio de precaución debe aplicarse ante: *"La existencia de indicios fundados de una posible afectación grave de la salud de la población, aun cuando hubiera incertidumbre científica sobre el carácter del riesgo, determinará la cesación, prohibición o limitación de la actividad sobre la que concurran".*

En cualquier caso, y como el lector sagaz ya lo estará pensando en su fuero interno, no es necesario volver a recordar aquí la conveniencia y utilidad de contar con otro «Hércules» del Derecho, a la hora de examinar y valorar la antijuridicidad del resultado lesivo.

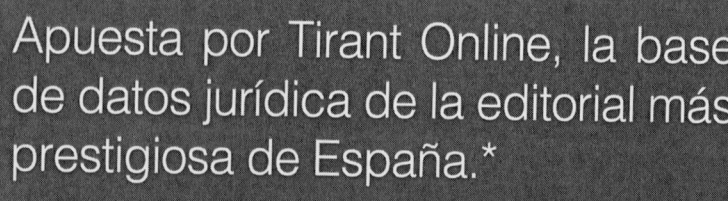